Geestverschijning

Ruth Rendell

Geestverschijning

A.W. Bruna Uitgevers B.V., Utrecht

Oorspronkelijke titel
Adam and Eve and Pinch Me
© 2001 by Kingsmarkham Enterprises
Vertaling
Hugo en Nienke Kuipers
Omslagontwerp
Myosotis Reclame Studio
Eerder verschenen onder de titel *Adam en Eva*
© 2003 A.W. Bruna Uitgevers B.V., Utrecht

ISBN 90 229 8757 4
NUR 332

1

Minty wist dat het een geest was die in die stoel zat, want ze was bang. Als ze het zich had verbeeld, zou ze niet bang zijn geweest. Je kon niet bang zijn voor iets dat uit je eigen geest kwam.

Het was vroeg in de avond, maar al donker, want het was winter. Ze was net thuisgekomen van haar werk, was door de voordeur naar binnen gegaan en had het licht in de hal aangelaten. De deur van de huiskamer stond open en de geest zat met zijn rug naar haar toe op een rechte stoel in het midden van de kamer. Ze had die stoel daar 's morgens neergezet om erop te staan en een gloeilampje te vervangen, en was vergeten hem terug te zetten. Met haar hand stijf tegen haar mond om niet te gillen kwam ze dichterbij. Ze dacht: wat doe ik als hij zich omdraait? Geesten in verhalen zijn grijs als mensen op zwart-wittelevisie, of je kunt door ze heen kijken. Maar deze had kort donkerbruin haar en een bruine hals en een zwartleren jasje. Minty hoefde zijn gezicht niet te zien om te weten dat het haar overleden verloofde Jock was.

Als hij daar nu eens bleef, zodat ze de kamer niet kon gebruiken? Hij zat niet helemaal stil. Zijn hoofd bewoog een beetje, en toen ook zijn rechterbeen. Beide voeten schoven terug, alsof hij wilde opstaan. Minty kneep haar ogen stijf dicht. Alles was stil. Een gil op straat van een van de kinderen die aan de overkant woonden, maakte haar aan het schrikken, en ze deed haar ogen open. De geest was weg. Ze deed het licht aan en legde haar hand op de zitting van de stoel. Die was warm, en dat verbaasde haar. Je ging ervan uit dat geesten koud waren. Ze schoof de stoel naar zijn plaats onder de tafel terug. Als die stoel niet midden in de kamer stond, kwam de geest misschien niet terug.

Ze ging naar boven en verwachtte half dat ze hem daar zou zien. Hij kon langs haar zijn gegaan, en naar boven, terwijl ze haar ogen dicht had. Omdat geesten niet van licht hielden, deed ze alle lampen aan, maar hij was nergens te bekennen. Ze had van hem gehouden, beschouwde zichzelf als met hem getrouwd, maar zijn geest wilde ze niet in huis hebben. Het was verontrustend.

Aan de andere kant was hij nu weg en werd het tijd dat ze zich eens goed waste. Een van de dingen die Jock zo prettig aan haar had gevonden – dat wist Minty zeker – was dat ze altijd smetteloos schoon was. Natuurlijk had ze die ochtend een bad genomen voordat ze naar Immacue ging, en ze had ook haar haar gewassen. Ze zou nooit haar huis uit gaan voordat ze dat had gedaan, maar dat was acht uur geleden, en ze had allerlei vuil opgepikt in Harrow Road, en van de mensen die in de winkels kwamen, om nog maar te zwijgen van de kleren die ze naar de stomerij brachten.

Het was mooi om een badkamer voor zich alleen te hebben. Telkens wanneer ze naar binnen ging, zei ze een dankgebedje voor Tante, alsof die een heilige was (wat Minty maar zelden had gedacht toen ze nog leefde), omdat Tante het mogelijk had gemaakt. *Lieve tante, ik dank je omdat je doodging en mij een badkamer naliet. Ik ben zo vreselijk dankbaar, het is een wereld van verschil. Voor altijd en altijd je liefhebbende nichtje, Araminta.* Ze trok haar kleren uit en liet ze in de wasmand vallen. Het was duur om meer dan één bad per dag te nemen. Ze zou een douche laten installeren zodra ze daar geld voor had. Dat zou niet zo gauw zijn als ze had gehoopt. Intussen gebruikte ze, staande op de mat in het bad, de grote, natuurspons die Sonovia, de buurvrouw, haar met Kerstmis had gegeven.

Zoals al het andere in de badkamer was het nagelborsteltje van Tante geweest. Hij was turquoiseblauw met een handvat, zodat je er goed vat op kon krijgen. Minty boende haar nagels. Ze had die hygiënische handeling tot een hogere kunst verheven. Het was niet voldoende om de borstel alleen over je vingertoppen te halen, je moest de haren aan de buitenrand van de borstel onder je nagels steken en dan snel heen en weer bewegen. Ze waste haar voeten het laatst, lette er daarbij goed op dat ze veel zeep tussen haar tenen kreeg, en gebruikte toen de nagelborstel voor haar teennagels. Tante had gezegd dat zeep uit de winkels aan het verdwijnen was. Let op mijn woorden, had ze gezegd, er komt een tijd dat je geen fatsoenlijk stuk zeep meer kunt krijgen. Dat kwam door al die gel en essences in flesjes die je tegenwoordig had, en poederspul en reinigingsstaven, om nog maar te zwijgen van de zeep die geen zeep was maar een soort koek vol rozenknopjes en zaadjes en stukjes gras. Minty zou het niet op prijs stellen als je haar zoiets gaf. Ze gebruikte Wrights Coal Tar, zoals ze altijd had gedaan.

In de badkamer voelde ze zich veilig. Op de een of andere manier kon je je in een badkamer geen geest voorstellen. Dat zou verkeerd zijn. En haar haar? Zou ze dat opnieuw moeten wassen? Het leek schoon genoeg. Het mooie losse blonde haar zwierde luchtig in het rond. Voor alle zekerheid zou ze het maar even onder de kraan houden. Ze ging later nog uit met Sonovia en Laf en ze wilde geen aanstoot geven; er was niets zo onaangenaam als iemand met vettig haar naast je. Uiteindelijk waste ze het toch maar, het kon geen kwaad.

Minty droogde zich af en liet de handdoek in de wasmand vallen. Ze gebruikte een handdoek nooit meer dan één keer en ze gebruikte nooit lotion of parfum. Deodorant wel, niet alleen onder haar armen maar ook op de zolen van haar voeten en de palmen van haar handen. Lotion maakte schone huid alleen maar vuil, en dat gold ook voor make-up. Trouwens, ze kon zich die rommel niet veroorloven. Ze was erg trots op het feit dat haar mond nog nooit bevuild was door lipstick en dat ze nog nooit mascara op haar lichte ooghaartjes had gehad. Sinds Tante was overleden, liep Minty altijd naakt door het smalle gangetje naar haar slaapkamer, zoals ze misschien ook zou hebben gedaan als de levende Jock nog in huis was geweest. Maar het was iets anders als je een geest in huis had. Die was dood en kon maar beter niet van voorbij het graf naar een naakte vrouw kijken. Ze pakte een schone handdoek uit de kast, sloeg hem om zich heen en maakte voorzichtig de deur open. Er was daar niets en niemand. Geesten konden niet tegen dat felle licht.

Minty trok schoon ondergoed aan, een schone katoenen broek en een schoon truitje. Geen accessoires, geen sieraden. Je wist nooit wat voor bacillen zich in dat soort dingen nestelden. Ze zou om halfacht bij haar buren aankloppen. De bioscoop waar ze heen gingen, was de Odeon op Marble Arch, en de film begon om kwart over acht. Eerst iets eten, en misschien een kopje thee.

Waarom was hij op die manier teruggekomen? Ze zeiden dat geesten terugkwamen als ze iets af te maken hadden. Nou, dat had hij. Een verloving is niet af als het niet tot een huwelijk komt. Ze had niet eens zijn lichaam gezien, en ze was niet op de begrafenis uitgenodigd, en ze had geen pot as van hem, zoals ze haar gaven toen Tante gecremeerd was. Ze had alleen die brief gekregen, waarin stond dat hij in die verongelukte trein had gezeten en tot as verbrand was. Ze begon daar net een beetje overheen te komen, ze huilde minder en ging verder met haar leven, zoals ze zeiden dat je moest doen, en nu verscheen zijn geest en kwam het allemaal weer terug. Misschien was hij alleen maar gekomen om definitief afscheid te nemen. Dat hoopte ze maar.

De keuken was smetteloos. Het rook er sterk naar bleekmiddel, een geur waarvan Minty hield. Als ze ooit parfum zou gebruiken, zou dat naar bleekmiddel ruiken. Hoewel ze zich net helemaal had gewassen, waste ze haar handen opnieuw. Ze was erg precies in wat ze at. Voedsel kon verontreinigd zijn en je vuil maken. Soep bijvoorbeeld, of macaroni, of iets waar jus in zat. Ze at veel koude kip en ham en salade en brood, wit brood, geen bruin, want daar zat misschien een smerige substantie in om het die kleur te geven, en eieren en verse ongezouten boter. Haar wekelijkse uitgaven aan papieren zakdoekjes, servetten en keukenrollen waren gigantisch hoog, maar daar was niets aan te doen. Ze had toch al iedere dag een volle wasmachine, zonder dat er nog een stapel linnen servetten bij kwam. Toen ze had gegeten, waste ze alles meteen af en zette ze het weg. Daarna waste ze haar handen onder de stromende kraan.

Zou ze al die lichten laten branden als ze uitging? Tante zou dat vreselijk zonde hebben gevonden. Die op de bovenverdieping moesten aan blijven. Ze was niet van plan de trap op te gaan, de lampen uit te doen en dan de trap af te gaan met al die duisternis achter zich. In de hal pakte ze haar jas van het haakje en trok hem aan. Jassen vormden altijd een probleem, want je kon ze niet goed schoonhouden. Minty had gedaan wat ze kon door een paar katoenen voeringen op de Immacue-machine te naaien. Die kon ze wassen, en iedere keer dat ze haar jas aantrok, deed ze er een schone voering in. Voor haar gemoedsrust was het maar beter dat ze niet aan het vuil op de buitenkant van de jas dacht. Dat kostte haar veel moeite en ze slaagde er niet altijd in. In de huiskamer brandde de lamp. Minty ging een paar stappen naar binnen, trok zich terug en stak toen ze in de hal was haar hand om het deurkozijn heen en deed het licht uit. Haar ogen waren daarbij vanzelf dichtgegaan. Nu durfde ze ze bijna niet meer open te doen, want het was altijd mogelijk dat Jocks geest haar tijdelijke blindheid had gebruikt om weer in de stoel te gaan zitten. Misschien kon hij dat niet, nu de stoel weer tegen de tafel stond. Ze deed haar ogen open. Geen geest. Moest ze Sonovia erover vertellen? Minty kon daar geen beslissing over nemen.

De buitendeuren aan Syringa Road kwamen uit op rechthoekige voortuintjes. Minty's tuin was helemaal bestraat, daar had Tante voor gezorgd, maar die van de buren had aarde, en daar groeiden bloemen in, 's zomers zelfs een heleboel. Sonovia zag Minty aankomen en zwaaide vanachter het raam. Ze droeg haar nieuwe rode broekpak en een lang sjaalachtig pastelblauw ding dat ze een *pashmina* noemde. Haar lipstick had dezelfde kleur als haar pak en haar haar, net geknipt, leek op de glanzende hoed van de beker in de vorm van een man die Tante van een reisje naar Southend had meegebracht.

'Het leek ons beter om met de bus te gaan,' zei Sonovia. 'Laf zegt dat hij de auto daar nergens kan parkeren, en misschien krijgt hij nog een wielklem ook. Hij moet voorzichtig zijn met dat soort dingen, omdat hij in het korps zit.'

Sonovia zei altijd 'in het korps zitten' en nooit 'politieman zijn'. Minty was teleurgesteld dat ze niet met de auto gingen, maar ze zei er niets over. Ze miste het om rondgereden te worden in Jocks auto, al was dat een oud ding geweest, een 'rammelkast', zoals hij het zelf noemde. Laf kwam de huiskamer uit en gaf haar een kus. Hij heette Lafcadio, maar dat was een beetje te veel naam om mee naar bed te gaan, zoals Sonovia het stelde, en iedereen noemde hem Laf. Hij en Sonovia waren achter in de veertig. Ze waren getrouwd toen ze achttien waren en hadden vier volwassen kinderen, die nu allemaal het huis uit waren en hun eigen huis hadden of nog aan de universiteit studeerden. Tante zei altijd dat je, als je Sonovia daarover hoorde doorzagen, zou denken dat niemand anders ooit een zoon had gehad die dokter was, en een dochter die advocaat was, en nog een dochter op de universiteit en de jongste op de Guildhall School. Minty vond het wel iets om trots op te zijn, maar tegelijk kon ze het niet helemaal bevatten. Ze kon zich geen voorstelling maken van al de moeite en studie en tijd die nodig waren om zover te komen.

'Ik heb een geest gezien,' zei ze. 'Toen ik thuiskwam van mijn werk. In de huiskamer. Hij zat in een stoel. Het was Jock.'

Ze hadden Jock nooit ontmoet, maar ze wisten wie hij was. 'Doe niet zo mal, Minty,' zei Laf.

'Geesten bestaan niet, mijn beste.' Sonovia zei altijd 'mijn beste' als ze wilde laten blijken dat ze ouder en wijzer was dan jij. 'Absoluut niet.'

Minty kende Laf en Sonovia al sinds ze naast haar waren komen wonen toen ze tien was. Toen ze ouder was, had ze weleens op hun kinderen gepast. 'Het was Jocks geest,' zei ze. 'En toen hij weg was, voelde ik aan de zitting van de stoel, en die was warm. Hij was het echt.'

'Ik hoor dit niet,' zei Sonovia.

Laf klopte haar op de schouder. 'Je had een hallucinatie. Dat komt doordat je de laatste tijd niet zo fit bent.'

'Luister naar de wijze woorden van brigadier Lafcadio Wilson, mijn beste.' Sonovia keek in de spiegel, werkte haar kapsel nog een beetje bij en zei: 'Laten we gaan. Ik wil het begin van de film niet missen.'

Ze liepen naar de bushalte tegenover de hoge muur van de begraafplaats. Als ze zich ergens zorgen over maakte, stapte Minty nooit op de voegen tussen de tegels. 'Net een klein kind,' zei Sonovia. 'Mijn Corinne deed dat ook altijd.'

Minty zei daar niets op. Ze bleef over de voegen heen stappen. Niets had haar ertoe kunnen brengen haar voet erop te zetten. Aan de andere kant van de muur waren graven en grafstenen, grote donkere bomen, de gashouder, het kanaal. Ze had gewild dat Tante daar begraven werd, maar dat mocht niet, er was geen ruimte, zeiden ze, en daarom was Tante gecremeerd. De uitvaartmaatschappij had haar geschreven dat ze de as kon komen halen. Niemand vroeg wat ze ermee ging doen. Ze had het potje as naar de begraafplaats meegenomen en het graf uitgezocht dat ze het mooiste vond, een graf met een engel die een gebroken vioolachtig ding vasthield en met haar andere hand haar ogen afschermde. Met een oude lepel had ze een gat in de aarde gegraven en daarin de as gedaan. Na afloop had ze wat Tante betrof een beter gevoel, maar ze had niet hetzelfde voor Jock kunnen doen. Zijn ex-vrouw of zijn oude moeder zou Jocks as hebben gekregen.

Sonovia praatte over Corinne, de dochter die advocate was, over iets wat iemand die de deken werd genoemd tegen haar had gezegd. Niets dan complimenten en lofprijzingen, natuurlijk. Niemand zei ooit onprettige dingen tegen Sonovia's kinderen, zoals hun ook nooit onprettige dingen overkwamen. Minty dacht aan Jock, die in die trein om het leven was gekomen, in het vuur, een onnatuurlijke dood, reden genoeg om uit het graf terug te keren.

'Wat ben je stil,' zei Laf.

'Ik denk aan Jocks geest.'

Bus 18 kwam.

'Dat was een minder gelukkige filmkeuze,' zei Sonovia. 'Gezien de omstandigheden.'

Minty vond dat ook. De film heette *The Sixth Sense* en ging over een arme kleine krankzinnige jongen die de geesten van vermoorde mensen zag voordat ze vermoord werden. Sonovia zei dat het misschien wel een goede film was, maar dat ze zich zorgen maakte over het effect dat zo'n film had op de jongen die de hoofdrol speelde. Het kon niet goed voor een kind zijn om dat alles te zien, al was het niet echt. Ze gingen naar een café in Harrow Road en Laf trakteerde Minty op een glas witte wijn. Als ze naar het café waren gegaan waar ze Jock voor het eerst had ontmoet, was ze weggegaan; dat zou te veel voor haar zijn geweest. Hier kende ze niemand.

'Red je het wel, als je in je eentje naar huis gaat?'

'Ga even met haar mee, Sonny. Doe alle lichten aan.'

Minty was dankbaar. Ze had ertegen opgezien om in haar eentje naar binnen te gaan. Natuurlijk zou ze dat de volgende dag wel moeten doen, en de dag daarna, en de dag daarna. Ze woonde daar nu eenmaal. Zodra het huis weer in licht baadde, gaf Sonovia haar een kus, wat ze niet vaak deed, en liet haar toen in de felverlichte leegte alleen. Nu zat Minty met het probleem dat ze de lichten áchter zich zou moeten uitdoen voordat ze naar bed ging. Ze ging naar de keuken, waste haar handen en boende Sonovia's lipstick van haar gezicht. Toen ze het keukenlicht achter zich had uitgedaan, liep ze door de gang. Ieder moment verwachtte ze Jocks hand op haar hals te voelen. Hij had de gewoonte gehad om zijn hand op haar hals te leggen en haar hoofd naar zich toe te buigen voordat hij haar een van zijn innige kussen gaf. Ze huiverde, maar er was niets. Moedig deed ze het licht in de huiskamer uit, draaide zich om en liep naar de trap, met de diepe duisternis achter zich. Ze rende de trap op en ging naar de badkamer. Ze deed de deur niet dicht, want ze wist dat ze hem dan niet meer open zou durven te doen.

Ze poetste haar tanden, waste haar gezicht, hals en handen, en haar onderarmen, voeten en het gedeelte tussen haar benen dat voor Jock heilig was geweest. Geen enkele andere man zou het ooit aanraken of binnengaan; dat had ze zich voorgenomen. Voordat ze de badkamer verliet, raakte ze alle houten oppervlakken aan, drie oppervlakken van een verschillende kleur: de witte panelen rond het bad, de roze schilderijenrail, de lichtgele handgreep van de rugborstel. Ze wist niet of iets draagbaars ook goed genoeg was, misschien moest het aan het huis vastzitten. Het moesten drie oppervlakken zijn, of beter nog zeven, maar er waren geen zeven verschillende kleuren in de badkamer. Er was niemand in de gang, ook geen geest. Ze was haar glas water vergeten, maar daar was niets meer aan te doen. Dan maar zonder. Ze dronk er toch nooit veel van.

Ze ging op het bed zitten en zei een gebed voor de Heilige Tante. *Lieve tante, alsjeblieft, hou Jocks geest hier weg. Laat hem niet 's nachts terugkomen. Ik heb niets gedaan waardoor hij me zou moeten achtervolgen. Voor altijd en altijd, amen.* Ze deed het licht uit en gauw weer aan. In het donker zag ze Jocks gezicht voor zich, en hoewel ze wist dat het niet zijn geest was maar een soort droom of visioen, schrok ze er behoorlijk van. Ze kon met het licht aan niet goed slapen, maar met het licht uit deed ze helemaal geen oog dicht. Ze begroef haar gezicht in het dekbed, zodat het niet veel verschil maakte of het donker of licht was in de kamer. Tante hoorde altijd stemmen; ze noemde die 'mijn stemmen', en soms zag ze dingen. Vooral wanneer ze met een van die mediums in contact was geweest. Minty kon niet begrijpen – en niemand had het haar ooit uitgelegd – waarom een medium iets genoemd werd dat 'halverwege tussen' betekende, en niet 'beste' of 'slechtste'. Edna, Tantes zuster, was er een geweest, verreweg het slechtste, vond Minty, en als Edna in huis was of zij in haar huis waren, was ze altijd bang.

Het was een zware slag geweest om Jock te verliezen, vooral omdat ze nog geen jaar daarvoor Tante had verloren. Ze was daarna niet meer dezelfde geweest, al zou ze niet precies kunnen zeggen in welk opzicht ze anders was. Iets in haar hoofd leek uit balans te zijn geraakt. Hij zou hebben gezegd, maar wel op een aardige manier: 'Jij was toch al nooit helemaal in balans, Polo.' En misschien had hij gelijk.

Ze zou nu nooit trouwen. Aan de andere kant had ze haar huis en haar werk en leuke buren. Misschien zou ze zijn dood op een dag verwerkt hebben, zoals ze die van Tante al bijna had verwerkt. Ze had goed geslapen, de diepe droomloze slaap van iemand die al haar dromen krijgt als ze wakker is. Het water in het bad was zo heet als ze kon verdragen. Nooit een bad laten vollopen zonder erbij te blijven, was Tantes advies. Haar zuster Edna, die van de geesten, had dat wel gedaan. Ze ging naar beneden om de deur open te doen, en toen ze een pakje en de post had aangenomen, draaide ze zich om en zag het water door het plafond druipen. Tante had altijd veel verhalen over haar zuster Edna en haar zuster Kathleen, vooral over wat ze uitspookten toen ze jong waren. Soms waren haar stemmen hun stemmen en soms waren ze God en de hertog van Windsor.

Het water was warm en helder, niet vervuild door badolie. Minty ging achteroverliggen en liet haar hoofd onder het oppervlak zakken. Eerst waste ze haar haar met shampoo, en daarna zeepte ze krachtdadig haar lichaam in. Jock zei dat ze te mager was, dat ze wat vlees op haar botten moest krijgen, maar dit lichaam paste bij haar. Het deed er nu ook niet meer toe. Ze spoelde haar haar uit door op haar knieën te gaan zitten en haar hoofd onder de stromende kraan te houden. Het zou vanzelf wel drogen. Ze hield niet van haardrogers, die stoffige lucht over je hoofd bliezen, zelfs niet van de haardroger die ze van hem had gekregen en die al blazend de lucht zou zuiveren. Nadat ze haar tanden goed had geboend, spoelde ze mondwater over haar gehemelte, onder haar tong, om de achterste kiezen heen. Deodorant, schoon slipje, schone katoenen broek en T-shirt met lange mouwen. In de Asda noemden ze de shirts die ze verkochten anti-transpiranten, een naam die Minty helemaal niet aanstond, want ze moest al huiveren als ze aan transpiratie dacht.

Het ontbijt bestond uit toast en Marmite, schoon en droog. Een kop thee met veel melk en suiker. Minty stopte twee badhanddoeken, twee handdoeken, twee slipjes, twee broeken en twee T-shirts en een jasvoering in de wasmachine, stelde hem in en zette hem aan. Ze zou in de lunchpauze terugkomen en de was in de droger doen en misschien ook nog even naar Tantes graf gaan. Het was een grauwe, mistige, windstille ochtend. Omdat er veel mensen op bus 18 stonden te wachten, liep ze door Fifth en Sixth Avenue naar de stomerij, waarbij ze erop lette niet op de voegen tussen de tegels te stappen. Minty was met zulke straatnamen opgegroeid en kon er niets grappigs in zien, maar Jock had erom gelachen. Hij was maar een paar maanden in deze buurt geweest, en iedere keer dat hij de naam zag, had hij zijn blik ten hemel geheven en die geluidloze lach van hem gelachen, en gezegd: 'Fifth Avenue! Dat is toch niet te geloven?'

Het was niet het mooiste deel van de stad, maar het was overdreven om te zeggen dat het 'vervallen' of 'een achterbuurt' was, zoals Jock het noemde. Voor Minty was de buurt grauw en saai, maar ook vertrouwd. Deze straten vormden al bijna achtendertig jaar de achtergrond van haar leven, want ze was nog een baby geweest toen Agnes haar 'voor hooguit een uur' bij Tante achterliet en nooit meer terugkwam. In Harrow Road waren de winkels, een rij van Second Avenue naar First Avenue. Twee van die winkels waren gesloten en dichtgespijkerd, anders zouden ze worden vernield. Het Balti-afhaalrestaurant was er nog, en een badkamerwinkel, een ijzerzaak, een dames- en herenkapper, en op de hoek Immacue. Het was maar goed dat Minty haar sleutel bij zich had, want Josephine was er nog niet.

Ze ging naar binnen, trok de zonwering van de deur omhoog en schoof de staven over het raam terug. Er liepen 's avonds vreemde mensen door Harrow Road. Niets was meer veilig. Minty bleef een ogenblik staan om de geur van Immacue in te ademen: een mengeling van zeep, wasmiddel, schoon linnengoed, stomerijvloeistoffen en vlekkenverwijderaar. Ze zou willen dat het aan Syringa Road 29 ook zo rook. Het was een geur die zich had ontwikkeld doordat in een relatief kleine ruimte steeds weer textiel werd gereinigd. Die geur was het omgekeerde van wat Minty soms onderging als ze de stapel binnengebrachte kleren moest sorteren. Als ze met die kleren in de weer was, steeg er een onaangename geur van muf zweet en voedselvlekken uit op.

Precies halftien. Ze draaide het bordje aan de binnenkant van de deur naar OPEN en ging naar de achterkamer, waar het strijkgoed op haar lag te wachten. Immacue had een overhemdenservice en op doordeweekse dagen en ook op zaterdag was het haar taak om 's morgens vijftig overhemden te strijken. Het waren vooral vrouwen die ze brachten en haalden, en Minty vroeg zich soms af wie ze droegen. De meeste mensen hier in de buurt waren arm, alleenstaande moeders, bejaarden en werkloze tieners die rottigheid uithaalden. Maar veel yuppies die in de stad woonden, hadden hier in de buurt huizen gekocht, want die waren relatief goedkoop en dicht bij West End, al waren het wel huizen waarvoor hun ouders hun neus zouden hebben opgetrokken. Dat moesten de mannen zijn die deze sneeuwwitte en roze en blauw gestreepte overhemden droegen als ze naar hun werk in kantoren en banken gingen, deze tweehonderd smetteloze overhemden die nu in cellofaan verpakt waren, met een keurig kartonnen boordje en een kartonnen vlinderdasje op ieder overhemd.

Toen Josephine kwam, had Minty er vijf gestreken. Bij binnenkomst ging ze altijd naar Minty toe om haar een kus te geven. Minty onderging die begroeting lijdzaam, stak haar zelfs haar wang toe, maar vond het niet prettig om door Josephine gekust te worden, want die gebruikte dikke, vettige, donkerrode lipstick, en er kwam altijd wel iets op Minty's schone lichte huid terecht. Als Josephine haar jas ophing, ging Minty naar de wasbak en waste haar wang en haar handen. Gelukkig waren er bij Immacue altijd veel schoonmaakmiddelen, doeken, sponzen en borstels.

Er druppelden klanten binnen, maar dat was Josephines afdeling. Minty ging niet naar voren, tenzij een klant naar haar vroeg of Josephine haar riep. Er waren mensen die niet wisten wat er met Jock was gebeurd en die vroegen hoe het met haar verloofde ging of wanneer ze ging trouwen, en dan moest Minty zeggen: 'Hij is omgekomen bij het treinongeluk op Paddington Station.' Ze vond het niet prettig dat mensen medeleven toonden; daar wist ze zich niet goed raad mee, zeker niet nu ze de vorige avond zijn geest had gezien. Als ze zei dat hij dood was en de vriendelijke dingen aanhoorde die de klanten dan tegen haar zeiden, had ze het gevoel dat ze verraad pleegde.

Om elf uur dronken ze koffie. Minty dronk haar kopje leeg en waste haar handen. Josephine zei: 'Hoe voel je je, Minty? Denk je dat je eroverheen begint te komen?'

Minty vroeg zich af of ze over de geest moest vertellen, maar besloot dat niet te doen. Een klant had eens gezegd dat ze haar moeder in een droom had gezien en de volgende morgen had ze een telefoontje gekregen dat haar moeder dood was. Die was exact op het tijdstip van de droom gestorven. Josephine had nogal grof gezegd: 'Dat lijkt me sterk,' en had smalend gelachen. Dus kon ze beter niets over de geest zeggen.

'Het leven gaat door, hè?' zei ze.

Josephine was het daarmee eens. 'Je hebt gelijk; het heeft geen zin om te blijven treuren.' Ze was een grote vrouw met ronde borsten en lange benen, en ze had lichtblond haar dat zo lang was als dat van een meisje van achttien. En ze had ook een goed hart. Tenminste, dat zei iedereen. Minty was altijd bang dat er een schilfertje van haar donkerrode nagellak zou afbrokkelen en in de koffie zou vallen. Josephine had een Chinese vriend die geen woord Engels sprak en die kok was in een restaurant in Harlesden, de Lotus Dragon. Ze hadden Jock een keer gezien, toen hij haar na werktijd kwam ophalen.

'Hij was zo'n leuke man,' zei Josephine. 'Het leven is niet eerlijk, als je erover nadenkt.'

Minty wilde er liever niet over praten, zeker niet nu. Om tien voor een was ze klaar met het vijftigste overhemd en ging ze een uurtje naar huis. De lunch bestond uit toast met roerei van scharreleieren. Ze waste haar handen voordat ze ging eten en na afloop opnieuw, en haar gezicht ook, en deed de was in de droger. De bloemenman had zijn kraam bij het hek van het kerkhof neergezet. Het was pas februari, nog geen voorjaar, maar naast de chrysanten en anjers die er de hele winter waren geweest, had hij ook narcissen en tulpen. Minty had een bleekwaterfles met water gevuld en meegebracht. Ze kocht zes roze tulpen en zes witte narcissen met oranje harten.

'Ter nagedachtenis van je tante?'

Minty knikte en zei dat het mooi was om de lentebloemen te zien.

'Daar heb je gelijk in,' zei de bloemenman, 'en ik zeg altijd maar: het doet je goed om een jonge meid als jij te zien die om

de oude mensen denkt. Er is tegenwoordig te veel onverschilligheid in de wereld.'

Met zevenendertig ben je geen 'jonge meid', maar de mensen
schatten Minty vaak veel jonger dan ze was. Ze keken niet goed
genoeg om de lijnen bij haar ooghoeken te zien, en de kleine
rimpels bij haar mond. De barkeeper in de Queen's Head wilde
niet geloven dat ze boven de zeventien was. Dat kwam door haar
witte huid, glanzend bij de neus, en haar losse blonde haar, en
ook doordat ze zo slank was als een fotomodel. Minty betaalde
de man en glimlachte naar hem omdat hij haar een jonge meid
had genoemd. Toen ging ze met haar bloemen de begraafplaats
op.

Als de graven er niet waren, zou het hier net natuur zijn geweest,
met al die bomen, struiken en gras. Maar zo was het niet, zei
Jock, want de graven waren de reden voor de bomen. Er lagen
hier veel beroemde mensen, maar ze kende hun namen niet en
was ook niet geïnteresseerd. Verderop lag het kanaal en daarachter stond de gashouder. De gashouder doemde als een kolossale
oude tempel ter ere van de doden boven de begraafplaats op. De
plant die hier het weligst tierde, was klimop. De klimop kroop
over de stenen en grafplaten, langs de zuilen omhoog, rondom
de standbeelden, en stak zijn ranken door de spleten en barsten
in zerken. Sommige bomen hadden glanzende zwarte bladeren
met spitse punten, als afgeknipte stukjes leer, maar de meeste
waren in de winter bladerloos. Hun kale takken zuchtten en
huiverden als het waaide, maar hingen slap als het windstil was.
Het was hier altijd stil, alsof een onzichtbare barrière boven de
muur het geluid buiten hield, zelfs het verkeerslawaai.

Tantes graf bevond zich aan het eind van het volgende pad, op
de hoek waar het een van de hoofdpaden kruiste. Natuurlijk was
het niet echt haar graf, het was de plaats waar Minty haar as had
begraven. Het graf was van Maisie Julia Chepstow, geliefde
echtgenote van John Chepstow, die op 15 december 1897 op
drieënvijftigjarige leeftijd was heengegaan, ontslapen in de armen van Jezus. Toen ze met Jock hierheen was gekomen, had ze
hem verteld dat het Tantes grootmoeder was. Hij was onder de

indruk geweest. Het zou trouwens nog waar kunnen zijn ook. Tante moest twee grootmoeders hebben gehad, net als ieder ander, net als zijzelf. Ze zou Tantes naam op de steen laten zetten, had ze gezegd. Jock zei dat het graf mooi en ontroerend was en dat die stenen engel een fortuin moest hebben gekost, zelfs in die tijd.

Minty haalde de dode stengels uit de aardewerken pot en verpakte ze in het papier dat om de tulpen en narcissen had gezeten. Ze goot het water uit de bleekwaterfles in de vaas. Toen ze zich omdraaide om de bloemen te pakken, zag ze Jocks geest over het hoofdpad naar zich toe komen. Hij droeg een spijkerbroek en een donkerblauwe trui en zijn leren jasje, maar hij had niet de dichtheid van de vorige avond. Ze kon door hem heen kijken.

Hoewel ze nauwelijks een woord kon uitbrengen, zei ze moedig: 'Wat wil je, Jock? Waarvoor ben je teruggekomen?'

Hij antwoordde niet. Toen hij zo'n twee meter van haar vandaan was, loste hij gewoon in de lucht op. Hij verdween zoals een schaduw verdwijnt wanneer het zonlicht erop valt. Minty zou graag wat hout hebben gehad om aan te raken, of misschien had ze een kruis willen slaan, maar ze wist niet aan welke kant ze moest beginnen. Ze beefde over haar hele lichaam. Ze knielde op Tantes graf neer en bad. *Lieve tante, hou hem bij me weg. Als je hem ziet, daar waar je bent, zeg dan tegen hem dat ik hem hier niet wil hebben. Altijd en voor altijd je liefhebbende nichtje Araminta.*

Er kwamen twee mensen over het pad, een man en een vrouw, die een bosje anjers droeg. Ze zeiden 'Goedemiddag', zoals mensen nooit zouden doen als je ze op straat tegenkwam. Minty stond op en beantwoordde de groet. Ze nam haar pakje met stelen en haar lege bleekwaterfles en gooide die in een afvalbak. Het begon te regenen. Jock zei altijd: maak je niet druk, het is maar water. Maar was dat wel zo? Je wist nooit wat voor vuil het oppikte als het uit de hemel naar beneden viel.

2

Tantes echte naam was Winifred Knox. Ze had twee zusters en een broer en ze woonden allemaal bij hun ouders op Syringa Road 29. Arthur was de eerste die wegging. Hij ging trouwen en toen waren alleen de zusters nog thuis. Ze waren veel ouder dan Tante, die een nakomeling was, de benjamin van het gezin. Kathleen trouwde en daarna Edna, en hun vader stierf. Tante bleef alleen bij haar moeder achter en werkte als schoonmaakster in kantoren. Haar verloving met Bert duurde jaren, maar ze kon niet met hem trouwen zolang haar moeder van haar afhankelijk was. Moeder zat in een rolstoel en had hulp nodig bij alles wat ze deed. Moeder stierf de dag voor Tantes veertigste verjaardag. Zij en Bert namen een fatsoenlijke rouwperiode in acht en trouwden toen. Maar dat werd een nachtmerrie.

'Ik wist niet wat me te wachten stond,' zei Tante. 'Ik had een beschermd leven geleid, ik wist niets van mannen. Het was een nachtmerrie.'

'Wat deed hij dan?' vroeg Minty.

'Dat wil je niet weten, zo'n onschuldig meisje als jij. Ik maakte er na veertien dagen een eind aan. Het was maar goed dat ik dit huis had aangehouden. Als ik ergens spijt van had, dan was het dat ik geen kinderen had, maar toen kwam jij als een bliksemschicht uit een blauwe hemel.'

Minty was de bliksemschicht en haar moeder was de blauwe hemel. Ze heette Agnes en ze was Tantes beste vriendin op school geweest, al hadden ze elkaar daarna niet veel meer gezien. Niemand was verrast toen Agnes met een baby kwam aanzetten; ze had erom gevraagd, want ze ging met Jan en alleman naar bed. Er werd nooit over de vader van de baby gepraat; wat dat betrof kon het een onbevlekte ontvangenis zijn geweest. Het was het begin van de jaren zestig en de mensen waren niet meer zo streng als toen Tante nog jong was, maar ze trokken toch hun neus voor Agnes op en zeiden dat de baby een blok aan haar been was. Agnes bracht haar soms mee naar Syringa Road en dan liepen ze samen met de kinderwagen door Queen's Park.

Op die middag in mei, toen Minty zes maanden oud was, waren ze niet van plan om naar het park te gaan. Agnes vroeg of ze Minty een uurtje bij Tante kon achterlaten, dan ging ze haar moeder in het ziekenhuis opzoeken. Ze had een voorraad luiers en een fles melk en een blikje gepureerde pruimen meegebracht. Het was gek: als ze Minty dit verhaal vertelde, liet Tante de gepureerde pruimen nooit weg.

Agnes kwam kort na twee uur, en toen het vier uur werd, begon Tante zich af te vragen wat er met haar gebeurd was. Natuurlijk wist ze heel goed dat als mensen zeggen dat ze over een uurtje terug zijn ze meestal pas na twee of drie uur terugkomen. Ze zeggen dat om je gerust te stellen, en dus maakte ze zich geen zorgen. Maar dat deed ze wel toen het zes en zeven uur werd. Gelukkig bleven de winkels de hele avond open, en dus vroeg ze de buurvrouw – dat was voordat Laf en Sonovia kwamen – of ze naar Agnes wilde uitkijken. Ze nam Minty in de kinderwagen mee en kocht babypap en melk en een tros bananen. Tante had zelf nooit kinderen gehad, maar ze geloofde heilig in bananen. Er waren geen vruchten die je zo gemakkelijk kon eten en iedereen lustte ze.

'Ik voor mij,' had ze gezegd, 'zou argwaan koesteren tegen eenieder die zijn neus optrekt voor bananen.'

Agnes kwam die dag niet terug, en de volgende dag ook niet. Ze kwam nooit meer terug. Tante deed wel enige moeite om haar te vinden. Ze ging naar Agnes' ouders en hoorde dat haar moeder nooit in het ziekenhuis had gelegen en zo gezond als een vis was. Ze wilden de baby niet, nee dank je, ze hadden dat allemaal al gehad toen die van hen nog klein waren. Agnes' vader zei dat ze waarschijnlijk iemand had ontmoet die haar wél, maar het kind niet wilde hebben, en dat ze dat probleem op deze manier had opgelost.

'Waarom hou jij haar niet, Winnie? Jij hebt zelf geen kinderen. Ze zou gezelschap voor je zijn.'

En dat had Tante gedaan. Ze gaven haar het geboortebewijs van de baby en Agnes' vader deed twee briefjes van tien pond in de envelop. Toen Tante van Minty was gaan houden en haar als haar eigen kind was gaan beschouwen, was ze soms bang dat Agnes haar terug zou komen halen. Maar Agnes kwam niet, en toen Minty twaalf was, kwam de moeder die niet in het ziekenhuis had gelegen op een dag naar hen toe en vertelde dat Agnes getrouwd en gescheiden en weer getrouwd was en met haar tweede man en haar drie en zijn vier kinderen naar Australië was geëmigreerd. Dat was een hele opluchting.

Tante had Minty nooit geadopteerd of als pleegkind aangenomen. 'Ik heb officieel geen recht op je,' zei ze vaak. 'Het is moeilijk te zeggen bij wie je hoort. Aan de andere kant is er ook niemand die aanstalten maakt om je weg te halen, hè? Jij bent een arm klein niemandskind.'

Minty ging van school toen ze zestien was en nam een baan in de textielfabriek in Craven Park. Tante had haar erg proper opgevoed en hoewel ze tot machinenaaister was gepromoveerd, hield ze niet van de pluisjes en draadjes die overal in gingen zitten. In die tijd rookte iedereen en Minty hield ook niet van de stank en de as. Tante kende de mensen van de stomerij. Die heette toen niet Immacue maar Harrow Road Dry Cleaning en de eigenaar was een oude man, meneer Levy. Minty bleef daar achttien jaar. De oude meneer Levy deed de zaak aan zijn zoon over, en later veranderde de naam in Quicksilver Cleaners. Ten slotte ging ze voor Josephine O'Sullivan werken. Ze leidde een eenvoudig, ongecompliceerd leven. Ze ging 's morgens lopend naar haar werk, werkte acht uur, meestal achter de strijkplank, en liep dan naar huis of nam bus 18. De avonden bracht ze met Tante door. Ze aten en keken televisie. Eens per week gingen ze naar de bioscoop.

Tante was al tamelijk oud toen ze stemmen begon te horen. Haar beide zusters waren inmiddels overleden, maar ze hoorde hun stemmen. Kathleen zei tegen haar dat ze na de bioscoop met Minty naar het café moest gaan. Het werd tijd dat Minty iets meemaakte, en dan moest ze naar de Queen's Head gaan, want dat was het enige café in de buurt dat goed schoon was. Ze was daar altijd met haar man naartoe gegaan in de tijd dat ze nog verkering hadden. Tante twijfelde, maar haar zuster stond erop en nadat ze naar *Heavenly Creatures* waren geweest, gingen Tante en Minty schuchter naar de Queen's Head, een café aan College Park. Het was er inderdaad schoon, tenminste, zo schoon als redelijkerwijs mogelijk was. De barkeeper was de hele tijd bezig de oppervlakken met een schone doek, niet met een oud vod, af te vegen.

Edna praatte niet over cafés of plezier maken. Ze zei steeds tegen Tante dat ze zich moest concentreren, want dan zou ze haar overleden man Wilfred zien. Hij hunkerde ernaar om 'door te komen', wat dat ook mocht betekenen. Waarom Tante dat zou willen mocht joost weten, want ze had Wilfred Cutts nooit kunnen uitstaan. Toen begon God tegen Tante te praten en raakten de zusters op de achtergrond. De jonge meneer Levy zei: 'Als je tegen God praat, is het bidden, maar als God tegen jou praat, is het schizofrenie.'

Minty lachte niet. Ze vond het angstaanjagend om God in huis te hebben. Hij zei altijd tegen Tante dat Hij haar opleidde tot Engel des Heren en dat ze geen rood vlees moest eten. Tante was altijd een fan van de koninklijke familie geweest en ze wist nog goed dat Edward de Achtste uit liefde voor een vrouw de troon had opgegeven. Het was dan ook niet verrassend toen zijn stem naast die van God te horen was. Hij vertelde haar dat hij in Parijs in het geheim een zoon had gekregen, en die had ook een zoon gekregen, en ze moest de koningin vertellen dat zij geen enkel recht had op de troon en dat die koning Edward de Tiende de kroon zou moeten dragen. Tante werd gearresteerd toen ze Buckingham Palace probeerde binnen te dringen. Ze wilden haar in een inrichting opnemen, maar dat wilde Minty niet hebben. Zolang ze nog gezond en sterk was, bleef Tante thuis.

'Ze is als een moeder voor me geweest,' zei ze tegen de jonge meneer Levy, die zei dat ze een goed meisje was en dat het jammer was dat er niet meer zoals zij waren.

Uiteindelijk moest Tante het huis uit, maar op de geriatrische afdeling leefde ze niet lang meer. Ze had lang geleden haar testament opgemaakt en liet Minty het huis in Syringa Road na, al het meubilair en haar spaargeld, dat in totaal 1650 pond bedroeg. Minty vertelde niemand hoeveel het was, maar zei wel dat Tante geld aan haar had nagelaten. Dat bewees dat Tante van haar had gehouden. Toen ze haar eigen spaargeld eraan toevoegde, had ze in totaal 2500 pond. Ieder bedrag boven de duizend pond was veel geld, dacht Minty, die trots was op wat ze bij elkaar had gekregen. Daarna haalde ze Tantes as bij de uitvaartonderneming op en begroef die in het graf van Maisie Chepstow.

Het duurde een hele tijd voor ze weer naar het café ging. De week daarop hadden Laf en Sonovia de film niet willen zien. Ze was alleen gegaan. Dat vond ze niet erg, ze wilde in de bioscoop toch niet praten. Ze was zo verstandig om naar de voorstelling van tien over zes te gaan, als bijna niemand ging. Er zaten maar acht andere mensen in de zaal. Ze vond het prettig om alleen te zijn, zonder iemand die tegen haar fluisterde of haar chocolaatjes gaf. Op de terugweg ging ze naar de Queen's Head en nam een glas sinaasappelsap. Het café was halfleeg, het leek minder rokerig dan anders en ze had een tafel in de hoek gevonden.

Haar hele leven had Minty nooit met een man gesproken die niet iemands echtgenoot of haar baas of de postbode of de busconducteur was. Ze had nooit serieus gedacht dat ze nog eens een vriendje zou hebben, laat staan dat ze zou trouwen. Toen ze jonger was, plaagde Sonovia haar weleens door te vragen wanneer ze een man zou nemen, en dan had Minty altijd gezegd dat ze niet iemand was om te trouwen. Tantes mysterieuze maar gruwelijke verslag van haar huwelijkservaring had haar afgeschrikt. Trouwens, ze kende geen ongebonden mannen en geen enkele man liet blijken dat hij haar wilde leren kennen.

Tot Jock. Niet de eerste maar de tweede keer dat ze naar het café ging, zag ze hem naar haar kijken. Ze zat in haar eentje aan dezelfde tafel in de hoek, zoals altijd gekleed in een schone katoenen broek en een T-shirt met lange mouwen, haar haar pas gewassen en haar nagels schoongeboend. De man op wie ze heimelijke blikken wierp, was lang en goedgebouwd, met een don-

24

kerblauw gewatteerd jasje en lange benen in een blauwe spijker-broek. Hij had een knap gezicht en was mooi gebruind. Hij zag er schoon uit en zijn bruine haar was kort en goed verzorgd. Minty had haar sinaasappelsap bijna op. Om niet naar de man te kijken keek ze naar de goudgele stukjes vruchtvlees die in het glas waren achtergebleven.

Hij kwam naar haar toe en zei: 'Waarom zo bedroefd?'

Minty durfde hem niet aan te kijken. 'Ik ben niet bedroefd.'

'Nou, het is dat je het zelf zegt.'

Hij ging aan haar tafel zitten en vroeg toen of ze daar bezwaar tegen had. Minty schudde haar hoofd. 'Ik zou je graag iets lek-kers te drinken willen aanbieden.'

Tante nam soms een gin-tonic, dus Minty zei dat ze dat wel wil-de. Terwijl hij haar gin en een halfje lagerbier voor zichzelf haal-de, raakte Minty in paniek. Ze dacht erover om op te staan en weg te rennen, maar om bij de deur te komen, zou ze hem moe-ten passeren. Wat zouden Sonovia en Josephine zeggen? Wat zou Tante hebben gezegd? Laat je niet met hem in. Vertrouw hem niet, al is zijn stem nog zo diep en welluidend. Hij kwam met de drankjes terug, ging zitten en zei dat hij Jock heette, Jock Lewis, en hoe heette zij?

'Minty.'

'Jammie,' zei Jock. 'Dat klinkt als iets dat uit de schouder van een lam komt.' Hij lachte, maar niet onvriendelijk. 'Zo kan ik je niet noemen.'

'Eigenlijk heet ik Araminta.'

Hij trok zijn wenkbrauwen op. 'Minty, Minty, het vliegensvlug-ge Stinty, ronde staart, korte staart, goed zo, Minty.' Hij lachte toen hij haar verbaasd zag kijken. 'Ik noem je Polo.'

Ze dacht erover na en begreep het. Polo was een pepermunt-merk. Hij hoefde het niet uit te leggen. 'Ik ben Jock. Eigenlijk John, maar iedereen noemt me Jock. Ik woon hier in de buurt. Jij ook?'

'Syringa Road.'

Hij schudde zijn hoofd. 'Ik ben hier nog vreemd, maar straks niet meer. Ik woon sinds kort in Queen's Park. Sinds zaterdag.'

Hij keek naar haar handen. 'Jij bent niet getrouwd, hè, Polo? Maar je hebt een vriend, vast wel. Die pech heb ik altijd.'

Ze dacht aan Tante, die dood was, en aan Agnes, die naar Australië was geëmigreerd. 'Ik heb niemand.'

Dat vond hij niet prettig. Ze wist niet waarom, maar hij vond het niet prettig. Ze had het erg serieus gezegd, natuurlijk, het was voor haar een serieuze zaak. Ter compensatie probeerde ze te glimlachen. De gin was haar recht naar het hoofd gestegen, al had ze er maar een paar slokjes van genomen.

'Kom op,' zei hij. 'Ik zal je laten lachen. Adam en Eva en Knijp Mij gingen naar de rivier om te baden. Adam en Eva verdronken. Wie werd gered?'

Dat was makkelijk. 'Knijp Mij.'

Hij deed het. Heel zachtjes in haar bovenarm. 'Je bent erin getrapt, Polo.'

Ze lachte niet. 'Ik moet gaan.'

Ze verwachtte dat hij zou proberen haar tegen te houden, maar dat deed hij niet. 'Hier, neem er een voor onderweg.' Hij bood haar geen drankje maar een Polo-pepermuntje aan. 'Ik loop met je mee naar huis. Ik heb mijn auto niet bij me.'

Ze geloofde niet in die auto. Toen niet. Trouwens, als hij er een had en had aangeboden haar naar huis te brengen, zou ze hebben geweigerd. Ze wist dat ze geen lift van vreemde mannen moest aannemen. Of snoepjes. Het konden drugs zijn. Zou het niet gevaarlijk zijn om hem met haar mee naar huis te laten lopen? Ze kon niet weigeren; ze zou niet weten hoe. Hij hield de deur van het café voor haar open. De straten waren hier 's avonds verlaten, afgezien van groepjes jongemannen die rondslenterden en het trottoir over de volle breedte in beslag namen, zwijgend maar soms een dierlijke kreet uitstotend. Of je kwam er maar één tegen, die over straat liep in het oorverdovend ritme van een gettoblaster. Als ze alleen was geweest, zou ze het niet hebben geriskeerd. Dan zou ze de bus hebben genomen. Hij vroeg haar wat er achter die hoge muur lag.

'Dat is de begraafplaats.' Ze wist niet waarom ze eraan toevoegde: 'Daar ligt de as van mijn tante.'

'O ja?' Hij zei het alsof ze hem iets geweldigs had verteld, bijvoorbeeld dat ze de loterij had gewonnen. Vanaf dat moment
begon ze hem aardig te vinden. 'Je tante was erg belangrijk voor
je, hè?'
'Ja. Ze was als een moeder voor me. Ze heeft me haar huis nagelaten.'
'Je verdiende het vast. Je was haar toegewijd en deed allerlei dingen voor haar, nietwaar?' Ze knikte zwijgend. 'Je werd gewoon
beloond voor je goede diensten.'
Syringa Road kwam niet rechtstreeks op Harrow Road uit, maar
op een zijstraat daarvan. Hij las de straatnaam op de toon waarop je 'Buckingham Palace' of 'Millennium Dome' zou zeggen.
Zijn stem was prachtig, diep en donkerbruin en glad, een beetje
als chocolademousse. Maar ze was bang dat hij mee naar binnen
wilde en ze zou niet weten hoe ze hem kon tegenhouden. Als hij
nu eens probeerde haar te kussen? Laf en Sonovia waren niet
thuis. Er brandde daar althans geen licht. Aan de andere kant
woonde de oude meneer Kroot, maar die was vijfentachtig en
aan hem zou ze niet veel hebben.
Jock nam haar angst weg. 'Ik wacht hier tot je binnen bent.'
Ze liep drie stappen het pad op en draaide zich om. Nog twee
stappen en ze zou bij de deur zijn. 'Dank je,' zei ze.
'Waarvoor? Het was me een genoegen. Sta je in het telefoonboek, Polo?'
'Tante wel. Mevrouw W. Knox.'
Als ze niet had gewild dat hij zou bellen, zou ze hebben gezegd
dat ze niet in het telefoonboek stond, wat waar was. Zíj stond er
niet in. Hij liep fluitend weg. Het deuntje was *Loop maar gewoon voorbij*, dat gaat over de vreemden die we zijn als we elkaar
ontmoeten.

Jock verspilde geen tijd. Hij belde haar de volgende dag. Het was
vroeg in de avond, ze was net thuis van haar werk en bezig zich te
wassen. Ze kon moeilijk aan de telefoon komen als ze helemaal
nat was, met druipend haar. Ze liet hem rinkelen. Het zou Sonovia wel zijn, die haar wilde vertellen wat Corinne nu weer had ge-

27

daan, of wat voor prijs Julianna had gewonnen, of welke cijfers Florian op zijn examens had gehaald. De telefoon ging opnieuw toen ze voor haar avondeten koude plakjes ham en koude gekookte aardappelen en blokjes komkommer op een bord legde, met als toetje een chocolademousse die ze zelf had gemaakt. De stem die als mousse was vroeg of ze met hem naar de film wilde. 'Misschien,' zei Minty, en toen zei ze: 'Goed.'

En zo begon het.

Was ze al nagegaan of hij getrouwd was, vroeg Josephine. Sonovia had gezegd dat ze niets van hem wist; moest Laf nakijken of Jock in de politiecomputer voorkwam? Toen ze dat tegen hem zei, zei Laf: kom nou, iemand die John Lewis heette? Daar waren er duizenden van. Minty vond dat alles helemaal niet prettig. Het waren hun zaken niet. Hoe zouden zij het vinden als zij onderzoek naar hun vrienden ging doen? Laf en Sonovia hadden een veel te hoge dunk van zichzelf, alleen omdat hij de eerste zwarte politieman in Groot-Brittannië was die het tot brigadier had gebracht. Door dit alles voelde ze zich nog meer tot Jock aangetrokken.

Zij en Jock ontmoetten elkaar in het café en gingen naar de bioscoop. Daarna kwam hij in wat hij zijn 'rammelkast' noemde naar Syringa Road 29 om haar te halen. De auto was ongeveer twintig jaar oud, maar hij was schoon, want hij was onderweg naar de autowasserij geweest. Sonovia stond achter haar kanten gordijnen op de uitkijk, maar moest twee minuten voor zijn komst haar post verlaten, omdat Julianna haar belde. Op een dag kwam hij Minty van Immacue afhalen. Daarna kon Josephine er maar niet over uit hoe knap hij was, alsof het haar verbaasde dat Minty zo iemand had kunnen vinden. De volgende keer dat Jock binnenkwam, zat Josephine toevallig achter de toonbank, waar ze haar benen in haar Wolford Neon Glanzpanty kon laten zien. Als Jock onder de indruk was, liet hij dat niet blijken. Hij nam Minty mee naar de hondenraces in Walthamstow en hij ging met haar kegelen. Ze was in haar hele leven nog nooit naar zulke dingen geweest.

Pas na een hele tijd had ze genoeg moed verzameld om hem te

vragen of hij getrouwd was. Op dat moment neuriede hij dat lied weer, *Loop maar gewoon voorbij, wacht op de hoek.*

'Gescheiden,' zei hij. 'Dat vind je toch niet erg?'

Ze schudde haar hoofd. 'Waarom zou ik?'

Hij werkte in de bouw. Zijn handen zouden er vreselijk aan toe zijn geweest als hij ruw werk deed. Dat waren ze niet, dus ze nam aan dat hij loodgieter of elektricien was. Hij nam haar nooit mee naar zijn adres in Queen's Park. Ze wist niet of het een huis of een flatje of alleen maar een kamer was; ze wist alleen dat het in Harvist Road was. Het nummer wist ze niet. Hij had geen broers of zusters, alleen zijn oude moeder, die in het westen van het land woonde en die hij elke veertien dagen bezocht. Hij ging daar met de trein naartoe. Na de scheiding had hij zijn ex-vrouw het huis laten houden. Dat was droevig.

Ze gingen zo'n zes weken met elkaar om voor hij haar kuste. Hij legde zijn hand op haar hals en trok haar gezicht naar zich toe. Ze vond het prettig, en dat had ze niet verwacht. Ze begon zich nog meer te wassen. Het was belangrijk dat ze zichzelf schoonhield voor Jock, vooral nu hij was begonnen haar te kussen. Hij was zelf ook schoon, niet zo schoon als zij, maar tegen haar kon niemand op. Ze was daar trots op. Toen ze op een zaterdagavond naar de Queen's Head waren geweest, namen ze een afhaalmaaltijd van Bali mee. Nou ja, Jock deed dat. Zij nam een broodje dat ze zelf had gemaakt, en een banaan. Jock zei dat hij een hekel aan bananen had, of je zoete zeep at, en Minty dacht onwillekeurig aan haar tante, die had gezegd dat ze argwaan koesterde tegen iedereen die niet van bananen hield. Maar wat er toen gebeurde, verdreef dat alles uit haar hoofd. Hij zei dat hij graag wilde blijven slapen. Ze wist wat dat betekende. Hij bedoelde niet dat hij op de bank in de huiskamer wilde slapen. Hij kuste haar en ze kuste hem terug, maar toen ze naar boven gingen, liet ze hem in de slaapkamer achter terwijl ze zelf een bad ging nemen. Het zat haar dwars dat ze haar haar niet kon wassen, maar ze kon moeilijk met nat haar naar bed gaan. En ze wou dat er frisse lakens op het bed lagen. Ze zou ze hebben verschoond als ze had geweten wat er zou gebeuren.

Met Jock was het heel anders dan Tante had laten doorschemeren. Het deed pijn, maar op de een of andere manier wist ze dat het niet altijd pijn zou doen. Het verbaasde Jock dat ze het nooit eerder had gedaan. Hij kon dat bijna niet geloven, zoals hij ook bijna niet kon geloven dat ze zevenendertig was. Hij was jonger, maar hij zei nooit hoeveel.

'Ik ben nu van jou,' zei ze. 'Ik heb dat nooit met iemand anders gedaan.'

'Goed,' zei hij.

Ze stond de volgende morgen vroeg op, want voordat ze in slaap was gevallen, was ze op een goed idee gekomen. Ze zou een kop thee zetten en die naar hem toe brengen. Dat zou haar meteen de kans geven zich te wassen. Toen hij wakker werd, had zij al een bad genomen en haar haar gewassen. Ze droeg een schone broek en T-shirt en stond stilletjes bij het bed, met een kopje thee en het suikerpotje.

'Dat is voor het eerst,' zei hij. 'Geen enkele vrouw heeft dat ooit eerder voor me gedaan.'

Ze was niet zo blij als hij verwachtte. Wie waren die andere vrouwen die geen thee voor hem hadden gezet? Misschien alleen zijn moeder en de vrouw met wie hij getrouwd was geweest. Hij dronk zijn thee, stond op en ging naar zijn werk zonder zich goed te wassen, wat ze nogal schokkend vond. Er ging een week voorbij zonder dat ze iets van hem hoorde. Ze begreep er niets van. Ze ging met de bus naar Harvist Road, liep de straat op en neer en las een paar namen bij de bellen. Die van hem was er niet bij. Ze keek in alle straten daar in de buurt of ze de rammelkast zag staan, maar kon hem niet vinden. De telefoon ging die week twee keer. Ze raakte drie kleuren hout aan voordat ze opnam, en bad: *Lieve tante, laat hij het zijn. Alsjeblieft.* Maar de eerste keer was het Corinne die haar vroeg een boodschap aan Sonovia door te geven omdat de telefoon van haar ouders het niet deed, en de tweede keer was het iemand die haar huis van dubbele beglazing wilde voorzien. Toen hij eindelijk belde, had ze de hoop al opgegeven.

'Ik wist niet waar je was,' zei ze. 'Ik dacht dat je was doodgegaan.' Haar stem klonk vol tranen.

'Ik ben niet dood,' zei hij. 'Ik ben naar het westen geweest om mijn oude moeder op te zoeken.'

Hij zou naar haar toe komen. Hij zou over een halfuur bij haar zijn. Ze nam een bad, waste haar haar en trok schone kleren aan – voor de tweede keer in drie uur. Toen het halfuur was verstreken en hij er niet was, bad ze tot Tante en raakte zeven verschillende kleuren hout aan: de gelakte eikenhouten huiskamerdeur, de roomwitte voordeur, de grenen tafel, de groen geverfde stoel in de keuken, en op de bovenverdieping het witte hout rond het bad, de roze schilderijenrail en de gele handgreep van de rugborstel. Tien minuten daarna was hij er. Ze gingen naar bed, hoewel het midden op de dag was. Ze vond het nog fijner dan de vorige keer en vroeg zich af of er iets met Tante aan de hand was geweest of met haar. Jock ging met haar naar de film *Sliding Doors*, en daarna aten ze iets in Café Uno in Edgware Road. De volgende dag zei ze dat ze hem, omdat het zondag was, iets bijzonders wilde laten zien, en ze gingen naar de begraafplaats. Ze liet hem het graf van Tante zien.

'Wie is die Maisie Chepstow?' zei hij. 'Die is al erg lang dood.'

'Ze was de oma van mijn Tante.' De fantasie kwam vanzelf in haar op. Misschien was het wel waar. Wat wist zij van Tantes voorouders? 'Ik laat een nieuwe grafsteen maken met haar naam erop.'

'Dat kost nogal wat.'

'Ik kan het me veroorloven,' zei Minty luchtig. 'Ze heeft me geld nagelaten. Nogal veel geld, en het huis.'

Jock ging een maand lang niet naar zijn moeder, en toen hij weer ging, waren ze verloofd. Ze zouden pas gaan trouwen als hij een betere baan had en goed verdiende, zei hij. Intussen leende hij tweehonderdvijftig pond van haar om een ring te kopen. Dat was haar idee. Hij zei steeds weer: nee, nee, dat zou ik nooit willen, maar toen ze aandrong, gaf hij toe. Hij mat haar vinger en bracht de ring de volgende dag mee, een gouden ring met drie diamanten.

'Ik zal hem het voordeel van de twijfel geven,' zei Sonovia tegen haar man. 'Maar ze kunnen tegenwoordig diamanten in het laboratorium maken. Dat is niet duurder dan glas. Ik heb daar in de *Mail on Sunday* iets over gelezen.'

Jock bleef de nacht van 30 juni, en de volgende morgen draaide hij zich om in bed, kneep Minty even in haar schouder, gaf een lichte por tegen haar arm en zei: 'Knijp, tik, eerste van de maand. Geen terug.'

Weer een knijpgrapje. Hij zei dat het geluk bracht. Maar je moest wel de eerste zijn die het deed. Daar ging het om bij dat 'geen terug'. Op 1 april, zei hij, zou het alleen 1 april zijn tot twaalf uur 's middags, en daarna was het Staartprikdag. Je moest een staart op iemand prikken zonder dat hij of zij het merkte.

'Wat voor staart?'

'Papier, koord, alles mag.'

'Dus dan lopen ze rond zonder te weten dat ze een staart hebben?'

'Daar gaat het om, Polo. Je hebt ze dan voor gek gezet, hè?'

Hij bleek gewoon bouwvakker te zijn. Hij kon alles. Ze vroeg hem of hij iets aan haar rammelende badkamerraam kon doen en dat beloofde hij, maar hij deed dat net zomin als dat hij de losse poot van de keukentafel repareerde. Als hij een beetje kapitaal had, zei hij, kon hij een eigen bedrijf opzetten en dan zou hij daar vast en zeker een succes van maken. Als hij maar vijfduizend pond had...

'Ik heb tweeënhalfduizend,' zei Minty. 'Geen vijf.'

'Het gaat om ons geluk, Polo. Je zou een hypotheek op het huis kunnen nemen.'

Minty wist niet hoe dat moest. Ze had geen verstand van dat soort zaken. Tante had daar altijd voor gezorgd, en sinds Tante dood was, kostte het haar al moeite genoeg om de gemeentebelastingen en de gasrekening te betalen. Ze had dat nooit hoeven te doen en niemand had het haar ooit geleerd.

'Laat dat maar aan mij over,' zei Jock. 'Je hoeft alleen maar de formulieren te ondertekenen.'

Maar eerst gaf ze hem bijna al het geld dat ze had. Ze had hem een cheque willen geven, net als de cheques die ze naar de gemeente stuurde maar dan met 'J. Lewis' in plaats van 'gemeente

Londen-Brent', maar hij zei dat contant geld gemakkelijker voor hem zou zijn, want hij was net bezig van bankfiliaal te veranderen. Met het geld zou hij een tweedehands busje kopen. Dat zou een verbetering zijn ten opzichte van de rammelkast, en dan hield hij ook nog iets over voor reclame. Ze vertelde het niemand, want ze zouden het toch niet begrijpen. Toen hij weer over de hypotheek begon, zat hij rechtop in haar bed aan Syringa Road 29 en dronk de thee die ze hem had gebracht. Hij wilde dat ze in bed terugkwam voor een knuffel, maar dat wilde ze niet, want ze was net in bad geweest. Haar verlovingsring was goed schoon, want die had de hele nacht in gin liggen weken. Hij dacht dat het huis zo'n tachtigduizend pond waard was. Omdat Laf haar hetzelfde had verteld, geloofde ze hem meteen. Het lag voor de hand dat ze een hypotheek van tienduizend pond zou nemen, een achtste van de waarde.

Minty was niet erg praktisch ingesteld, maar Tante had haar wel iets over spaarzaamheid geleerd en gezegd dat je nooit ván en nooit áán iemand moest lenen. Ze had al geld uitgeleend en zou nu zelf geld lenen – maar zoveel?

'Daar moet ik over nadenken,' zei ze.

Jock bracht inmiddels iedere avond bij haar door, en ook de meeste nachten. Toen hij drie dagen niets van zich had laten horen, belde ze naar het nummer in Harvist Road dat hij haar uiteindelijk had gegeven, maar niemand nam op. Misschien was hij weer bij zijn moeder. Als hij nooit meer terugkwam, bleef hij weg omdat ze over de hypotheek had geaarzeld. Ze begroef zich in rituelen, zei veel gebeden, bracht extra bloemen naar Tantes graf, raakte in huis voortdurend hout aan, liep door de kamer als een oude vrouw die zich aan de tafels en stoelen vast moest houden. Die rituelen brachten hem terug. Ze besloot hem de tienduizend pond te geven.

Hij was niet zo blij als ze had gedacht. Hij was een beetje stil, alsof hij met zijn gedachten heel ergens anders was. Ze zou het niet goed kunnen omschrijven, maar hij was veranderd. Toen hij het uitlegde, begreep ze het. Zijn moeder was ziek, zei hij. Ze stond al maanden op de wachtlijst voor het ziekenhuis. Hij zou

haar graag uit het ziekenfonds halen en voor haar operatie betalen, als hij zich dat kon permitteren. Het was allemaal erg verve-
lend. Misschien moest hij een tijdje bij haar blijven. Intussen
zou hij voor de aanvraagformulieren van de hypotheek zorgen.
Minty zei dat ze nog ongeveer tweehonderdvijftig pond op de
bank had en dat hij dat mocht hebben voor de operatie van zijn
moeder. Omdat zijn bank de overgang naar het andere filiaal
nog niet geregeld had, haalde ze het geld van de bank, het laatste
dat ze nog op haar rekening had. Hij stopte de bankbiljetten in
de zak van zijn zwarte leren jasje en zei dat ze een engel was. Het
jasje zag er nieuw uit, het was stug en glanzend, maar hij zei nee,
hij had het al jaren, maar was er nooit toe gekomen om het te
dragen. De volgende dag belde hij haar met zijn mobiele telefoon – ze wist niet dat hij een mobiele telefoon had – en zei dat
hij in de trein naar het westen zat. Dankzij haar zou zijn moeder
de volgende week aan haar heup worden geopereerd.

Minty vertelde Sonovia over de operatie, maar zweeg over haar
aandeel. Ze zaten in de bioscoop te wachten tot de hoofdfilm
begon. Laf was naar het toilet. Het was de eerste keer dat Minty
met hen uitging sinds Jock op het toneel was verschenen.

'Zijn moeder laat haar heup opereren voor tweehonderdvijftig
pond? Dat meen je niet.'

'Operaties kosten veel geld, als je particulier bent,' zei Minty.

'Ik bedoel niet dat het veel is, mijn beste, ik bedoel dat het niets
is.'

Minty vond het niet prettig om dat te horen. Ze had altijd al gedacht dat Sonovia jaloers was omdat haar Corinne geen vriend
had. De lichten gingen uit en ze nam het pak popcorn aan dat
Laf haar gaf. Anders hield ze wel van popcorn, het was droog en
schoon en niet rommelig om te eten, maar deze avond zat er
niet veel smaak aan. Het zou jammer zijn als Sonovia en Laf zich
tegen Jock keerden, want binnenkort zou hij naast hen komen
wonen.

Net als de rest van het land zag ze de televisiebeelden van het
treinongeluk op Paddington Station. Ze bracht die beelden niet

in verband met Jock. Hij had haar de vorige dag vanuit zijn moeders huis gebeld, zoals hij had beloofd, en had niet gezegd dat hij gauw naar huis zou komen. Toen hij drie dagen niets van zich had laten horen, zag ze zo bleek dat Josephine vroeg wat er met haar aan de hand was.

'Jock is weg,' zei ze. 'Ik weet niet waar hij is.'

Josephine zei niet veel tegen Minty, maar wel tegen Ken. Hij verstond er geen woord van, maar dat maakte haar niet uit. Hij hield van het geluid van haar stem en als hij luisterde, glimlachte hij met de sereniteit van een boeddhist die vrede heeft met zichzelf en met de rest van de wereld.

'Misschien woont Jocks moeder in Gloucester, Ken, of daar in de buurt. Wedden dat hij in die trein zat waar die stoptrein tegenop gebotst is? Ze hebben nog niet alle namen van slachtoffers vrijgegeven, en sommigen zijn vreselijk verminkt. Wat verschrikkelijk voor Minty. Ze zal er kapot van zijn.'

En dat was ze. Ze kreeg de brief nadat ze een week niets van Jock had gehoord.

3

De geest kwam naar Immacue. Minty was in de achterkamer overhemden aan het strijken, maar hield ook een oogje op de winkel, want Josephine was even naar Whiteleys. Ze hoorde de winkelbel en ging naar voren. Jocks geest was er, in spijkerbroek en zwartleren jasje. Hij las het kaartje op de toonbank, het kaartje waarop hun speciale aanbod voor 65-plussers stond vermeld. Drie brengen, twee betalen. Ze verzamelde moed om tegen de geest te spreken.

'Jij bent dood,' zei ze. 'Blijf daar waar je vandaan komt.'

Hij keek naar haar op. Zijn ogen waren van kleur veranderd. Ze waren niet blauw meer, maar vaalgrijs. Ze vond de blik in die ogen wreed en dreigend.

'Ik ben niet bang voor jou.' Dat was ze wel, maar ze wilde het niet laten blijken. 'Als je terugkomt, vind ik manieren om je weg te jagen.'

De winkelbel klonk weer en Josephine kwam binnen. Ze had een zak met boodschappen van Marks and Spencer en ook een zak van een winkel waar ze make-up en parfum met korting verkochten. 'Tegen wie praatte je?'

Ze kon door de geest heen kijken en zag Josephine daarachter. De geest vervaagde, werd wazig aan de randen. 'Niemand,' zei ze.

'Dat is het eerste teken van krankzinnigheid, zeggen ze: tegen jezelf praten.'

Minty zei niets. De geest smolt weg als de geest die in de fles terugkeerde in de pantomime waar Tante met haar heen was geweest toen ze nog klein was.

'Ik zie het zo. Als je gek bent, weet je niet dat je tegen jezelf praat. Je denkt dat je tegen iemand praat, omdat je dingen ziet die normale mensen niet zien.'

Minty hield niet van dat soort redeneringen. Ze ging terug

naar het strijkwerk. Het was vijf maanden geleden dat Jock was omgekomen. Ze was buiten zichzelf geweest van ongerustheid, maar vreemd genoeg had ze nooit gedacht dat hij bij dat treinongeluk betrokken was geweest. Het was niet tot haar doorgedrongen dat die sneltrein uit de West Country kwam, en trouwens, ze had niet geweten waar Gloucester lag of dat Jocks moeder daar woonde. Hij had bovendien door de telefoon gezegd dat hij pas de dag daarna zou terugkomen. In de kranten waren lijsten van slachtoffers verschenen, maar Minty las zelden een krant. Laf bracht haar de *Evening News* als ze hem uit hadden, maar meestal beperkte ze zich tot de televisie. Je kreeg een betere indruk als je beelden zag, zei Tante altijd, en er was altijd nog de presentator om een en ander uit te leggen.

Ze kreeg ook niet veel brieven. Als er iets met de post kwam, was dat een hele gebeurtenis, maar meestal was het een rekening. De brief die kwam toen ze een week niets van Jock had gehoord, had aan de bovenkant met grote schuine letters de naam van de spoorwegmaatschappij, *Great Western*, staan en was met een computer geschreven. Dat zei Laf althans. Ze werd aangesproken als 'Geachte mevrouw' en de afzender deelde haar tot zijn leedwezen mede dat haar verloofde, de heer John Lewis, een van de reizigers in de trein uit Gloucester was geweest die om het leven waren gekomen. Minty las de brief terwijl ze in de hal van Syringa Road 29 stond. Ze ging naar buiten zonder jas, liet de deur achter zich dichtvallen en liep naar de buren. Sonovia's zoon Daniel, de arts, die tot 's avonds laat in de buurt had moeten zijn en bij zijn ouders had overnacht, zat aan de keukentafel te ontbijten.

Minty duwde de brief onder Sonovia's neus en barstte in tranen uit. Normaal gesproken huilde ze niet veel, maar nu was het een waterval van opgekropt verdriet. Ze had niet alleen verdriet om Jock, maar ook om Tante en haar verdwenen moeder en het feit dat ze alleen was en niemand had. Sonovia las de brief en gaf hem aan Daniel. Die stond op en haalde een glas cognac dat hij aan Minty overhandigde.

'Ik heb hier mijn twijfels over,' zei Sonovia. 'Ik ga je vader vragen het te checken.'

'Zorg dat ze niet naar haar werk gaat, mam,' zei Daniel. 'Laat haar wat uitrusten en maak iets warms te drinken voor haar. Ik ga nu, anders kom ik te laat in het ziekenhuis.'

Minty rustte tot de middag, en Sonovia bracht haar warme drankjes, zoete thee en cappuccino van eigen recept. Gelukkig had Sonovia een sleutel van nummer 29, anders had Minty haar huis niet meer in gekund. Minty kreeg nooit te horen of Laf inderdaad navraag naar die brief had gedaan. Misschien had ze gedroomd dat Sonovia dat zei. Jock was echt dood, anders zouden die mensen van de spoorwegmaatschappij die brief niet hebben geschreven. Josephine vond het helemaal niet erg dat ze niet kwam werken. Dat was het minste wat ze kon doen, zei ze, na al die jaren waarin ze altijd stipt op tijd was geweest. Minty kreeg veel blijken van medeleven. Sonovia maakte persoonlijk een afspraak voor haar met een therapeut, en de oude meneer Kroot, die in geen jaren met haar had gesproken, liet zijn thuishulp een kaartje met een zwarte rand door haar brievenbus gooien. Terwijl Josephine bloemen stuurde, bracht Ken een schotel met kip in citroensaus en gebakken rijst en Butterfly's Romance. Hij wist natuurlijk niet dat ze nooit uit restaurantkeukens at.

Ze huilde vijf dagen achtereen. Ook als ze bad of hout aanraakte, bleef ze huilen. Al die tijd ging ze maar één keer per dag in bad, zo zwak voelde ze zich. Pas toen ze aan het geld terugdacht, stopte ze met huilen. Sinds die brief had ze er niet meer aan gedacht, maar nu wel. Ze was niet alleen haar spaargeld kwijt, maar ook en vooral het geld dat Tante haar had nagelaten en dat ze als een grote verantwoordelijkheid had beschouwd, een kostbaarheid waarvoor ze moest zorgen. Ze had het net zo goed in het water kunnen gooien. Zodra ze zich weer in staat voelde om naar buiten te gaan, nam ze een bad en waste haar haar. Ze trok schone kleren aan en ging met haar verlovingsring naar een juwelier in Queensway.

Hij keek naar de ring, bestudeerde hem onder een vergrootglas en haalde zijn schouders op. Hij was misschien vijfentwintig pond waard, maar hij kon haar niet meer dan tien pond geven. Minty zei verontwaardigd dat ze hem in dat geval liever hield. Een paar weken later was haar liefde voor Jock in rancune veranderd.

Laf vertelde Sonovia dat op de lijst van slachtoffers van het treinongeluk geen Jock of John Lewis voorkwam, niemand trouwens met een naam die daar zelfs maar in de verte op leek. Hij nam contact met Great Western op en hoorde dat ze nooit zulke brieven verstuurden en dat de vrouw die de brief had ondertekend niet bestond. Laf wist heel goed dat het nieuws over een sterfgeval onder zulke omstandigheden via de politie zou worden meegedeeld. Er zouden een paar politieagenten naar Minty's huis zijn gegaan. Hoogstwaarschijnlijk zou hij daar zelf een van zijn geweest. Dat wil zeggen, als ze van haar bestaan hadden geweten. Hoe moest iemand van het bestaan van haar hebben geweten? Minty was niet met Jock getrouwd; ze woonde niet eens met hem samen. Ze zouden contact hebben opgenomen met Jocks moeder – als hij een moeder had, als er iets waar was van wat hij Minty had verteld.

'Het heeft haar over de rand geduwd,' zei Sonovia.

'Hoe bedoel je, over de rand?'

'Ze was altijd al wat vreemd, hè? Kom nou, Laf, een normaal mens gaat niet twee keer per dag in bad en wast niet elke tien minuten zijn handen. En dat ze, net als een kind, niet op de voegen tussen de tegels wil stappen? En heb je gezien dat ze hout aanraakt als ze bang is?'

Laf keek zorgelijk. Als hem iets dwarszat, veranderde zijn gezicht, dat dezelfde diepe kastanjebruine kleur en glans had als zijn schoenen, in een massa losse huidplooien en kwam zijn onderlip naar voren. 'Hij heeft haar voor de gek gehouden en toen hij een beter aanbod kreeg, smeerde hij 'm. Of het trouwen schrikte hem af. Eén ding staat vast: hij is niet bij een treinongeluk omgekomen, maar dat gaan we haar niet vertellen. We gaan voortaan wat vaker met haar uit. We moeten haar wat afleiden.'

En Minty, die via Jock de buitenwereld te zien had gekregen en daar erg van had gehouden, die laat in haar leven seks had ontdekt en op het punt had gestaan te trouwen, moest er weer aan wennen dat haar uitgaansleven zich tot één bioscoopbezoek per week, samen met haar buren, beperkte. Ze sprak nooit met hen over Jock, tot ze zijn geest in de huiskamer zag zitten. Toen ze tegen haar zeiden dat ze niet zo belachelijk moest doen en dat ze hallucineerde, besloot ze die twee nooit meer iets over de geest te vertellen. Ze had graag iemand gehad met wie ze kon praten en die haar geloofde, iemand die niet zou zeggen dat geesten niet bestaan. Geen therapeut, dat bedoelde ze niet. Ze ging naar de therapeut die Sonovia voor haar had geregeld, maar die had alleen maar tegen haar gezegd dat ze haar verdriet niet moest opkroppen. Ze moest het naar buiten brengen en met andere mensen praten die ook een dierbare door dat treinongeluk hadden verloren. Maar hoe kon ze dat doen? Ze kende die mensen toch niet? En ze kropte haar verdriet ook niet op, ze had een week lang gehuild. Hoe zou dat eruitzien, opgekropt verdriet? Als een compacte grijze massa, dacht ze, zonder schuim of luchtbellen. Trouwens, het ging niet zoals haar beloofd was dat het zou gaan. Ze had het er nog steeds erg moeilijk mee en wou dat ze Jock nooit had ontmoet; dan had hij haar leven ook niet kunnen verwoesten. Ze wou dat ze iemand kende die wist hoe je je van geesten kon verlossen. Er moesten mensen zijn, dominees of zo, die haar konden vertellen wat ze moest doen, of die het voor haar deden. Jammer genoeg geloofde niemand in het bestaan van de geest. Soms leek het erop dat ze hem in haar eentje moest zien kwijt te raken.

Nadat ze de geest in Immacue had gezien, zag ze hem een week lang niet. Inmiddels was het 's avond niet meer zo donker en kwam ze bij daglicht thuis van haar werk. Ze liet die stoel nooit meer midden in de kamer staan en zei tegen Josephine dat ze liever niet alleen in de winkel was, omdat ze daar nerveus van werd. Sinds ze Jock had verloren, had ze last van zenuwen. Eigenlijk verkeerde ze in een grappige positie: ze haatte iemand en miste hem tegelijk. Ze ging een keer naar Harvist Road om naar het huis te kijken waar hij uiteindelijk had gezegd dat hij woonde. Ze had verwacht dat de vrouw van wie hij de kamer had gehuurd misschien een zwarte krans in een van de ramen had gehangen of op zijn minst de gordijnen dicht zou houden, maar daar was geen sprake van. Wat zou ze doen als de geest door de voordeur naar buiten kwam? Minty werd zo bang dat ze wegrende en bleef rennen tot ze bij de bushalte was.

'Ze kan beter denken dat hij dood is,' zei Sonovia tegen haar dochter Corinne. 'Je vader zegt dat hij hem graag in handen zou krijgen, en dat hij, als hij het waagt om hier zijn gezicht te laten zien na wat hij heeft gedaan, dan niet voor de gevolgen instaat. Wat heb je nou aan dat soort praat? Laat haar maar denken dat hij dood is, dat is het beste. Over een poosje heeft ze het verwerkt en kan ze verdergaan met haar leven.'

'En wat voor leven is dat dan, mam? Ik heb nooit geweten dat ze een leven had. Heeft hij haar geld ingepikt?'

'Daar heeft ze nooit iets over gezegd, maar ik heb zo mijn vermoedens. Winnie heeft haar geld nagelaten, ik weet niet hoeveel en wilde er niet naar vragen. Je vader zegt dat hij het zich allemaal precies kan voorstellen. Die Jock maakt een praatje in het café en iemand – Brenda waarschijnlijk, die kan nooit haar kwek houden – wijst hem Minty aan en vertelt ook dat Winnie Knox haar het huis en wat geld heeft nagelaten, natuurlijk vermenigvuldigd met tien, en Jock ziet het schip met geld al binnenvaren.'

Corinne ging naar het raam en keek de achtertuin in, die alleen door een draadgazen hek van Minty's tuin was afgescheiden. Aan de andere kant van dat hek stond Minty op een plastic vuilniszak die ze over het gras had uitgespreid en hing de was aan de lijn. 'Serieus, mam. Hoe weet je dat hij heeft bestaan? Hebben jullie hem ooit gezien?'

Sonovia staarde haar aan. 'Nee, dat niet. We leven nogal op onszelf, zoals je weet.' Haar dochter keek alsof ze dat niet wist, alsof het een verrassing voor haar was, maar ze zei niets. 'Wacht eens even. We hebben zijn auto wel gezien, een oude roestbak. En je vader heeft zijn stem gehoord door de muur. Hij lachte. Hij had een diepe, warme lach.'

'Goed. Alleen fantaseren mensen ook. En nu heeft ze zijn geest gezien, hè? Weet je of ze onder psychiatrische behandeling heeft gestaan?'

'Wie? Minty?'

'Nee, mam, de kat van meneer Kroot. Wie anders dan Minty?'

'Dat moet je mij niet vragen.'

'Ik vraag het omdat normale mensen zich niet zo gedragen. Dat ze geesten ziet, en dat ze voor Jock geen mannen heeft gekend, en dat ze altijd hetzelfde soort kleren draagt, precies hetzelfde soort. En al die dwangmatige handelingen.'

'Nu je het zegt: dat zei ik ook tegen je vader.'

'Ik heb zo'n cliënte gehad. Ze werd beschuldigd van mishandeling, maar ze mishandelde vooral zichzelf, sneed zichzelf om van haar spanningen af te komen, zei ze. Ze vertoonde zulk dwangmatig gedrag dat ze haar baan kwijtraakte omdat ze te druk bezig was dingen in de juiste volgorde te zetten en dan tien keer terug te lopen om het te controleren. Ze kwam niet meer aan haar werk toe.'

'Je moet wel gek zijn als je zulke dingen doet.'

'Wat je zegt, mam,' zei Corinne.

Tante zei dat Agnes haar Arabella had willen noemen. Toen kreeg haar beste vriendin, afgezien van Tante dan, een baby – die was netjes getrouwd – en noemde die Arabella. Agnes nam genoegen met Araminta, want dat was maar een beetje anders. Ze hadden het een keer over namen gehad, zij en Jock, en hij had gezegd dat hij weliswaar John heette, maar dat zijn moeder hem Jock noemde omdat ze uit Schotland kwam. Dat was eigenlijk het enige wat Minty over mevrouw Lewis wist: dat ze Schots was en ergens in Gloucester woonde.

Omdat Jock geen tijd had gehad om een busje te kopen of een bedrijf op te zetten, moest hij bij zijn dood al haar geld nog hebben gehad. Waar zou het nu zijn? Minty vroeg het aan Josephine, natuurlijk zonder namen te noemen. Ze vroeg wat er met iemands geld gebeurde als hij geen testament had opgemaakt, zoals Tante had gedaan. Ze wist dat Jock geen testament had opgemaakt, want dat had hij gezegd. Hij had ook gezegd dat ze er allebei een moesten opmaken als ze getrouwd waren.

'Dan gaat het naar het naaste familielid, denk ik,' zei Josephine. Dat zou niet zijn ex-vrouw zijn, want die was ex. Het zou de oude mevrouw Lewis zijn. Ze zou Minty haar geld moeten teruggeven. Het kwam haar niet toe; het was een lening aan Jock geweest en geen geschenk. En het was al helemaal geen lening aan mevrouw Lewis geweest. Je zou er niet ver naast zitten als je zei dat ze het had gestolen. Minty dacht er vaak aan dat mevrouw Lewis nu over haar geld beschikte. Ze woonde in haar mooie huis in Gloucester en gebruikte Minty's geld om naar de bingo te gaan en luxe dingen te kopen, zoals Belgische bonbons en kersenlikeur. Ze was van plan geweest om met dat geld een douche te laten installeren. Onder een douche gebruikte je niet zoveel water, maar je werd wel schoner. Ze zou gemakkelijk twee keer per dag kunnen douchen en tegelijk haar haar kunnen wassen. En ze dacht dan niet aan een slang op de kranen, maar aan een douchehokje met een glazen deur en betegelde wanden. Nu zou ze zich dat in geen jaren en jaren kunnen veroorloven.

Toen ze Jock weer zag, dit keer op de keukenstoel, was ze niet zo bang als de eerste keer. Misschien omdat hij vaag en wazig was, bijna doorzichtig. Je kon de groen geverfde stijlen van de rugleuning door zijn borst heen zien. Ze ging tegenover hem staan en vroeg hem waarom hij toestond dat zijn moeder haar geld had. Hij gaf geen antwoord, dat deed hij nooit, en hij ging algauw weer weg, als een geest die in een fles verdween of als smeltende sneeuw.

Maar 's nachts sprak hij tegen haar. Tenminste, hij sprák. Misschien sprak hij niet tegen haar of tegen iemand anders. Zijn stem wekte haar uit een diepe slaap en zei: 'Ze is dood, ze is dood...' Die zachte, diepe, bruine stem. Het klonk nooit bedroefd. Wie bedoelde hij met 'ze'? Niet zijn ex-vrouw, die zou te jong zijn. Minty lag in bed en dacht na. Als de gordijnen dicht waren en de straatlantaarns uit, was de duisternis ondoordringbaar. Ze keek of ze zijn geest zag, tuurde in de blinde lege hoeken.

Het kon niet anders of hij bedoelde zijn moeder. En hij was natuurlijk niet bedroefd, want hij had mevrouw Lewis nu natuurlijk bij zich. Minty deed haar ogen dicht, maar het duurde een hele tijd voordat ze weer in slaap viel.

4

Het was Zillahs ervaring dat mannen niet echt een aanzoek deden, zoals in ouderwetse romans gebeurde. Ze hadden het gewoon over 'een dag' waarop jij en zij zouden trouwen, of zelfs over 'een nestje bouwen'. In nog meer gevallen zagen ze het als een onwelkome plicht omdat je zwanger was. Ze zeiden nooit, zoals Jims zojuist had gezegd: 'Wil je met me trouwen?' Daarom wist ze niet of ze hem serieus moest nemen. Trouwens, er was nóg een reden waarom hij haar niet kon vragen met hem te trouwen.

'Zei je echt wat ik denk dat je zei?' zei Zillah.

'Ja, schat. Laat me het uitleggen. Ik wil met je trouwen, ik wil met je door het leven gaan. Ik mag je graag. Ik denk dat we goed met elkaar overweg kunnen.'

Zillah, die uit geldgebrek een week geleden was gestopt met roken, nam een sigaret uit het pakje dat hij op tafel had gelegd. Jims gaf haar vuur. 'Maar je bent homo,' zei ze.

'Dat is het nou juist. Ik ben ook het conservatieve Lagerhuislid voor South Wessex, en onder ons gezegd denk ik dat in de loop van de komende zes maanden bekend wordt dat ik homo ben tenzij ik iets doe om dat te verhinderen.'

'Ja, goed, maar dat wordt tegenwoordig van iedereen bekend, en anders komen ze er zelf wel mee. Ik weet dat het jou nog niet is overkomen, maar dat is een kwestie van tijd.'

'Hoe kom je daarbij? Ik heb er altijd voor gezorgd dat ik alleen met vrouwen werd gezien. Ik heb wekenlang met dat verschrikkelijke fotomodel Icon rondgesjouwd. Denk nou eens aan mijn kiesdistrict. Je woont erin, je moet weten hoe het is. Ze hebben niet alleen nooit iemand anders dan een Conservatief gekozen, ze hebben ook nooit een ongetrouwde man gekozen, totdat ze mij kozen. Ze zijn de meest rechtse mensen uit heel Groot-Brittannië. Ze walgen van homo's. In zijn toespraak op het jaarlijkse

diner van de Conservatieve kiesvereniging South Wessex verge-
leek de voorzitter vorige week de mensen die hij 'geïnverteerden'
noemde met necrofielen, beoefenaren van bestialiteit, pedofie-
len en satanisten. Er komen binnen een jaar algemene verkiezingen. Ik wil mijn zetel niet verliezen. Trouwens...' Op Jims' knappe gezicht verscheen die mysterieuze uitdrukking die daar vaak
op verscheen als hij het over de wandelgangen had. 'Trouwens,
een klein vogeltje heeft me verteld dat ik heel misschien een
kans maak op een post in het volgende kabinet, als ik zorg dat
mijn handjes schoon blijven.'
Zillah, die James Isambard Melcombe-Smith al kende sinds
haar ouders vijfentwintig jaar geleden als rentmeester en huishoudster in een huisje op het landgoed van zíjn ouders waren
komen wonen, leunde achterover en keek hem met nieuwe
ogen aan. Hij was waarschijnlijk de aantrekkelijkste man die ze
ooit had gezien: lang, donker, filmsterachtig zoals filmsterren
dat waren in de tijd dat het in Hollywood vooral om schoonheid ging, slank, elegant, te knap, vond ze soms, om hetero te
zijn en veel te knap om in het Lagerhuis te zitten. Het verbaasde
haar dat mensen als de voorzitter en de fractievoorzitter hem na
al die jaren nog steeds niet doorhadden. Ze zou zelf ook een
oogje op hem hebben gehad als ze niet sinds haar zestiende had
geweten dat ze kansloos was.
'Wat levert het mij op?' zei ze. 'Geen seks. Dat staat vast.'
'Nou, nee. Laten we elkaar geen mietje noemen, schat. Het zou
een *marriage blanc* zijn, maar ook een *open* huwelijk, alleen zou
dat laatste ons geheimpje zijn. En het zou je wel wat opleveren.
Ik heb nogal wat poen, zoals je vast wel weet. En dan heb ik het
niet over dat schamele beetje dat ik van de Moeder der Parle-
menten krijg. Plus mijn fraaie huis in Fredington Crucis en
mijn uiterst gewilde appartement in de binnenstad – vorige
week nog getaxeerd op een miljoen pegels. Je krijgt mijn naam,
een leven zonder zorg, prachtige kleren, de auto van je keuze,
buitenlandse reisjes, fatsoenlijke scholen voor de kinderen...'
'Ja, Jims, hoe zit het met de kinderen?'
'Ik ben gek op kinderen, dat weet je. Ik hou toch ook van die

van jou? Ik zal nooit kinderen van mezelf hebben, tenzij ik een stabiele homoseksuele relatie aanga en probeer er een te adopteren. Terwijl ik die van jou al kant-en-klaar zou hebben, dat mooie kleine duivenpaar met blonde krullen en een Dorset-accent.'

'Ze hebben geen Dorset-accent.'

'Nou en of ze dat hebben, schat. Maar daarin brengen we gauw verandering. Nou, wat denk je ervan?'

'Ik moet erover nadenken, Jims,' zei Zillah.

'Goed, maar niet te lang. Ik bel je morgen.'

'Niet morgen, Jims. Donderdag. Donderdag heb ik mijn besluit genomen.'

'Je besluit toch wel in mijn voordeel, hè, liefje? Ik wil wel zeggen dat ik van je houd, als je dat wilt; het is bijna waar. O ja, en wat dat open huwelijk betreft: je begrijpt wel dat ik de streep trek bij die ex-man van je? Je weet vast wel wat ik bedoel.'

Toen hij weg was, in de Range Rover, niet de Ferrari, trok Zillah haar duffelse jas aan, met een sjaal die nog van haar moeder was geweest, en een paar veel te grote rubberlaarzen die een man na een avontuurtje van één nacht bij haar had achtergelaten. Ze liep door de dorpsstraat en dacht na over zichzelf en de situatie waarin ze verkeerde, over Jerry en de toekomst, over Jims en haar contact met haar ouders, maar vooral over zichzelf. Ze was gedoopt als Sarah, net als zes andere meisjes uit haar klas op de lagere school, maar toen ze in haar tienerjaren ontdekte dat ze bloedgroep B had – een nogal zeldzame bloedgroep behalve onder zigeuners – en dat Zillah een bekende zigeunernaam was, had ze zichzelf omgedoopt. En nu testte ze die naam uit met een nieuwe dubbelloopse achternaam. Zillah Melcombe-Smith klonk veel beter dan Zillah Leach. Maar ja, bijna alles zou beter klinken.

Het idee dat Jims van Jerry wist! Dat hij wist van de ongeschreven regeling die ze met Jerry had. Of had gehád. Natuurlijk geloofde ze de brief niet die ze had gekregen. Die brief was te stompzinnig voor woorden. Jerry had niet eens een computer. Hij moest geschreven zijn door een nieuwe vrouw. 'Ex-man' was de term die Jims had gebruikt. Natuurlijk, dat woord zou hij gebruiken, net als ieder ander, hoewel zij en Jerry niet officieel gescheiden waren. Daaraan waren ze nooit toegekomen. En zelfs als Jerry niet echt dood was, wilde hij haar laten denken dat hij dat was, en dat kwam op hetzelfde neer. Het betekende dat hij niet zou terugkomen; de 'regeling' was voorbij en de kinderen hadden hun vader verloren. Niet dat hij als vader ooit veel had voorgesteld. Hij was meer iemand geweest die nu en dan even langskwam. Als ze Jims haar jawoord gaf – wat klonk dat romantisch en ouderwets – zou ze zichzelf dan weduwe kunnen noemen, of zou het veiliger zijn als ze zei dat ze ongehuwd was? Als ze hem accepteerde, zou dat enorme indruk op haar moeder maken en dan zou die zich niet meer zo neerbuigend opstellen.

Het dorp Long Fredington heette zo omdat de hoofdstraat zo lang was: bijna een kilometer van Burton's Farm in het oosten tot Thomas Hardy Close in het westen. Het was het grootste dorp van de Fredingtons. De andere waren Fredington St. Michael, Fredington Episcopi, Fredington Crucis en Little Fredington. Al die dorpen waren schilderachtig. Je kon er prachtige ansichtkaarten van maken. Alle huizen, alle schuren, de kerk, de molen, het café (nu een woonhuis), de school en de winkel (nu ook woonhuizen) waren opgetrokken van hetzelfde goudgrijze steen. Als je welgesteld was, vooral wanneer je welgesteld en met pensioen was, was het een ideale plaats om te wonen. Als je een auto of twee had, een baan in Casterbridge of Markton, een echtgenoot en een kindermeisje, was het ook niet zo slecht. Voor iemand in Zillahs positie was het een hel. Eugenie ging met de bus naar school, dat was geen probleem, maar er was geen kleuterschool voor Jordan en hij was de hele dag thuis. Ze had geen auto, ze had niet eens een fiets. Eens per week kon ze met Annie van het Old Mill House of Lynn van La Vieille Ecole de vijftien kilometer naar de Tesco-supermarkt meerijden, tenminste, als ze niets beters te doen hadden. Een heel enkele keer vroeg iemand haar te eten. Dat gebeurde niet vaak, want ze hadden allemaal een man en zij was een erg aantrekkelijke, ongebonden vrouw. Trouwens, ze kon geen oppas betalen.

Bij de All Saints' Church, een fraai veertiende-eeuws gebouw waaruit al het kostbare koper was gestolen en gesmolten en waarin de unieke middeleeuwse muurschilderingen met graffiti waren beklad, ging ze linksaf Mill Lane in. Nadat ze nog twee leuk opgeknapte huisjes was gepasseerd, hield de bebouwing op. Afgezien van de zingende vogels was het hier stil. De weg werd smaller en de takken van de beuken aan weerskanten kwamen elkaar bovenaan tegen. Hoewel het tegen het eind van de herfst liep, was het een zonnige, bijna warme dag. Als dat het broeikas-effect was, dacht Zillah, kon ze er niet genoeg van krijgen. Wat maakte het haar uit dat de zeespiegel steeg en de kustlijn ver-dween? Ze woonde niet bij de kust. En misschien zou ze hier niet veel langer wonen, niet als ze met Jims trouwde, haar beste vriend, haar vriend uit haar kinderjaren, de aardigste man die ze kende.

Bij de doorwaadbare plaats stapte ze voorzichtig over de platte stenen die een looppad door de beek vormden. Eenden keken onverschillig vanaf de oever naar haar en stroomafwaarts gleed een zwaan. Ze moest toegeven dat het hier mooi was en dat het nog veel mooier zou worden als ze hier vanuit Fredington Cru-cis House naartoe kon wandelen in een Armani-spijkerbroek en een schaapsvachtjasje en met Timberland-schoenen aan haar voeten, nadat ze de Range Rover voor de kerk had geparkeerd. Maar Jims was homo. Dat was een niet te onderschatten pro-bleem. En hoe zat het met Jerry? Als hij wilde dat zij dacht dat hij dood was, had hij de briefschrijfster wel gekregen, maar hij veranderde nog weleens van gedachten. Als één ding behalve zijn voorkeur voor pepermunt en zijn afkeer van bananen... Nou, als één ding kenmerkend was voor Jerry, dan was het zijn talent om snel van gedachten te veranderen. Als hij nu eens tot bezinning kwam en niet meer dood wilde zijn?

In de voortuin, als je het zo kon noemen, van het Old Mill House was een grote eendenvijver. Hoewel het in Long Freding-ton al een week niet had geregend en het water in de beek uit-zonderlijk laag stond, waren de oevers van de vijver een moeras. Watervogels hadden in de vijver geslobberd, dieren met hoeven hadden erdoorheen gewoeld, en nu zaten Annies drie kinderen en haar eigen twee kinderen erop. Annies dochter Rosalba wijdde haar zusje Fabia, haar broer Titus en Zillahs kinderen in de kunst van het gezichtsbeschilderen in. Toen Zillah kwam aanlopen, had ze net een zwart-witversie van de Britse vlag op Jordans gezicht aangebracht. De vlag strekte zich van zijn kin en ronde wangen tot zijn hoge voorhoofd uit.

'Jordan heeft een slak opgegeten, mammie,' zei Eugenie. 'Titus zei dat een man een levende goudvis had opgegeten en dat hij veel boete moest betalen omdat hij wreed voor een dier was geweest.'

'En Jordan wilde er een eten,' zei Rosalba, 'omdat hij een stoute jongen is en er geen goudvissen in onze vijver zijn. Dus at hij een slak. En hij is ook wreed en hij moet honderd pond boete betalen.'

'Geen stoute jongen,' jammerde Jordan. De tranen stroomden over zijn wangen en hij wreef er met zijn vuisten over en verwoestte de Britse vlag. 'Ik betaal geen boete. Ik wil mijn papa.'

Die woorden, vaak uitgesproken, maakten Zillah telkens weer van streek. Ze pakte hem op. Hij was drijfnat en zat onder de modder. Nogal laat vroeg ze zich verontwaardigd af hoe Annie het in haar hoofd haalde om vijf kinderen, van wie de oudste acht was, zonder toezicht bij een grote vijver te laten die in het midden minstens twee meter diep moest zijn.

'Ik heb ze maar twee minuten alleen gelaten,' riep Annie, die naar buiten kwam rennen. 'De telefoon ging. O, moet je ze zien! Jullie drie gaan meteen in bad.'

Hoewel ze niet aan de kosten van warm water hoefde te denken, zoals Zillah, bood ze niet aan om Eugenie en Jordan in bad te stoppen. Ze nodigde Zillah ook niet uit om binnen te komen. Jordan hing om Zillahs nek, veegde zijn handen aan haar haar af en wreef met zijn modderige wang tegen de hare. De kans was groot dat ze hem helemaal naar huis moest dragen. Ze wachtte tot Annie zou zeggen dat ze haar de volgende dag zou oppikken om naar de supermarkt te gaan, maar Annie zei alleen dat ze haar gauw weer zou zien en dat ze, als ze haar wilde excuseren, nu dat stelletje ongeregeld ging schoonboenen, want zij en Charles gingen in Lyme dineren en zouden om zeven uur vertrekken.

Zillah zette Jordan op haar rechterheup. Hij was een zware jongen, groot voor zijn leeftijd. Eugenie zei dat het donker begon te worden, en dat was niet zo, nog niet, en ze zou bang zijn geweest als ze Zillahs hand niet vasthield.

'Waarom ben ik te groot om gedragen te worden, mammie?'

'Dat ben je gewoon. Veel te groot,' zei Zillah. 'Vier is de uiterste grens. Niemand van boven de vier wordt gedragen.'

Jordan barstte in gekrijs uit. 'Ik wil geen vier zijn! Ik wil gedragen worden!'

'O, stil nou,' zei Zillah. 'Ik dráág je, kleintje.'

'Geen kleintje, geen kleintje! Zet me neer, Jordan lopen.'

Hij dribbelde erg langzaam achter haar aan. Eugenie pakte Zillahs hand en glimlachte zelfvoldaan over haar schouder naar haar broertje. De ondergaande zon verdween achter een dichte rij bomen en het werd plotseling koud. Jordan wreef, snotterend en jengelend, met zijn modderige vuisten over zijn ogen. Toen ging hij op de weg op zijn rug liggen. Het was een van die momenten waarop Zillah zich afvroeg hoe ze ooit in deze puinhoop verzeild was geraakt. Hoe had ze zich op haar negentiende met een man als Jerry kunnen inlaten? Wat had haar ertoe gebracht om verliefd op hem te worden en kinderen van hem te willen?

Ze pakte Jordan op en veegde, bij gebrek aan een zakdoek, zijn gezicht af met een wollen handschoen die ze in haar zak vond. Er was een venijnige wind opgestoken. Wat kon ze anders doen dan ja tegen Jims zeggen? Plotseling was ze bang dat hij donderdag niet zou bellen om haar antwoord te horen. Misschien vond hij een andere vrouw, die hem niet liet wachten. Die Icon of Ivo Carews zuster Kate. Als Jerry er niet was... Als ze dit stel in bed had, zou ze eens serieus moeten nadenken over wat Jerry in zijn schild voerde en wat die brief te betekenen had.

Het duurde drie keer zo lang om met de kinderen naar Willow Cottage terug te keren als ze erover had gedaan om in haar eentje naar Old Mill House te lopen. Het begon nu donker te worden.

De voordeur kwam meteen op de huiskamer uit, waar de gloei-lamp kapot was. Ze had geen nieuwe. Het huisje had geen centra-le verwarming, uiteraard niet. Het was eigendom van een plaatse-lijke grondbezitter en was in de afgelopen vijftig jaar voor weinig geld aan allerlei armlastige mensen verhuurd. Al die tijd waren er geen verbeteringen aangebracht, afgezien van wat plichtmatig schilderwerk waaraan de huurders waren begonnen en dat ze meestal niet hadden afgemaakt. Zo kwam het dat de binnenkant van de voordeur roze geverfd was, en de kastdeur zwart, en dat op de deur naar de keuken alleen een grondlaagje van compromis-loos grijs was aangebracht. De elektrische installatie bestond gro-tendeels uit halfvergane kabels die met lussen en knopen naar stopcontacten van tien en vijf ampère leidden, afgeschaft in de rest van de Europese Unie en zeldzaam in Groot-Brittannië, met verlengsnoeren naar een lamp, een elektrisch kacheltje en een erg oude 45-toeren platenspeler. Het meubilair bestond uit afdanker-tjes uit 'het grote huis', waar sir Ronald Grasmere, de huisbaas, woonde. Het was veertig jaar geleden afgedankt, was toen al oud geweest, en afkomstig uit de kamer van de huishoudster.

De keuken was nog erger. Die bevatte een gootsteen, een gasstel uit circa 1950 en een koelkast die er kolossaal uitzag omdat de wanden bijna dertig centimeter dik waren, terwijl de bruikbare binnenruimte erg klein was. Ooit moest het een goede koelkast zijn geweest, want hij deed al meer dan zestig jaar dienst. Er was geen wasmachine. Zillah trok de kleren van de kinderen uit en legde spijkerbroeken, T-shirts, sweaters en Jordans parka in koud water in de gootsteen te weken. Ze zette het elektrische kacheltje aan en hield een lucifer bij het brandhout dat ze al eer-der had klaargelegd. Het was vreemd dat Jims nooit scheen te merken in wat voor staat het huis verkeerde, hoe hopeloos on-toereikend de inrichting was, zelfs niet hoe koud het hier kon zijn. Hij bracht die dingen nooit ter sprake. Voorspelde dat iets goeds voor een levenspartner of niet? Natuurlijk was hij be-vriend met sir Ronald. Als ze met hem trouwde, zouden zij en Jims sir Ronald ongetwijfeld te dineren vragen. Misschien wel in de eetkamer van de club...

Terwijl ze roerei voor de kinderen maakte, besloot Zillah dat ze als ze met Jims trouwde nooit meer zou koken. En ze zou ook geen ander huishoudelijk werk meer doen, haar hele leven niet meer. Wie was het ook weer die zei: 'Ik zal nooit meer kou of honger lijden'? O ja, Scarlett O'Hara. Als ze nou maar een video in dit rottige, rottige huis had, en de film *Gejaagd door de wind*, dan kon ze die vanavond afspelen, als de kinderen in bed lagen. Als ze met Jims trouwde, zou ze iedere avond naar video's kunnen kijken. Maar ze zou ook onbeperkt gebruik van oppassen kunnen maken en naar de bioscoop en de schouwburg en nachtclubs kunnen gaan, en de hele dag winkelen en haar gezicht en kapsel laten verzorgen bij Nicky Clarke en naar schoonheidsinstituten gaan en een dame zijn die bij Harvey Nichols lunchte.

Ging ze dan met hem trouwen? Had ze haar besluit genomen? De kinderen zouden videospelletjes kunnen doen en computers hebben, in plaats van naar die rommel te kijken die tegenwoordig op de televisie was, *Baywatch* en dat soort ellende. En ook nog in zwart-wit. Ze moest ze nu maar in bad doen. Jordan had modder op zijn voeten en in zijn haar. Maar Jims was homo. Trouwens, er was nog een dringende reden om niet met hem – en met niemand trouwens – te trouwen.

De brief was in oktober van het jaar daarvoor gekomen. Gedurende hooguit vijf minuten had ze geloofd wat erin stond en dat hij afkomstig was van de mensen die als afzender vermeld stonden. Misschien geloofde ze het omdat ze het wilde geloven. Maar wilde ze dat wel? Niet helemaal. Trouwens, dat deed er ook niet toe, want ze had algauw ingezien dat het volslagen onzin was. Jerry had niet in een Great Western-trein van Gloucester naar Londen gezeten. Tien minuten voordat die trein met een andere trein in botsing kwam, had hij haar en de kinderen en Willow Cottage verlaten en was weggereden in zijn gehavende Ford Anglia, die minstens twintig jaar oud was.

De brief zou afkomstig zijn van Great Western. Omdat ze nog steeds zijn vrouw was, zou ze de eerste zijn geweest die van zijn dood had gehoord, en niet pas na tien dagen. Ze zou het nieuws niet uit een nepbrief hebben vernomen, maar van de politie. Ze zouden waarschijnlijk hebben gewild dat zij naar het lijkenhuis ging om het stoffelijk overschot te identificeren. Er zou een begrafenis zijn geweest. Daarom had ze na die eerste vijf minuten de brief als onzin afgedaan. Ze had zich wel afgevraagd wie hem had geschreven en wat Jerry in zijn schild voerde. Een aantal dingen leek duidelijk. Hij had gezorgd dat haar die brief werd gestuurd. Misschien wilde hij haar laten denken dat hij dood was, maar het was ook mogelijk dat hij wilde dat ze deed alsof hij dood was. In feite zei hij: 'Ik stuur je deze brief om je te laten weten dat ik weg ben en dat ik je niet meer zal lastigvallen. Doe maar alsof ik dood ben. Ga met iemand samenleven, ga voor mijn part trouwen. Ik zal me nergens mee bemoeien en geen spaak in het wiel steken.' Ze zou niet weten wat hij anders bedoeld kon hebben.

Natuurlijk was hij altijd al een grappenmaker geweest. En zijn grappen waren nooit erg slim of erg komisch. Zillah, Zillah, de vliegensvlugge Stillah, ronde staart, korte staart, goed zo Zillah. Knijp, tik, eerste van de maand, geen terug. Als hij toevallig in de nacht van de laatste van de maand met haar sliep – iets wat niet vaak gebeurde – maakte hij haar altijd met die woorden en de bijbehorende gebaren wakker. 'Geen terug' betekende dat ze niet mocht terugknijpen of -tikken. En dan dat grapje dat iemand de tuin in ging en een vrouwtjesbeer tegenkwam, die zei: 'Wat, geen zeep?' De rest kon ze zich niet herinneren. Ooit, lang geleden, moest ze hem grappig hebben gevonden. Met zijn countryliedjes en pepermuntjes die hij altijd at.

Ze hadden niet echt meer samengeleefd sinds Jordan was geboren. Daarvoor stelde het ook al niet veel voor, en ze was nooit zo naïef geweest om te denken dat ze de enige was. Maar ze had wel gedacht dat ze zijn favoriet was. 'Al die meisjes apart, altijd de eerste in mijn hart,' had hij eens tegen haar gezegd, en omdat ze nog jong was geweest, had ze dat geloofd. Het was waarschijnlijk een tekstregel van Hank Williams of Boxcar Willie. Ze raakte gedesillusioneerd, omdat hij nooit thuis en een buitengewoon slechte kostwinner was. Wat had het voor zin om alimentatie te eisen als hij nooit iets verdiende?

Omdat mensen dachten dat hij en zij gescheiden waren, geloofde iedereen dat als Jerry op bezoek kwam hij dat deed om zijn kinderen te zien. Dat Jordan bij Eugenie ging slapen en dat hij in Jordans kamer of beneden op de bank sliep. Maar in werkelijkheid deelde hij altijd Zillahs bed; dat was nooit een punt van discussie. Seks met Jerry was het enige aan hem wat haar nog net zo goed beviel als vroeger, en in dat laatste weekend dat hij in Willow Cottage had doorgebracht, had ze daarover niet te klagen gehad. Terwijl ze het bad voor de kinderen liet vollopen, dacht ze weer aan die opmerking van Jims. Het kwam erop neer dat ze seks mocht hebben met wie ze wilde, maar dat hij een streep trok bij 'die ex-man van je'. Ze was te verbaasd geweest over zijn voorstel om er veel aandacht aan te schenken, maar betekende het dat hij niet geloofde dat Jerry alleen als vader van de kinderen op bezoek kwam? Waarschijnlijk. Het deed er niet toe. Ze wist dat Jims niet dom was.

Ze kon er nog iets anders uit afleiden. Jims wist niet beter of zij en Jerry waren gescheiden. Gold dat ook voor haar ouders? Die woonden niet meer op het landgoed van Jims' vader, maar waren na hun pensionering in een bungalow in Bournemouth gaan wonen. Het contact met haar ouders verliep stroef. Dat was al zo sinds ze bij Jerry was ingetrokken, zwanger was geworden en met haar studie kunstgeschiedenis was gestopt die ze aan een hogeschool in Noord-Londen volgde. Het contact hield niet over, maar was, sinds de oorspronkelijke breuk was geheeld, niet meer verbroken. Haar ouders hadden sir Ronald overgehaald haar dit huis te verhuren. Als ze door de telefoon met haar moeder sprak, had ze niettemin de indruk dat ze in hun ogen een gescheiden vrouw was die haar verdiende loon kreeg.

De kinderen moesten samen in bad. Het was te duur om de dompelaar lang te gebruiken. Eugenie keek haar broer onderzoekend aan, tot hij zei: 'Kijk niet zo. Je ogen maken gaten in mijn buik.'

'Mammie,' zei Eugenie. 'Wist jij dat zijn pikkie een penis wordt genoemd? Sommige mensen noemen het zo. Wist je dat?'

'Ja, dat wist ik.'

'Titus heeft het me verteld, toen Jordan de zijne tevoorschijn haalde om te plassen. Heten ze allemaal een penis of alleen die van hem?'

'Allemaal,' zei Zillah.

'Dat had je moeten zeggen. Annie zei dat het verkeerd was om kinderen in het duister te laten. Ik dacht dat ze bedoelde, in een duistere kamer, maar ze zei dat ze dat niet bedoelde, ze bedoelde dat het verkeerd is om ze in de Duisternis van Onwetendheid te houden.'

'Het is een pikkie,' zei Jordan.

'Nietes.'

'Welles.'

'Nietes.'

'Welles, welles, hij is van mij en hij heet een pikkie.' Hij begon te huilen en sloeg met zijn handen op het water, zodat het door de kamer vloog en Zillah natspatte. Ze depte de boel voorzichtig met een handdoek droog. Elke handdoek moest met de hand worden gewassen en aan de lijn worden gedroogd. Daaraan hoefde ze zichzelf niet te herinneren.

'Moet je hem nou zo op stang jagen, Eugenie? Als hij het een pikkie wil noemen, mag dat toch?'

'Annie zegt dat het verkeerd is om kinderen babywoordjes voor Delen van de Anatomie te leren.'

Zillah bracht hen naar bed. Toen ze klaar was met Harry Potter voor te lezen – al kon Eugenie heel goed zelf lezen, al twee jaar lang – dacht ze, terwijl ze hun een nachtzoen gaf, dat ze hun vader misschien nooit meer zouden zien. Het leek haar plotseling oneindig triest. Als hij van plan was haar nooit meer te zien, zou hij hen ook nooit meer zien. In Jordans rozige gezicht op het kussen kon ze Jerry's neus en de welving van zijn bovenlip zien, in Eugenies gezicht zijn donkerblauwe ogen en markante wenkbrauwen. De kinderen leken geen van beiden op haar. De vorige keer dat Jerry in Willow Cottage was geweest, had Jordan aan het ontbijt hun handen vastgepakt, die van haar en die van Jerry. Hij had zijn hand over haar hand op de tafel gelegd en gezegd: 'Ga niet weg, papa. Blijf bij ons.'

Eugenie had geen woord gezegd, maar haar vader alleen verwijtend aangekeken. Zillah had Jerry toen gehaat, al had ze niet gewild dat hij bleef. Ze had hem gehaat omdat hij geen echte vader voor zijn kinderen was. Ze konden in Jims een nieuwe vader krijgen, en alles wat een goede vader zijn kinderen kon geven.

Toch viel er niet aan te ontkomen dat ze al getrouwd was. Maar Zillah wist dat een scheiding er nu niet in zat. Omdat er kinderen waren, kon die niet administratief worden afgehandeld. Er zou een rechtszitting moeten komen en er zou over de voogdij beslist moeten worden. Jims zou niet willen wachten. Hij stond bekend om zijn ongeduld. Hij moest trouwen, of zich op z'n minst verloven, voordat iemand zijn seksuele geaardheid in de openbaarheid bracht. Als ze aarzelde, zou hij achter Kate Carew aan gaan.

Als ze met hem trouwde, zou ze dat dan als gescheiden vrouw of als weduwe doen? Wanneer ze het als weduwe deed, zou Jims het dan niet vreemd vinden dat ze hem indertijd niet had verteld dat Jerry bij dat treinongeluk was omgekomen? Ze zou het als gescheiden vrouw moeten doen. Of beter nog, als ongehuwde vrouw. Dan zou ze de akte van scheiding, of hoe dat ook heette, niet aan de ambtenaar van de burgerlijke stand hoeven te laten zien. Of aan de dominee. Misschien wilde Jims in de kerk trouwen.

Zillah had sinds haar twaalfde niet meer over godsdienst nagedacht, maar oude overtuigingen en gewoonten gaan nooit helemaal weg, en daarom stond het haar tegen dat ze onder valse voorwendsels in de kerk zou trouwen. Daar kwam nog bij dat ze met Jerry in de kerk was getrouwd en ze genoeg kerkelijke huwelijken had meegemaakt om te weten dat de dominee zou vragen of er huwelijksbeletselen waren. Als het feit dat Jerry nog in leven was geen beletsel was, wat was dat dan wél? Nu ze aan die hindernissen dacht, merkte ze dat ze wel met Jims wilde trouwen. Ze twijfelde niet. Donderdag zou ze 'ja' zeggen.

Toen ze al die drijfnatte en nog vuile kleren uit het koude water in de gootsteen trok, stond haar besluit vast. Ze wilde hier weg. En van de barst achter de afvoerpijp van de wc waaruit water (of iets ergers) druppelde, en van de waslijn die in de modder viel als hij overbelast was, en van de levensgevaarlijke elektrische bedrading. En van het feit dat ze, als Annie haar geen lift aanbood, drie kilometer naar Fredington Episcopi zou moeten lopen, waar een kleine, slecht voorziene dorpswinkel was, en drie kilometer terug, sjouwend met slecht voedsel in plastic draagtassen. Ze zou 'ja' zeggen.

Maar op de een of andere manier moest ze het probleem overwinnen van wat ze op formulieren je 'huwelijkse staat' noemden. En dat moest ze niet alleen voor de burgerlijke stand en de dominee maar ook voor Jims doen. Hij was niet achterlijk. Ze kon toch ook zeggen dat zij en Jerry nooit officieel getrouwd waren?

5

Op de groente- en fruitafdeling van Waitrose in de Londense wijk Swiss Cottage koos Michelle Jarvey voedsel voor haar man uit. Matthew was bij haar, hij duwde het karretje, want het zou moeilijk zijn geweest om iets te kopen als hij er niet bij was. Trouwens, ze deden alles samen. Dat hadden ze altijd al gedaan. Hij wilde weleens kiwi's proberen, zei hij, nu de coxen er niet meer waren. Hij had geen trek in een ander soort appel.

Voor de andere klanten in de winkel moesten meneer en mevrouw Jarvey bijna een komisch duo lijken. Hoewel ze in hun eigen ogen een serieus en enigszins tragisch paar waren, wist Michelle heel goed dat de rest van de wereld een veel te dikke vrouw van middelbare leeftijd zag, met daarnaast een man die zo mager, versleten, verschrompeld en uitgedroogd was dat hij leek op iemand die net na vijf jaar in een concentratiekamp was vrijgekomen. Matthew was te zwak om ver te lopen, en als hij het winkelwagentje duwde – wat hij per se wilde – liep hij voorover alsof hij pijn leed. Michelles monsterlijke boezem rustte op een buik die, met haar heupen, op de onderste helft van een draaitol leek en die golfde als ze liep. Vandaag droeg ze een groene jas zo wijd als een tent, met een kraag van imitatiebont waarin haar nog knappe gezicht zich nestelde alsof het uit een berg kleren stak die op een hoop waren gegooid voor een liefdadigheidsbazaar. Haar kolossale lichaam balanceerde op verrassend welgevormde benen, met enkels zo slank dat je je afvroeg waarom die niet onder al dat gewicht bezweken.

'Zal ik dan maar twee kiwi's nemen?' zei Michelle. 'Je moet er niet te veel van nemen. Misschien vind je ze niet lekker.'

'Ik weet het niet, liefste. Ik zal het proberen.' Matthew huiverde een beetje, niet vanwege de kiwi's, die op stukjes van een boom leken of zelfs op twee donzige diertjes, maar vanwege een overrijpe banaan die tussen de rest lag, een banaan met een bruine vlek en een zachte punt. Hij wendde zijn ogen af en sloeg ze neer. 'Ik geloof dat ik vandaag geen aardbeien wil.'

'Dat weet ik, lieveling, en geen peren of perziken.'

Michelle zei niet: omdat die vruchten gauw beurs zijn en dan snel rotten. Ze wist dat hij wist dat zij dat wist. Ze liepen langs melk en room en kaas, en ze pakte heimelijk wat ze nodig had, als hij de andere kant op keek. Ze durfde geen vlees of vis te kopen; daarvoor ging ze in haar eentje naar de supermarkt bij hen op de hoek. Hij had er een keer van gebraakt. Dat was de enige keer geweest dat ze samen naar de vleesafdeling waren gegaan en ze had het nooit meer durven riskeren. Toen ze langs de koekjes kwamen, pakte ze dingen waarvan ze wist dat ze die niet moest eten, maar die ze toch niet kon laten liggen. Om zichzelf af te leiden, om afstand tot de wereld te scheppen, om zich te troosten.

'Die,' zei hij, wijzend.

Hij wilde niet 'boterbiscuits' zeggen. 'Boter' was een van de woorden die hij in geen jaren had gebruikt, samen met 'kaas' en 'mayonaise' en 'room'. Hij zou acuut misselijk worden. Ze nam twee pakken droge, luchtige biscuits. Zijn gezicht was nog bleker dan anders. In een opwelling van liefde bedacht ze wat een kwelling het voor hem moest zijn om in een winkel met etenswaren te zijn. Toch wilde hij met alle geweld mee. Dat was een van de taken die hij zichzelf oplegde om zijn moed te testen. Zo dwong hij zichzelf ook om in tijdschriften te kijken en dan niet de pagina's met kleurenfoto's van soufflés en pasta en rosbief over te slaan. En praten met mensen die het niet wisten, hen te zien eten, háár te zien eten. Ze kwamen bij de vruchtensappen. Ze nam een pak ananassap in haar hand en keek hem met opgetrokken wenkbrauwen aan. Hij knikte en zag kans een doodskopglimlach te produceren, een en al schedel en tanden. Ze legde haar hand op zijn arm.

'Wat zou ik zonder jou moeten beginnen, lieveling?' zei hij.

'Je hoeft het niet zonder mij te stellen. Ik ben er altijd voor je, dat weet je.'

Er was niemand in de buurt die hen kon horen. 'Mijn schat,' zei hij. 'Mijn liefste.'

Voor haar was het liefde op het eerste gezicht geweest. Omdat het niet de eerste keer was dat haar zoiets overkwam – al was haar liefde nooit beantwoord – verwachtte ze dat ze ook deze keer van een koude kermis zou thuiskomen, en dat stemde haar meteen al een beetje bitter. Maar van zijn kant was het precies hetzelfde geweest en hij beantwoordde haar liefde met evenveel vuur. Hij was leraar en had twee academische graden, terwijl zij een eenvoudige ziekenverzorgster was, maar hij hield van haar; ze wist niet waarom, kon het niet verklaren. Ze waren niet erg jong: allebei al achter in de twintig. De hartstocht overmeesterde hen. Ze gingen de tweede keer al met elkaar naar bed, gingen na een week samenwonen en trouwden twee maanden nadat ze elkaar hadden ontmoet.

Michelle was in die tijd – nou ja, ze was niet mager, maar ook niet dik, normaal geproportioneerd. 'Een perfect figuur,' zei Matthew. Als iemand haar naar het geheim van hun liefde en hun succesvolle huwelijk had gevraagd, zou ze hebben gezegd dat ze aardig voor elkaar waren. Hij zou hebben gezegd dat niemand anders ooit veel voor een van hen had betekend sinds ze elkaar hadden ontmoet.

Hij deed toen al moeilijk over eten (zo stelde Michelle het), maar ze had altijd gedacht dat mannen een andere houding ten opzichte van eten hadden dan vrouwen. Net als de meeste mannen vond hij veel dingen niet lekker. Rood vlees stond op zijn verboden lijst en allerlei soorten schaaldieren en vis, in ieder geval vis die niet wit was – in die tijd, toen ze er nog grappen over kon maken, noemde ze hem een 'visracist' – en sauzen en mayonaise en custardpudding, alles wat 'drabbig' was. Hij was kieskeurig, dat was alles. Maar het werd erger. Eetstoornissen werden nog maar net als echte ziekten erkend, maar iedereen dacht daarbij aan jonge meisjes die slank wilden blijven. Omdat ze over alles praatten, spraken ze soms ook diepgaand over zijn probleem. Dat hij geen dingen kon eten die op andere dingen leken. Een voorbeeld daarvan was rijst. Hij had het in zijn hoofd gehaald dat rijst op maden leek. Algauw kon hij niets eten dat eens levend was geweest, al gold dat – goddank, zei ze tegen zichzelf –

niet voor groente en fruit, voor sómmige soorten groente en fruit. Alle macaroni leek op wormen, alle saus – nou, alles wat dik en vloeibaar was, was zo erg dat hij de woorden om het te beschrijven niet over zijn lippen kon krijgen.

Voorzichtig vroeg ze hem of hij wist waarom. Hij was zo'n intelligente man, verstandig, praktisch, een voortreffelijke natuurkundeleraar. Ze vond het griezelig om te zien hoe hij magerder en magerder en voortijdig oud werd.

'Ik weet het niet,' zei hij. 'Ik wou dat ik het wist. Mijn moeder probeerde me altijd over te halen om dingen te eten die ik niet wilde, maar ze dwong me nooit. Ik hoefde nooit aan tafel te blijven zitten tot ik iets op had.'

'Liefste,' zei ze. 'Heb je dan nooit honger?' Zij had dat wel. Vaak zelfs.

'Nee, ik geloof van niet. Niet dat ik me kan herinneren.'

In die tijd was ze bijna jaloers op hem. Nooit honger hebben! Wat een zegen! Alleen wist ze wel dat het dat niet was. Het was een langzaam wegkwijnen, tot de dood erop volgde. Niet als zij het kon verhinderen, dacht ze toen, niet als zij het tot haar levenswerk maakte om hem te helpen. Ze liet hem vitaminen slikken. Hij deed dat braaf, want capsules en tabletten zien er nooit als iets anders uit. Ze zijn hard en stevig en je kunt ze inslikken zonder te stikken. Hij dronk geen melk meer en at geen zachte kaassoorten meer. Boter was allang verleden tijd. Ze haalde hem over om naar de dokter te gaan en ging met hem mee.

Dat was in het midden van de jaren tachtig en de arts, een oudere man, kon weinig begrip voor zijn probleem opbrengen. Na afloop noemde Matthew hem een 'hongersnoodfreak', omdat de man tegen hem had gezegd dat hij zich moest vermannen en aan de miljoenen hongerige mensen in Afrika moest denken. Hij schreef een tonicum voor waarvan hij zei dat het de patiënt gegarandeerd liet eten. De eerste en enige keer dat Matthew het innam, moest hij hevig braken.

Michelle zocht precies uit van welke etenswaren hij niet walgde. Aardbeien bijvoorbeeld, mits ze de kroontjes eraf haalde en er niets groens meer aan zat. Sinaasappelen en grapefruit waren ook goed. Dwaas als ze was, vond ze achteraf zelf, had ze hem een granaatappel gegeven; toen hij de binnenkant had gezien, was hij flauwgevallen. De vlezige rode zaadjes leken hem net de binnenkant van een wond. Brood at hij wel, en droge cake en de meeste biscuitjes. Eieren, mits ze hardgekookt waren. Maar dat alles at hij alleen in heel kleine hoeveelheden. Intussen kreeg zijzelf er steeds meer kilo's bij. Hij wist dat ze veel at, al deed ze haar best om zich in te houden als hij erbij was. Onder het eten, als hij er lusteloos bij zat en een half slablaadje, een schijfje hardgekookt ei en één gekookte nieuwe aardappel ter grootte van een knikker nam, at zij hetzelfde, maar dan vermenigvuldigd met vijf, plus een kippenvleugeltje en een broodje. En als ze weer naar de keuken ging en hij dankbaar naar zijn computer terugkeerde, stopte ze zich vol met snoepgoed dat haar troostte omdat ze hem zo moest zien lijden: ciabatta met brie, vruchtencake, Marsen, crème brulée en gesuikerde ananas.

Hun liefde wankelde nooit. Ze hadden graag kinderen gehad, maar die kwamen niet. Soms dacht ze dat hij zo ondervoed was dat zijn sperma te zwak was geworden. Het had geen zin om naar een dokter te gaan, al was de reactionaire oude huisarts opgevolgd door een kwieke jonge vrouw die altijd probeerde Michelle op dieet te zetten. Eigenlijk was zij de enige die Matthew begreep. Ze moest toezien hoe zijn lichaam slapper en krommer werd, hoe zijn gezicht verschrompelde als dat van een oude man, hoe zijn gewrichten door zijn huid – vlees kon je het niet noemen – begonnen te steken en hoe die huid een grauwe bleekheid kreeg. Op haar dertigste was zij enigszins gezet geweest, op haar vijfendertigste was ze dik. En nu ze bijna vijfenveertig was, was ze moddervet. Hoewel ze vaak over zijn afkeer van voedsel sprak en ze zich samen afvroegen wat de oorzaak was en of er op een dag een middel tegen ontdekt zou worden, had hij haar corpulentie nooit ter sprake gebracht. Wat hem betrof, was ze nog het meisje van zevenentwintig met een perfect figuur op wie hij verliefd was geworden.

Ze had een zuster in Bedford en een broer in Ierland en nog een broer in Hongkong, maar ze hadden geen vrienden. Omdat de samenleving is ingesteld op samen eten en drinken en zij absoluut niet in het openbaar konden eten, konden ze geen vrienden behouden of nieuwe vrienden maken. Een voor een verdwenen hun kennissen uit het zicht. Hun uitnodigingen werden geweigerd en ze werden zelf nooit uitgenodigd. Het was Michelles grootste angst geweest dat ze zich verplicht zouden voelen een uitnodiging voor een etentje te accepteren en dat Matthew, geconfronteerd met boter of een kan melk of een pot honing, wit zou wegtrekken en met dat afschuwelijke droge kokhalzen van hem zou beginnen. Ze konden beter mensen afwijzen dan zoiets riskeren.

Ze had maar één vertrouwelinge. En die vertrouwelinge was een vriendin geworden. Op een dag, toen ze de wanhoop nabij was en bang was dat ze het niet veel langer konden volhouden, had ze met Fiona in haar keuken gezeten, terwijl Matthew langzaam en zwakjes achter zijn computer zat te werken, en haar alles verteld. En in plaats van te lachen om een man van middelbare leeftijd die niet kon eten en een vrouw van middelbare leeftijd die er niet mee kon ophouden, had Fiona met haar meegevoeld. Ze scheen het te begrijpen en kwam zelfs met remedies. Ze had zo gevarieerd gegeten, had zoveel nieuw en verfijnd voedsel gegeten, dat ze allerlei ideeën had voor een man die aan anorexia leed en graag zou willen eten als hij maar kon. Een jaar later, vorig jaar, had Michelle tegen haar gezegd dat ze Matthews leven had gered en dat ze haar eeuwig dankbaar zouden blijven.

Toen ze van de supermarkt naar hun huis aan Holmdale Road, West Hampstead, terugkeerden, begon Michelle het middageten voor Matthew klaar te maken. Daar zaten allerlei dingen in die Fiona had voorgesteld en die Matthew acceptabel vond.
'Pinda's!' had Fiona gezegd. 'Erg voedzaam, pinda's.'
Matthew kon nog net zeggen: 'Vettig.'
'Helemaal niet. Als ze maar droog geroosterd zijn. Heerlijk. Ik ben er gek op.'
Het zou overdreven zijn te zeggen dat hij er ook gek op was, maar hij verdroeg droog geroosterde pinda's, zoals hij ook haar

andere suggesties verdroeg: knäckebröd, dingen voor kinderen die Pop-tarts heetten, madeira-cake, fijngehakte hardgekookte eieren met peterselie, Parmezaanse kaas tot poeder geraspt. Kleine spinazieblaadjes en roquette, Japanse rijstcrackers, müsli. In de loop van dat jaar ging zijn gezondheid een beetje vooruit en ging hij er iets minder uitgemergeld uitzien. Maar daarna waren de Pop-tarts, de calorierijkste producten van de lijst, uit de gratie geraakt. Hij kon het niet helpen. Met heel zijn hart wilde hij ervan blijven houden, maar het lukte niet. Fiona beval in plaats daarvan lange vingers en spritsen aan.

Michelle legde een slablad op zijn bord, en twaalf pinda's, een schijfje hardgekookt ei met tot poeder geraspte Parmezaanse kaas, en een stuk Ryvita. Ze hoopte dat hij ook het kleine wijnglas met ananassap zou drinken, maar rekende daar niet op. Terwijl ze zijn bord met die beetjes versierde, at ze zelf pinda's, de rest van het ei en een plak olijfbrood met boter. Matthew glimlachte naar haar. Dat deed hij om niet naar zijn bord te hoeven kijken.

'Ik zag net Jeff Leigh voorbijkomen,' zei hij, terwijl hij één pinda oppakte. 'Gaat hij dan nooit een baan zoeken?'

Ze moesten allebei niet veel van Fiona's vriend hebben. 'Ik zou graag het gevoel hebben dat het hem niet om haar geld te doen is,' zei Michelle. 'Ik zou graag het gevoel hebben dat het belangeloos is, schat, maar dat gevoel heb ik niet. Hij verwacht van haar dat ze hem onderhoudt. Zo is het en niet anders.'

'Fiona mag graag de leiding hebben. Ik wil geen kritiek uitoefenen, maar sommige mensen zouden zeggen dat ze bij elkaar passen. Misschien wil ze dat hij van haar afhankelijk is.'

'Ik hoop dat je gelijk hebt. Ik wil dat ze gelukkig wordt. Ze gaan in juni trouwen.'

Matthew at nog een pinda en een klein stukje Ryvita. Michelle had lang geleden de kunst geleerd om niet naar hem te kijken. Hij nam een teugje ananassap. 'Ik ben bang dat haar vrienden niet veel van hem moeten hebben, als hij zich door haar laat onderhouden. Hij schijnt wel wat te kunnen. Hij heeft een paar nuttige karweitjes in huis gedaan. Hij heeft bijvoorbeeld een stopcontact aangelegd en je weet dat hij geweldig goed op de computer was, toen hij hier kwam om die brieven te schrijven of wat hij verder ook maar deed.'

'Sollicitatiebrieven,' zei hij. Dat was in oktober, bijna vijf maanden geleden.'

'Ik kan deze sla niet opmaken, liefste, en ook de pinda's niet. Ik heb de Ryvita opgegeten.'

'Je hebt het erg goed gedaan.' Ze haalde zijn bord weg en bracht hem een kiwi, in plakjes gesneden, de kern verwijderd, en een halve lange vinger.

Matthew at twee plakjes, en toen nog een derde om haar een plezier te doen, al stikte hij er bijna in. 'Ik doe de afwas wel,' zei hij. 'Ga jij maar zitten. Lekker met je benen omhoog.'

En dus plantte Michelle haar kolossale lichaam op het ene eind van de bank en legde haar slanke benen en sierlijke voeten, waarin alle delicate botjes te zien waren, op het andere eind. Ze had de *Daily Telegraph* en de *Spectator* van Matthew te lezen, maar ze had meer zin om uit te rusten en na te denken. Zes maanden geleden zou Matthew niet de kracht hebben gehad om de borden en glazen naar de keuken te dragen, voor het aanrecht te staan en ze af te wassen. Als hij met alle geweld wilde afwassen, moest hij op een kruk gaan zitten. Die lichte verbetering in zijn gezondheid en gewicht hadden ze aan Fiona te danken. Michelle gaf zo langzamerhand erg veel om Fiona, die een echte vriendin was, bijna een dochter. Zonder jaloezie en bijna zonder verlangen – want had zij niet haar lieve Matthew? – kon ze vol bewondering naar Fiona's slanke figuur, haar lange sluike blonde haar en haar mooie, zij het niet klassiek knappe gezicht kijken. Hun huizen waren twee-onder-een-kap, maar dat van haar en Matthew – dat tegenwoordig een erg waardevol pand was, meer om de plaats waar het stond dan om de bouw of het comfort – was lang niet zoveel waard als dat van Fiona, dat een aanbouw aan de achterkant had, en een grote serre en een verbouwde zolder. Michelle was ook daar niet jaloers op. Zij en Matthew hadden genoeg ruimte en de waarde van hun huis was met maar liefst vijfhonderd procent omhooggegaan sinds ze het zeventien jaar geleden hadden gekocht. Nee, ze maakte zich zorgen om Fiona's toekomstige geluk.

Ze hadden Jeff Leigh in augustus of september voor het eerst in Holmdale Road gezien. Fiona stelde hem voor als haar vriend, maar hij kwam pas in oktober bij haar wonen. Hij was knap, dat moest Michelle toegeven, met een gezond uiterlijk en regelmatige trekken, maar wel een beetje te zwaar voor haar smaak. Als ze daaraan dacht, moest ze lachen. Het leek van slechte smaak te getuigen als ze zei dat ze alleen op dunne mannen viel. Jeff had een eerlijk en bijna ernstig gezicht. Je zou kunnen zeggen dat hij eruitzag alsof hij echt iets om je gaf, om wat je zei en wie je was. Hij had een gezicht alsof hij echt bij andere mensen betrokken was. Daardoor kreeg Michelle het idee dat het hem geen moer kon schelen. En als hij haar een van zijn Polo-pepermuntjes aanbood, glimlachte hij als ze het aannam, alsof hij wilde zeggen: ben je nog niet dik genoeg? Ze had een hekel aan zijn grappen. Hoewel hij vaak weg was, verdiende hij niets, terwijl Fiona, een succesvol bankier, erg veel verdiende. Bovendien had ze een aanzienlijk kapitaal geërfd toen haar vader vorig jaar overleed.

Michelle wou dat zij en Jeff hun huwelijk een tijdje uitstelden. Per slot van rekening woonden ze samen en waren ze dus niet seksueel gefrustreerd – ze herinnerde zich met tederheid dat zij en Matthew niet meer dan vierentwintig uur hadden kunnen wachten – dus een huwelijk was geen noodzaak. Zou ze de moed of de brutaliteit hebben om Fiona voorzichtig aan te raden nog even te wachten?

Het was geruststellend, dacht Michelle voordat ze in slaap viel, dat juist de ergste dingen die je overkwamen soms tot iets goeds leidden. Toen Matthew bijvoorbeeld twee keer in het klaslokaal was flauwgevallen, toen hij in het practicumlokaal op een stoel moest zitten en de afstand tot de lerarenkamer nauwelijks lopend kon afleggen, hadden ze geweten dat hij ontslag zou moeten nemen. Waarvan zouden ze moeten leven? Hij was pas achtendertig. Hij had wat in de journalistiek geliefhebberd, maar verder kon hij alleen maar lesgeven. Zij had lang geleden haar baan opgegeven om voor hem te zorgen, om zich te wijden aan de nimmer eindigende, bijna hopeloze taak van zijn voeding. Kon ze weer gaan werken? Na een afwezigheid van negen jaar? Ze had nooit veel verdiend.

Matthew had wat voor de *New Scientist* en soms ook voor de *Times* geschreven. Omdat het nu het belangrijkste in zijn leven was – na haar – begon hij in zijn wanhoop te beschrijven wat het betekende om een specifiek soort anorexia te hebben. Om voedsel te haten. Om ziek te worden van wat juist een eerste levensbehoefte was. Eetstoornissen kwamen in die tijd erg in de mode. Zijn artikel werd graag geaccepteerd. Ze vroegen hem mee te werken aan een prestigieus weekblad dat onder de naam *An Anorexic's Diary* bekend zou worden.

Matthew, de purist, weigerde eerst en zei dat het woord als *anorectic* gespeld moest worden, maar gaf uiteindelijk toe, omdat het honorarium royaal was. Michelle vond het vaak vreemd dat hij nauwelijks over sommige voedingsproducten kon praten, maar dat hij er wel over kon schrijven. Het kostte hem geen moeite om zijn afgrijzen, zijn walging van bepaalde soorten vet en 'drab' te beschrijven en om met vlijmscherpe precisie de dingen op te sommen die hij nog net kon eten, en waarom.

An Anorexic's Diary voorkwam dat ze het huis moesten verkopen en een uitkering moesten aanvragen. Het blad werd enorm populair en kreeg veel ingezonden brieven. Matthew kreeg een postzak vol met brieven van vrouwen van middelbare leeftijd die niet van diëten af konden komen, van tienermeisjes die niet aten en van dikke mannen die aan bier en chips verslaafd waren. Het maakte hem niet beroemd, dat zouden hij en zij ook niet prettig hebben gevonden, maar zijn naam werd wel een keer in een televisiequiz genoemd als antwoord op een cryptische vraag. Dat alles vonden ze wel leuk. Ze had het niet prettig gevonden toen Jeff Leigh op Matthews schouder klopte en nogal insinuerend zei: 'In jouw positie moet je niet aankomen, hè? Hou de rantsoenen klein, Michelle. Jij eet vast wel voor twee.'

Dat had haar gekwetst, want zoiets zei je tegen zwangere vrouwen. Ze dacht aan het kind dat ze nooit had gehad, de dochter of zoon die nu zestien of zeventien zou zijn geweest. Ze droomde vaak van kinderen, of zag ze achter haar gesloten ogen als ze in bed lag. Toen Matthew de kamer weer in kwam, sliep ze.

6

Het mes was niet geschikt. Het was te groot om mee rond te lopen. Tante had veel messen gehad: trancheermessen, vleesmessen en hakmessen. Dat was grappig, want ze had nooit veel gekookt. Misschien waren het trouwcadeaus geweest. Minty bekeek ze zorgvuldig en koos een mes van twintig centimeter met een scherpe punt en een lemmet dat bij het heft bijna vijf centimeter breed was.

Ze had Tantes spullen niet weggedaan, behalve wat kleren die ze naar de blindenwinkel van Geranium had gebracht. Ze waren niet brandschoon geweest en toen ze ermee liep, had ze zich erg vies gevoeld, al zaten ze in een plastic zak. De rest had ze in een kast gestopt die ze nooit meer had geopend. Nu maakte ze hem open. Er kwam een afschuwelijke stank uit. Die pech had zij weer, net nu ze naar haar werk wilde gaan. Ze zou nog een keer in bad moeten gaan voordat ze ging. Het tasje aan een riem dat sommige mensen een billentasje noemden – Tante niet, dat woord was te grof – hing aan een hanger waaraan een jas hing die naar mottenballen rook. Minty besloot die avond grote schoonmaak te houden, de spullen naar het kledingdepot van de gemeente Brent te brengen en de kast grondig uit te boenen. Het billentasje bracht ze voorzichtig naar haar neus. Eén keer snuiven was genoeg. Ze waste het in het bad, legde het op de rand ervan te drogen en zeepte zichzelf toen grondig in. Als het tasje droog was, zou ze het mes erin kunnen doen.

Als gevolg van dit alles was ze een beetje laat op haar werk, wat voor haar erg ongewoon was. Een stralende Josephine zei er niets van, maar maakte bekend dat zij en Ken gingen trouwen. Hij had haar de vorige avond gevraagd bij de wonton en garnalentoast. Minty vroeg zich af hoe dat aanzoek was gegaan, want Ken sprak geen Engels.

'Ik begin volgende week met conversatielessen Kantonees,' zei Josephine.

Minty accepteerde de uitnodiging om naar de bruiloft te komen. Toen ze begon te strijken, vroeg ze zich af of ze ooit een andere man zou ontmoeten die haar zou willen zoals Jock haar had gewild. In dat geval moest ze niet ook nog last hebben van Jocks geest. Het zou niet goed zijn als ze met een man in een café of bioscoop zat en Jock dan ineens tussen hen in kwam of naar hen keek. Trouwens, ze had hem beloofd dat er nooit iemand anders zou zijn. Ze was voor altijd de zijne, en dat 'altijd' zou weleens vijftig jaar kunnen duren. Wat wilde hij? Waarom was hij teruggekomen? Omdat hij bang was dat ze een andere man zou ontmoeten?

De overhemden hadden die ondefinieerbare schone geur waar ze zoveel van hield, de geur van pasgewassen linnengoed. Ze genoot van ieder overhemd en bracht het dicht bij haar neus als ze het van de stapel nam. Minty streek de overhemden niet zoals ze toevallig op de stapel lagen, maar koos ze op kleur uit. Er waren altijd meer witte dan gekleurde, ongeveer twee keer zoveel, dus ze deed twee witte, dan een roze, dan weer twee witte, dan een blauw streepje. Ze ergerde zich als de volgorde niet klopte en ze op het eind vier of vijf witte overhemden bleek over te hebben. Deze ochtend waren er minder witte overhemden dan gewoonlijk en kon ze, al doende, zien dat ze het geluk zou hebben om met een roze en een geel gestreept overhemd te eindigen.

Het was meer dan een week geleden sinds ze Jock had gezien, en net toen ze dacht dat hij tevreden was, dat hij had gevonden wat hij zocht of genoeg van het zoeken had gekregen, verscheen hij weer. Ze was met Sonovia en Laf naar de film geweest, een van de bioscoopzalen van Whiteley's, en had *Sleepy Hollow* gezien, een griezelige film over een ruiter zonder hoofd, een geest natuurlijk, die steeds weer in een Amerikaans stadje verscheen en de hoofden van mensen afhakte.

'Ik heb van mijn hele leven nog nooit zoiets belachelijks gezien,' zei Sonovia smalend terwijl ze haar popcorn doorgaf. Laf was in slaap gevallen en snurkte zachtjes.

'Het is griezelig,' fluisterde Minty, meer uit beleefdheid dan dat ze het echt vond. Films waren niet echt.

Maar toen de boom weer openspleet en de spookruiter en zijn paard tussen de wolken vandaan sprongen, kwam Jocks geest de bioscoop in en ging aan de andere kant van het middenpad op de eerste stoel van hun rij zitten. Omdat ze twee plaatsen van het middenpad vandaan zat, met Sonovia naast zich en Laf naast Sonovia, had ze een onbelemmerd zicht op hem. Hij was gaan zitten zonder naar haar te kijken, maar nu draaide hij, ongetwijfeld omdat hij voelde dat ze naar hem keek, zijn hoofd opzij en richtte een doffe, uitdrukkingsloze blik op haar. Ze droeg Tantes zilveren kruis aan een lint om haar hals en pakte het stevig vast. Die handeling, waarvan ze zeiden dat het zo'n goed middel was tegen bezoekers uit een andere wereld – tenminste, dat had Tante gezegd – had geen enkel effect op Jock. Hij keek nu strak naar het scherm. Minty legde haar hand op Sonovia's arm.

'Zie je die man aan het begin van de rij?'

'Welke man?'

'Aan de andere kant, aan het begin.'

'Daar zit niemand, liefje. Je droomt.'

Het verbaasde haar niet dat hij onzichtbaar was voor anderen. Die keer in de winkel had Josephine hem ook niet gezien. Waarvan was hij gemaakt? Van vlees en bloed of van schaduw? Ze had hem beloofd dat ze nooit met een andere man zou omgaan. Wilde hij haar nu aan haar gelofte herinneren, wilde hij duidelijk maken dat hij zou terugkomen om haar met zich mee te nemen? Minty begon te beven.

'Je hebt het toch niet koud?' fluisterde Sonovia.

Minty schudde haar hoofd.

'Dan liep er zeker een kat over je graf.'

'Zeg dat niet!' Minty sprak zo hard dat een vrouw achter hen haar op de schouder tikte en zei dat ze stil moest zijn.

Ze zweeg, huiverend. Ergens op deze wereld zou haar lichaam of as begraven worden. Een kat, rondsluipend in het donker, was op dat stukje grond gestapt en was doorgelopen. Jock wilde haar daarheen brengen, naar dat graf. Hij wilde haar geest bij zich hebben. Ze kon niet meer naar de film kijken. De werkelijkheid was veel angstaanjagender. Jock was pas tien minuten in de zaal, maar maakte al aanstalten om weg te gaan. Toen hij langs haar kwam, fluisterde hij: 'Polo,' en tikte haar op haar schouder.

Ze deinsde terug in haar stoel. Zijn aanraking was niet als een schaduw of een luchtstroom, maar echt en warm, met de druk van een natuurlijke hand, zwaar, nadrukkelijk. 'Ga weg,' zei ze. 'Laat me met rust.'

Sonovia keek haar verbaasd aan. Minty keek achterom, naar de uitgang, maar Jock was weg. Na afloop van de film gingen Laf en Sonovia met haar naar de Redan om iets te drinken.

'Wat mompelde je nou in de bioscoop?' zei Laf grijnzend. 'Je zat daar met je ogen dicht en praatte in jezelf en trok gezichten.'

'Dat deed ik niet.'

'Dat deed je wel, liefje. Wat heeft het voor zin om naar de film te gaan als je je ogen dichthoudt?'

'Ik was bang. Iedereen was bang.'

Ze ontkenden dat. Maar ze kon niet over de film praten, en ze kon het ook niet eens zijn met Laf, die beweerde dat hij enorm had genoten, of met Sonovia, die had moeten lachen om al die onthoofdingen door die ruiter. Jocks geest had haar afgeleid. Het had er sterk op geleken dat hij haar bedreigde. Ze kon de druk van zijn hand nog voelen. Hij zou haar niet moeten meenemen, ze wilde niet sterven, ze wilde niet worden meegenomen naar een afschuwelijke, angstaanjagende plaats, bewoond door geesten. Ze zou maatregelen nemen om zich te verdedigen.

Toen ze hem voor het eerst zag, geloofde ze niet dat een wapen iets tegen hem kon uitrichten, maar het harde en zware gevoel van zijn hand op haar schouders had haar ervan overtuigd dat hij, geest of niet, massief en kwetsbaar was. Daarom had ze het mes nodig en moest ze het altijd bij zich dragen. Want wie wist wanneer hij weer zou opduiken?

Ze was klaar met het laatste overhemd, stopte het in een cello-faanzak en stak een kartonnen vlinderstrikje, blauw en wit ge-

spikkeld, onder de kraag. Josephine was naar het autoverhuur-
bedrijf gegaan om regelingen voor haar bruiloft te treffen, en
toen de winkelbel ging, dacht Minty dat het Jock was. Het zou
net iets voor hem zijn om vandaag te komen, de laatste keer dat
ze zonder het mes ergens naartoe zou gaan. Ze pakte een schaar
van de plank waarop ze de vlekkenverwijderaar en stijfselspray
bewaarden. Maar het was Ken. Hij deed alsof hij bang was voor
de schaarpunten die op hem gericht waren en stak als een clown
zijn handen omhoog.

Josephine kwam terug en ze begonnen elkaar te knuffelen. Ze
zoenden met hun mond open. Dat was gek, want Josephine had
haar, voordat ze Ken ontmoette, eens verteld dat Chinezen
nooit zoenden. Ze wisten niet hoe dat moest. Misschien had zij
het hem geleerd. Minty mocht hen graag, maar toen ze zo bezig
waren, kreeg ze zin om hen met de schaar te steken. Ze voelde
zich buitengesloten, geïsoleerd, weggedrukt in een wereld die alleen door haarzelf en Jocks geest werd bewoond. Als een slaap-
wandelaar liep ze naar de achterkamer en ging daar op een kruk
zitten. Ze staarde naar de muur en draaide de schaar keer op
keer in haar handen om.

Jock had altijd een pakje Polo-pepermuntjes in zijn zak gehad.
Daarom had hij haar Polo genoemd, dacht ze. Hij had ze aangeboden als ze in de bioscoop zaten en ze had ze lekker gevonden;
ze waren een schóón soort snoep, je kreeg er geen viezigheid van
op je handen. Knijp, tik, eerste van de maand, herinnerde ze
zich, geen terug. Loop maar gewoon voorbij, wacht op de hoek.
Ze had haar middageten meegebracht, broodjes met geraspte
kaas en sla, een bakje yoghurt. Je wist nooit wat ze in die yoghurt met een smaakje deden. Na het eten verpakte ze de resten
in krantenpapier en vervolgens in een plastic draagtas, die ze in
Josephines vuilnisbak op het achterplaatsje deponeerde. Doordat ze die bak had aangeraakt, moest ze zich nog grondiger wassen dan gewoonlijk. Ze boende haar nagels met een borstel en
liet haar handen daarna vijf minuten in schoon water zonder
zeep weken. Toen ze eruit kwamen, waren de vingers bleek en
gerimpeld, wat Tante altijd 'wasvrouwhanden' had genoemd.

Minty had haar handen graag zo. Het betekende dat ze echt schoon waren.

Het was een van die middagen waarop er niets bijzonders gebeurde. Een man bracht zeven overhemden. Dat deed hij altijd, eens per week. Josephine vroeg hem een keer of hij geen vrouw of vriendin had om ze voor hem te brengen, om nog maar te zwijgen van wassen of strijken. Josephine had het zo niet geformuleerd, maar ze bracht het wel ter sprake en de man had dat helemaal niet prettig gevonden. Minty verwachtte dat hij niet meer zou terugkomen en met zijn overhemden naar de zaak aan Western Avenue zou gaan. Inderdaad kwam hij pas na veertien dagen terug, en toen was Josephine erg aardig voor hem. Ze was nog niet vergeten hoe tactloos ze was geweest.

Daarna bleef het stil, totdat kort voor sluitingstijd een jong meisje kwam vragen of ze in termijnen kon betalen als ze haar jurk liet schoonmaken. Het was een erg korte rode jurk met veterbandjes op de schouders en Minty vond dat hij nodig gewassen moest worden. Zíj zou hem hebben gewassen. Josephine zei: 'Beslist niet,' en het arme meisje moest de jurk weer meenemen. Minty liep naar huis. Ze had het onaangename voorgevoel dat Jock in de bus zou zitten. Hij was nog nooit in de openlucht verschenen. De oude meneer Kroot stond in zijn voortuin. Hij veegde het pad en deed alsof hij haar niet zag. Misschien had hij die condoleancekaart niet zelf gestuurd, maar had zijn thuishulp dat gedaan zonder dat hij het wist. Ze voelde dat hij wist dat ze daar was. Hij verstijfde een beetje, zijn gerimpelde oude handen met boomworteladeren verstrakten om de bezemsteel. Toen ze een kind was, was hij tamelijk vriendelijk geweest, maar op een dag, toen zijn zuster bij hem logeerde, hadden zij en Tante ruzie gekregen. Het ging over de waslijn of het hek tussen de tuinen, of misschien piste de kat van meneer Kroot tegen de struiken. Zoiets was het geweest, maar Minty wist het niet precies meer. Meneer Kroots zuster en meneer Kroot hadden daarna nooit meer tegen Tante gesproken, en Tante nooit meer tegen hen. Daarom hadden ze ook nooit meer tegen Minty gesproken.

Zijn zuster was er nu niet. Ze woonde een heel eind van Londen vandaan. Meneer Kroot was alleen met zijn kat, die geen naam had; hij noemde hem gewoon Kat. Hij draaide zich om en keek door haar heen alsof ze een geest was, net als Jock. Toen ging hij met zijn bezem het huis in en deed de deur veel harder dicht dan hij anders zou hebben gedaan. De kat liep naar de deur toen hij die net had dichtgedaan. Het dier was zo oud dat Minty zich nauwelijks de tijd kon herinneren dat hij er nog niet was. Die kat moest minstens twintig jaar oud zijn, en als je dat met zeven vermenigvuldigde, wat je volgens Tante moest doen als je de echte leeftijd van een kat wilde weten, moest hij nu honderd-veertig zijn. Toen Minty haar voordeur openmaakte en haar huis binnenging, begon de kat schor en seniel te krijsen om bin-nengelaten te worden. Ze was bang dat Jock in de hal op haar zou staan te wachten, maar er was niemand.

Zou een mes enig effect op een geest hebben? Waarvan waren geesten gemaakt? Minty dacht daar veel over na. Voordat ze een geest had gezien, voordat een geest haar had aangeraakt, had ze gedacht dat ze uit schaduw en rook, damp en een wolkachtige vluchtige substantie bestonden. Jocks hand was stevig geweest en had druk uitgeoefend, en de zitting van de stoel waarop hij had gezeten, had warm aangevoeld. Was hij dezelfde persoon die hij was geweest toen hij op aarde was? Een ding van vlees en bloed, niet een soort zwart-witfoto, een grijzig bewegend beeld, maar een wezen met bruin haar en een roze huid en met ogen die net zo donkerblauw waren? Bloed – zou hij bloeden?
Ze zou het proberen. Als het mislukte, zou ze het op een andere manier moeten proberen. Terwijl ze voor de tweede keer die dag haar bad liet vollopen, zag ze het voor zich. Ze zag het mes in het geestlichaam verdwijnen en de geest oplossen: hij verdween in een sliert rook of smolt weg tot een helder plasje. Er zou geen geluid te horen zijn, geen kreet of zucht. Hij zou alleen verdwij-nen, erkennen dat hij verslagen was, dat zij gewonnen had.
Ze begon nu bijna naar hem uit te kijken. Ze nam haar bad en gebruikte de grote gouden spons die ooit een eigen leven had geleid, vastgeplakt aan een rots in de zee. Toen ze klaar was,

spoelde ze hem uit in heet water, en daarna in koud water. Jock had een keer gevraagd of ze samen een bad konden nemen, met zijn tweeën tegelijk in het water. Ze had 'nee' gezegd, want ze had het een schokkend voorstel gevonden. Zoiets deden volwassenen niet; dat was iets voor kleine kinderen. Trouwens, als ze een bad met hem had gedeeld, had ze na afloop nog een apart bad moeten nemen. Daaraan scheen hij niet te hebben gedacht. Toen ze naakt was, verlangde ze er bijna naar hem te zien. Ze maakte de deur open en liep van de badkamer naar haar slaapkamer. Hij was nergens te bekennen. In de schone kleren die ze altijd aantrok als het avond werd, een avond van een hygiënische maaltijd, een uur televisie en twee uur schoonmaken, ging ze de trap af naar de donkere hal. De geest kwam in duisternis of in licht, dat scheen geen verschil te maken. Ze voelde dat hij bij haar was, al kon ze hem niet zien. Toen ze haar twee aardappelen schilde en haar koude kip in stukjes sneed, kwam zijn stem zingend naar haar toe, als muziek die ze op grote afstand hoorde: *Vandaag begon ik weer van je te houden...*

7

Toen ze eenmaal 'ja' had gezegd, verwachtte Zillah dat zij en de kinderen bij Jims zouden intrekken en dat ze een maand of zes daarna zouden trouwen. Maar Jims dacht daar anders over. Ze moesten zich correct gedragen. De voorzitter van de Conservatieve kiesvereniging South Wessex had vorige week nog met betrekking tot een plaatselijke popzanger, zijn vriendin en hun baby gezegd dat stellen die samenwoonden geen bezit zouden mogen hebben en dat hun paspoorten en rijbewijzen moesten worden ingetrokken. Jims kende geen betere manier om bij de volgende verkiezingen zijn zetel te verliezen dan door Zillah bij zich te laten wonen. Trouwens, hij had een pr-bedrijf ingehuurd en de vrouw die namens hem optrad, deed haar best om foto's van Zillah en hem in de landelijke pers te krijgen. Dat krot in Long Fredington zou een ongeschikte achtergrond vormen en zijn maisonnette in Great College Street was ongepast. Hij huurde voor drie maanden een appartement in een solide flatgebouw in Battersea, met uitzicht op de rivier en het parlementsgebouw. Jims zei dat daarmee precies de juiste toon werd aangeslagen. Het was serieuzer dan Knightsbridge en minder frivool dan Chelsea; het was saai maar gedegen, en bovendien had het iets politieks. Wat haar bezittingen in Willow Cottage betrof, stelde hij voor de hele zaak in de fik te steken, maar dat advies trok hij in toen hij aan de eigenaar van het huis dacht, zijn oude vriend sir Ronald Grasmere.

Zillah had graag tegen Jims gezegd dat ze weduwe was, maar ze durfde het niet. Het eerste wat hij zou willen weten, was wanneer ze van Jerry's dood had gehoord en waarom ze het hem niet eerder had verteld. Daarom verzamelde ze de moed om hem een leugen te vertellen die hem niet erg zou aanstaan, maar waaraan hij zich minder zou storen dan aan de waarheid.

'Ik ben nooit echt met Jerry getrouwd geweest.'

'Wat bedoel je, schat, nooit "echt" getrouwd? Hadden jullie een van die gekke ceremonies op het strand van Bali, zoals Mick Jagger?'

'Ik bedoel dat we helemaal niet getrouwd waren.'

Hij accepteerde het. De voorzitter van de Conservatieve kiesvereniging South Wessex zou er waarschijnlijk nooit achter komen. Zillah kreeg een beetje last van haar geweten als ze aan haar huwelijk met Jerry in de St. Augustine's Church in Kilburn Park terugdacht – maar niet zoveel, en niet lang. De pr-vrouw Malina Daz kreeg te horen dat Zillah ongehuwd was, maar een aantal jaren in een 'stabiele relatie' had samengewoond met de vader van de kinderen. Ze was zo verstandig om niets over Zillahs al dan niet gehuwde staat tegen de kranten te zeggen en om de kinderen niet ter sprake te brengen. Ze rekende erop dat de journalisten daar niet naar zouden vragen, want Jims was nooit bij schandaaltjes betrokken geweest. Hopelijk zou Zillahs schoonheid dat soort problemen voorkomen. En toen de fotograaf zijn opwachting maakte, zag Zillah er betoverend uit. Ze droeg haar nieuwe roomkleurige zijden broekpak van Amanda Wakeley, met een halsdoek van Georgina von Etzdorf. De knappe Jims boog zich nonchalant over de rugleuning van haar stoel. Zijn perfect gemanicuurde hand streek licht door haar lange zwarte haar.

Maar toen Malina voorstelde dat ze Eugenie en Jordan als haar nichtje en neefje zouden presenteren, kinderen van haar zuster, die tragisch bij een verkeersongeluk was omgekomen, trok Zillah een streep. En Jims verrassend genoeg ook. Malina moest niet vergeten, zei hij, dat hij niet zo erg bekend was, hij was geen beroemdheid.

'Nog niet,' zei Malina meteen.

'Als ik een kabinetspost krijg,' zei Jims, en hij liet zijn stem dalen, 'ligt het natuurlijk anders.'

Dat alles maakte Zillah nerveus. 'Mijn kinderen gaan niet weg.'

'Nee, liefste, dat zouden we nooit willen.'

'Het zou verstandig kunnen zijn,' zei Malina, 'om in het eerste jaar geen interviews aan de schrijvende pers te geven. Kunnen we niet zeggen dat je eerste man bij een tragisch auto-ongeluk is omgekomen?' Met tegenzin gaf ze dat favoriete scenario op. 'Nou, nee, misschien niet. Maar tegen die tijd,' voegde ze er ondeugend aan toe, 'is er misschien weer een kleintje op komst.'

Zillah achtte de kans op nog een kleintje uiterst gering. Ze had geen ervaring met interviews of journalisten, maar ze was er nu al bang voor. Aan de andere kant had ze zich lang geleden aangeleerd om onaangename gedachten uit haar hoofd te zetten. Dat was het enige verweer dat ze kende. Dus telkens wanneer het beeld van Jims als schaduwminister van Binnenlandse Zaken of onderminister van Volksgezondheid bij haar opkwam, zette ze het van zich af. En telkens wanneer een stem in haar geestesoor fluisterde: 'Vertelt u me eens iets over uw vorige huwelijk, mevrouw Melcombe-Smith', stopte ze die stem meteen weg. Per slot van rekening wíst ze dat Jerry niet zou terugkomen. Hoe kon je beter duidelijk maken dat je verdween dan door je dood bekend te maken?

Jims kocht een verlovingsring voor haar: drie grote smaragden op een vierkant kussen van diamanten. Hij had haar al een Visacard op naam van Z.H. Leach gegeven en gaf haar nu een platinumcard van American Express op naam van mevrouw J.I. Melcombe-Smith en zei tegen haar dat ze alle kleren mocht kopen die ze wilde hebben. In haar nieuwe groene Caroline Charles-pakje met kralen op het lijfje dineerde ze met Jims in de Churchill Room van het Paleis van Westminster en werd voorgesteld aan de fractieleider van de Conservatieve Partij in het Lagerhuis. Zeven jaar geleden zou Zillah zichzelf een communist hebben genoemd. Ze wist niet of ze in haar hart wel een Conservatief was.

'Nu wel, schat,' zei Jims.

Na het diner ging hij met haar naar Westminster Hall en daalden ze af naar de kapel van St. Mary Undercroft. Zelfs Zillah, die erg weinig belangstelling voor zulke dingen had, moest toegeven dat sir Charles Barry's bouwkunst en de weelderige inrichting indrukwekkend waren. Gehoorzaam keek ze naar de reliëfs van de heilige Catharina die de marteldood stierf op het

rad, en de heilige Johannes de Evangelist die in olie werd gekookt, hoewel ze normaal gesproken van zulke dingen walgde.
Ze werd een beetje misselijk bij de afbeelding van de heilige
Laurentius die levend werd geroosterd. Tijdens de huwelijksceremonie kon ze maar beter niet opkijken. Tegen de achtergrond
van al die diepe, intense kleuren, zou een ivoorwitte trouwjurk
het mooist uitkomen. Omdat ze gekozen had voor de optie dat
ze nog ongehuwd was, besloot ze de herinnering aan haar huwelijk opzij te zetten en had ze er al niet meer zoveel moeite mee
om nog een keer in de kerk te trouwen.

Het was jammer dat de kinderen er niet bij konden zijn. Ze had
Eugenie graag als bruidsmeisje en Jordan als bruidsjonker gehad. Wat zouden ze er in zwart fluweel met kraagjes van wit
kant chic hebben uitgezien. Afgezien van die frivole overwegin-
gen maakte ze zich grote zorgen om haar kinderen. Hun bestaan
was een van die misschien niet onprettige maar wel verontrus-
tende feiten die ze niet uit haar hoofd kon zetten, hoe ze ook
haar best deed. Ze probeerde hen te zien als de twee mensen die
haar het meest na stonden, misschien zelfs de enige mensen van
wie ze hield, want de genegenheid die ze voor Jims voelde, viel
niet in die categorie. Maar de omstandigheden waren zo bizar
dat ze de lastige aspecten niet kon vergeten. Ze vroegen bijvoorbeeld steeds weer wanneer ze Jerry zouden terugzien. Jordan had
de vervelende gewoonte om luidkeels op straat – of erger nog,
als Jims vrienden uit het parlement meebracht – uit te roepen:
'Ik wil mijn papa!'

Eugenie was minder emotioneel en zakelijker: 'Mijn vader is in
geen maanden bij ons geweest.' Of ze citeerde de oppas, die nu
bijna dagelijks voor Zillah werkte: 'Mevrouw Peacock zegt dat
mijn vader uithuizig is.'

Het laatste adres dat Zillah van hem had, was in Harvist Road,
NW 10. Soms haalde ze het papiertje tevoorschijn waarop hij
het had geschreven, en dan keek ze er peinzend naar. Er stond
geen telefoonnummer bij. Ten slotte belde ze Inlichtingen. Zonder naam konden of wilden ze haar niet helpen. Op een middag
liet ze mevrouw Peacock bij de kinderen achter en nam de me-

tro van de Bakerloo-lijn naar het station Queen's Park om vandaar naar Harvist Road te lopen. De straat deed haar aan haar studententijd denken, toen zij en Jerry een kamer in een huis in de buurt van het station hadden. Ze waren een tijdlang erg gelukkig geweest. Toen werd ze zwanger en trouwden ze, en daarna werd het nooit meer hetzelfde.

'Naalden en spelden, naalden en spelden,' zei Jerry zijn oude oma na. 'Als een man trouwt, moet hij het ontgelden.' Ze waren op hun tweedaagse huwelijksreis naar Brighton. Toen zei hij: 'Ik vind het wel leuk om getrouwd te zijn. Misschien doe ik het nog een paar keer.'

Ze gaf hem een klap in zijn gezicht, maar hij lachte alleen maar. En nu zocht ze hem om erachter te komen of hij bereid was dood te blijven. Zijn naam stond niet bij een bel op het straatnummer dat hij haar had opgegeven. Toen ze de klopper in de vorm van een leeuwenkop gebruikte, kwam er een bejaarde vrouw naar de deur die zei: 'Ik ben niet geïnteresseerd in dubbele beglazing,' al voordat Zillah iets had gezegd.

'En ik verkoop dat niet. Ik ben op zoek naar Jerry Leach. Die hier heeft gewoond.'

'Hij noemde zich Johnny, niet Jerry, en hij woont hier niet meer. Al niet meer sinds vorig jaar. Maanden en maanden geleden. Het antwoord op uw volgende vraag is: nee, ik weet niet waar hij heen is.'

De deur werd voor haar gezicht dichtgegooid. Ze stak de straat over, ging op een bankje in Queen's Park zitten en keek naar het groen. Een zwart en een blank meisje keken nieuwsgierig naar haar linnen pakje met korte rok en haar schoenen met hoge hakken, brachten hun hoofden naar elkaar toe en giechelden. Zillah negeerde hen. Het was duidelijk dat Jerry zijn verblijfplaats geheim wilde houden. Ze moest ervan uitgaan dat hij voor altijd verdwenen was. Wat zou hij denken als hij de foto van haar en Jims in de krant zag? Misschien las hij geen kranten. Maar vroeg of laat zou hij erachter komen. Als die portefeuillewisseling, zoals Jims het noemde, plaatsvond voordat ze getrouwd waren. Want dan zou Jims misschien in het kabinet komen en vanwege zijn jeugdige leeftijd en knappe uiterlijk en háár jeugdige leeftijd en knappe uiterlijk veel publiciteit trekken. Jerry was een waardeloze kostwinner en hopeloos met geld, en promiscue en gevoelloos, maar hij was niet door en door slecht. Hij was de laatste die zou proberen haar kansen te verknoeien. Als ze een goed huwelijk had gesloten en het ver had geschopt, zou hij waarschijnlijk lachen en zeggen: goed zo, meid, ik zal je niet in de weg staan. Trouwens, hij zou opgelucht zijn omdat ze niet meer om alimentatie zou zeuren. Niet dat hij haar iets zou geven, want van een kale kip kon je niets plukken. Dat idiote grapje van hem ging steeds weer door haar hoofd. Ze had er in geen jaren aan gedacht tot Eugenie er laatst mee kwam. Adam en Eva en Knijp Mij gingen naar de rivier om te baden. Adam en Eva verdronken. Wie werd gered? Misschien was hij echt dood. Ze herinnerde zichzelf eraan dat wat ze ook tegen Jims zei, Jerry haar wettige echtgenoot was. Zij zou de eerste zijn geweest die officieel op de hoogte zou zijn gesteld. Hij was haar man en zij was zijn vrouw. Enigszins geërgerd herinnerde ze zich dat Jerry, om een of andere reden die ze inmiddels vergeten was, de oude formule van de huwelijksdienst had geëist en had gekregen. De predikant had gezegd dat de mens niet mocht scheiden wat God had samengevoegd, en dat ze bij elkaar moesten blijven zo lang als ze leefden. Dat zou ze in de St. Mary Undercroft opnieuw moeten ondergaan, want ze vermoedde dat ze dezelfde dienst zouden hebben. En de predikant (of wie deed dat daar, de kanunnik?) zou die afschuwelijke woorden uitspreken, dat ze op die vreselijke dag des oordeels ter verantwoording zouden worden geroepen indien een gerede belemmering dit huwelijk in de weg stond. Zillah geloofde niet echt in die vreselijke dag des oordeels, maar de klank van die woorden joeg haar een bijgelovige angst aan. Jerry vormde een meter tachtig en 82 kilo gerede belemmering. Waarom moest ze altijd met mannen trouwen die hun huwelijk in de kerk bevestigd wilden zien?

Na een tijdje stond ze op en liep naar het metrostation terug. Als je onaangename gedachten uit je hoofd zette, had je het probleem dat dat je nooit helemaal lukte en ze altijd met dubbele kracht terugkwamen. Ze had ook nog haar ouders. Ze had hun nog niet verteld dat Jerry dood was. Ze had hun ook nog niet verteld wat haar officiële versie van haar relatie met Jerry was, namelijk dat ze nooit getrouwd waren geweest. Ze zouden de huwelijksreceptie aanbieden, maar Jims zou natuurlijk betalen. Ze vroeg zich af hoe ze kon verhinderen dat haar moeder de fractievoorzitter van de oppositie – om van lord Strathclyde nog maar te zwijgen – zou vertellen dat ze de kleine Zillah altijd meenam als ze bedden ging opmaken en borden ging afwassen in het grote huis, en dat het vijfjarige meisje soms met de zeven-jarige James mocht spelen.

De metrotrein stopte. Het treinstel waarin ze terechtkwam, zat vol met Jamaicaanse jongeren uit Harlesden die blikjes bier dronken. Ze deden haar denken aan de wereld die ze binnen-kort voorgoed zou achterlaten. Op station Kilburn Park stapte ze in een ander treinstel en ging door naar Oxford Circus. De beste remedie tegen zenuwen en depressie was winkelen, iets waaraan ze zich nooit eerder had kunnen overgeven. Het was verbazingwekkend hoe snel ze de smaak te pakken had gekre-gen. Na een paar weken kende ze de namen van alle ontwerpers al en wist ze vrij goed hoe hun kleren eruitzagen en in welk op-zicht ze van elkaar verschilden. Als wetenschappelijke kennis net zo gemakkelijk te verwerven zou zijn, had ze inmiddels al een paar academische graden kunnen behalen. Maar als ze met Jims getrouwd was, zou ze die niet nodig hebben.

Toen ze ongeveer anderhalf uur later beladen met draagtassen uit Browns naar buiten kwam, voelde ze zich gelukkig en zorge-loos en ze vroeg zich af waarom ze zo in de put had gezeten. Ze nam een taxi naar Battersea. De kinderen hadden hun brood-maaltijd. Ze zaten met de oppas aan tafel.

'Mevrouw Peacock zegt dat je met Jims gaat trouwen,' zei Euge-nie, 'maar ik zei dat dat niet kan, want je bent met papa ge-trouwd.'

'Mijn fout, mevrouw Leach, ik dacht dat ze het wisten.'

'Mammie, trouw met pappie,' zei Jordan. 'Trouw morgen met hem.' Hij pakte zijn bord op en sloeg ermee op tafel, zodat er een glas sinaasappelsap omviel. Dat bracht hem meteen weer aan het krijsen: 'Jordan wil papa! Ik wil hem nu!'

Zillah haalde een doekje en begon de rommel op te dweilen, terwijl mevrouw Peacock stijfjes bleef zitten en haar blik van Zillah naar de draagtassen van Browns en Liberty en weer terug liet gaan. 'Zit er nog thee in de pot, mevrouw Peacock?'

'Die zal wel koud zijn.'

8

Dit zou de eerste bruiloft worden waar Minty naartoe ging. Ze had nooit last van de problemen van de gemiddelde vrouw en vroeg zich dus helemaal niet af wat ze zou dragen en of ze een hoed zou kopen. Als Jock haar spaargeld niet had gestolen, zou ze een cadeau voor Josephine en Ken hebben gekocht. Nu had ze alleen haar loon en hield ze niets over voor luxe dingen, zoals cadeaus. Zou hij haar het geld hebben terugbetaald als hij in leven was gebleven? Kwam hij daarvoor nu als geest terug: niet om haar met zich mee te nemen, maar omdat hij zijn schuld wilde betalen?

Ze had hem sinds die avond in de bioscoop niet meer gezien, maar ze dacht veel na over wat Sonovia en Laf hadden gezegd. Over de kat die over haar graf liep. Ze moest daar onwillekeurig aan denken. Misschien legden ze haar na haar dood wel op die afschuwelijke begraafplaats in het uiterste noorden, waar Tante haar eens voor de begrafenis van haar zuster Edna naartoe had gebracht. Het zou heel anders zijn dan Tantes rustplaats, rustig en behaaglijk onder de grote donkere bomen en dicht bij haar huis, aan de andere kant van de hoge muur. Ze zou in een lange, sombere rij witte grafstenen komen te liggen, de ene steen niet van de andere te onderscheiden, de naam die erin was uitgehakt vervaagd door wind en regen. Maar zou haar naam er wel op komen te staan? Wie zou dat voor haar doen? Nu Tante weg was en Jock weg was, had ze niemand meer.

Ze droomde van het graf. Ze lag in dat graf onder de aarde, maar niet in een kist. Ze konden zich een kist niet veroorloven. Ze lag onder de koude natte aarde, de ergste plaats waar ze ooit was geweest, en ze was helemaal bedekt met vuil, haar huid, haar haar, haar nagels. De oude kat van meneer Kroot krabde in de aarde, zoals katten doen. Ze zag hem boven zich, zag hem door het gat kijken dat hij had gegraven. Zijn grijze snuit was een en al ontblote tanden, woedend flikkerende ogen en trillende snorharen. Toen schepte hij alle aarde weer in haar mond en neus en werd ze bijna stikkend wakker. Na die droom moest ze een bad nemen, al was het midden in de nacht.

Ze was ook niet blij met wat Laf over haar gemompel en haar dichte ogen had gezegd, en wat Josephine over praten in jezelf als eerste teken van waanzin had gezegd. Ze had niet gemompeld, dat deed ze nooit, en ze had haar ogen dicht gehad omdat ze bang was. Ze hadden haar in dat café de hele tijd uitgelachen. De volgende keer dat ze een film wilde zien, zou ze in haar eentje gaan. Waarom niet? Ze ging vroeger ook in haar eentje. Ze zou een pakje Polo-pepermunt voor zichzelf kopen. Of een banaan, omdat hij daarvan niet hield – maar nee, dat niet, want waar zou ze de schil moeten laten?

In de bus op de terugweg kwam er een man naast haar zitten. Ze wilde niet opkijken, want ze was er zeker van dat het Jocks geest was en ze hoorde een stem fluisteren: 'Polo, Polo.' Maar toen ze haar hoofd heel voorzichtig opzij bewoog, heel langzaam naar rechts, centimeter voor centimeter, zag ze dat het een oude man met wit haar was. Jock was zeker weggeslopen toen ze niet keek en daarna was die oude man daar gaan zitten.

Er ging bijna niemand naar de voorstelling van halfvier. De bioscoop was dan altijd bijna leeg. Immacue ging op zaterdag om één uur dicht en 's middags ging ze naar *The Talented Mr. Ripley*. Ze kocht één kaartje en kreeg te horen in welke zaal ze moest zijn. Er waren maar twee andere mensen en ze had de hele rij voor zich alleen. Jock kwam niet. Ze had hem al een week niet gezien, want die ontmoeting in de bus kon je niet meerekenen. Het was prettig om alleen te zijn, je hoefde geen dankjewel te zeggen als iemand je popcorn of een chocolaatje gaf, en er zat niemand achter je die zei dat je stil moest zijn.

Het bleef 's avonds langer licht. Ze kon bloemen voor Tante kopen naast de ingang van het kerkhof en liep in het zonlicht naar het graf. Er was niemand. Het had de laatste tijd zoveel geregend dat de vaas was overstroomd. De bloemen die erin stonden, waren dood. Minty gooide ze onder een hulststruik en zette haar narcissen in het water. Toen haalde ze twee papieren zakdoekjes uit haar tas, legde die op de grafsteen en knielde erop neer, met haar zilveren kruis tussen haar wijsvinger en middelvinger. Met haar ogen stijf dicht bad ze tot Tante en vroeg haar om Jock voor altijd weg te laten gaan.

Sonovia stond bij haar voordeur afscheid te nemen van Daniel, die een kop thee was komen drinken. Minty had hem in geen maanden gezien, niet sinds ze die brief had gekregen waarin stond dat Jock was omgekomen.

'Hoe gaat het, Minty?' zei hij op die toon van drukbezette dokter, een en al opgewektheid en betrokkenheid. 'Voel je je al wat beter?'

'Het gaat wel,' zei ze.

'Ben je naar iets opwindends geweest?' vroeg Sonovia enigszins lacherig. Minty gaf geen antwoord. Ze was zich bewust van het billentasje met het mes erin dat heen en weer schoof onder haar kleren. 'Wil je mijn blauwe jurk en jasje lenen als je naar Josephines bruiloft gaat?'

Hoe kon ze dat weigeren? Ze wist niet wat ze moest zeggen en stond daar schaapachtig te knikken. Daniel ging naar zijn auto, die hij overal kon parkeren omdat hij een artsensticker op het raam had. Minty wilde naar huis, zich eens goed wassen, zich ervan vergewissen dat Jock niet in huis was, en alle deuren dichtdoen. In plaats daarvan moest ze Sonovia's huis in, een blik in haar kleerkast werpen en de blauwe jurk met bijpassend jasje uitkiezen, of ze dat nu wilde of niet, want het was het enige wat haar paste.

'Ik pas er niet meer in, want ik ben dikker geworden,' zei Sonovia.

Minty deed de jurk aan. Daar kon ze niet onderuit. Ze vond het verschrikkelijk dat Sonovia haar blote huid zag, bleek en met de geur van zeep, en dat ze naar het billentasje keek dat aan haar smalle taille hing. De jurk was iets te ruim, maar goed genoeg. Toen ze hem over haar hoofd trok, huiverde ze zo – hoe wist ze hoe vaak hij gedragen was en of hij ooit was gewassen? – dat Sonovia haar gebruikelijke vraag stelde. Had ze het koud?

'Je ziet er mooi uit. Hij staat je goed. Je zou vaker blauw moeten dragen.'

Minty bekeek zichzelf in de spiegel en probeerde te vergeten dat de jurk vuil was. Het was een manshoge spiegel; Sonovia noemde hem een penantspiegel. Opeens zag ze de weerspiegeling van Jocks geest. Hij maakte de deur achter haar open en liep de kamer in. Hij legde zijn hand in haar nek, boog zijn hoofd en drukte zijn gezicht tegen haar haar. Ze haalde uit naar het wezen achter haar.

'Ga weg!'

'Wat, ik?' zei Sonovia.

Minty gaf geen antwoord. Ze schudde haar hoofd. Sonovia zei: 'Waar ben je vanmiddag geweest, Minty?'

'Ik ben naar een film geweest.'

'Wat, helemaal in je eentje?'

'Waarom niet? Ik vind het soms prettig om alleen te zijn.' Minty trok de jurk uit. Jock was verdwenen. Ze gaf de jurk aan Sonovia, als een vrouw die een kledingstuk koopt in een winkel.

Sonovia zei op een toon die Minty helemaal niet aanstond, droog en verdraagzaam, als iemand die een ondeugend kind toespreekt: 'Ik zal hem voor je in een draagtas doen.'

Toen ze weer beneden waren, weigerde Minty de aangeboden kop thee en het alternatief, een gin-tonic. 'Ik moet naar huis.'

Meneer Kroot was in zijn voortuin en zijn zuster was bij hem. Ze droeg een koffer; zo te zien was ze net aangekomen. Ze heette niet Kroot, want ze was honderd jaar geleden met iemand getrouwd. Minty keek hen niet aan. Ze ging haar huis binnen. De jurk en het jasje roken muf. Er zat een vetvlek op de zoom van het jasje, misschien braadvet. Ze huiverde ervan, blij dat Sonovia er niet was om haar te vragen of ze het koud had. Het plezier dat ze in de film had gehad was weg, verdreven door wat er daarna was gebeurd. Ze voelde zich kwetsbaar, bedreigd. Toen ze naar boven ging, raakte ze de hele tijd hout aan: de stijlen van de leuning die roomkleurig waren, de leuning zelf die bruin was, de plint die lichtroze was. Tante had van variatie in de inrichting van haar huis gehouden en Minty was daar nu dankbaar voor.

Wat zou er van haar zijn geworden wanneer al het hout wit was geweest, zoals bij Sonovia?

Ze liet het bad vollopen en stapte met het mes in haar hand het water in. Ze wist niet waarom ze dat deed, alleen dat ze zich, toen ze met het mes in haar handen in het water lag, veiliger voelde. Jocks geest was nooit de badkamer in gekomen en kwam ook nu niet. Ze waste haar haar en bleef in het water liggen tot het begon af te koelen. Toen sloeg ze een handdoek om haar lichaam en ook een om haar hoofd, en droogde het mes af. Nu had ze drie in plaats van twee handdoeken in de was, want alles moest smetteloos schoon zijn. Ze trok een schone katoenen broek en een schoon T-shirt aan. Voordat ze de inhoud uit Sonovia's draagtas pakte, trok ze een paar zwarte katoenen handschoenen van Tante aan. Evengoed hield ze de jurk en het jasje op armlengte afstand. Ze zou ze maandag meenemen naar Immacue en hoogstpersoonlijk chemisch reinigen. Ze zou ze de luxebehandeling geven. Nadat ze het ensemble in de logeerkamer had achtergelaten, ver verwijderd van alle plaatsen waar ze zelf zou komen, trok ze de handschoenen uit en waste haar handen.

Het was zuiver toeval dat Sonovia die dag naar Immacue ging. Meestal ging ze met hun kleren naar de zaak aan Western Avenue, maar Laf was niet erg tevreden geweest over de behandeling die ze zijn smokingjasje hadden gegeven, en zij had niet bepaald kunnen lachen om de grap die de manager over het politiebal had gemaakt. En nu wilde hij zijn grijze flanellen broek en pied-de-poule-colbert laten reinigen.

'Waarom ga je er niet mee naar Minty's winkel? We kunnen het altijd proberen.'

Bij Immacue werden kleren die klaar waren aan een jassenrek gehangen. Dat rek stond links in de winkel en strekte zich vanachter de toonbank tot de achterwand uit. Toen Sonovia binnenkwam, was er niemand. Ze wachtte een tijdje en liet haar blik van de schoonmaakmiddelen op de toonbank naar de stapels overhemden op de planken aan de rechterkant en het jassenrek aan de linkerkant gaan. Ze wilde net discreet kuchen toen ze het kledingstuk zag dat helemaal vooraan in het rek hing. Het hing met een kraag van piepschuim aan een hanger en was in doorzichtig plastic gehuld. Het kostte haar geen enkele moeite om haar blauwe ensemble te herkennen. Woedend sloeg ze met haar hand op de bel die op de toonbank stond. Josephine kwam tevoorschijn.

'Sorry dat ik u liet wachten,' zei Josephine. 'Wat kan ik voor u doen?'

'U kunt mevrouw Knox halen. Ik heb een appeltje met haar te schillen.'

Josephine haalde haar schouders op. Ze liep naar achteren en riep: 'Minty!'

Sonovia werd met de seconde kwader. Toen ze Minty zag aankomen, was ze ziedend, met haar armen over elkaar. 'Ik zou weleens willen weten wie jij denkt dat je bent, Araminta Knox. Dat je iemands kleren leent en dan vindt dat ze niet schoon genoeg voor je zijn! Nadat je ze had gepast, ben je vast uitgebreid in bad geweest. Het verbaast me dat je ze in huis hebt gehouden, of heb je ze het weekend in de tuin gelegd?'

Minty zei niets. Daaraan had ze niet gedacht: Sonovia's jurk in de tuin leggen. Dat zou een goed idee zijn geweest. Ze liep naar het jassenrek en tuurde naar de kleren onder hun plastic omhulsel.

'Ik vind het een schande, als je nagaat hoe lang wij elkaar al kennen. Al die keren dat je onze gastvrijheid hebt genoten! Hoe kom je erop te denken dat ik vuile kleren in mijn kast heb? Laf zegt dat ik meer geld aan de stomerij uitgeef dan aan eten.'

'U geeft het hier anders niet uit,' zei Josephine.

'Ik verzoek u hierbuiten te blijven, mevrouw O'Sullivan. En wat jou betreft, Minty, Laf en ik waren van plan je morgenavond op *American Beauty* te trakteren, met een drankje na afloop, maar we zijn van gedachten veranderd, we gaan met zijn tweeën. Hij en ik zijn misschien niet schoon genoeg om naast je te zitten.'

Sonovia stoof naar buiten. Ze vergat haar jurk en jasje mee te nemen. Josephine keek Minty aan en Minty keek haar aan. Josephine barstte in lachen uit. Minty kon er niet om lachen. Maar ze was blij dat ze de jurk mocht houden. Sonovia hoefde hem nu misschien nooit meer terug te hebben, en dat betekende dat ze altijd iets om aan te trekken zou hebben als iemand haar op een bruiloft zou uitnodigen. Ze ging verder met haar strijkwerk.

Iemand had Tante eens een doos met elpees gegeven met iets dat *Porgy and Bess* heette. Minty kon zich niet herinneren wanneer ze die elpees had gekregen, misschien voor haar verjaardag, maar Tante had niets om ze op af te spelen, gesteld al dat ze dat zou willen. De platen waren dus zo goed als nieuw. Als Minty op goede voet had gestaan met Sonovia en Laf had ze hun om raad kunnen vragen – ze hadden zo'n ding dat cd's afspeelde – maar dat was niet meer het geval, dus dat kon ze niet doen. Uiteindelijk kocht ze in de winkel naast Immacue pakpapier met bruiloftstaarten en zilveren klokjes, verpakte de elpees erin en nam die mee naar Josephines bruiloft.

De stomerij was die zaterdagmorgen niet open. Ze hingen een bordje voor het raam: GESLOTEN WEGENS HUWELIJK VAN EIGENARES. De huwelijksceremonie in de Oecumenical Church of Universal God the Mother in Harlesdon High Street werd gevolgd door een receptie in het restaurant waar Ken kookte, de Lotus Dragon. Het was allemaal erg leuk. In de kerk werd gedanst en op de tamboerijn gespeeld en er speelde een bandje van vier vrouwen. Toen de lunch in volle gang was, kwam er een glimlachende groene draak, volgens het principe van het paard met twee mensen erin, naar binnen gerend en hield een toespraak in het Kantonees. Minty amuseerde zich kostelijk, althans in het begin. Ze had gehoopt de billentas met het mes erin onder Sonovia's blauwe jurk naar binnen te kunnen smokkelen, maar de contouren kwamen erdoorheen en dat was een raar gezicht. Om de een of andere reden verwachtte ze dat Jocks geest zou verschijnen. Toen ze de lege stoel naast de hare had gezien, was ze daar zeker van. 'Waarom zit daar niemand?' vroeg ze aan Josephines beste vriendin uit Willesden.

92

De beste vriendin zei dat Josephines moeder uit Connemara had willen overkomen, maar de vorige dag was gevallen en haar enkel had gebroken.

'Ze moeten die stoel daar niet laten staan,' zei Minty, maar niemand reageerde daarop.

Josephine zei dat de lege stoel haar aan afwezige vrienden herinnerde. Ze droeg een *salwar kameez* van vuurrode chiffon en een hoed met grote zwarte struisvogelveren. Ze zag er geweldig uit, zij het een beetje opzichtig. Ken droeg een grijs jacquet en een hoge hoed. Over de hele lengte van de tafel stonden rode lelies en op de servetten waren groene draken afgebeeld.

Ze aten toast met garnalen en loempia's, gevolgd door pekingeend. Zelfs Minty at die dingen, ze moest wel. Tijdens een lange discussie tussen de beste vriendin uit Willesden en Kens broer, die vrij goed Engels sprak, over de vraag of het niet 'beijingeend' moest zijn, kwam Jocks geest binnen en ging op de stoel naast Minty zitten. Hij was gekleed zoals ze hem soms graag gekleed had willen zien, namelijk in een donker pak, een wit overhemd en een blauwe das met witte stippen.

'Sorry dat ik zo laat ben, Polo,' zei hij.

'Ga weg.'

Hij gaf geen antwoord. Hij lachte alleen maar, alsof hij een echt levend mens was. Ze wilde hem niet aankijken, maar hoorde hem fluisteren: 'Ik ging naar de tuin en ontmoette een grote berin...'

Een heel eind verderop aan tafel nam iemand foto's. Toen ze door een flits verblind werden, pakte ze het mes op dat je kon gebruiken als je niet met eetstokjes overweg kon. Ze hield het bij haar zij tussen hen in en stak door zijn broekspijp in zijn dij. Ze verwachtte bloed, geestenbloed, dat misschien net zo rood was als dat van levende mensen en misschien ook niet, maar er kwam niets. In plaats van op te lossen vervaagde hij als een spiegelbeeld dat huivert wanneer het wateroppervlak verstoord wordt. Daarna smolt hij weg en verdween geleidelijk. De stoel naast haar was weer leeg.

Dus het werkte. Zelfs met een bot mes kon je hem wegkrijgen.

Maar zou het voorgoed zijn? Ze legde het mes terug op tafel. Er was niets aan te zien, alsof het alleen maar door de lucht was gegaan. Mensen keken vreemd naar haar. Het lukte haar opgewekt te glimlachen naar de camera's. Het leek wel of er opeens tientallen waren, klikkend en flitsend. Zou de geest op de foto's te zien zijn? In dat geval, dus als er opeens een geest op de lege stoel bleek te zitten, zouden ze vast en zeker in de zondagsbladen komen.

Kens broer hield een toespraak, en Josephines zuster ook. Er kwam steeds meer drank op tafel. Minty vond dat het tijd werd om weg te gaan, al maakte niemand aanstalten. Ze had een bordje met DAMES gezien en volgde de pijl. Ze kwam in een kamer waar alle huwelijkscadeaus op een tafel lagen, al kon ze dat van haar niet zien, en ontsnapte door de achterdeur naar een rommelige tuin. Het kostte haar nogal wat tijd om de weg naar Harrow Road terug te vinden. Eenmaal daar huiverde ze, bang als ze was dat ze Jocks geest zou tegenkomen.

Zoals Laf en Sonovia jarenlang hun *Mail* in haar brievenbus hadden gegooid als ze hem uit hadden, zo kwam Laf ook regelmatig de *Evening Standard*, de *Mail on Sunday* en de *Sunday Mirror* brengen. De afgelopen twee zondagen had hij dat niet gedaan. Minty verwachtte niet dat hij het deze week zou doen.

In het huis naast haar hadden de Wilsons een felle woordenwisseling over precies hetzelfde. Ze hadden allebei hun ochtendjas nog aan en zaten aan een uitgebreid ontbijt van bagels, koffiebroodjes en koffie. Ze konden het niet eens worden over het al dan niet voortzetten van hun ruzie met Minty, of 'haar naar Coventry sturen', zoals Sonovia het noemde.

'Ik wil niet dat je die kranten daar vanmorgen naartoe brengt, liefje. Punt uit! Ik wil ze voor Corinne. Ze heeft geen zondagsblad meer en je eigen dochter heeft toch meer rechten dan de buurvrouw?'

'Dus,' zei Laf, 'jij wilt doorgaan met die ruzie, al mag God weten waar het goed voor is: een ruzie met een arm meisje dat zo gek is als een deur en van voren niet weet dat ze van achteren nog leeft.'

'Ik vind dat woord "meisje" erg interessant. Minty Knox is negen jaar jonger dan ik. En wat dat "gek" betreft: ze weet wel hoe ze iemands kleren moet lenen en diezelfde persoon dan moet verwijten dat ze slordig in het huishouden is. En ik zal je nog eens wat vertellen. Ze is verstandig genoeg om een geldriem onder haar kleren te dragen. Dat heb ik gezien toen ze mijn jurk paste.'

'Nou, daar is niets mis mee. Het is jammer dat niet meer vrouwen dat doen in een buurt als deze. Dan zouden er niet zoveel handtasjes worden geroofd. Zodra ik me heb uitgekleed, knip ik die bladzijde voor Corinne uit de krant en breng de rest naar Minty. Ik vind dat we de strijdbijl moeten begraven.'

'Als je dat doet, brigadier Lafcadio Wilson, kun je iemand anders gaan zoeken die je karbonade braadt voor je zondagse middageten. Want dan ga ik naar Daniel en Lauren en mijn lieve kleindochtertje. Je bent gewaarschuwd.'

Hoe meer ze erover nadacht, des te meer wilde Minty de *Mail* en de *Mirror* zien. Die foto's zouden niet gemaakt zijn als het niet de bedoeling was dat ze in de kranten kwamen, en op een van die foto's zou Jock kunnen staan, al was het maar schimmig of doorzichtig. Dat zou ze als bewijs kunnen laten zien, dacht ze vaag, aan mensen als de Wilsons en misschien Josephine. Toen ze het mes in Jock stak, had ze Josephine onder die grote zwarte hoed naar zich zien kijken alsof ze gek geworden was, een afschuwelijke starende blik met opgetrokken lip.

Toen Laf om halfeen nog steeds niet was gekomen, waste Minty haar handen, trok haar jas aan en ging naar de kantoorboekhandel tegenover de ingang van de begraafplaats. Daar kocht ze drie zondagsbladen. Op weg naar huis kwam ze langs het hek van Laf en Sonovia en rook de intense geur van gebraden karbonade, een geur die voor anderen uitnodigend was, maar Minty deed huiveren. Ze sleurde haar gedachten weg van het bubbelende vet, het sissen en knetteren – je kon een braadpan nooit goed schoon krijgen – en ging naar binnen en waste haar handen. Misschien zou ze straks nog een bad nemen.

Het was een bittere teleurstelling dat de kranten geen enkele foto van Josephines bruiloft bevatten, ook niet van Jock die op de lege stoel zat. Minty moest zich tevredenstellen met voorpagina-foto's (en binnenin nog meer) van ene James Melcombe-Smith, die met een zekere Zillah Leach trouwde. De weinige tekst onder de foto luidde: *James Melcombe-Smith (30), Conservatief parlementslid voor South Wessex, trouwde in de kapel van St. Mary Undercroft in het Paleis van Westminster met het vriendinnetje uit zijn kinderjaren, Zillah Leach (27). Melcombe-Smith, een waarschijnlijke kandidaat voor promotie als de partijleider wijzigingen in het schaduwkabinet aanbrengt, en zijn bruid zullen hun huwelijksreis naar de Malediven uitstellen totdat het Lagerhuis op 20 april aan het paasreces begint.*

Minty interesseerde zich niet voor die dingen, maar keek wel bewonderend naar de bruid. Ze vond dat die er in haar ivoorwitte satijn met roomkleurige en rode orchideeën veel mooier uitzag dan Josephine in dat lelijke knalrood. Josephines felle blik en opgetrokken lip zaten Minty nog steeds dwars. Ze keek op de binnenpagina, maar daar zag je alleen die Melcombe-Smith met een geweer door de heuvels lopen, en zijn bruid, die breed grijnsde, in een vuile oude trui en met haar haar helemaal in de war, onder een volslagen onbegrijpelijke kop: *Homo? Wie lacht nu het laatst?*

Het probleem met kranten was dat de inkt afgaf op je handen. Minty ging naar boven en nam een bad. Jocks geest zou terugkomen. Zo niet vandaag, dan wel morgen, en zo niet morgen, dan wel volgende week. Ze had die geest immers niet gedood. Dat tafelmes was niets waard. Het joeg een geest alleen maar tijdelijk op de vlucht, zoals ook een levend mens ervandoor gaat als er met een wapen naar hem wordt gezwaaid. Als ze voorgoed van hem af wilde, moest ze de volgende keer een van die lange scherpe messen bij de hand hebben.

9

Een productiemaatschappij had Matthew gevraagd om mee te werken aan een programma dat ze voor BBC2 Television maakten. Het heette *Living on Air* of zoiets en hij zou de – nou ja, hij zou in feite de ster zijn. Hij zou met mensen praten die ongeveer dezelfde problemen hadden als hij. Hij zou die mensen interviewen en de verschillen in houding ten opzichte van voedsel aan het licht brengen. Ze zouden een proefaflevering maken en als die een succes werd, maakten ze er misschien een serie van. Michelle was opgetogen. Sinds Matthew de dieetsuggesties van Fiona opvolgde, zag hij er veel beter uit, en hij had een prachtige stem.

'Je stem doet me altijd aan die nieuwslezer denken,' zei Fiona. 'Hoe heet hij ook weer? Peter Sissons.'

'Ze hebben hem ongetwijfeld uitgekozen omdat hij zo goed klinkt,' zei Michelle.

Fiona betwijfelde dat. Ze hadden hem volgens haar uitgekozen omdat hij die column schreef en omdat hij op mannen leek die je op foto's zag die in Japanse krijgsgevangenkampen hadden gezeten. Maar dat zei ze niet. De twee vrouwen zaten in Fiona's serre gekoelde chardonnay te drinken, terwijl Matthew thuis achter zijn computer *An Anorexic's Diary* van die week schreef. Het was een echte serre, een weelderig paleisje met wit kristal, witrieten meubilair, blauwe kussens, een tafel van riet en glas en een groot aantal bonsaiboompjes, hoge varens en graslelies in blauwe aardewerken potten. Je had zicht op Fiona's kleine ommuurde tuin, waarin voorjaarsbloemen bloeiden en een fontein tinkelde.

'Jeff komt zo thuis,' zei Fiona, alsof haar vriend een baan had en net als de buren dagelijks naar zijn werk reisde. Toen bracht ze Michelle in verlegenheid door te zeggen: 'Jij mag hem niet, hè?'

'Ik ken hem niet goed, Fiona.' Michelle vond het gênant, maar nu de vraag haar zo rechtstreeks was gesteld, moest ze zeggen wat ze op haar hart had. 'Ik geef toe dat ik me wel eens heb afgevraagd, en Matthew ook, of je niet... Nou, of het niet een beetje overhaast is om met iemand te trouwen die je pas een paar maanden kent.'

Fiona was helemaal niet uit het veld geslagen. 'Ik weet dat dit de man is met wie ik de rest van mijn leven wil doorbrengen. Doe alsjeblieft je best om hem aardig te vinden.'

Hij teert op jouw zak, hij is grof, hij is onoprecht en wreed, dacht Michelle. Hij is een leugenaar. Die gevoelens moesten op haar gezicht te lezen hebben gestaan, want Fiona begon nu toch teleurgesteld te kijken. 'Als je hem beter kent, zul je anders over hem denken. Dat weet ik zeker.'

'Goed, meid, ik geef toe dat ik hem niet graag mag. Dat is natuurlijk net zo goed mijn schuld als de zijne. Omdat hij je man wordt, zal ik proberen hem aardig te vinden.'

'Jij bent altijd zo redelijk en eerlijk. Wil je nog wat wijn?'

Michelle liet zich nog een paar centimeter chardonnay inschenken. Ze zeiden dat je er dik van werd, maar ze had geconstateerd dat de meeste mensen die witte wijn dronken verontrustend slank bleven. Ze was sterk geweest en had niet één gezouten amandel van het schaaltje op tafel gegeten. Ze schikte zich en vroeg: 'Hebben jullie al een huwelijksdatum uitgekozen?'

'Geloof het of niet, maar we kunnen nergens een plek voor onze receptie vinden. Blijkbaar wil iedereen in het millenniumjaar trouwen. We hadden in juni gewild, maar moesten het uitstellen tot augustus. Daar is Jeff nu trouwens mee bezig, met zoeken naar een geschikte gelegenheid.'

Dat had hij ook via de telefoon kunnen doen, dacht Michelle. Aan de andere kant was ze blij dat het huwelijk werd uitgesteld. Ze kon wel proberen hem aardig te vinden, maar het was waarschijnlijker dat Fiona op een dag zou inzien wat Jeffs ware aard was.

'Kerk of burgerlijke stand?'

'Nou, je hoeft tegenwoordig niet meer uit die twee te kiezen, hè? Jeff is al eerder getrouwd geweest, dus het kan niet in de kerk, maar we denken erover om het in een hotel te doen, met daarna de receptie in datzelfde hotel.' Ze luisterde hoe de voordeur open- en dichtging. 'Daar zul je Jeff hebben.'

Hij liep de eetkamer door en ging het trapje op. Zoals gewoonlijk glimlachte hij. Hij had een eerlijk gezicht, als een van die Amerikaanse politici, dacht Michelle. Perfect gebit, oprechte lijnen op zijn voorhoofd, en intense blauwe ogen die je recht aankeken. Hij boog zich over Fiona heen en kuste haar als een filmacteur die zijn vrouw verwelkomt. Michelle kreeg ongewild ook een kus, een vluchtig kusje op haar wang.

'Hoe is het met de Dunne Man?'

'Heel goed, dank je,' zei Michelle. Ze was kwaad, maar sprak vriendelijk, want ze wilde Fiona niet kwetsen.

'Ik hoorde dat hij op de televisie komt.' Omdat er geen glas voor hem was, nam hij Fiona's bijna lege glas, schonk het vol en sloeg de helft achterover. 'Jij moet zien dat je er ook op komt, Michelle. Misschien worden jullie de nieuwe Dikke en Dunne. O, kijk niet zo, Fiona-lief, zo ben ik nu eenmaal. Ik zou beter moeten weten. Zeg, ik heb een geweldig hotel in Surrey gevonden. We kunnen daar trouwen en na afloop serveren ze een schitterend diner. Op 26 augustus – wat zeg je daarvan?'

'Het klinkt perfect,' zei Michelle, die vond dat het behoorlijk lang duurde. 'Ik moet gaan, Fiona. Bedankt voor de wijn.'

'Ik laat je wel even uit.' Jeff knipoogde overdreven naar Fiona. Hij bracht Michelle naar de deur en vroeg haar, zoals hij altijd deed, zijn 'beste groeten' aan Matthew over te brengen. Toen ze halverwege het pad was, sloeg de voordeur nogal hard dicht.

'Dat,' zei Fiona, die anders niet zo kritisch was, 'was nogal grof. Jij kunt erg kwetsend zijn, weet je.'

Bezorgdheid kon zijn hele gezicht veranderen. Dan keek hij opeens gekweld, bedroefd, meelevend. 'Dat weet ik. Het spijt me, schat. Maar ik kan me maar niet aan de gedachte onttrekken dat mensen die zo dik worden gewoon stom zijn.'

'Michelle is niet stom.'

'O nee? Nou, jij zult het wel het beste weten. Zullen we nog een fles wijn openmaken?'

'Die is dan niet gekoeld.'

'Dat is gemakkelijk te verhelpen door hem vijf minuten in de vriezer te leggen.'

Terwijl de wijn werd gekoeld, besloot hij haar mee uit eten te nemen en zo een deel van het forse geldbedrag uit te geven dat hij die middag op de paardenrenbaan had gewonnen. Hij pakte twee schone glazen, zette die met de wijn op een dienblad en ging terug naar de serre.

'Als ik nu eens de Rosmarino bel en je mee uit eten neem, lieveling? Ik bedoel, ík neem jóú mee uit eten.' Terwijl hij de wijn inschonk, kwam hij op een idee. 'Ik heb in internet geïnvesteerd en daarmee nogal goed geboerd.'

Ze wist daar natuurlijk alles van. 'Ik wist niet dat je aandelen had. Wat slim van je. Maar ben je wel voorzichtig, Jeff? We weten nog niet veel van ondernemingen als luchtkasteel@banklening.co.uk en cashflow@wonder.com. Misschien bestaan hun winsten alleen op papier.'

Hij veranderde vlug van onderwerp en begon over iets wat hij al ter sprake had willen brengen sinds hij er afgelopen zondag in de krant over had gelezen en er nogal van was geschrokken. Als hij het had kunnen vermijden, zou hij dat hebben gedaan, maar dat durfde hij niet. Toch moest hij voorzichtig te werk gaan.

'Weet je nog, dat huwelijk dat zondag in de krant stond? Voorpagina van de *Mail*?'

Ze las nooit het nieuws, alleen de financiële pagina's. 'Sorry, ik was alleen in die fusie geïnteresseerd. Hoezo?'

'Ik heb er een beetje moeite mee om je dit te vertellen, al heb ik niets verkeerds gedaan.' Hij keek haar recht in de ogen. 'Hou mijn hand vast, Fiona. Ik wil je absoluut niet kwetsen.' Zijn stem klonk plechtig. 'Fiona, luister naar me. Mijn ex-vrouw is getrouwd. Het stond in de krant. Ze is met een parlementslid getrouwd.'

Ze pakte zijn beide handen vast en trok hem naar zich toe. 'O, Jeff. O, liefste. Waarom heb je me dat niet meteen verteld?'

'Ik weet het niet. Om de een of andere reden kon ik het niet.'

'Het maakt je ongelukkig, hè? Ik begrijp dat wel. Ik weet dat je van me houdt, maar toch kan zoiets verschrikkelijk kwetsend zijn. Dat is volkomen normaal. Geef me een zoen.'

Ze kusten elkaar, eerst teder, toen hartstochtelijker. Jeff was de eerste die zich losmaakte. 'Ik ga het restaurant bellen.'

Fiona glimlachte een beetje zuur. Het was, zoals ze had gezegd, volkomen normaal dat hij zich wat ongelukkig voelde. Ze dacht aan de mannen uit haar verleden, van wie er twee later met een andere vrouw waren getrouwd. Ze was, hoe onredelijk ook, nogal van streek geweest, al had ze die mannen zelf niet willen hebben en had ze absoluut niet bij hen willen blijven. Toen Jeff terugkwam, keek ze hem met een warme, bijna moederlijke glimlach aan.

'Wil je me erover vertellen?' Ze pakte zijn hand weer vast. 'Het hoeft niet. Alleen als je het wilt.'

'Ja, dat wil ik wel. Ze heet Zillah. Z-I-dubbel L-A-H. Ze is een zigeunerin, of wil mensen laten denken dat ze dat is. We hebben elkaar op de universiteit leren kennen. Natuurlijk waren we allebei nog erg jong. Het is het oude verhaal: we groeiden uit elkaar. Er was niet iemand anders of zo. Nou ja, er was altijd die kerel met wie ze nu getrouwd is; ze kenden elkaar als kinderen al, maar ik heb altijd gedacht dat hij homo was.'

'En de kinderen, Jeff?'

'Ik neem aan dat die bij haar zijn.' Hij vroeg zich af hoeveel hij haar kon vertellen. 'Dat zit me ook dwars. Natuurlijk heeft ze haar best gedaan om de kinderen van me vandaan te houden.'

'Ik zou graag kinderen willen,' zei Fiona met een zacht stemmetje.

'Dat spreekt voor zich. Daar reken ik toch op? Schat, volgend jaar om deze tijd hebben we misschien al onze eerste baby. Ik zal de perfecte huisman zijn. Ik blijf thuis en zorg voor de kinderen.'

'Hoe heet ze?'

'Wie? Zillah?' Hij dacht snel na. 'Haar meisjesnaam was Leach. De man met wie ze getrouwd is, die ex-homo, heet Melcombe-Smith. Hij is het Lagerhuislid voor het district in Dorset waar zij vandaan komt.'

Fiona knikte. Ze zei niets meer en ging naar boven om zich te verkleden. Jeff besloot de fles leeg te drinken. Ze konden met een taxi naar het restaurant gaan. Hij was erg geschokt door de trouwfoto en het bijbehorende artikel, zo diep geschokt dat hij, nu hij het haar had verteld, niet bij Fiona in huis kon blijven, maar naar buiten moest om een wandelingetje naar Fortune Green te maken. Het was duidelijk dat de brief die hij op Matthew Jarveys computer had geschreven en naar Zillah had gestuurd serieus was genomen. Hij had wel verwacht dat Minty de hare serieus zou nemen – ze was daar dom genoeg voor – maar niet Zillah. Hij had haar een teken willen geven dat hij van plan was te verdwijnen, dat ze geen last meer van hem zou hebben. Hij was niet van plan geweest haar carte blanche te geven om te hertrouwen, alsof ze formeel gescheiden waren of hij echt was doodgegaan. Misschien over een paar jaar, als ze hem in geen eeuwigheid had gezien, maar niet na zes maanden. Aan de andere kant, dacht hij toen hij weer naar Fiona's huis terugliep, moest hij zijn petje voor haar afnemen. Ze had het lef gehad om met een rijk aristocratenzoontje als die Melcombe-Smith te trouwen en tegen de krant te zeggen dat ze de kinderloze, ongehuwde mejuffrouw Leach was. Tenminste, dat nam hij aan. Ze moesten het ergens vandaan hebben, waarschijnlijk van haarzelf.

Terwijl hij het laatste restje wijn opdronk, dacht hij even aan zijn kinderen, en er kwam iets in hem op dat voor hem nogal vreemd was: echt verdriet. Hij had ze niet veel gezien, vooral Jordan niet, maar als hij bij hen was, had hij van hen gehouden. Het enige waar hij niet tegen kon, was dat huiselijke gedoe, meneer en mevrouw, mammie en pappie die de huishoudelijke taken verdeelden, de wekelijkse boodschappen deden, het eten kookten, de kinderen er altijd bij, de kinderen die zich altijd pijn deden, altijd huilden en overal een troep van maakten. Arm zijn, nooit weten waar de volgende penny vandaan moest komen. Zillah was een goede moeder – tenminste, dat had hij altijd gedacht. Ze ging 's avonds nooit uit, liet de kinderen nooit alleen achter, hoewel hij had geprobeerd haar over te halen. Alsof ze in een dorp, omringd door vriendelijke buren, niet volkomen veilig zouden zijn! Hij had er zelf geen moeite mee gehad om wekenlang bij zijn gezin vandaan te blijven, want hij kon erop vertrouwen dat Zillah voor zijn kinderen zou zorgen. Maar nu?

Hij had de pagina's met de foto's bewaard, maar hij had het artikel zo vaak gelezen dat hij het uit zijn hoofd kende. Ze had niet tegen de verslaggever gezegd dat ze een zigeunerin was – dat zou die toch niet hebben geloofd – of dat ze eerder getrouwd was geweest, of dat haar meisjesnaam niet Leach maar Watling was. En wat vooral verontrustend was: ze had blijkbaar niets over het bestaan van de kinderen gezegd. Hij wist genoeg van verslaggevers – hij had ooit een verhouding met een tamelijk bekende freelance journaliste gehad – om te weten dat de geïnterviewde niet aan de interviewer hoefde te vragen iets geheim te houden als het eenmaal was uitgesproken, dus 'om daarover niets te schrijven'. Wat je zei, kwam in de krant. Zeker, er werden stukjes weggelaten en dingen werden uit hun verband gerukt om de betekenis te veranderen. Dat was iets anders. Het was uitgesloten dat Zillah tegen de *Mail* had gezegd dat ze twee kleine kinderen had, of die nu binnen of buiten een huwelijk waren geboren, en dat de verslaggever braaf had beloofd dat het niet in de krant zou komen. Dus had ze het niet gezegd. Wat had ze met zijn kinderen gedaan?

Fiona kwam naar beneden. Ze zag er stralend uit in een wit pakje met een erg korte strakke rok en zwarte lakschoenen met hoge hakken. Hij voelde begeerte in zich opkomen. Een avond in bed zou zijn zorgen om Eugenie en Jordan voor een groot deel verdrijven, maar het mocht niet zo zijn. Dat was zijn eigen schuld. Hij had zelf voorgesteld uit eten te gaan.

Er kwam een taxi aanrijden door Fortune Green Road. Dat was maar goed ook, want Fiona had op die hoge hakken geen meter meer kunnen lopen. Hij zou naar Zillah toe moeten om met haar te praten, om zijn kinderen te zien; hij had het recht om zijn kinderen te zien, ze waren van hém. Hij had nooit betwist dat hij hun vader was. Ze leken allebei sprekend op hem, en dat was net zo'n betrouwbare indicatie als een DNA-test, had hij altijd gedacht.

'Probeer er niet de hele tijd aan te denken, Jeff.'

Een ogenblik was hij bang dat ze zijn gedachten had gelezen. Toen besefte hij dat ze natuurlijk dacht dat hij over het nieuwe huwelijk van zijn 'ex-vrouw' piekerde.

'Je hebt mij nu en we hebben een heel leven voor ons liggen.' Misschien zou het geen slecht idee zijn om Fiona in de waan te laten dat hij het moeilijk had met zijn scheiding van Zillah. Als hij voortaan in gedachten was of stil, zou ze het daaraan toeschrijven. 'Dat weet ik,' zei hij. 'Daar ben ik hartstikke blij mee. Ik denk aan mijn zoon en mijn kleine meisje. En het is... Nou, ze was mijn eerste liefde.' Hij pakte haar hand. 'En jij bent mijn laatste. De eerste in mijn hart en de laatste in mijn leven.' De taxi reed Blenheim Terrace op en hij voelde in zijn zakken. 'Heb jij kleingeld, schat? Ik heb alleen een briefje van twintig pond.' Fiona betaalde de taxichauffeur. Eenmaal aan tafel vroeg ze hem nog meer over Zillah. 'Als je haar wilt ontmoeten om het uit te praten of zo, zou ik daar geen bezwaar tegen hebben.'

In zekere zin was dat zijn kans. Het zou verstandiger zijn om die kans niet te accepteren. Misschien wilde ze met hem mee om Zillah zelf te ontmoeten. Hij moest er bijna van huiveren. Fiona, met haar huis, haar geld, haar erfenis, haar baan, was (zoals hij het voor zichzelf stelde) de beste vrouw die hem ooit overkomen was. 'Nee, schat. Ik wil het allemaal achter me laten.'

Hij bestudeerde de wijnkaart. In tegenstelling tot wat hij tegen Fiona had gezegd, zou hij het geld dat hij op het paard dat Website heette, had gewonnen niet gebruiken, maar in plaats daarvan betalen met de American Express-card die hij in een ander restaurant had gevonden. De creditcard had onder een tafel gelegen in Langans, waar hij als gast was geweest van een vrouw die hij op de trappen van het Duke of York had opgepikt. De kaart had toebehoord aan een zekere J.H. Leigh en door de vondst van die kaart had hij de naam Leigh aangenomen toen hij Fiona ontmoette. Tegelijkertijd was hij voor die grappige kleine Minty Knox nog Lewis geweest, en voor een nieuwe identiteit had hij met de namen Long of Lane gespeeld, maar Leigh moest het worden. Hij had de kaart in het begin spaarzaam en alleen voor kleine bedragen gebruikt, en iedere keer had hij verwacht te horen dat hij was ingetrokken. Er gebeurde niets. Hij betaalde ermee in restaurants en gebruikte hem zelfs om kleren voor Fiona te kopen, al had hij het nooit gewaagd om er sieraden mee te betalen.

Natuurlijk had hij zich afgevraagd hoe het kon. Wie was die Leigh die zo rijk en spilziek was dat hij niet eens de moeite nam het verlies van zijn American Express-card te melden en gewoon de rekeningen bleef betalen die hij elke maand naar zijn huis gestuurd kreeg? Toen begon het hem te dagen. Het was helemaal geen man, maar een vrouw die door een man werd onderhouden, een echtgenote of vriendin, wier American Express-rekeningen door een echtgenoot of minnaar werden betaald zonder dat die vragen stelde. Had ze hem niet durven vertellen dat ze de kaart had verloren? Misschien was ze, toen het verlies zich voordeed, op een plaats geweest waar ze niet geacht werd te zijn? Of had ze zoveel van die kaarten dat ze het verlies van een ervan niet opmerkte?

Hij dacht in die trant, want slinks gedrag, bedrog, een slag slaan en iets voor niets krijgen waren praktijken die hem op het lijf geschreven waren. Op een dag zou de kaart worden ingetrokken, maar dat lag nog in de verre toekomst en intussen kon hij ervan profiteren.

'Ik vroeg: neem je de gegrilde groenten of de gerookte zalm? Schat, je luisterde niet.'

'Sorry,' zei hij. 'Ik dacht... Nou, je weet wat ik dacht.'

Gelukkig wist ze dat niet. Hoe kon hij Zillah te pakken krijgen? Haar bellen? Het zou niet moeilijk zijn haar nummer te vinden. Haar opzoeken? Ooit, jaren geleden, toen Zillah zwanger was van Eugenie en ze in dat krot bij het station Queens Park woonden, waren ze door die Melcombe-Smith voor een drankje uitgenodigd in zijn huis in Pimlico. Ze waren erheen gegaan en het was afschuwelijk geweest en had bijna een socialist van hem gemaakt. Jims, zoals hij werd genoemd, woonde daar misschien nog steeds; het was pas zes of zeven jaar geleden. Tot zijn schrik besefte hij dat hij de leeftijd van zijn eigen dochter niet meer precies wist. Maar hij hield van haar, dat wist hij wel; ze was van hem en hij moest haar ontmoeten.

'Luister,' zei hij. 'Adam en Eva en Knijp Mij gingen naar de rivier om te baden. Adam en Eva verdronken. Wie werd gered?'

'Kom nou, Jeff.' Fiona's geduld was op. 'Bewaar dat maar voor de baby die we volgend jaar misschien krijgen. Ik ben een volwassen vrouw.'

10

De aandacht die ze kreeg, was in veel opzichten vleiend en prettig. Zillah had al die publiciteit in de *Mail on Sunday* niet verwacht, en toen ze voor het eerst de foto's zag en het positieve verhaal over haarzelf en Jims las, was ze in de wolken. Andere mensen hadden het ook gezien en belden om haar te feliciteren. Maar een van hen had gevraagd waarom Eugenie en Jordan niet werden genoemd en die vrouw had zelf het antwoord op haar eigen vraag gegeven: 'Je wilt ze natuurlijk tegen de aandacht van de media beschermen.'

Zo was het precies, zei Zillah. Ze had een paar dagen de tijd gehad om zich te ontspannen en om van het wonen in Abbey Gardens Mansions te genieten, om het comfort te leren kennen van haar nieuwe huis en om te beslissen dat het tijd werd om de kinderen te halen. Ze hadden sinds twee dagen voor de bruiloft bij haar ouders in Bournemouth gelogeerd, maar ze begon hen te missen en wilde hen terug hebben. De publiciteit was achter de rug. Ze besefte dat ze het de hele tijd goed had gezien: Jims was niet beroemd, hij was een van de vele parlementsleden, en dan ook nog een lid van de oppositie. En het enige waarmee ze de pers naar zich toe hadden gelokt, was het knappe uiterlijk van haarzelf en Jims – en misschien ook het feit dat iedereen had gedacht dat hij homo was.

De kinderen zouden terugkomen, zouden wandelingen met haar maken, zouden door haar in haar mooie nieuwe zilverkleurige Mercedes worden rondgereden, zouden in Westminster naar school gaan, en niemand zou ook maar enige aandacht aan hen schenken. Dacht Zillah – tot de eerste journaliste belde.

'Ik hoop dat ik uw huwelijksreis niet verstoor?'

'We gaan pas met Pasen op huwelijksreis,' zei Zillah, die zich niet bijzonder op die seksloze reis naar een eiland in de Indische

Oceaan verheugde, met niets anders te doen dan drinken en de hele dag met Jims praten.

'Zelfs geen kleintje?' vroeg de vrouw. Ze werkte voor een landelijk dagblad. 'Ik bel om u om een interview te vragen. Op donderdag.'

Zillah vergat Jims' instructies om journalisten met zulke verzoeken naar Malina Daz door te verwijzen. Ze vergat haar angst voor journalisten. Ze waren in de *Mail* zo aardig voor haar geweest. Waarom zou ze het niet doen? De kinderen waren nog niet terug. Dit zou haar een kans geven om alles te bevestigen wat al in druk was verschenen en misschien ook nog wat glamourfoto's te laten maken. 'Wilt u foto's maken?'

Blijkbaar klonk ze een beetje angstig, want de journaliste vatte de vraag verkeerd op. 'Nou, ja, natuurlijk. Een artikel over iemand die zo aantrekkelijk is als u zou niet veel voorstellen zonder foto's, nietwaar?'

Zillah ging akkoord. Twee uur later had ze een redactrice van een chic blad aan de telefoon. Ze hadden haar een paar dagen met rust gelaten, maar het werd nu tijd om uitgebreidere verhalen te publiceren dan een paar regels over haar huwelijk. Zillah wees haar op haar andere afspraak.

'O, maakt u zich daar geen zorgen over. Ons stuk wordt heel anders, dat verzeker ik u. U zult het prachtig vinden. U zult veel aandacht krijgen, dat kan ik u verzekeren, vooral omdat het gerucht ging dat uw man homoseksueel zou zijn.'

'Daar heeft nooit enige waarheid in gezeten,' zei Zillah nerveus.

'U hebt hem genezen, hè? Sorry, dat was niet politiek correct van me. Misschien kan ik beter zeggen dat u een verandering in hem hebt teweeggebracht. Zullen we zeggen, donderdagmiddag om drie uur? De fotograaf komt een uur eerder om zijn apparatuur te installeren.'

Toen Zillah eraan toekwam om het aan Jims en via hem aan Malina Daz te vertellen, hadden nog twee kranten en een tijdschrift zich bij de rij aangesloten. Malina behoorde tot de pr-mensen die vonden dat alle publiciteit goede publiciteit was. Jims was voorzichtiger en drong er bij Zillah op aan om alle verhalen over zijn vermeende homoseksualiteit zo heftig mogelijk te ontkennen. Op woensdagavond verzonnen ze samen een vroegere vriendin voor Jims, haar naam, haar uiterlijk, haar leeftijd, het feit dat Zillah jaloers op haar was. In het interview zou Zillah zeggen dat die vrouw inmiddels getrouwd was en in Hongkong woonde. Om voor de hand liggende redenen kon ze haar huidige identiteit niet bekendmaken. Toen het interview plaatshad, vergat ze de leeftijd van de vroegere vriendin en zei dat ze in Singapore woonde. Jims zei dat het niet erg was, want kranten hadden dat soort dingen toch vaak fout.

De kinderen waren nog in Bournemouth. Hun grootouders hadden zich, met enige tegenzin, bereid verklaard hen nog een week langer te houden. Mevrouw Watling zei door de telefoon dat ze het nogal ironisch vond. Nu Eugenie en Jordan voor het eerst van hun leven in een fatsoenlijk huis woonden, logeerden ze 'voor onbepaalde tijd' in Bournemouth, terwijl zij en hun grootvader hen een heel jaar niet hadden gezien toen ze in dat krot in Dorset woonden. Zillah vroeg haar nog even geduld met haar te hebben – een frase die ze van Malina Daz had overgenomen – en zei dat zij en Jims de kinderen het volgende weekend zouden komen halen.

Het eerste interview verscheen vrijdagochtend. De foto's waren fantastisch en het verhaal zelf was onderhoudend, met niets over Jims' vermeende homoseksualiteit en veel over Zillahs knappe uiterlijk en smaakvolle kleding. Om een andere frase van Malina te gebruiken: het hele onderwerp was 'met beleid behandeld'. De verzonnen vriendin kwam ook ter sprake. Er werden enkele woorden aan haar 'langdurige relatie' met Jims gewijd. Al met al was het artikel bevredigend. Er stonden nog twee artikelen op stapel, zei Malina, en er zouden nog meer interviews volgen.

Jims was tevreden over het stuk, maar hij kende de media beter dan Zillah. Hij had gedurende zijn zeven jaar in het Lagerhuis de streken van de media goed leren kennen. 'Sensatiebladen zijn prima, tot ze hun mes in je steken,' zei hij tegen Zillah. 'Tijdschriften zijn oké, zijn vriendelijk. Maar je moet oppassen voor landelijke dagbladen als de *Guardian*.'

'Misschien is het nuttig als ik erbij ben,' zei Malina, 'wanneer Zillah de schrijvende pers ontmoet, vooral de kwaliteitskranten.'

'Goed idee,' zei Jims.

Zillah mocht Malina niet. Malina had de waarheid over het huwelijk niet gehoord, maar had wel een vermoeden. Soms meende Zillah Malina op een heimelijke glimlach te betrappen. Ze liep de flat in Abbey Gardens Mansions in en uit en kwam zelfs in de slaapkamers, vermoedde Zillah, om daar laden open te trekken en haar lange slanke vingers in vakjes van bureaus te steken. Malina had een vriend die cardioloog in Harley Street was. Ze was kleiner dan Zillah en wel twee maten slanker.

Ze wilde Malina er niet bij hebben als ze met de *Times* en de *Telegraph* praatte. Het was al erg genoeg dat er een fotograaf bij was die foto's van haar maakte als ze even niet op haar hoede was en haar mond open of haar hoofd in een rare stand had. Malina's aanwezigheid zou, om een favoriet woord van haarzelf te gebruiken, 'ongepast' zijn, vooral door dat geheimzinnige glimlachje van haar en haar gewoonte om vol bewondering naar haar eigen handen en zilverig gelakte nagels te kijken. Zillah vertelde haar niets over het interview dat een freelance journalist haar voor het *Telegraph Magazine* zou afnemen. Jims zou er ook niet bij zijn, want het Lagerhuis vergaderde die dag over de Wet op het Plaatselijk Bestuur.

Ze stond voor het raam naar Dean's Yard te kijken, wachtend op de fotograaf, toen ze een auto langs een dubbele gele streep zag stoppen. Een krantenfotograaf zou beter moeten weten. Ze zouden hem wegslepen of hij kreeg een wielklem. Ze deed het raam open om naar hem te roepen dat hij zijn auto daar niet kon parkeren, maar de automobilist bleef achter het stuur zitten. Hoewel de auto een BMW was, iets heel anders dan de aftandse Ford Anglia waarin hij na hun laatste ontmoeting was weggereden, was Zillah er bijna zeker van dat de man haar echtgenoot Jerry was.

Ze stak haar hoofd uit het raam en tuurde naar hem. Hij bestudeerde iets, waarschijnlijk een kaart of plattegrond. Hij leek op Jerry, maar zeker wist ze het niet. Als die fotograaf en journalist niet zouden komen, zou ze naar beneden zijn gegaan om het uit te zoeken, en als het Jerry was, zou ze hem hebben aangesproken. Als ze die journalisten niet had verwacht, zou ze niet piekfijn gekleed zijn in een nauwsluitende paarse broek, schoenen met zeven centimeter hoge hakken en een zwart-met-witte bustier. Ze deed het raam dicht. De man in de auto keek op. Het wás Jerry. Hij was het. En van wie was die donkerblauwe BMW? Niet van hem, dat stond vast. De deurbel ging.

De fotograaf was uit de richting van Abbey gekomen. Daarom had ze hem niet gezien. Hij had een assistent bij zich, de gebruikelijke overjarige tiener, en ze begonnen aan de voorbereidingen. Ze spreidden ijswitte lakens over het meubilair uit en openden en sloten een soort parasol met een zilverig laagje. Zillah liep weer naar het raam. Een parkeerwachter praatte met de man in de BMW. Ze hoopte dat hij zou uitstappen, dan kon ze hem goed bekijken, maar hij reed weg in de richting van Millbank.

Zillah beleefde weinig plezier aan het interview. De interviewer was weer een vrouw. Ze zag er serieus uit en was stemmig gekleed in een zwart broekpak. Ze stelde zich voor als Natalie Reckman. Haar gezicht was klassiek en haar blonde haar was naar achteren getrokken en met een klemmetje vastgezet. Ze droeg geen sieraden, maar had wel een dikke, zware en eigenaardig gevormde gouden ring aan haar rechterhand. In haar zwarte leren aktetas zaten een notitieboekje en een opnameapparaat. Zillah, die er spectaculair uitzag, was zich plotseling bewust van haar sierlijke oriëntaalse halssnoer – amethisten in bewerkt zilver – de modieuze tien dunne armbanden van kraaltjes en de oorhangers die tot aan haar schouders hingen. En de vragen die haar werden gesteld waren lastiger, diepgaander dan gewoonlijk.

Deze vrouw was de eerste journaliste die haar geen compliment maakte met haar uiterlijk. In het begin leek ze meer in Jims geïnteresseerd dan in zijn nieuwe echtgenote. Zillah deed haar best over hem te praten zoals een hartstochtelijke jonge bruid over haar man praat. Hoe intelligent hij was, hoe attent hij voor haar was en hoe verstandig het was om met je beste vriend te trouwen. Wat zijn politieke carrière betrof was hij zo plichtsgetrouw dat hij hun huwelijksreis tot Pasen had uitgesteld. Ze gingen naar de Malediven. Die lieve Jims zou liever naar Marokko zijn gegaan, maar hij had zich gevoegd naar haar wens om naar de Malediven te gaan. Ze gingen de volgende winter naar Marokko.

Natalie Reckman geeuwde. Ze ging rechtop zitten en het interview nam een andere wending. Nadat ze had geprobeerd uit te vissen wat voor werk Zillah voor haar huwelijk had gedaan en met tegenzin genoegen had moeten nemen met Zillahs vage mededeling dat ze 'kunstenares' was geweest, vroeg ze of ze echt moest geloven dat de nieuwe bruid van het parlementslid zeven jaar zonder baan, zonder partner en zonder vrienden in een dorp in Dorset had gewoond. Zillah begon zich kwaad te maken en zei dat ze mocht geloven wat ze wilde. Ze vroeg zich af of het te laat was om de kinderen nog ter sprake te brengen. Maar hoe moest ze dan verklaren dat ze nooit eerder over hen had gesproken?

De journaliste glimlachte. Ze begon naar Jims te vragen. Hoe lang kenden ze elkaar? Tweeëntwintig jaar? Toch waren ze voor hun huwelijk nooit samen gezien en hadden ze blijkbaar ook niet onder hetzelfde dak gewoond.

'Niet iedereen is voor seks voor het huwelijk,' zei Zillah.

De journaliste bekeek Zillah aandachtig, van de oorringen en het opgestoken haar tot haar hoge hakken. 'U behoort tot de mensen die daar niet voor zijn?'

'Ik wil daar liever niet over praten.'

'Zoals u wilt. U zult wel hebben gehoord dat uw man tot een groepje parlementsleden werd gerekend waarvan één nogal kritisch, niet nader te noemen persoon dreigde dat hij hun homoseksualiteit bekend zou maken. Hoe denkt u daarover?'

Zillah begon het jammer te vinden dat Malina er niet bij was. 'Daar wil ik liever ook niet over praten.'

'U wilt toch wel zeggen dat er geen enkele waarheid in dat gerucht steekt?'

Zillah kon zich niet meer beheersen. 'Als u afdrukt dat mijn man homoseksueel is, klaag ik u aan wegens laster.'

'Nou, mevrouw Melcombe-Smith, u zegt daar iets bijzonder interessants. Blijkbaar vindt u het een belediging om te zeggen dat iemand homoseksueel is. Klopt dat? Trekt u daarmee homoseksualiteit niet in een sfeer van haat, bespotting of minachting? Gelooft u dat het minderwaardig is om homoseksueel te zijn? Of verkeerd? Is er een moreel verschil tussen heteroseksualiteit en homoseksualiteit?'

'Ik weet het niet,' schreeuwde Zillah. 'Ik wil niets meer tegen u zeggen.'

Jims en Malina zouden hebben geweten dat de interviewer nu een geweldig verhaal had, dat ze zo gauw mogelijk op papier wilde zetten. Zillah wilde alleen maar dat ze wegging en haar met rust liet. En uiteindelijk ging ze, absoluut niet uit het veld geslagen door Zillahs woede en weigering om nog een woord tegen haar te zeggen. Zillah voelde zich diep geschokt. Het was allemaal zo anders gegaan dan de vorige twee interviews. Ze had er nu spijt van dat ze had verzwegen dat ze kinderen had. Zou ze hen nog wat langer bij haar ouders kunnen laten? Ze vonden het daar prettig, ze schenen daar liever te zijn dan bij hun moeder thuis, maar haar ouders waren, om met haar moeder te spreken, niet meer de jongsten, en begonnen moe te worden van Jordans nachtelijk gekrijs. En waarom had die afschuwelijke vrouw zoveel vragen gesteld over wat ze voor haar huwelijk had gedaan? Zillah gaf toe dat ze zich niet goed genoeg had voorbereid.

Ze had één troost. *Telegraph Magazine* was geen krant en het artikel zou pas weken later verschijnen. Misschien waren zij en Jims dan al op de Malediven. Misschien was het nog niet te laat om het tegen te houden – als ze Malina durfde vragen om namens haar in te grijpen. Dat zou misschien een goed idee zijn. Ze vertelde niets aan Jims toen hij thuiskwam. Dat gebeurde trouwens pas om één uur 's nachts. Hij was in het Lagerhuis geweest, maar na de stemming van zeven uur was hij naar buiten geglipt, had honderd meter over Millbank gelopen en toen een taxi genomen om naar zijn nieuwe vriend in Chelsea te gaan.

Zillah begon in te zien dat het niet altijd een feest was om in de kranten te komen. Die journalisten waren slimmer dan ze had verwacht. Ze kon Jims er voorlopig buiten houden, maar ze moest met iemand praten. Ze belde Malina, die meteen langskwam.

'Misschien kun je *Telegraph Magazine* bellen om te zeggen dat ik dat van die laster niet meende en dat het me spijt dat ik tegen haar heb geschreeuwd.'

Malina was geschokt, maar liet dat niet blijken. 'Zou dat niet ongepast zijn? Ik zou erbij zijn geweest, als je het me had verteld. Maar je gaf dat interview uit vrije wil, Zillah. Niemand heeft druk op je uitgeoefend.'

'Ik hoopte dat jij het kon tegenhouden. Ik kan haar nog een interview geven. De volgende keer ben ik voorzichtiger.'

'Helemaal geen volgende keer zou nog beter zijn, Zillah.' Malina geloofde kennelijk niet meer dat alle publiciteit goed was. 'Maar daarvoor is het te laat, vrees ik.'

'Je kunt de andere kranten bellen en de interviews afzeggen.'

'Dan willen ze een reden horen.'

'Zeg dan dat ik ziek ben. Zeg dat ik... buikgriep heb.'

'Dan denken ze dat je zwanger bent. Dat ben je toch niet?'

'Natuurlijk niet,' snauwde Zillah.

'Jammer. Dat zou het antwoord op al onze gebeden zijn.'

Malina zei drie van de voorgenomen interviews af en zou ook het vierde hebben afgezegd, dat voor de volgende dag op het programma stond, maar de betreffende journalist nam zijn mobiele telefoon niet op, negeerde haar e-mail en fax en reageerde ook niet op de boodschappen die ze achterliet. Hoewel Zillah haar niet mocht, had ze zoveel vertrouwen in Malina dat ze zich er niet op kleedde toen het tijdstip aanbrak waarop die journalist zou komen. Ze ging ervan uit dat Malina het interview had afgezegd. Toen de deurbel ging, dacht ze: als dat Jerry nu eens is? Ze rende naar de deur zonder eerst in de spiegel te kijken, zoals haar gewoonte was.

Charles Challis was het soort man dat Zillah onder andere omstandigheden 'sexy' zou hebben genoemd. Maar de omstandigheden waren verkeerd, want ze had niemand verwacht, zeker geen man, en ze zag er belabberd uit.

'U zou toch niet komen?' zei ze. 'We hebben het interview afgezegd.'

'Niet dat ik weet. Is de fotograaf er al?'

Toen keek Zillah in de spiegel. Ze zag haar onopgemaakte gezicht, haar ongewassen haar en de trui die een souvenir van Long Fredington was en oorspronkelijk uit de British Home Stores kwam. Verdoofd leidde ze Charles Challis naar de huiskamer. Hij vroeg haar niets over Jims' eventuele homoseksualiteit, vroeg ook niet wat voor werk ze deed en zei niets over haar uiterlijk. Hij was aardig. Zillah kwam tot de conclusie dat ze geen hekel aan journalisten had, maar aan vrouwelijke journalisten. Ze vroeg de fotograaf of hij even wilde wachten tot ze wat make-up had aangebracht. Toen ze terugkwam, begon Charles – hij had haar gevraagd of ze hem bij de voornaam wilde noemen – vragen over politiek te stellen.

Dat was een onderwerp waarvan Zillah toegaf dat ze er weinig van wist. Ze wist wie de premier was en zei dat ze hem 'sexy' vond, maar ze kon zich de naam van de oppositieleider niet herinneren. De journalist legde de brandende kwestie van de dag aan haar voor. Wat was haar mening over Sectie 28?

Ze keek hem nietszeggend aan. Charles legde het uit. Sectie 28 verbood plaatselijke overheden om homoseksualiteit te promoten en in de Wet op het Plaatselijk Bestuur was een artikel opgenomen dat die sectie introk. Dat zou gebeuren omdat Sectie 28 kinderen die in onzekerheid verkeerden over hun geaardheid in verwarring bracht en tot het mikpunt van pesterijen maakte. Wat vond Zillah daarvan?

Zillah wilde zich niet nog meer in de nesten werken. Ze herinnerde zich wat die journaliste Reckman had gesuggereerd, namelijk dat homoseksuelen en heteroseksuelen gelijkwaardig waren en dat er geen moreel verschil tussen hen bestond, en ze zei vurig dat Sectie 28 verkeerd was. Daarvan moesten ze zich snel ontdoen. Charles schreef het allemaal op en controleerde zijn cassetterecorder om er zeker van te zijn dat Zillahs stem goed doorkwam. En juryrechtspraak? Was Zillah voor kortere gerechtelijke procedures, zodat er geld van de belastingbetalers werd uitgespaard? De avond tevoren had Jims uitgebreid geklaagd over de inkomstenbelasting die hij betaalde, en daarom zei Zillah dat ze voor bezuinigingen was, en die mensen die in jury's zaten, waren toch geen juristen? Wat wisten die er nou van?

Ze was erg tevreden over zichzelf. De foto's zouden niet al te slecht zijn. Ze had vaak het gevoel dat een nonchalante stijl haar beter stond dan dat formele. Na vertrek van de journalisten belde Malina om te zeggen dat ze alles had kunnen afzeggen, behalve Charles Challis. Hoe was het interview verlopen?

'Het was geweldig. Hij was zo aardig!'

'Dat heb je goed gedaan.' Malina zei er niet bij dat die journalist in de Groucho Club bekendstond als de Gifkelk.

Zillah legde de hoorn op de haak en keek uit het raam. Jerry stond bij de ingang van de ondergrondse parkeergarage. Ze rende de flat uit en ging met de lift naar beneden, maar toen ze Great College Street in liep, was hij weg. Blijkbaar had hij zijn auto in de parkeergarage gezet. Ze rende de helling af, de diepten in. Ze zag hem nergens, en ook geen donkerblauwe BMW. Misschien was hij lopend gekomen omdat het zo moeilijk was om zijn auto te parkeren. Misschien had hij de bus genomen of was hij naar het metrostation gelopen terwijl zij de flat verliet. Wat wilde hij? Hij zou kunnen overwegen haar te chanteren. Vijfhonderd pond per maand, of ik vertel alles. Maar voorzover ze wist, had Jerry zich in het verleden nooit tot chantage verlaagd. Ze stak de straat weer over, en omdat ze haar sleutel was vergeten, moest ze de portier vragen haar binnen te laten.

Nu er geen interviews meer waren, werd het tijd om de kinderen op te halen. Jims en Zillah reden op zaterdag naar Bournemouth. Het was een plezierige rit, want bij wijze van uitzondering was het niet druk op de weg en het regende ook niet. Ze lunchten in een mooi nieuw restaurant in Casterbridge, bij de rivier, want Jims had geen zin in een hernieuwde kennismaking met haar moeders kookkunst.

Eugenie en Jordan waren niet blij hen te zien.

'Wil bij Nanna blijven,' zei Jordan. Ze noemden hun oma altijd 'Nanna'.

Zijn zusje klopte hem op zijn hoofd. 'We houden van het strand. Kinderen hebben frisse lucht nodig, weet je, geen uit-laatwassen.' Ze bedoelde 'gassen', maar niemand verbeterde haar.

'Eigenlijk is er geen reden waarom jullie hier niet nog wat langer zouden blijven,' zei Jims hoopvol.

'Ik ben bang van wel, James.' Nora Watling had er nooit moeite mee om haar woordje te doen. 'Ik ben moe. Ik heb kinderen grootgebracht en ik ben niet van plan om dat op mijn leeftijd nog een keer te doen.'

'Niemand wil ons,' zei Eugenie opgewekt. 'Het is niet leuk om een ongewenst kind te zijn, hè, Jordan?'

Jordan begreep het niet, maar hij barstte toch in gekrijs uit. Toen Jims om halfvier op zijn horloge keek en zei dat ze maar eens moesten gaan, was Nora diep beledigd. De kinderen had-den hun middageten gehad, maar ze had nog chips, ijs en vruchtencake, die ze per se moesten opeten. Op de terugweg kotste Jordan over Jims' grijze leren bekleding.

Maar toen ze eenmaal thuis waren, Eugenie op haar nieuwe school was begonnen en er een plaats op een modieuze 'progres-sieve' kleuterschool voor Jordan was gevonden, keerde de rust terug. Het was mogelijk Abbey Gardens Mansions discreet te verlaten door de lift naar de parkeergarage in het souterrain te nemen en weg te rijden door een uitgang die op een zijstraat van Great Peter Street uitkwam. Een journalist zou erg waakzaam moeten zijn en erg vroeg moeten opstaan om Zillah de kinderen om negen uur 's morgens naar school te zien brengen, want dan glipte ze met haar zilverkleurige Mercedes altijd door die achter-uitgang weg. Maar er waren geen journalisten. De media sche-nen hun belangstelling te hebben verloren. Gedurende enkele weken negeerden de kranten de jonge meneer en mevrouw

Melcombe-Smith volkomen. Zillah had verwacht dat ze daar blij mee zou zijn, maar ze begon zich nu af te vragen wat er geworden was van het stuk van die aardige meneer Charles Challis. Zij en Jims zouden op de zaterdag voor Pasen aan hun huwelijksreis beginnen en het zou typisch weer haar pech zijn als het artikel verscheen in de tijd dat ze weg waren.

'Wat bedoel je, typisch weer jouw pech?' Jims was de laatste tijd nogal prikkelbaar. 'Ik zou zeggen dat je tot nu toe juist veel geluk hebt gehad.'

'Ik zei het bij wijze van spreken,' zei Zillah verzoenend.

'Het slaat nergens op, als ik het zo mag stellen. Heb je al een regeling met mevrouw Peacock getroffen?'

'Dat ga ik nu doen.'

Maar mevrouw Peacock kon niet in Abbey Gardens Mansions logeren in de periode van tien dagen dat Jims en Zillah op de Malediven waren. De dag daarvoor had ze een busreis naar Brugge, Utrecht en Amsterdam geboekt.

'Ik hoop dat ze doodvriest,' zei Zillah. 'Ik hoop dat ze een vergiftiging oploopt van de tulpenbollen.'

'Tulpenbollen zijn niet giftig,' zei Jims ijzig. 'Eekhoorns vinden ze nog lekkerder dan noten. Is dat je nooit opgevallen?'

Ze moest haar moeder inschakelen. Nora Watling ontplofte bijna. De kinderen waren nog geen drie weken in Londen en nu werd van haar verwacht dat ze het weer overnam. Was het soms niet tot Zillah doorgedrongen wat ze had gezegd? Dat ze niet nog eens kinderen wilde grootbrengen?

'Jij en papa zouden hierheen kunnen komen. De kinderen zijn de hele dag naar school. Jullie kunnen de stad bekijken, naar het Millennium Wheel gaan.'

'Wij zijn niet op het Wheel geweest,' zei Eugenie. 'Wij zijn niet eens naar de Dome geweest.'

'Nanna gaat er met jullie heen,' zei Zillah, met haar hand over het mondstuk. 'Nanna gaat overal met jullie naartoe.'

Natuurlijk gaf Nora Watling toe. Ze kon moeilijk anders. Nadat ze smalend had opgemerkt dat sommige mensen hun kinderen het liefst in een kennel of kattenpension stopten, sprak ze af dat zij en Zillahs vader op Goede Vrijdag naar Londen zouden komen.

'Ik wou dat je ze niet leerde om hun oma Nanna te noemen,' zei Jims. 'Dat is erg ongepast voor het stiefkind van een Conservatief parlementslid.'

'Geen stiefkind, geen stiefkind,' schreeuwde Jordan. 'Wil een echt kind zijn.'

Op maandagmorgen, een week later dan verwacht, verscheen het interview van Challis met haar. Of beter gezegd: er verscheen iets. Er stond geen foto bij en het gedeelte dat aan Zillah was gewijd, was maar vijf centimeter lang. Het was onderdeel van een artikel van twee pagina's over vrouwen van parlementsleden, hun opvattingen en bezigheden. Het was in een luchtige, satirische stijl geschreven. Zijzelf werd geportretteerd als een leeghoofd en een onbenul.

Zillah, de nieuwe bruid van James Melcombe-Smith, had Charles Challis geschreven, *deelt de belangstelling van haar man voor de politiek, maar niet zijn overtuigingen. Ze wil niets weten van het behoud van Sectie 28 of dat eeuwenoude bastion van het recht, de juryrechtspraak. Weg ermee, is haar beleid. Waar hebben we dat eerder gehoord? Nee maar, van niemand anders dan leden van de Labour-partij. 'Mensen in jury's zijn geen juristen,' vertelde ze me, terwijl ze een lok van haar ravenzwarte haar achteroverwierp. (Mevrouw Melcombe-Smith lijkt nogal veel op Catherine Zeta Jones.) 'Mijn man zou graag willen dat er een eind aan deze verspilling van belastinggeld komt.' Hij is, zoals bekend, het Conservatieve Lagerhuislid voor South Wessex, voor zijn kiezers en andere vrienden bekend onder de naam 'Jims'. Die zullen gefascineerd kennisnemen van de opvattingen van zijn echtgenote.*

Jims maakte zich daarover minder kwaad dan te verwachten was geweest. Hij mopperde een beetje en voorspelde dat hij binnenkort door de fractieleider op het matje zou worden geroepen. Dit waren niet het soort versprekingen en onthullingen waarvoor hij bang was en hij betwijfelde of meer dan een handjevol van de grootgrondbezitters en (zijn eigen woord) boerenkinkels in zijn kiesdistrict 'dat vod' lazen. Zillah zei dat het haar speet, maar ze wist nu eenmaal niets over politiek. Was er geen boek dat ze daarover kon lezen?

Later die dag zag ze opnieuw Jerry. Ze zat in de auto om de kinderen van school te halen en had net Millbank verlaten toen ze hem voor het Atrium zag. Ze dacht meteen aan de moeilijkheden die zouden ontstaan als de kinderen hem zagen. Maar ze keken allebei de andere kant op, waar twee oranje gekleurde honden liepen, met krulstaarten als die van varkens.

'Mag ik een hond, mammie?' zei Eugenie.

'Alleen als je er zelf voor zorgt.' Zillahs moeder had hetzelfde tegen haar gezegd toen ze tweeëntwintig jaar geleden diezelfde vraag stelde. Ze had de hond gekregen en er drie dagen voor gezorgd. Toen ze zich dat herinnerde, zei ze: 'Nee, natuurlijk mag je geen hond. Een hond in een flat?'

'Vroeger woonden we in een huis. Dat was leuk en we hadden vriendjes en vriendinnetjes. We hadden Rosalba en Titus en Fabia.'

'Wil Titus,' zei Jordan, maar in plaats van te krijsen begon hij zachtjes te snikken.

Terwijl Zillah voor het stoplicht wachtte tot ze rechts af kon slaan naar de parkeergarage onder Abbey Gardens Mansions, zag ze Jerry op zich af rennen. Zonder te kijken trok ze op, zodat een busje dat van links kwam hard moest afremmen. De bestuurder, toch al woedend omdat het verkeer niet opschoot, stak zijn middelvinger op en bedolf haar onder een stroom obsceniteiten. Zillah reed de afrit van de parkeergarage op.

'Mammie, hoorde je wat die man zei? Nanna zei dat als ik dat woord gebruikte het lelijk met me zou aflopen. Loopt het nu lelijk met die man af?'

'Ik hoop het,' zei Zillah venijnig. 'Hou op met huilen, Jordan. En zouden jullie "oma" in plaats van "Nanna" willen zeggen?'

Eugenie schudde langzaam haar hoofd. 'Dat zou van haar iemand anders maken, hè?'

Zillah gaf geen antwoord. Ze werd gesterkt in haar overtuiging dat haar dochter geknipt was voor de advocatuur.

Jerry was nergens meer te bekennen. Jims kwam weer erg laat thuis. De volgende morgen vertelde hij haar dat zijn nieuwe vriend Leonardo Norton ook naar de Malediven zou gaan. Hij zou zelfs in hetzelfde hotel logeren als zij.

11

'Je kunt met me meegaan naar het Television Centre,' zei Matthew. 'Dat zou ik leuk vinden.'

Maar Michelle zei 'nee', dat deed ze niet. 'Je bent beter af als je mij niet hebt om je zorgen over te maken, schat.' In werkelijkheid was ze bang voor de nieuwsgierige blikken en het heimelijk gegiechel van meisjes met lange benen en jongemannen in spijkerbroeken. Die opmerking van Jeff Leigh over de Dikke en de Dunne zat haar nog dwars.

Het deed haar goed om Matthew naar het metrostation te zien vertrekken. Hij liep bijna als een normaal mens, zijn schouders recht en zijn hoofd omhoog. Michelle stofte de huiskamer en stofzuigde de vloer. Terwijl ze daarmee bezig was, een beetje hijgend, haar hart bonzend, probeerde ze zich te herinneren hoe het voor haarzelf was geweest om een normaal lichaam te hebben. Ze had nooit het figuur van een fotomodel gehad, zelfs niet een figuur als Fiona, maar ze was toch een doorsnee gezette vrouw geweest. Als Matthew er was verdrong ze zulke gedachten, deed ze alsof ze niet in haar hoofd opkwamen. Dit was de eerste keer in – hoe lang: vijf jaar? zeven jaar? – dat ze alleen in huis was. Pas als je in je eentje bent, heb je de ruimte om na te denken.

Michelle stond midden in de kamer en voelde haar lichaam, voelde hoe het was, van haar drie kinnen tot de kussentjes op de bovenkant van haar dijen. Ze voelde het met haar hersenen, toen met haar handen, en was zich uiteindelijk ten volle bewust van de berg vlees waarin haar delicate, fijnzinnige geest en haar liefhebbende hart hun onderkomen hadden. Ze deed haar ogen dicht. In de duisternis leek het of ze zich Matthew kon voorstellen, zoals hij zou zijn als hij weer helemaal gezond was, en zijzelf zoals ze was geweest toen ze pasgetrouwd waren. En in die droom kwam, als een gevleugeld insect, een fragiel sprietje dat over haar gesloten oogleden fladderde, iets terug van het verlangen naar elkaar dat ze vroeger hadden gehad, de hartstocht die voortkwam uit energie en lichamelijke schoonheid. Zou dat terug kunnen komen? Hun liefde was nog even groot. Als die liefde er nog was, konden ze misschien terugkeren tot het *spel* van de liefde...

Het was lang geleden dat Michelle zich nog had kunnen bukken. Ze hadden hun oude stofzuiger moeten wegdoen, zo'n apparaat dat je als een hondje aan een lange slang met je meetrok, want ze kon zich niet ver genoeg bukken om hem uit de kast te halen. De rechtopstaande die ze nu hadden was beter, al scheelde het niet veel, want om de hulpstukken te gebruiken moest ze het apparaat aan zijn handvat op een stoel tillen en die operatie ter hoogte van haar dijen uitvoeren. Na afloop moest ze even stil blijven staan, met haar hand tegen haar kolossale boezem. Zodra ze weer op adem kwam, lukte het haar de borstelslang vast te zetten en de kamer te stofzuigen. Daarna ging ze winkelen.

Ditmaal ging ze niet naar Waitrose, maar dichter bij huis naar de Atlanta-supermarkt in West End Green. Ze deed kiwi's in haar karretje, en Ryvita en een groot pak droog geroosterde pinda's. Toen ze automatisch een grote zak donuts wilde pakken, bleef haar hand in de lucht hangen en vervolgens liet ze hem langzaam weer zakken. Datzelfde gebeurde bij het grote stuk cheddar en de Cadbury's Milk Flakes. Ze zette zich net schrap om de kwarktaart in de koelvitrine te laten liggen, toen ze een stem achter zich hoorde zeggen: 'De ketels aan het opstoken, hè? Het gewicht op peil houden?'

Het was Jeff Leigh. Nu Matthew er niet bij was, gebeurden er vreemde dingen met Michelle. Ze verkeerde in grote verwarring, dacht dingen die ze in geen tien jaar had gedacht en bekeek mensen die ze kende met nieuwe ogen. Het was alsof ze Jeff voor het eerst zag, en ze vond dat hij er heel goed uitzag. Het was duidelijk waarom vrouwen hem aantrekkelijk vonden. En het was ook duidelijk dat zijn charme gekunsteld was en dat er achter dat uiterlijk weinig schuilging. Ieder redelijk denkend mens, niet verblind door een liefde die vooral lichamelijk moest

123

zijn, zou een hekel aan hem hebben en hem wantrouwen. Ze gaf geen antwoord op zijn vraag maar vroeg hem waar Fiona was.
'Op haar werk. Waar anders?'
'Om jou in de luxe te laten leven waaraan je gewend bent, neem ik aan.' Michelle kon zich niet herinneren dat ze ooit in haar leven zoiets had gezegd of zo'n toon had aangeslagen.
'Ik sta er altijd weer versteld van,' zei hij met een vriendelijk glimlachje, 'dat jullie vrouwen om gelijkheid met mannen roepen en toch verwachten dat mannen jullie onderhouden, in plaats van andersom. Waarom? In een samenleving met gelijke rechten zullen sommige mannen vrouwen onderhouden en sommige vrouwen mannen. Matthew onderhoudt jou en Fiona onderhoudt mij.'
'Iedereen zou moeten werken.'
'Neem me niet kwalijk, Michelle, maar wanneer heb jij voor het laatst een ziekenkamer betreden om je brood te verdienen?'
Toen ze zwijgend was weggelopen, had hij spijt gehad. Het was goedkoop geweest. Bovendien zou het veel grappiger zijn geweest als hij meer over haar figuur en gewicht had gezegd. Bijvoorbeeld dat ze naar een post bij het Genootschap van Dikzakken kon solliciteren als ze een baan nodig had. Jeff kocht de melk die hij voor zijn ochtendkoffie nodig had en broodjes gerookte zalm voor zijn lunch. Toen ging hij naar huis om na te denken over wat hij zou gaan doen voordat Fiona zou thuiskomen.

Al jaren plande Jeffrey Leach elke dag met zorg. Hij wekte de indruk dat hij alles heel nonchalant deed, maar in werkelijkheid was hij zorgvuldig, systematisch en ijverig. Hij kon niemand precies vertellen hoe hard hij werkte, want het meeste van wat hij deed was niet helemaal zuiver op de graat of zelfs illegaal. De vorige dag was hij bijvoorbeeld naar een Asda-winkel gereden en had bij de kassa de creditcard op naam van J.H. Leigh laten zien. Hij had geld terug gevraagd. Het vermoeide meisje achter de kassa, die daar al drie uur zat, vroeg hoeveel en Jeff, die vijftig had willen zeggen, vroeg honderd pond. Ze gaf het hem en hij wou dat hij om tweehonderd had gevraagd. Aan de andere kant keek ze lang en aandachtig naar de creditcard voordat ze hem het geld gaf. Er was een alarmbelletje in zijn hoofd gaan rinkelen.

En nu haalde hij, vastbesloten maar met enige droefheid, de creditcard uit zijn portefeuille en knipte hem met Fiona's keukenschaar in zes stukken. Die gooide hij in de vuilnisbak, waarbij hij ze zorgvuldig afdekte met een leeg cornflakespak en een panty van Fiona waar een ladder in was gekomen. Veiligheid boven alles, al zou die veiligheid hem geld kosten. De creditcard had zijn diensten bewezen. Op de een of andere manier moest hij een andere zien te krijgen. Misschien kon Fiona hem er een geven. American Express schreef altijd brieven aan cliënten of ze ook kaarten voor gezinsleden wilden aanvragen. Een inwonende minnaar was toch een gezinslid? Hij kon zich echt niet voorstellen dat hij met Fiona zou trouwen, tenzij hij de moed had om bigamie te plegen, zoals Zillah had gedaan. Hij zou daar nog eens goed over nadenken als het tegen augustus liep.

Jeff gebruikte zijn mobiele telefoon zo weinig mogelijk en bediende zich meestal van Fiona's telefoon. Hij nam de hoorn van de haak en belde zijn bookmaker om geld in te zetten op een paard dat Feast and Famine heette en in Cheltenham liep. Zijn bijna griezelig succes op de paardenrenbaan was meer een kwestie van instinct dan van paardenkennis. Hij hield er een leuk weekinkomen aan over. Op de korte termijn had hij behoefte aan een groter bedrag. Fiona had nog steeds geen verlovingsring en het soort ring dat hij meestal voor twintig pond op de markt van Covent Garden of bij een kraam voor St. James's Piccadilly kocht, was niet goed genoeg voor deze topvrouw. Hij had eens een erg succesvolle truc uitgehaald. Via een advertentie had hij een brochure aangeboden waarin werd uitgelegd hoe je binnen twee jaar miljonair kon worden. Wie zo'n brochure wilde hebben, moest een biljet van vijf pond opsturen. Hij had een klein fortuin gemaakt voordat de geïnteresseerden woedende brieven begonnen te schrijven met de vraag waar hun brochure bleef. Maar hij kon dat niet herhalen. Hij moest niet denken aan al die post die hij zou krijgen, en aan Fiona's gezicht als ze begreep wat hij deed.

Zillah had gelijk gehad. Haar man zou haar nooit chanteren. Het strekte Jeff tot eer dat hij nooit op het idee was gekomen geld te eisen door mensen te bedreigen. De verlovingsring zou uit een andere bron moeten komen. Hij dacht even aan Minty. Grappig klein ding. Ze was de schoonste vrouw met wie hij ooit had geslapen. Zelfs als hij Fiona niet had ontmoet en niet van haar rijkdom had kunnen profiteren, zou hij Minty hebben afgedankt. Welke man vond het leuk dat het bed altijd naar Wright's Coal Tar-zeep rook als hij een nummertje had gemaakt? Evengoed had hij haar misschien zover kunnen krijgen dat ze die hypotheek op het huis nam voordat hij haar verliet. Waarom had hij dat niet gedaan? Omdat hij in zijn hart een fatsoenlijke kerel was, zei hij tegen zichzelf, en omdat het zelfs beneden zíjn waardigheid was om de ene verloofde voor de verlovingsring van de andere te laten betalen.

Jeff liep het huis door om te kijken of er ergens geld lag. Fiona scheen nooit contant geld te hebben. Dat kreeg je als je in het bankiersvak zat. Alles ging op papier, op creditcards, in computers. Ze had hem eens verteld dat ze droomde van de dag waarop geld zou verdwijnen en je alleen nog betaalde en betaald werd via je iris of een vingerafdruk. Hij keek in een theeblikje in de keuken dat geen ander doel leek te hebben dan er geld in te bewaren. Hij keek in de zakken van Fiona's vele jassen. Nog geen muntje van twintig pence. Nou ja, hij had voorlopig genoeg, en als Feast and Famine als eerste over de finish ging – wat vast en zeker zou gebeuren – kon hij vijfhonderd pond incasseren.

Toen Jeff zijn koffie had gedronken en zijn broodjes had gegeten, ging hij naar buiten. Ook op zo'n mooie dag zou het te ver zijn om naar Westminster te lopen, dus ging hij naar Baker Street en nam daar de bus. Hij twijfelde er niet aan dat de vrouw die hij gisteren had gezien, die vrouw die bijna een ongeluk had veroorzaakt met haar zilverkleurige Mercedes, Zillah was. Daarvoor had hij weleens een glimp van een donkere vrouw achter een raam in Abbey Gardens Mansions opgevangen, maar dat kon ook iemand anders zijn geweest. Toen hij haar voor het laatst in Long Fredington had gezien (en afscheid van haar had genomen, al wist zij dat niet), was haar haar naar achteren getrokken, met een elastiekje eromheen, en had ze een sweatshirt en een spijkerbroek gedragen. De vrouw in Abbey Gardens leek op een oosterse prinses, met een schitterend kapsel en sieraden en een laag uitgesneden satijnen topje. Het was zuiver toeval geweest dat hij haar gisteren had gezien. Hij was niet met Fiona's BMW gekomen, omdat je bijna nergens kon parkeren. Hij was lopend en met de bus gekomen en nadat hij een tijdje had rondgehangen, was hij bij dat poenige restaurant terechtgekomen, had daar tegen de muur geleund en zich afgevraagd wat hij zou doen. En toen was ze in die auto uit Millbank komen aanrijden. Natuurlijk had hij haar gevolgd, had hij geprobeerd te zien of de kinderen op de achterbank zijn kinderen waren. Het waren er twee, een meisje en een kleinere jongen, daarvan was hij zeker geweest. Maar ze keken de andere kant op, en ze leken te groot om zijn Eugenie en zijn Jordan te zijn. Hij dacht met een steek van verdriet dat hij ze zes maanden geleden voor het laatst had gezien en dat kleine kinderen zich in die tijd sterk konden ontwikkelen. Ze werden groter, hun gezichten veranderden. Het zou toch niet zo zijn dat die Jims een paar kinderen had en dat die twee kinderen in die auto zaten? Homoseksuele mannen kregen weleens kinderen voordat ze tot de conclusie kwamen dat vrouwen niets voor hen waren. Hij moest zekerheid hebben. Vandaag zou hij die krijgen.

Hij stapte bij het Charing Cross-station uit de bus, ging naar een kiosk en keek in het soort krant dat zijn lezers vertelde wat er die dag in het parlement te gebeuren stond. De kioskhouder zag hem de bladzijden omslaan en terugvouwen.

'Als u die krant niet wilt kopen, knoei er dan niet mee.'

Jeff had gevonden wat hij zocht. Het was Witte Donderdag en het Lagerhuis vergaderde vanaf elf uur. Hij liet de krant op de grond vallen en zei: 'Een beetje beleefdheid zou geen kwaad kunnen, beste man.'

De rivier fonkelde in de zon. De spaken van het London Eye glinsterden zilverig tegen de wolkeloze blauwe hemel. Jeff liep langs de parlementsgebouwen, stak de straat over en sloeg Great

College Street in. Door het raam van de bus had hij gezien dat in het Marble Arch Odeon *The Talented Mr. Ripley* draaide. Misschien ging hij daar later nog heen. Fiona hield niet van de bioscoop. Hij duwde de deur van Abbey Gardens Mansions open, een deur van eikenhout en glas in art nouveau-stijl, en schrok een beetje toen hij in de hal – rood tapijt, een weelde aan bloemen – een portier achter een bureau zag zitten.

'Mijn naam is Leigh,' zei hij. 'Ik kom voor meneer Melcombe-Smith.'

Zillah zou niet weten wie het was, maar ze zou een man ontvangen die Jims kwam opzoeken. Hoopte hij. De portier probeerde haar niet te bellen en wees met een nors knikje naar de lift. Jeff ging naar boven en drukte op de bel van nummer 16. Het was de oude Zillah die opendeed, de versie zonder make-up, met het haar naar achteren en nonchalante kleding aan, al waren het jeans van Calvin Klein en een topje van Donna Karan. Ze gaf een gilletje toen ze hem zag en sloeg haar hand voor haar mond.

Het was paasvakantie en Eugenie en Jordan waren een eindje aan het wandelen met mevrouw Peacock, terwijl hun moeder de bagage inpakte voor de Malediven. Het feit dat de kinderen er niet waren en Jims ook niet, gaf haar moed. 'Kom binnen,' zei ze. 'Ik dacht dat je dood was.'

'Dat dacht je niet, liefste. Je dacht dat ik je wilde vertellen dat ik dood was. Dat is niet hetzelfde. Je hebt je schuldig gemaakt aan bigamie.'

'Jij ook.'

Jeff ging op een bank zitten. Omdat hij zelf ook in een comfortabele, stijlvolle omgeving leefde, voelde hij niet de behoefte om een opmerking over haar woonomstandigheden te maken. 'Daarin vergis je je,' zei hij. 'Ik ben nooit met iemand anders dan jou getrouwd. Ik ben wel drie of vier keer verloofd geweest, maar een huwelijk, nee. Weet je nog van die oude man uit Lyme? Die trouwde met drie vrouwen tegelijk. Toen ze vroegen: waarom drie, zei hij: één, dat doe ik niet, en twee is bigamie.'

'Je bent walgelijk.'

'Ik zou maar niet gaan schelden, als ik jou was. Gaan jij en Jim-sy-wimsy een beetje lekker van bil? Of is het een verstandshuwe-lijk?' Hij keek om zich heen alsof hij hoopte dat het ontbreken-de tweetal uit de kast of onder de tafel vandaan zou komen. 'Waar zijn mijn kinderen?'

Zillah kreeg een kleur. 'Ik vind niet dat je het recht hebt om dat te vragen. Als ze van jou afhankelijk waren, zouden ze nu onder de kinderbescherming vallen.'

Hij kon dat niet ontkennen en probeerde dat ook niet. In plaats daarvan vroeg hij: 'Waar is de plee?'

'Boven.' Ze kon het niet laten om te zeggen dat er twee waren. 'De deur tegenover je, en in mijn badkamer.'

'Jims, Jims, de rick stick Stims, ronde staart, korte staart, goed zo, Jims.'

Jeff deed de deur rechts van de badkamer open. Twee eenper-soonsbedden, twee nachtlampjes met gekleurde vlinders op de kappen, verder bijna geen meubilair en erg netjes. Hij knikte. Daarnaast bevond zich een kamer die ongeveer even groot was, maar nogal Spartaans was ingericht. Het was nog net geen mon-nikscel, maar het scheelde niet veel. De deur aan het eind van de gang kwam uit op wat een makelaar vermoedelijk de ouderslaap-kamer zou noemen. Op de dubbele divan lagen twee open koffers van Louis Vuitton. De krokodillenleren handtas ernaast was ook open. Jeff stak zijn hand erin. In een zijvakje vond hij een Vi-sa-card, nog op naam van Z.H. Leach. Toen ging hij naar de huis-kamer terug en bood Zillah een Polo-pepermuntje aan.

'Nee, dank je, zoals altijd.'

'Ik zie dat je aan het pakken bent. Ga je naar iets leuks?'

Ze vertelde het hem en voegde er somber aan toe dat het hun huwelijksreis was. Jeff schoot in de lach, maar hield daar toen abrupt mee op. 'Je hebt me geen antwoord gegeven op mijn vraag. Waar zijn mijn kinderen?'

'Een eindje wandelen. Met hun kindermeisje,' verzon ze.

'Aha. Een kindermeisje. Jimsy hoeft niet op een paar centen te kijken, hè? En nemen jullie ze mee naar de Malediven?'

Zillah zou graag 'ja' hebben gezegd, maar mevrouw Peacock en de kinderen konden ieder moment terugkomen. Ze had al genoeg van Eugenie te horen gekregen omdat ze niet mee mochten. 'Ik zei al dat het een huwelijksreis is,' zei zij. 'Mijn moeder komt op ze passen.'

Jeff, die niet was gaan zitten maar door de kamer had gelopen, zei: 'Ik blijf niet op ze wachten. Dat zou hen en mij maar van streek maken. Wat je zegt, staat me niet erg aan, Zil. Ik krijg het gevoel dat jij en Jims mijn kinderen eigenlijk helemaal niet willen hebben. Je zegt geen woord over de kinderen tegen die kranten, en ook dat tijdschrift kreeg niet te horen dat je kinderen hebt – o ja, ik lees die dingen, ik vind het belangrijk om ze te lezen.' Hij zweeg even. 'Fiona daarentegen is gek op kinderen.'

Die terloopse opmerking had het effect waarop hij had gehoopt. 'Wie is Fiona nou weer?'

'Mijn verloofde.' Jeff grijnsde als een wolf. 'Ze is bankier. Ze heeft een erg mooi huis in Hampstead.' Hij liet het 'West' weg.

'Dan is die BMW zeker ook van haar?'

'Precies. Haar huis zou ideaal zijn voor kinderen. Vier slaapkamers, tuin, alles wat je maar zou kunnen wensen. En ik ben de hele dag thuis om voor ze te zorgen, terwijl zij de poen verdient om ze in luxe te laten leven.'

'Waar heb je het over?'

'Eerlijk gezegd, liefste, weet ik dat nog niet zeker. Ik heb er nog niet goed over nagedacht. Maar dat ga ik wel doen, en waarschijnlijk kom ik dan met een plan. Ik kan bijvoorbeeld de volledige voogdij aanvragen, nietwaar?'

'Je zou geen schijn van kans maken!' riep Zillah uit.

'O nee? Ook niet als de rechter hoorde dat jij bigamie hebt gepleegd?'

Zillah begon te huilen. Op de tafel lag een notitieboekje met afscheurvellen in een zilveren houder. Hij noteerde Fiona's adres en gaf het aan Zillah. Hij was er vrij zeker van dat hij iedere brief die aan Jerry Leach gericht was te pakken kon krijgen. Toen ging hij weg, onder het fluiten van *Loop gewoon voorbij*. Toen hij de voordeur achter zich dichtdeed, hoorde hij haar luid snikken. Natuurlijk was hij helemaal niet van plan de kinderen te nemen, maar dreigen was een nuttig wapen. En hij zou het ook niet erg vinden om Jims een hak te zetten, want die gebruikte Eugenie en Jordan natuurlijk om te bewijzen dat hij een echte huisvader was. Moest hij Fiona erover vertellen? Misschien. Hij kon in ieder geval een bijgewerkte versie opdissen.

Maar waar waren zijn kinderen? Dat verhaal over dat kindermeisje kon een verzinsel zijn. Als Zillah ze had gedumpt, waar had ze ze dan gelaten? Bij haar moeder? Dat stond hem niet aan. Misschien zou hij volgende week nog eens gaan, als Nora Watling er was, en misschien zou hij dan achter de waarheid komen. Tenminste, als Nora kwam. Dat kon ook een leugen zijn.

En nu lunchen in het Atrium. Met Zillahs creditcard? Dat was een beetje gevaarlijk. Zij en Jims waren daar misschien regelmatige gasten. Jeff was bang dat de creditcard een soort code bevatte die het geslacht verried van de klant die er gebruik van maakte. In een Italiaans restaurant in Victoria Street probeerde hij de kaart uit. Alles was in orde. Het was ook geen probleem voor hem om Zillahs handtekening te vervalsen, want dat had hij al zo vaak gedaan. *The Talented Mr. Ripley*, de voorstelling van kwart over drie, was net begonnen toen Jeff de bioscoopzaal binnenkwam. De kleine zaal was bijna leeg, alleen hijzelf, drie andere mannen en een vrouw van middelbare leeftijd. Hij vond het grappig dat ze allemaal zo ver mogelijk uit elkaar waren gaan zitten. Een van de mannen zat uiterst rechts en bijna vooraan, een andere man, die erg oud leek, zat links, halverwege naar voren, en de derde zat op de achterste rij. De vrouw zat naast het middenpad, maar zo ver mogelijk van de oude man vandaan. Jeff kreeg de indruk dat mensen niet veel van hun eigen soort moesten hebben. Schapen bijvoorbeeld zouden allemaal bij elkaar in het midden zijn gaan zitten. Hij ging achter de vrouw zitten – om anders te zijn.

Matthew kwam in de loop van de middag thuis. Natuurlijk had hij niet geluncht. Als Michelle er niet was om voor hem te zorgen en hem tot eten te bewegen, zou hij nooit eten. Maar hij zag er goed uit, leek een normale dunne man. De opnamen voor het televisieprogramma waren plezierig verlopen.

'Ik vond het prachtig,' zei hij. 'Dat had ik helemaal niet verwacht. Ik had er sombere voorgevoelens over.'

'Dat had je me moeten vertellen, schat.'

'Dat weet ik, maar ik kan niet al mijn lasten op jouw schouders leggen.'

Met een ongewoon bittere stem zei ze: 'Dat kun je best. Mijn schouders zijn breed genoeg.'

Hij keek haar zorgelijk aan, ging toen naast haar zitten en pakte haar handen vast. 'Wat is er, lieveling? Wat is er aan de hand? Je bent blij voor mij, dat weet ik. Dit programma is misschien het begin van een serie. We worden rijk, al weet ik dat jij daar niet veel om geeft. Wat is er?'

Ze kon het niet langer voor zich houden. 'Waarom zeg je nooit dat ik dik ben? Waarom zeg je niet tegen me dat ik vet en wanstaltig en walgelijk ben? Kijk eens naar me. Ik ben geen vrouw, ik ben een bolle ballon van vlees. Ik zei dat mijn schouders breed genoeg zijn – nou, ik hoop dat die van jou breed genoeg zijn voor wat ik zeg. Mijn dikte is mijn last, mijn afschuwelijke, weerzinwekkende dikte.'

Hij keek naar haar, maar niet geschokt. Zijn magere, gerimpelde gezicht was verzacht door tederheid. 'Mijn lieveling,' zei hij. 'Mijn allerliefste schat. Geloof je me als ik zeg dat het me nooit is opgevallen?'

'Dat móét. Je bent een intelligente man, je bent scherpzinnig. Het móét je opgevallen zijn – en je moet het walgelijk vinden!'

'Hoe kom je hier zo ineens bij, Michelle?' vroeg hij ernstig.

'Ik weet het niet. Ik ben een idioot. Maar... Het komt door Jeff. Jeff Leigh. Iedere keer als ik hem zie, maakt hij een grap over mijn dikte. Het was... Nou, vanmorgen was het: "Ben je de ketels aan het opstoken"? En laatst zei hij... Nee, schat, ik kan je niet vertellen wat hij zei.'

'Zal ik eens met hem praten? Zal ik hem zeggen dat hij je heeft gekwetst? Dat wil ik best doen. Je kent me: als ik me eenmaal kwaad maak, kan ik erg agressief worden.'

Ze schudde haar hoofd. 'Ik ben geen kind. Papa hoeft niet tegen de jongen van de buren te zeggen dat hij moet ophouden.' Een glimlachje veranderde haar hele gezicht. 'Ik heb nooit gedacht dat ik dit over iemand zou zeggen, maar ik... ik haat hem. Echt waar. Ik haat hem. Ik weet dat hij het niet waard is, maar ik kan het niet helpen. Vertel me nu over de televisie.'

Ze deed alsof ze luisterde en maakte aanmoedigende geluiden, maar intussen dacht ze aan haar afkeer van Jeff, aan haar overtuiging dat hij een kleine crimineel was, en ze vroeg zich af of ze de kracht zou vinden om Fiona te waarschuwen. Alsof ze haar moeder was. Namen mensen zo'n soort waarschuwing ooit in acht? Ze wist het niet. Maar ze was Fiona's moeder niet en dat zou een groot verschil maken.

Toen ze een maaltijd voor Matthew had klaargemaakt (thee zonder melk, een Ryvita, twee schijfjes kiwi en twaalf droog geroosterde pinda's), ging ze naar boven, waarbij ze zich met beide handen aan de leuningen moest vasthouden. Zoals altijd kwam ze hijgend boven. Ze ging naar de badkamer, waar een weegschaal voor Matthew stond. Zijzelf had er nooit op gestaan. Wat waren ze vorige week blij geweest toen Matthew zesenveertig kilo woog in plaats van de achtendertig kilo die hij ooit had gewogen! Michelle trapte haar schoenen uit en keek naar haar benen en voeten. Die waren mooi, net zo fraai gevormd als die van fotomodellen, zij het misschien niet zo lang. Ze haalde diep adem en ging toen op de weegschaal staan.

Eerst durfde ze niet te kijken. Langzaam liet ze haar dichte ogen zakken en dwong ze om open te gaan. Honderdeenenveertig kilo. Haar adem ontsnapte haar in een lange zucht, en ze wendde vlug haar ogen af. Ze woog drie keer zoveel als Matthew.

Wat was er met haar gebeurd? Waarom was ze op de weegschaal gaan staan? Het antwoord was: Jeff Leigh. Michelle moest erom lachen. Het was absurd dat degene die je haatte een gunstige uitwerking op je had. Want die had hij. Ze trok haar schoenen aan, ging de trap af naar de keuken en gooide het eten dat ze voor zichzelf had klaargemaakt – een groot stuk brood (bij gebrek aan donuts) met aardbeienjam, twee theebeschuiten en een plak vruchtencake – in de vuilnisbak.

12

Wat ze verschrikkelijk vond, was dat ze verliefd op Jims begon te worden. Ze voelde nu echt iets voor hem, en dat was heel anders dan het gevoel dat ze had gehad toen ze nog tieners waren. In die tijd was het verlangen geweest, gecombineerd met rancune, omdat hij van alle jongens die ze kende de enige was die zich niet tot haar aangetrokken voelde. Dat was op zichzelf al genoeg geweest om te proberen hem te verleiden. Maar nu waren de dingen veranderd.

Paradoxaal genoeg nam, naarmate ze er meer naar verlangde met hem naar bed te gaan, haar sympathie voor hem juist af. Toen ze elkaar om de paar weken zagen, iets met elkaar dronken, over vroeger praatten, had Zillah gedacht dat Jims haar beste vriend was. Maar nu ze een huis met hem deelde, bleek dat hij humeurig was, en egoïstisch. Als er geen anderen bij waren, liet het hem volstrekt koud of ze er was of niet. Als een van zijn vrienden uit het parlement langskwam, was hij niet bij haar weg te slaan. Dan hield hij haar hand vast, keek haar in de ogen, noemde haar lieveling, bleef staan als hij langs de achterkant van haar stoel liep om een kus in haar nek te drukken. Als hij met haar alleen was, zei hij geen woord. Maar juist door die kille houding, in combinatie met zijn uiterlijk, zijn gratie, zijn slankheid en grote donkere ogen, zijn zwarte, meisjesachtige wimpers, werd hij aantrekkelijker. Het leek wel of ze elke dag een beetje meer naar hem verlangde.

Op de Malediven was het nog erger. Ze deelden een suite met twee slaapkamers en twee badkamers, maar Jims was er bijna nooit. Hij bracht zijn nachten door in suite 2004, bij Leonardo, en kwam 's morgens om acht uur terug. Dan ging hij tegenover haar zitten aan de glazen tafel op het balkon, allebei in hun witte ochtendjas, in afwachting van de kelner, die om negen uur hun ontbijt kwam brengen.

'Ik vraag me af waarom je al die moeite doet,' zei ze.

'Omdat je nooit weet wie hier nog meer logeert. Hoe weet je dat die roodharige vrouw die we gisteren op het strand zagen geen journaliste is? Of dat jonge stel? Ik moet altijd op mijn hoede zijn.'

De meeste vrouwen zouden dolblij zijn, dacht ze, als hun man over een mooi jong meisje kon praten zonder dat er een flikkering van begeerte in zijn ogen kwam, zonder dat op zijn minst zijn stem wat dieper werd. 's Morgens lag Jims in een strandstoel op het zilverige zand met Leonardo naast zich. Maar Zillah moest er ook bij zijn. Toen ze zei dat ze liever naar het zwembad ging of een kijkje in het dorp ging nemen, herinnerde hij haar aan zijn reden om met haar te trouwen, zijn reden om haar twee huizen te geven, en massa's geld voor haarzelf, een nieuwe auto, kleren en geborgenheid. Hij was ook een vader voor haar kinderen geworden, zei hij. Zillah begon te begrijpen dat ze meer een baan had genomen dan een man, terwijl ze in ruil voor al die wereldse goederen haar vrijheid had opgegeven.

Leonardo werkte voor een effectenmakelaar in Londen en had het voor iemand van zevenentwintig al ver geschopt. Hij kwam uit een familie van trouwe en actieve Conservatieven en was net zo gek op politiek als Jims. Ze praatten de hele dag over de geschiedenis van de Conservatieve Partij en de procedures en persoonlijkheden in het Lagerhuis, en wisselden anekdotes uit over Margaret Thatcher of Alan Clark. Leonardo was weg van John Majors autobiografie en las Jims daaruit voortdurend voor. Zillah merkte met enige bitterheid dat hun gesprekken heel anders verliepen dan de partijbonzen zich gesprekken van homoseksuele mannen voorstelden.

Ze maakte zich ook zorgen. Jims mocht er dan prat op gaan dat hij als een vader voor Eugenie en Jordan zorgde, en beweren dat hij van kinderen in het algemeen hield, maar in feite had hij sinds hun terugkeer uit Bournemouth nauwelijks met hen gepraat. Toen ze daarover een opmerking maakte, zei hij dat Eugenie over een paar maanden naar kostschool zou gaan. Dan zouden ze een inwonend kindermeisje voor Jordan nemen en zou hij de vierde slaapkamer als kinderkamer laten inrichten. Ze had hem niets over Jerry verteld. Jims wist niet beter of zij en Jerry waren nooit getrouwd geweest en Jerry had helemaal geen recht op de kinderen. Als Jerry nu eens probeerde de voogdij over de kinderen te krijgen? Als hij opnieuw dreigde haar aan de kaak te stellen als bigamiste? O, het was zo oneerlijk! Hij had háár bedrogen door die brief te sturen met de mededeling dat hij dood was.

En tot overmaat van ramp was ze nu ook nog voor Jims' charmes bezweken. Laatst had hij in het restaurant, met het oog op de andere gasten, zijn arm om haar heen geslagen terwijl ze wachtten tot ze naar hun tafel werden geleid. Daar had hij haar stoel aangeschoven en haar een zachte kus op haar lippen gegeven. Ze had een oude vrouw bij hen in de buurt tegen haar metgezel horen fluisteren hoe mooi het was om een stel te zien dat zo verliefd was. Die kus was bijna meer dan Zillah kon verdragen. Het liefst zou ze naar boven zijn gegaan om een koude douche te nemen, maar ze moest daar zitten terwijl Jims haar in de ogen keek en haar hand vasthield. Leonardo at 's avonds altijd in zijn suite. Zillah vermoedde dat hij dan naar pornofilms keek. Of naar video's van een Conservatieve overwinning bij een tussentijdse verkiezing.

Het nummer van *Telegraph Magazine* met haar interview was nog niet verschenen. Zillahs moeder had strikte opdracht ernaar uit te kijken. Als het nummer verscheen terwijl Zillah weg was, moest ze het bewaren. De dag voordat ze weggingen, had ze Jerry geschreven. Ze had de brief naar het adres in Hampstead gestuurd dat hij haar had gegeven. Alleen lag het niet in het eigenlijke Hampstead maar in West Hampstead, zoals ze aan de postcode kon zien. Vreemd genoeg gaf die ontdekking haar een goed gevoel.

Zillah was het niet gewend om brieven te schrijven. Ze kon zich niet herinneren wanneer ze dat voor het laatst had gedaan. Waarschijnlijk was het een briefje aan haar peetmoeder geweest om haar te bedanken dat ze een briefje van vijf pond had gestuurd toen ze twaalf was. De eerste versie kwam nogal dreigend over, en dus begon ze opnieuw. Ditmaal probeerde ze op zijn gemoed te werken. Ze smeekte hem haar niet als misdadigster aan de kaak te stellen, te bedenken wat ze had doorgemaakt en dat hij haar aan haar lot had overgelaten. Ook deze brief verscheurde ze. Ten slotte schreef ze simpelweg dat hij haar bang had gemaakt. Het was niet haar bedoeling geweest de kinderen van hun vader vandaan te houden. Hij kon ze zien en ook bezoeken, als hij maar aan niemand zou vertellen wat ze had gedaan. Ze gebruikte het woord 'bigamie' niet in de brief, want er was altijd het risico dat hij in verkeerde handen zou vallen, maar vroeg hem 'dat woord' niet meer te gebruiken. Het was wreed en oneerlijk. Die versie verstuurde ze.

Het probleem van de Malediven was dat het toch een plaats was waar je naartoe ging met iemand met wie je een hartstochtelijke en romantische verhouding had, iemand met wie je de hele tijd de liefde wilde bedrijven. Zoals Jims en Leonardo. Voor ieder ander was het daar erg saai. Ze las pockets die ze op het vliegveld had gekocht, liet zich masseren, en liet drie keer haar haar doen. Omdat Jims, in zijn rol van toegewijde echtgenoot, foto's van haar nam, maakte ze ook foto's van hem, een paar keer met Leonardo. Maar ze was blij toen ze weer naar huis gingen.

De kranten die in het vliegtuig werden uitgedeeld, waren van de vorige dag, dikke zaterdagkranten met veel supplementen. Zillah nam de *Mail*, terwijl Jims voor de *Telegraph* koos. Ze was een interessant stuk over nagelverlenging aan het lezen, toen ze Jims een geluid hoorde maken alsof hij stikte. Zijn gezicht was rood aangelopen, wat hem niet bepaald aantrekkelijker maakte. 'Wat is er?'

'Lees zelf maar.'

Hij propte de krant in elkaar, gooide haar het bijbehorende magazine toe en stond op. Hij liep het gangpad door, op weg naar Leonardo, die op de achterste rij zat.

Het artikel over haar nam bijna drie pagina's in beslag, met veel foto's. Eerst concentreerde Zillah zich op de foto's, die erg mooi waren. De *Telegraph* had haar tot haar recht laten komen. Waarom maakte Jims zich zo druk? Op de grote glamourfoto leek ze inderdaad precies Catherine Zeta Jones. Zillah had over borstimplantaten gedacht, nu ze er het geld voor had; ze had altijd gevonden dat ze op dat terrein wat minder bedeeld was, maar op deze foto had ze een diep decolleté dat boven de bustier uitkwam.

De grote kop boven het artikel presenteerde haar niet op een manier die ze prettig vond. *Zigeunerin en warhoofd,* stond er, en daaronder: *een nieuwe generatie Tory-vrouw.* Toen ze het artikel begon te lezen, maakte een diepe somberheid zich van haar meester. Het zweet brak haar uit. *Zillah Melcombe-Smith, zigeunerin, warhoofd en onruststookster, een echte Carmen, behoort tot het nieuwe soort trofeevrouw dat de laatste tijd erg in trek is bij politici. Ze is achtentwintig, ziet eruit als een fotomodel, praat als een tiener en lijdt aan allerlei neurosen. Haar knappe donkere uiterlijk en vurige ogen onderstrepen haar bewering dat ze zigeunerbloed heeft, en dat geldt ook voor haar wilde uitspraken. We waren amper tien minuten in haar huis in Westminster (handig dicht bij de parlementsgebouwen) of ze dreigde ons al met een aanklacht wegens laster. En waarom? Omdat we ons verbaasd hadden uitgelaten over haar verbijsterende linkse opvattingen, om van haar dubbele moraal nog maar te zwijgen. Zillah is sterk gekant tegen de Conservatieve visie op homoseksualiteit, de visie dat homoseksualiteit niet gelijkwaardig is aan heteroseksualiteit en een vrije keuze is, maar wanneer iemand homo wordt genoemd, beschouwt ze dat als een belediging en stelt ze zich agressief op.*

Dat is nogal vreemd, als je bedenkt, ging Natalie Reckman verder, *dat Zillahs echtgenoot, 'Jims' Melcombe-Smith, de laatste tijd nogal wat speculaties over zijn mogelijke seksuele geaardheid heeft uitgelokt. Door zijn huwelijk met de beeldschone Zillah is gebleken dat die speculaties er ver naast zaten. Zijn verleden mag dan geen mysterie meer zijn, het hare is dat misschien wel. De nieuwe mevrouw Melcombe-Smith had de eerste zevenentwintig jaar van haar leven kennelijk in totale afzondering in een dorp in Dorset geleefd. Geen baan? Geen opleiding? Geen ex-vriendjes? Blijkbaar niet. Vreemd genoeg vergat Zillah enkele kleine uitzonderingen op haar klooster-*

leven te vermelden: haar ex-man Jeffrey en hun twee kinderen, Eu-
genie van zeven en Jordan van drie. Er waren geen kinderen aan-
wezig toen we op een zonnige voorjaarsdag bij haar op bezoek kwa-
men. Waar heeft mevrouw Melcombe-Smith hen verstopt? Of heeft
hun vader de voogdij? Dat zou een hoogst uitzonderlijke beslissing
van de echtscheidingsrechter zijn. De voogdij wordt alleen aan de
vader toegekend als de moeder ongeschikt wordt geacht om voor de
kinderen te zorgen, en de opgewekte, aantrekkelijke Zillah is dat
natuurlijk niet.

Zillah las verder en voelde zich misselijk worden. Natalie Reckman wijdde twee alinea's aan de beschrijving van haar kleren en
sieraden. Ze schreef dat Jims echte stenen voor haar zou moeten
kopen als ze die overdag wilde dragen, niet het soort dingen dat
je in de soek van Aqaba kon kopen. Iedereen droeg tegenwoordig hoge hakken bij een broek, maar geen naaldhakken bij leg-
gings. Reckman verstond de kunst om iemand diep te beledigen
door kwetsende opmerkingen te maken en daarop meteen een
zachtmoedig compliment te laten volgen. Zo schreef ze dat Zillahs outfit geschikter was om ermee op King's Cross rond te
hangen, maar voegde eraan toe dat zelfs zo'n hoerige uitdossing
geen afbreuk kon doen aan haar mooie gezicht, haar benijdens-
waardig slanke figuur en haar weelderige ravenzwarte haren.
Inmiddels was Zillah in tranen uitgebarsten. Ze gooide het tijdschrift op de grond en snikte zoals haar zoon Jordan altijd deed.
De stewardess kwam haar vragen of ze iets voor haar kon doen.
Een glas water? Een aspirientje? Zillah zei dat ze een cognacje
wilde. Inmiddels was Jims weer terug. Zijn gezicht stond op
storm.
'Jij hebt ons lelijk in de nesten gewerkt.'
'Dat was niet mijn bedoeling. Ik deed mijn best.'
'Als dat je best is,' zei Jims, 'wil ik je slechtst liever niet meema-
ken.'
Na de cognac voelde ze zich een beetje beter. Jims zat grimmig
naast haar en dronk mineraalwater. 'Je komt over als een drie-
dubbele idioot,' zei hij, 'en omdat je mijn vrouw bent, ik ook.
Wat bedoelde je toen je met een aanklacht wegens laster dreig-

139

de? Wie denk je wel dat je bent? Mohamed Fayed? Jeffrey Archer? Hoe wist ze jouw... eh... Jerry's naam?'
'Ik weet het niet, Jims. Die heb ik haar niet verteld.'
'Dat moet wel. Hoe wist ze de namen van de kinderen?'
'Die heb ik haar echt niet verteld. Dat zweer ik je.'
'Wat moet ik nou tegen de fractieleider zeggen?'

Jeff Leigh, alias Jock Lewis, alias Jeffrey Leach, kreeg het *Telegraph Magazine* toevallig onder ogen. Iemand had het in de bus laten liggen die hij had genomen om weer in Westminster op verkenning uit te gaan. Hij keek er alleen naar omdat een regel in witte letters op het omslag hem vertelde dat een van zijn ex-verloofden er iets in had geschreven: *Natalie Reckman ontmoet een moderne Carmen.* Hij had nog steeds een zwak voor Natalie. Ze had hem bijna een jaar onderhouden zonder moeilijk te doen, had zich met hem verloofd zonder een ring te verwachten en was bij hem weggegaan zonder daaraan rancunes over te houden.

Ze had Zillah hard aangepakt. En terecht. Waarom hield ze geheim dat ze kinderen had? In de afgelopen week was hij twee keer naar Abbey Gardens Mansions terug geweest, maar er was nooit iemand thuis. De tweede keer had de portier hem verteld dat meneer en mevrouw Melcombe-Smith weg waren, maar dat hij geen idee had waar de kinderen waren. Jeff drong aan, maar de man werd achterdochtig en wilde op een gegeven moment niet eens zeggen of er in appartement 7 kinderen woonden. Had Natalie gelijk als ze suggereerde dat Zillah zich van hen had ontdaan? Maar in die hysterische brief die ze hem had geschreven – hij had hem nog net van de deurmat kunnen plukken voordat Fiona erbij was – stond dat hij hen kon zien en ontmoeten wanneer hij maar wilde. Natuurlijk zou hij dit alles tot een oplossing kunnen brengen door een brief aan Jims te schrijven waarin hij uitlegde dat Zillahs man nog in leven was en ook nog steeds met haar getrouwd was. Hij zou ook een brief aan die oude heks van een Nora Watling kunnen schrijven. Maar Jeff voelde daar niet veel voor. Hij wist dat Jims een grote hekel aan hem had – wat overigens wederzijds was – en die antipathie werd gedeeld door Zillahs moeder. Misschien zouden ze zijn brieven gewoon terzijde leggen. En als ze dat niet deden en alles in de openbaarheid kwam, zou Fiona het hoogstwaarschijnlijk te horen krijgen.

Ondanks zijn trouwplannen, zijn activiteiten om de plechtigheid en receptie te organiseren, zijn opgewekte gepraat over de grote gebeurtenis, hoopte Jeff dat hij niet met Fiona hoefde te trouwen terwijl hij nog met Zillah getrouwd was. Hij was van plan het huwelijk niet te laten doorgaan, een reden te vinden om het tot volgend jaar uit te stellen. En hoewel hij de zekerheid wilde hebben dat zijn kinderen in veiligheid en ook gelukkig waren, voelde hij er weinig voor om hen altijd bij zich te hebben. Wanneer hij Zillah als bigamiste aan de kaak stelde, en wanneer Jims haar verliet, zoals hij vast en zeker zou doen, zouden de autoriteiten – de politie, het maatschappelijk werk, de rechtbank? – de kinderen misschien bij haar weghalen. Dan lag het voor de hand dat ze bij hun vader in huis kwamen. Vooral wanneer daar een broedse stiefmoeder klaarstond om voor hen te zorgen.

Jeff herinnerde zich de belachelijke belofte die hij Fiona had gedaan toen hij iets te veel chardonnay op had, de belofte dat hij huisman zou worden, thuis zou blijven en op hun kind zou passen. Dat kon betekenen dat hij ook op Eugenie en Jordan moest passen. Hij deed zijn ogen even dicht en stelde zich zo'n leven voor: winkelen in West End Lane met een baby in een buggy, altijd Jordan aan de hand, zich haastend om Eugenie op tijd van school te halen. Jordans eeuwige tranen. Eugenies belerende toespraakjes en permanente afkeuring. Eten klaarmaken. Nooit uitgaan. Luiers verschonen. Nee, het was niet zijn bedoeling dat hij de kinderen kreeg. Hij zou een reden moeten verzinnen om met Fiona te kunnen samenwonen zonder met haar te trouwen. Was het te laat om te zeggen dat hij katholiek was en niet kon scheiden? Maar Fiona dacht dat hij al gescheiden was...

Hij stapte de bus uit en liep langzaam door Holmdale Road. Hij zocht al tien jaar naar een vrouw die jong en toch rijk was, een eigen huis bezat, de hele dag naar haar werk was, er goed uitzag, sexy en liefhebbend was en het geen punt vond om hem te onderhouden. Hij was nooit iemand tegengekomen die zo goed aan die criteria voldeed als Fiona. Vooral wanneer hij iets had gedronken, had hij zelfs romantische gevoelens voor haar. Hij moest zien te jongleren met drie glibberige ballen: zorgen dat ze van hem bleef houden, zijn kinderen zien, en een huwelijk met haar vermijden.

Hij ging het huis in en trof haar voor de televisie aan. Ze keek naar het programma van Matthew Jarvey. Hij kuste haar liefdevol en vroeg naar haar ouders, die ze had bezocht. Op het scherm praatte Matthew, die eruitzag als een slachtoffer van hongersnood, met een Weight Watcher-vrouw die in zes maanden tien kilo was afgevallen.

'Die kerel moet wel gek zijn,' zei Jeff. 'Waarom stelt hij zich zo aan? Hij moet gewoon zijn bord leegeten.'

'Liefste, ik hoop dat het je niet van streek maakt, maar wist je dat er in het magazine van de *Telegraph* een groot stuk over je exvrouw staat?'

'O ja?' Dat loste het probleem op of hij het haar zou vertellen of niet.

'Mama heeft het voor me bewaard. Ze vond het een rotstreek – ik bedoel, de mensen die zulke dingen schrijven! Wat zou dat voor vrouw zijn?'

Om een duistere reden maakte die onschuldige aanval op Natalie Reckman hem kwaad, maar dat liet hij niet blijken. 'Heb je het hier, schat?'

'Je laat je toch niet van streek maken?'

Fiona gaf hem het magazine en richtte haar blik weer op Matthew, die nu met een man praatte die niet aankwam, hoeveel hij ook at. Bij herlezing brachten de passages over Zillahs kleren en haar soek-sieraden hem weer in een goed humeur. Hij zou wel willen lachen, maar trok een somber gezicht.

'Ik geef toe dat ik me zorgen maak om mijn kinderen,' zei hij volkomen naar waarheid, toen het programma was afgelopen en Fiona het toestel uitzette.

'Je zou naar een advocaat kunnen gaan. Die van mij is erg goed. Een vrouw natuurlijk, en jong. Erg energiek, ze verdient enorm veel geld. Zal ik haar bellen?'

Jeff dacht er even over na. Niet omdat hij van plan was een juridische procedure te beginnen – dat zou veel te gevaarlijk zijn –, maar omdat die vrouw hem misschien wel zou bevallen; jong, energiek, rijk. Aantrekkelijk? Rijker dan Fiona? Hij kon het moeilijk vragen. Hij trok een spijtig gezicht en zei: 'Dat lijkt me in dit stadium niet verstandig. Ik ga eerst eens met Zillah praten. Wat doen we vanavond?'

'We zouden hier kunnen blijven, een rustige avond thuis.' Ze schoof dichter naar hem toe.

Zillah had het ook rustig. Jims had de koffers in haar slaapkamer gezet en was meteen weer weggegaan om de avond bij Leonardo door te brengen. In een briefje bij de telefoon stond dat haar moeder de kinderen mee naar Bournemouth had genomen. Ze had niet in Londen kunnen blijven, omdat Zillahs vader een hartaanval had gehad en in het ziekenhuis lag. Zillah nam de telefoon en kreeg, zodra de verbinding tot stand was gekomen, een stroom van verwijten van Nora Watling te horen. Hoe durfde ze weg te gaan zonder het telefoonnummer achter te laten van het hotel waar zij en Jims logeerden? En ze had niet één keer vanaf de Malediven opgebeld! Dacht ze dan helemaal niet aan haar kinderen?

'Hoe gaat het met pa?' vroeg Zillah met een verdrietig stemmetje.

'Beter. Hij is thuis. Wat jou betreft, zou hij net zo goed dood kunnen zijn. Ik kan je nu ook meteen wel vertellen dat ik in mijn hele leven nog nooit zoiets walgelijks heb gelezen als dat artikel in de *Telegraph*. Ik heb het niet bewaard. Ik heb het verbrand. Ze noemde je nagenoeg een prostituee! Een zigeunerin! Terwijl je heel goed weet dat je vader en ik uit het westen van het land stammen. Dat gaat generaties terug. En die foto! Je was zo goed als topless. En dat die arme James pervers wordt genoemd!'

143

Zillah hield de hoorn op enige afstand van haar oor tot er een eind aan het gekakel kwam. 'Je voelt er zeker weinig voor om de kinderen terug te brengen?'

'Schaam je je niet, dat je zoiets vraagt? Ik ben doodmoe van het verzorgen van je vader. En ik weet niet wat ik moet doen als Jordan zo huilt. Het is niet normaal dat een kind van drie om het minste of geringste in tranen uitbarst. Je moet ze zelf komen halen. Morgen. Waar heb je anders een auto voor? Ik zal je wat vertellen, Sarah. Ik wist niet hoe gelukkig ik was toen we nauwelijks contact met jou hadden. Sinds je naar Londen bent verhuisd, heb ik geen moment rust.'

In Glebe Terrace, in Leonardo's kleine maar uiterst elegante huis in gotische stijl, lagen hij en Jims op het enorme bed dat Leonardo's slaapkamer helemaal vulde, op een paar centimeter bij de muren na. Ze luisterden naar *The Westminster Hour* op de radio. Ze hadden in dat bed hun avondmaal gebruikt (gravad lax, kwartels met kwarteleieren, *biscotti*, een fles pinot grigio) en daarna op een inventieve manier de liefde bedreven. Nu ontspanden ze zich op hun favoriete manier. Leonardo had Jims getroost door te zeggen dat hij zich niet druk moest maken om de *Telegraph*. Er stond niets kwetsends over hem in, eerder het tegendeel. Zillah was degene die ervan langs kreeg.

Een ander paar had de avond op ongeveer dezelfde manier doorgebracht: Fiona en Jeff. Hun liefdesspel was ook inventief en bevredigend geweest, terwijl hun avondmaal had bestaan uit papaja, koude kip en ijs met een fles Chileense chardonnay. Fiona sliep nu, terwijl Jeff rechtop in bed zat en Natalie Reckmans artikel las. Na een tijdje stond hij op en sloop naar beneden om in het adressenboek te kijken dat hij in een binnenzak van zijn zwarte leren jasje bewaarde. Fiona was, zoals ze hem zelf had verteld, veel te fatsoenlijk om in jaszakken te kijken.

Daar stond het: Reckman, Natalie, Lynette Road 128, Islington, N1. Misschien was ze verhuisd, maar hij kon het altijd proberen. Hij kon haar toch gewoon eens bellen om te vragen hoe het met haar ging?

13

Er verstreek bijna een maand voordat Minty de trouwfoto's van Josephine te zien kreeg, en toen werd ook nog van haar verwacht dat ze betaalde als ze zelf een paar afdrukken wilde. Ze had geen geld voor zulke onzin, maar voordat ze de foto's teruggaf, keek ze aandachtig of Jock er ook op stond. Tante had een boek met verbazingwekkende foto's van geesten gehad. Die foto's waren gemaakt op seances. Soms leken de geesten massief, zoals Jock, en soms waren ze transparant, zodat je dwars door hen heen de meubelen achter hen kon zien. Maar op Josephines foto's stonden alleen dronken mensen, grijnzend en schreeuwend en met hun armen om elkaar heen.

Toen Ken en Josephine hun uitgestelde huwelijksreis maakten en een week op Ibiza doorbrachten, paste Minty op de winkel. Ze vond dat niet prettig, maar ze had geen keus. Op een dag, toen ze in de achterkamer aan het strijken was en een mannenstem hoorde, of beter gezegd, het kuchje van een man in de winkel, dacht ze dat Jock was teruggekomen, maar het bleek Laf te zijn. Zijn vriendelijke gezicht keek haar droefgeestig en verontschuldigend aan.

Hij was in uniform, een indrukwekkende persoonlijkheid, een meter vijfentachtig groot en ook bijna een meter vijfentachtig rond zijn middel.

'Hallo, Minty. Hoe gaat het met je?'

Minty zei dat het niet slecht met haar ging. Josephine zou de volgende dag terug zijn.

'Ik kom niet voor Josephine. Ik kom voor jou. Ik kan beter niet bij je thuis komen zolang Sonovia nog kwaad is. Ze kan venijnig uitvallen, zoals je weet. Maar ik dacht... Nou, Sonovia en ik gaan vanavond naar *The Cider House Rules*, en ik dacht... Nou, misschien heb je zin om ook te gaan. Nee, zeg nou even niets. Ik dacht: misschien kun je daarheen gaan en dan naar ons toe komen, en misschien zal Sonovia dan... Nou, ze zal geen scène maken in een openbare gelegenheid, hè?'

Minty schudde haar hoofd. 'Ze zou me negeren.'

'Nee, dat doet ze niet. Geloof me, ik ken haar. Op die manier zouden we het tussen jullie goed kunnen maken. Ik bedoel, zoals het nu is, is het niet goed. Dat we nooit meer bij elkaar over de vloer komen, dat ik de kranten niet mag doorgeven, dat soort dingen. Als je dat deed, zou ze haar excuses aanbieden, en jij misschien ook, en dan zou alles weer als vanouds zijn.'

'Ik hoef nergens mijn excuses voor aan te bieden. Ze had blij moeten zijn dat ik dat ensemble liet reinigen. Ik heb het nog steeds, wist je dat? En ik heb het opnieuw laten reinigen nadat ik het heb gedragen. Als ze het terug wil hebben, mag ze het komen halen.'

Laf probeerde nog even haar tot het bioscoopbezoek over te halen, maar Minty zei: nee, dank je, ik doe het niet. Ze ging de laatste tijd in haar eentje naar de film, dat was een stuk rustiger, en er fluisterde niemand tegen haar. Omdat ze geen ruzie met Laf had, zei ze niets over de popcorn. Hoofdschuddend ging hij weg. Hij zei nog dat hij opnieuw met haar zou praten, dat hij de kloof zou overbruggen, al was dat het laatste wat hij deed.

Ze wilde die film trouwens helemaal niet zien. Jock had eens een flesje cider voor haar gekocht en ze had het laten staan, omdat het zo zuur smaakte. Jock. Omdat ze hem sinds de bruiloft een aantal keren had gezien, wist ze dat ze hem niet voorgoed had weggejaagd door dat stompe mes in hem te steken. Hij was opnieuw op de begraafplaats toen ze tulpen op Tantes graf zette, noemde haar Polo en zei dat hij meer van narcissen hield omdat die zo lekker roken. De rest van de dag bleef hij, al kon ze hem niet zien, 'Polo, Polo' tegen haar fluisteren. Toen zag ze hem in haar eigen huis. Hij zat opnieuw in die stoel. Hij stond op toen ze binnenkwam, trok zijn overhemd omhoog, liet haar de kneuzing zien die het mes in zijn zij had gemaakt, een paarsblauwe plek. Minty ging de kamer uit en deed de deur dicht, al wist ze dat gesloten deuren hem niet konden tegenhouden. Toen ze weer naar binnen ging, was hij weg. Ze was zo bang geweest dat ze door de kamers liep en de ene kleur hout na de andere aanraakte, maar er waren niet genoeg verschillende kleuren om haar angst weg te nemen.

Het had niet veel zin dat ze hem verwondingen toebracht. Het mes dat ze bij zich droeg, was te klein en te stomp. Ze had een van Tantes lange vleesmessen nodig. Als politieman had Lafcadio Wilson geleerd zijn ogen goed de kost te geven, en toen hij naar Immacue kwam om met Minty te praten, had hij gezien dat er een staaf of stok tegen haar middel lag. Het voorwerp werd grotendeels verborgen door het losse kledingstuk dat ze droeg, en pas toen ze zich omdraaide, zag hij het uiteinde onder haar sweatshirt vandaan komen. Hij stond er niet bij stil. Minty was nu eenmaal excentriek. Hij wist niet dat hij een dertig centimeter lang slagersmes met een scherpe punt en een benen heft had gezien.

Minty had het mes op Tantes ouderwetse oliesteen geslepen en stond versteld van de scherpte. Ze hield de scherpe rand even tegen haar onderarm. De lichte aanraking was voldoende om een rij rode druppeltjes uit haar arm te laten komen. Ze deed een van Tantes linnen tafelservetten om het mes, hield het met elastiek op zijn plaats en maakte het geheel met nog meer elastiek aan het billentasje vast. Zolang ze die wijde sweatshirts droeg, zou er niets te zien zijn.

Ze hoorde nu ook vaak zijn stem, maar hij zei alleen: 'Polo, Polo'. Tante, die nu ook haar stem liet horen, zei heel wat anders. In al die tijd dat ze bij het graf tot Tante had gebeden, had ze nooit een antwoord gekregen, en dat kreeg ze nu ook niet. Ze had de indruk dat Tante pas sprak als ze dagenlang niet naar de begraafplaats was geweest, alsof ze protesteerde omdat ze verwaarloosd werd. De eerste keer dat ze die stem hoorde, schrok ze zich rot, want het was overduidelijk Tantes stem. Bij Tantes leven was ze nooit bang voor haar geweest en geleidelijk wende ze aan deze nieuwe onzichtbare bezoeker van voorbij het graf. Ze zou het zelfs prettig hebben gevonden haar te zien, zoals ze Jock kon zien. Maar Tante liet zich nooit zien. Ze praatte alleen maar. Ze praatte zoals ze had gedaan toen ze nog leefde: over haar zusters Edna en Kathleen, over haar vriendin Agnes die baby Minty voor een uurtje bij haar had gebracht en nooit was teruggekomen, over de gepureerde pruimen en de hertog van Windsor en over Sonovia, die niet de enige op de wereld was met een zoon die dokter en een dochter die advocaat was. Op een dag, toen Minty een bad nam en haar haar waste, kwam Tantes stem erg duidelijk door en zei iets nieuws.

'Die Jock is slecht, Minty, hij is erg slecht. Hij is dood, maar hij mag nooit komen waar ik ben, want hij is een kind van Satan. Als ik weer op aarde was, zou ik hem vernietigen, maar van hieruit kan ik niets tegen hem doen. Ik zeg je dat het je missie is om hem te vernietigen. Je bent geroepen om hem te vernietigen; dan kan hij terugkeren naar de hel, waar hij thuishoort.'

Minty gaf Tante nooit antwoord, want ze wist dat Tante wel kon spreken, maar niet kon horen. De laatste jaren van haar leven was ze doof geweest. De stem bleef het grootste deel van de avond spreken. Vanuit haar voorkamer zag Minty dat Sonovia en Laf naar de bioscoop gingen. De avonden waren nu lichter, de zon scheen nog. Maar in het huis was het altijd nogal donker, misschien omdat Tante en nu Minty de gordijnen maar tot halverwege opentrokken. Voor deze Londense buurt, die niet overal even respectabel was, was het ook erg stil. Meneer Kroot aan haar ene kant leidde een leven in schemerige stilte, terwijl de Wilsons niet van televisie en dolle pret hielden. Nu er geen enkel ander geluid was, kwam Tantes stem terug. Tante zei dat ze Jock moest vernietigen, dat ze de wereld van zijn boze geest moest verlossen.

De volgende dag had ze een strakker, korter sweatshirt aan, waardoor de contouren van het mes duidelijk te zien waren. Ze probeerde het op een andere plek te dragen en bevestigde het ten slotte onder haar broek tegen haar rechterzij. Ze hield het met een riem op zijn plaats.

Er stond Zillah die ochtend een preek te wachten. Jims was gekleed zoals ze hem de afgelopen tien dagen niet had gezien. Hij droeg een antracietgrijs pak van onberispelijke snit, waarvoor hij in Saville Row tweeduizend pond had betaald, een spierwit overhemd en een leigrijze zijden das met een verticaal saffraangeel streepje. Zillah vond mannen het aantrekkelijkst wanneer ze een donker formeel pak droegen, en een diepe somberheid maakte zich van haar meester. Ze had niet goed geslapen en haar haar moest nodig gewassen worden.

'Ik heb je iets te zeggen. Wil je even gaan zitten? Verwijten zijn zinloos, dat weet ik ook wel. Gebeurd is gebeurd. Ik wil het over de toekomst hebben.' Eton en Oxford klonken in zijn stem door. 'Ik wil dat je niet meer met journalisten praat, Zillah. Helemaal niet meer. Eerlijk gezegd had ik toen je aan je perscampagne begon geen idee dat je je zo onbesuisd en onbeheerst zou gedragen. Ik verwachtte discretie, maar zoals gezegd: verwijten zijn zinloos, dus laat ik het hierbij. Wat je moet onthouden, is dat je contact met media moet vermijden. Ja?'

Zillah knikte. Ze herinnerde zich de leuke jongen uit haar tienerjaren, die zo'n grappige metgezel was geweest, en de gracieuze man die haar in haar eenzaamheid in Long Fredington had opgezocht en met wie ze altijd een nauwe band had gehad, alsof ze samen in een heerlijk complot zaten. Zillah en Jims tegen de rest van de wereld. Waar was die Jims gebleven? Haar hart zonk haar in de schoenen bij de gedachte: dit is mijn man.

'Beloof het me, Zillah.'

'Ik zal niet met de media praten, Jims. Alsjeblieft, wees niet boos op me.'

'Ik zal tegen Malina Daz zeggen dat ze je daaraan moet houden. En ga nu de kinderen maar halen. Dat was je toch van plan? Het lijkt me een goed idee als je een paar dagen bij je ouders blijft.'

'In Bournemouth?'

'Waarom niet in Bournemouth? Het is een mooie badplaats en de kinderen zijn er graag. Dan kun je ook eens kijken hoe het met de gezondheid van je vader gaat. Hoe denk je dat het overkomt als bekend zou worden – als het in een krant kwam – dat je niet van de Malediven terugkwam toen je vader een hartaanval kreeg, en ook niet meteen naar hem toe ging toen je eenmaal in Engeland terug was?'

'Maar ik heb pas gisteravond gehoord dat hij een hartaanval had gehad!'

'Ja, want toen je weg was, nam je niet één keer de moeite om je moeder te bellen, hoewel je kinderen bij haar waren.'

Daarop kon ze niets terugzeggen. 'Hoe lang wil je dat ik daar blijf?'

'Tot vrijdag.'

Dat was knap lang. Het was druk op de weg en het was bijna zes uur toen Zillah bij het huis van haar ouders aankwam. Haar vader lag op de bank, met doosjes en flesjes medicijnen op het tafeltje naast hem. Hij zag er goed uit. Zijn ogen stonden helder en hij had een blos op zijn wangen.

'Arme opa viel op de vloer,' zei Eugenie gewichtig. 'Hij was helemaal alleen. Nanna moest met mij en Jordan naar huis teruggaan om zijn leven te redden en ik zei: "Als arme opa doodgaat, moeten we iemand zoeken die hem in de grond begraaft," maar hij ging niet dood.'

'Zoals je ziet,' zei Charles Watling grijnzend.

'We gingen naar het ziekenhuis en Nanna zei tegen opa: "Je dochter is aan het andere eind van de wereld en ik weet haar telefoonnummer niet."'

Nora Watling had de spullen van de kinderen ingepakt en broodjes voor onderweg klaargemaakt. Toen Zillah zei dat ze tot vrijdag zouden blijven, liet ze zich in een fauteuil zakken en zei ze dat dat niet kon. Nog een dag met Jordans gehuil en Eugenies bemoeizucht zou te veel voor haar zijn.

'Niemand wil ons,' zei Eugenie rustig. 'Wij zijn iedereen tot last.'

Nora sloeg toegeeflijk haar arm om haar heen. 'Nee, dat zijn jullie niet, schatje.'

'Als we hier niet kunnen blijven,' zei Zillah, 'waar moeten we dan heen?' Als ze die passage had gekend, dan had ze kunnen zeggen dat de vossen hun holen hebben, en de vogels hun nesten, maar dat zij geen plaats had waar ze haar hoofd te ruste kon leggen. 'Naar een hotel?'

'Heeft je man genoeg van je? Dat is een goed begin, moet ik zeggen. Nou ja, blijf dan maar. Maar dan moet je me wel helpen. Je kunt bijvoorbeeld de boodschappen doen, en 's middags ergens met de kinderen naartoe gaan. Maak je maar niet druk om Eugenies school. Dat is niet je grootste probleem. Maar denk eraan: je raakt je kinderen nooit kwijt. Ze komen altijd terug. Kijk maar naar mij en jou.'

'Je ziet het, mammie, je raakt ons nooit kwijt,' zei Eugenie opgewekt.

Zillah moest in dezelfde kamer als de kinderen slapen. Jordan viel huilend in slaap en werd 's nachts huilend wakker. Ze begon zich daarover zorgen te maken en vroeg zich af of ze met hem naar een kinderpsychiater moest. 's Morgens gingen ze met zijn drieën boodschappen doen en recepten ophalen, en omdat het mooi weer was, gingen ze 's middags naar het strand. Ze amuseerden zich best. Op donderdagmorgen werd Charles Watling weer onwel. Hij had ademnood en pijn in zijn linkerzij. De huisarts kwam en hij werd in allerijl naar het ziekenhuis gebracht.

'Nu moet je echt gaan, Sarah. Ik kan niet tegen de zorgen en het lawaai, niet nu je vader er zo slecht aan toe is. Wie weet heeft dat gehuil van Jordan deze tweede aanval veroorzaakt. Je kunt vannacht in een hotel logeren. Het is nu ook weer niet zo dat je geld tekortkomt.'

Om vijf uur die middag nam Zillah een kamer in een hotel aan de rand van Reading. Eugenie en Jordan waren moe, en nadat ze pizza en chips hadden gegeten, gingen ze meteen naar bed en vielen in slaap. Deze keer huilde Jordan niet, maar nu sliep Zillah slecht. Gapend en zich in de ogen wrijvend herinnerde ze zich de volgende morgen dat ze haar moeder moest bellen. Ze hoorde dat haar vader 'rustig' was en waarschijnlijk aan het eind van de volgende week een bypass zou krijgen. Kort na acht uur begon ze aan de rit naar huis. Het was drukker op de weg dan ooit, en het was na elven toen ze de parkeergarage van Abbey Gardens Mansions in reed.

Eenmaal thuis, belde ze mevrouw Peacock. Wilde ze op de kinderen passen? Ergens met ze gaan lunchen en dan naar de dierentuin of Hampton Court of zoiets? Ze zou haar het dubbele uurloon betalen. Mevrouw Peacock, die in Nederland veel meer had uitgegeven dan ze van plan was geweest, zei meteen 'ja'. Zillah belde de portier, zei dat ze onder geen beding gestoord mocht worden, trok de telefoonstekker eruit en liet zich op bed vallen.

Jeff zou het zoeken naar zijn kinderen misschien hebben uitgesteld als Fiona niet zo had aangedrongen. Blijkbaar had het haar diep getroffen dat ze zijn dilemma zwart op wit in de krant had zien staan, want het grootste deel van de maandagavond had ze er bij hem op aangedrongen een ontmoeting met Zillah te regelen en dan te eisen dat hij zijn kinderen te zien kreeg. Als dat zou mislukken, kon hij met haar advocate gaan praten. Jeff wist dat het niet zo eenvoudig was als zij dacht. Als dit te ver ging, zou bekend worden dat hij nog getrouwd was. Hij kon niet beloven dat hij zich van Zillah zou ontdoen, want hoe kon je scheiden van een vrouw die al met een ander getrouwd was? Hoe kon hij zeggen dat hij katholiek was als hij dat nooit eerder ter sprake had gebracht?
Op dinsdag had hij de metro van West Hampstead naar Westminster genomen en was naar Abbey Gardens Mansions gelopen. Op nummer 7 was niemand thuis, en ditmaal zei de portier dat hij geen idee had waar mevrouw Melcombe-Smith was. Hij ontkende nu ook dat er kinderen in de flat woonden. Je wist maar nooit, zei hij later tegen zijn collega; die kerel kon wel een kidnapper of een pedofiel zijn.
Het was een mooie dag. Jeff zat op een bankje in de Victoria Tower Gardens en belde met zijn mobiel naar Natalie Reckman. Eerst kreeg hij haar voicemail, maar toen hij tien minuten later nog eens belde, nam ze op. Ze klonk hartelijk.
'Jeff! Ik neem aan dat je mijn stuk in het magazine hebt gelezen?'
'Dat had ik niet nodig om me jou te herinneren,' zei hij. 'Ik denk veel aan je. Ik mis je.'
'Wat aardig van je. Je bent zeker alleen?'

'Dat zou je kunnen zeggen,' zei Jeff voorzichtig. 'Ga met me lunchen. Morgen? Woensdag?'

'Ik kan niet eerder dan vrijdag.'

Hij had vijfhonderd pond die hij op Website had gewonnen. Onbeschaamd zei hij: 'Ik betaal. Waar gaan we eten? Jij mag het zeggen.'

Ze koos voor Christopher's. Nou ja, hij kon Zillahs Visa-card gebruiken. Hopelijk was hij nog niet over de limiet gegaan met de handtas die hij voor Fiona's verjaardag had gekocht en de rozen om te vieren dat hij precies zes maanden bij haar woonde. Ten behoeve van mensen als hij zou de limiet op die kaarten afgedrukt moeten staan. Hij stak de straat over en probeerde de flat van de Melcombe-Smiths opnieuw, maar Zillah was nog steeds niet thuis.

Op donderdag had hij, een beetje roekeloos, op Spin Doctor gewed, en dat paard werd eerste. Het was geen favoriet en hij won een heleboel geld. De volgende dag ging hij naar Westminster terug. Op het moment dat Zillah en de kinderen bij Chiswick de M4 af gingen, kwam hij bij Abbey Gardens Mansions aan. Hij drukte op de bel, kreeg geen antwoord, informeerde bij de portier en kreeg te horen dat de man het niet wist; hij kon niet bijhouden waar alle bewoners waren en dat werd ook niet van hem verwacht. Wat hij dus niet vertelde, was dat Jims de vorige middag naar zijn kiesdistrict was vertrokken. In de buurt van Shaston was hij Zillah tegengekomen. Ze hadden elkaar niet gezien.

Jeff vroeg zich af hoe hij met een advocaat kon praten zonder dat uitkwam dat hij nog met Zillah getrouwd was. Durfde hij dat Natalie te bekennen? Ze was een aardige vrouw, intelligent en leuk om te zien, maar ze was bovenal een journaliste. Hij vertrouwde haar voor geen cent. De enige die hij het kon toevertrouwen, was Fiona. Terwijl hij in de zon over de Embankment wandelde, dacht hij daarover na. Het gevaar bestond dat ze hem niet zou vergeven, dat ze niet iets in de trant van: 'Schat, waarom heb je me dat niet eerder verteld?', of: 'Het geeft niet, maar je moet er nu meteen iets aan doen' zou zeggen, maar hem het huis uit zou gooien. Ze hield zich altijd strikt aan de wet. Wat ze hem ook aanraadde of waar ze hem ook voor waarschuwde, ze zou willen dat de Melcombe-Smiths de waarheid vertelden en ze zou willen weten wat zijn bedoelingen waren. Jeff gaf niet veel om Zillah en hij had een grote hekel aan Jims, maar hij vond het te ver gaan om haar straatarm te maken en zijn carrière te verwoesten. Nee, hij kon het tegen niemand zeggen. Behalve misschien tegen een advocaat? Wat hij zo iemand vertelde, was vertrouwelijk. Misschien kon hij zich van Zillah laten scheiden zonder dat Jims of iemand anders het te weten kwam. Maar de kinderen dan? Zou het mogelijk zijn om te scheiden zonder dat de kinderen werden genoemd? Per slot van rekening hadden ze niemand nodig om hen te onderhouden, ze hadden Jims. Zo'n echtscheiding per post...

Terwijl die gedachten door zijn hoofd gingen, nam hij een kop koffie op de Strand en een glas bier in een café in Covent Garden. Om vijf voor één kwam hij bij Christopher's aan. Natalie kwam om vijf over. Zoals altijd was ze zakelijk gekleed, ditmaal in een grijs broekpak met een krijtstreepje, maar met haar opgestoken blonde haar – ze had van dat streperige blonde haar, goudblond en vlasblond en lichtbruin, waar Jeff grote bewondering voor had – en discrete zilveren sieraden zag ze er hartveroverend uit.

Na wat luchtig gepraat en, in het geval van Jeff, een heleboel leugens over zijn recente verleden werd hij een beetje sentimenteel over wat had kunnen zijn.

'Dat weet ik nog zo net niet,' zei Natalie scherp. 'Jij hebt mij verlaten.'

'Het was wat ze een constructieve verlating noemen.'

'O ja, noemen ze het zo? En daarmee bedoelen ze ook dat ik me kan afvragen waarom ik altijd de huur betaalde en het eten kocht?'

'Ik heb je indertijd uitgelegd dat ik zonder werk zat.'

'Nee, dat zat je niet, Jeff. Je zat zonder vrouw. Wie kwam er na mij?'

Dat was Minty. Achteraf begreep Jeff niet dat hij ooit zo diep had kunnen zinken. Maar hij was arm en wanhopig geweest en woonde in die ellendige kamer in Harvist Road. Brenda, de serveerster van de Queen's Head, had hem verteld dat Minty een eigen huis en veel geld had. Haar tante had haar een heleboel nagelaten. Hij nam aan dat de geruchten voor een kwart op waarheid berustten, maar zoals hij het zelf toen stelde: bij noodweer is elke haven goed. Hij kon het Natalie wel in grote trekken vertellen. 'Een grappig klein ding, ze woonde in de buurt van de begraafplaats Kensal Green. Ik noemde haar Polo, vanwege haar naam.' Hij aarzelde. 'Ik ga je niet vertellen wat haar naam was. Ik ben haar trouwens wat geld schuldig, niet meer dan duizend pond. Kijk niet zo. Ik ben van plan het haar zo gauw mogelijk terug te betalen.'

'Je hebt mij anders nooit terugbetaald.'

'Ik wist dat jij het je kon permitteren.'

'Jij bent ongelooflijk. Echt waar. Zij kwam na mij. Wie kwam er voor mij?'

De directrice van een liefdadigheidsinstelling en een restauranthoudster, maar die kon hij weglaten. Hij had voor die dag al genoeg waarheid verteld. 'Mijn ex-vrouw.'

'Aha, de hoerige mevrouw Melcombe-Smith. Je had haar moeten afleren zich als een kerstboom te behangen. Maar daarvoor zal ze wel nooit de kans hebben gehad toen ze bij jou was. Grappig dat ik me de namen van je kinderen herinnerde, hè? Ik moet wel gek op je geweest zijn.'

'Ik hoopte dat je dat nog steeds bent.'

Natalie glimlachte en dronk haar dubbele espresso op. 'Tot op zekere hoogte, Jeff. Maar ik heb een vriend, en ik ben erg gelukkig met hem. Jij vraagt daar niet naar, maar ik wel. Zegt dat iets over ons?'

'Waarschijnlijk dat ik een egoïstische klootzak ben,' zei Jeff opgewekt, al wou hij dat ze het hem had verteld voordat hij haar voor een lunch van tachtig pond uitnodigde. Eén ding moest je Jeff nageven, zouden vrouwen later zeggen: hij had geen valse trots. Hij probeerde zich niet naar haar niveau te verheffen door over Fiona te beginnen.

'Waar ga je nu naartoe?' vroeg ze toen ze in Wellington Street stonden.

'Naar de film,' zei hij. 'Ik neem aan dat je geen zin hebt om mee te gaan?'

'Inderdaad.' Ze kuste hem op de wang – één wang. 'Ik heb werk te doen.'

Hij had verteld dat hij naar de film ging, omdat dat het eerste was wat bij hem opkwam. In werkelijkheid was hij van plan geweest om weer naar Abbey Gardens Mansions te gaan. Als hij dat had gedaan, zou het leven van verschillende mensen, dat van hemzelf incluis, radicaal veranderd zijn. Het zou niet gemakkelijk zijn om van Kingsley in Westminster te komen. Hij had al genoeg gelopen en er was geen bus of metro die in die richting ging. Er kwam een taxi met brandend licht aanrijden en hij was bijna van het trottoir gestapt en had zijn hand opgestoken. De chauffeur minderde vaart. Jeff dacht aan het geld dat hij aan de lunch had uitgegeven, en aan de creditcard die waarschijnlijk de limiet had bereikt, en schudde zijn hoofd. Daarmee bezegelde hij zijn lot.

Tenminste, bijna. Hij kreeg nog één kans. In Holborn stapte hij in de metro, een Central Line-trein die naar het westen ging. Toen de trein station Bond Street naderde, bedacht Jeff dat hij net zo goed kon uitstappen en met de Jubilee Line naar huis kon gaan. Aan de andere kant vond hij het niet prettig om in zijn eentje thuis te zijn. Hij had daar een vrouw nodig, en wat eten en drinken en vermaak. De trein reed station Bond Street in en stopte, de deuren gingen open, tien mensen stapten uit en evenveel mensen stapten in. De deuren gingen dicht, maar de trein bleef staan. Zoals gewoonlijk werd door de luidsprekers geen verklaring gegeven voor het oponthoud. De deuren gingen weer open. Jeff stond op, aarzelde en ging weer zitten. De deuren gingen dicht en de trein kwam in beweging. Op het volgende station, Marble Arch, stapte hij uit.

Hij ging de trap op en liep naar het Odeon. Een van de films die daar draaiden, was *The House on Haunted Hill*. Hij koos voor die film omdat hij om 15:35 uur begon en het nu kwart over drie was. Om de een of andere reden dacht hij, toen hij zijn kaartje kocht, aan wat zijn moeder altijd zei, namelijk dat het zonde was om naar de bioscoop te gaan als buiten de zon scheen.

14

Het zou interessanter zijn geweest, dacht Minty soms, als er meer variatie in de kleuren en modellen van de overhemden had gezeten. Als ze niet in meerderheid wit waren geweest, of als er meer bij waren met een button-down-boord en zakken. Blijkbaar waren effen witte overhemden in de mode. Die vrijdagmorgen had ze drie witte moeten strijken voordat ze een roze gestreept kon doen, en nog twee voordat ze aan de lichtblauwe met een donkerblauw streepje en een button-down-boord toekwam. Ze had ze op volgorde gelegd voordat ze begon. Het was verkeerd om het aan het toeval over te laten. De vorige keer dat ze dat had gedaan, had ze op het eind zes witte gehad; het was vermoeiend om zes overhemden achter elkaar te strijken die er allemaal hetzelfde uitzagen. Daar kwam nog bij dat zoiets volgens haar ongeluk bracht. Die dag had ze Jock voor het laatst gezien, en dat had vast iets met de verkeerde volgorde van die overhemden te maken gehad.

Zijn geest was in de hal geweest toen ze de vorige avond thuiskwam. Hij stond naar haar uit te kijken, wachtte op het geluid van haar sleutel in het slot. Ze had haar sweatshirt omhooggetrokken en het mes uit de riem gehaald, maar hij was langs haar geglipt en naar boven gerend. Hoewel ze beefde van angst, was ze achter hem aan gegaan en had hem tot in Tantes slaapkamer achtervolgd. Net toen ze dacht dat ze hem in het nauw had gedreven, verdween hij door de muur. Ze had gehoord dat geesten zoiets konden, maar had het nooit eerder gezien. Terwijl Minty haar bad nam, had Tantes stem gezegd: 'Je had hem bijna te pakken, meisje,' en nog veel meer. Die stem had gezegd dat Jock slecht was, een bedreiging voor de wereld, de oorzaak van overstromingen en hongersnood en de heraut van de antichrist. Het was niet de eerste keer dat ze dat zei, en Minty begon zich net zo aan Tantes gepraat te ergeren als aan Jocks verschijningen.

Ze droogde haar haar, trok een schoon T-shirt en een schone broek aan, bevestigde het mes weer, en toen de stem maar doorging, schreeuwde ze: 'Ga weg! Ik heb genoeg van je. Ik weet wat ik moet doen!' Ze bleef dat herhalen terwijl ze naar beneden ging en de deurbel hoorde. Sonovia's jongste dochter Julianna, de dochter die aan de universiteit studeerde, stond voor de deur.

'Had je het tegen mij, Minty?'

'Ik had het tegen niemand,' zei Minty. Ze had Julianna een jaar niet gezien en herkende haar nauwelijks, met dat gouden knopje in haar neusvleugel en haar haar in tientallen vlechtjes. Ze rilde ervan. Hoe vaak kon ze haar haar wassen en hoe kreeg ze dat knopje erin en eruit? 'Is er iets?'

'Sorry, Minty. Ik weet dat jij en mam niet met elkaar praten, maar mam wil haar blauwe ensemble terug. Ze wil het zondag bij een doopplechtigheid dragen.'

'Kom maar even binnen.'

Het zou haar verdiende loon zijn als Jock nu kwam en tegen haar ging praten, dacht Minty terwijl ze naar boven ging. Misschien was zij een van die mensen die hem konden zien. Het zou een hele opluchting zijn om die blauwe jurk met dat jasje kwijt te zijn. Hoewel ze de kledingstukken twee keer had laten reinigen, kon ze het idee niet van zich af zetten dat ze het huis besmetten. 'Polo, Polo,' fluisterde Jock tegen haar toen ze Tantes kamer binnenging. Hij was er dus nog, al kon ze hem niet zien. Ze had het ensemble in een ritszak van de stomerij gedaan en gaf hem aan Julianna. 'Het is hier een beetje somber,' zei Julianna. 'Waarom doe je de gordijnen niet helemaal open?'

'Ik vind het prettig zo.'

'Minty?'

'Ja?'

'Je wilt zeker niet meekomen en mam gedag zeggen en het weer goedmaken? Pa zou dat erg graag willen. Hij zegt dat hij er een hekel aan heeft om niet op goede voet met zijn buren te staan.'

'Zeg maar tegen je moeder,' zei Minty, 'dat het haar schuld is; zij is begonnen. Als ze zegt dat het haar spijt, ga ik weer met haar praten.'

Ze had het meisje door het raam nagekeken. Ze dacht aan dat alles terwijl ze aan het strijken was. Josephine zei: 'Heb je het nog goedgemaakt met hoe-heet-ze die naast je woont? Die zo'n toestand maakte over haar jurk?'

'Ze heet Sonovia.' Minty schoof het op drie na laatste witte overhemd in zijn plastic hoes, stak de kartonnen boord om de hals en pakte het laatste gestreepte overhemd van de stapel. 'Haar man is hier geweest. Of ik mijn excuses wilde aanbieden, maar ik zei dat ik me nergens voor hoefde te excuseren; het kwam allemaal door haar. Het kwám toch allemaal door haar? Jij was erbij.'

'Natuurlijk. Dat zou ik voor iedere rechtbank verklaren.' Josephine keek naar haar horloge van goud en bergkristal, een huwelijkscadeau van Ken. 'Weet je, Minty, als je daarmee klaar bent, mag je vanmiddag vrij nemen, als je wilt. En morgenochtend. Dat heb je wel verdiend. Al die tijd dat Ken en ik op huwelijksreis waren, heb je op de winkel gepast.'

Minty bedankte haar en zag kans om vaag te glimlachen. Ze had liever opslag gehad, maar durfde daar niet om te vragen. Die laatste drie overhemden waren altijd een vervelende klus, maar ze was om vijf voor een klaar. Toen ze thuis was, nam ze haar tweede bad van die dag. Ze maakte zich weer kwaad op Jock, omdat hij haar het geld had afgetroggeld dat ze aan een douchehokje had kunnen besteden. Als ze in bad zat, dacht ze soms aan het vuil dat van haar af kwam en in het water bleef drijven en weer op haar ging zitten. Het vuil van haar lichaam kwam in haar haar en het vuil van haar haar kwam op haar lichaam. Misschien was dat de reden waarom ze zich nooit echt schoon voelde. Zou ze zich ooit nog een douche kunnen veroorloven?

Ze at een van haar hygiënische lunches: zorgvuldig gewassen witlof, een kippenvleugel zonder vel, zes kleine gekookte aardappeltjes, twee plakjes witbrood met goede ongezouten boter. Toen waste ze haar handen. Ze zou haar vrije middag in de bioscoop doorbrengen.

Het was een mooie, warme, zonnige dag. Zelfs Kensal Green

had naar bloemen geroken toen ze van Immacue naar huis liep. Als je boven de hoge muur de bomen van de begraafplaats zag, leek het net of er een weelderig groen park achter lag. Tante zei altijd dat het zonde was om op een mooie dag naar de bioscoop te gaan. Maar dat zei ze nu niet, al wachtte Minty of ze haar stem zou horen. Zou ze naar Whiteley's gaan of naar het Odeon op Marble Arch? Het complex van Whiteley's was dichterbij, maar om daar te komen, zou ze een van de tunnels onder de Westway moeten nemen. En zo'n tunnel was nou net het soort plaats waar Jock op haar kon wachten. Ze wilde hem vandaag niet zien, ze wilde niet dat hij haar vrije middag bedierf. En dus zou ze bus 36 naar Marble Arch nemen. *The House on Haunted Hill* draaide daar, en dat klonk goed, vond ze. Als je een eigen geest had, waren geesten in films niet angstaanjagend meer.

Het duurde een eeuwigheid voor de bus kwam. Alsof hij de verloren tijd wilde goedmaken, reed hij met grote snelheid door Harrow Road en Edgware Road. Om precies drie uur zette hij haar aan het eind van die laatste straat af. Inmiddels was ze een ervaren bioscoopbezoekster. Ze kocht haar kaartje, liet het aan de ouvreuse zien en liep naar haar plaats. Er zaten tien mensen in de zaal. Minty telde ze. Ze zat aan het eind van een rij, zodat er rechts niemand naast haar kon gaan zitten. Tenzij de zaal volliep, wat heus niet zou gebeuren, zou ze ook niemand links van zich krijgen. De mensen die al in de zaal zaten, leken allemaal ouder dan zij en zaten een eind van elkaar vandaan, behalve een bejaard echtpaar dat helemaal vooraan zat. Ze was blij dat ze in haar eentje in het blok zitplaatsen aan de rechterkant zat. Het was veel prettiger om 's middags naar de bioscoop te gaan dan 's avonds met Laf en Sonovia.

Het werd donker in de zaal en op het scherm verschenen de reclames. Minty had al vaak met verbazing naar die reclames gekeken. Het geluid dat ze maakten, was hard en de stemmen spraken onbegrijpelijke, rauwe woorden, terwijl de muziek stampte en er felle kleuren en explosieve lichten over het scherm flitsten. Ze werden gevolgd door iets romantisch en dromerigs, met op de achtergrond een zachte sonate: de eerste trailer van films die nog moesten komen.

Tot haar ergernis was er een man binnengekomen die nu door de rij voor haar schuifelde. Hij kon waarschijnlijk niet zien waar hij was; het was pikdonker, afgezien van de pastelkleuren op het scherm. Hij keek met verblinde ogen in haar richting en ze zag dat het Jocks geest was. Hij achtervolgde haar ook overal. Hij had vandaag zijn zwarte leren jasje niet aan, maar een gestreept overhemd en een linnen jasje dat er nieuw uitzag. Waar haalden geesten nieuwe kleren vandaan? Ze had daar nooit eerder over nagedacht.

Hij ging zitten, niet recht voor haar maar één stoel naar links, en haalde een pakje Polo-pepermuntjes uit zijn zak. Hoe lang zou hij blijven? Zou hij weer opstaan en door de muur verdwijnen, zoals hij de vorige avond in Tantes kamer had gedaan? Minty was woedender dan ooit. Haar angst voor hem was weg, het was nu niets dan woede. Hij keek half opzij en richtte zijn blik toen weer op het scherm. De romantische trailer vervaagde en verdween en er begon een gewelddadige film, met snelle auto's in opzichtige kleuren en met felle lichten die tegen andere auto's botsten en in afgronden vielen, terwijl woedende mannen uit de ramen hingen en met pistolen schoten. De geest nam een pepermuntje uit het pakje en stopte het in zijn mond. Geluidloos trok Minty haar T-shirt omhoog, maakte de rits van haar broek los en trok het mes behoedzaam uit de plastic schede die met een riempje om haar been was vastgemaakt. Ze legde het op de stoel naast haar, maakte de rits van haar broek weer dicht en trok haar T-shirt omlaag. Ze dacht dat ze stil was geweest, maar blijkbaar had ze toch geluid gemaakt.

Jocks geest draaide zich weer om, ditmaal helemaal. Toen hij in het schemerduister en het bulderend lawaai naar haar gezicht keek, gingen zijn ogen wijd open. Hij begon overeind te komen, alsof hij bang voor haar was in plaats van zij voor hem. Razendsnel griste ze het mes van de stoel, kwam overeind en stak op de plek waar ze zijn hart vermoedde. Als een geest een hart had, als een geest kon sterven.

Hij gaf geen schreeuw, of ze hoorde het niet boven de autobotsingen en pistolen en stampende muziek uit. In die herrie kon niemand iets hebben gehoord. Misschien had hij geen geluid gemaakt; misschien maakten geesten geen geluid. Ze had haar beide handen nodig om het mes eruit te trekken. Er zat iets roodbruins op dat op bloed leek, maar dat kon niet, want geesten hadden geen bloed. Blijkbaar was het wat geesten in hun aderen hadden en waardoor ze konden lopen en praten. Misschien ectoplasma. Tante had het in haar laatste jaren vaak over ectoplasma gehad. Minty veegde het mes aan de bekleding van de stoel naast haar af. Het was niet schoon; het moest in een pan met kokend water om echt schoon te worden. Maar ze had hier geen water, geen gasstel en geen gas. Huiverend maakte ze de rits van haar broek los en schoof het mes weer tegen haar been, blij met de plastic huls die ervoor zorgde dat het niet in contact met haar huid kwam.

Jocks geest was op de vloer gevallen en verdwenen. In ieder geval kon ze niet zien wat ervan was overgebleven. Dat wilde ze ook niet. En ze wilde daar ook niet blijven zitten, met die viezigheid die ze aan de stoel naast haar had gestreken. De film wilde ze wél zien. Terwijl ze ieder contact met de bevuilde zitplaats vermeed, liep ze naar het begin van de rij, stak het middenpad over en koos een andere stoel. Ze zat nu in het middenblok, en er zat niemand voor of achter haar.

Sleepy Hollow had haar niet bang gemaakt, en deze film maakte haar ook niet bang. Ze vond hem teleurstellend. Als die filmmensen ervaring met geesten hadden gehad, zouden ze weten hoe ze iets angstaanjagends moesten maken. Ze wou dat ze naar *The Green Mile* was gegaan Als ze dat had gedaan, zou Jocks geest er misschien niet zijn geweest en zou ze niet de kans hebben gekregen hem uit de weg te ruimen. Toen driekwart van de film voorbij was, stond ze op en ging weg. De man op de achterste rij ging ook weg, dus ze was niet de enige die de film niet mooi had gevonden.

Buiten was het nog warm en zonnig. Ze keek naar haar handen om te zien of er viezigheid op zat, maar er was niets te zien. Toen ze haar vingers naar haar neus bracht, rook ze iets als bloed, maar dan sterker, dacht ze, bitterder en duivelser. Overal op haar kleren zaten er vlekken en spatten van, maar niemand anders dan zijzelf zou dat zien, want haar broek was donkerrood en haar T-shirt had een rood, blauw en geel patroon. Niet dat Minty het erg vond als iemand het zou zien. Ze maakte zich meer zorgen om zichzelf. Ze had zich nooit druk gemaakt om wat andere mensen van haar dachten. Ze zouden eens moeten nadenken over wat zíj van hén dacht.

Maar ze wilde niet een bus in. Als ze met dat geestsap op haar kleren in een bus ging zitten, zou dat op de een of andere manier erger zijn dan wanneer ze in de frisse lucht liep. In een bus zou het overal om haar heen zijn, dicht bij haar, benauwend dichtbij, en bovendien zou ze het beter ruiken. De stank maakte haar doodongelukkig. Het liefst zou ze haar kleren afrukken en in het water springen. Ze liep door Edgware Road, met de hitte en stank van de oosterse afhaalrestaurants, door het begin van Harrow Road en door de tunnel naar Warwick Avenue. Ze hoefde niet bang meer te zijn dat ze Jock daar zou tegenkomen.

Dit was bekend terrein. De mensen die je tegenkwam, letten niet op je, snoven nooit. Iedereen zweette, maar ze vond het verschrikkelijk wanneer het haar overkwam, wanneer er druppeltjes vocht op haar bovenlip en voorhoofd stonden, wanneer ze als tranen over haar borst liepen. Het zou niet te ruiken zijn, niet met de deodorant die ze overvloedig gebruikte. Maar hoe kon je er zeker van zijn dat je niet een stukje huidoppervlak had overgeslagen? Ze stelde zich voor dat het zweet uit dat stukje huid in haar oksel lekte en dat die afschuwelijke, vlezige uienlucht om haar heen te ruiken zou zijn. Totaal van slag bereikte ze haar huis. Ze rende naar boven en liet zich in het bad vallen. Een halfuur later kookte ze het mes uit. De kleren die ze had gedragen, waren niet meer te redden. Ze verpakte ze in krantenpapier en vervolgens in plastic en stopte ze in een zwarte vuilniszak. Toen ze besefte dat die pas over vier dagen zou worden opgehaald, ging ze de deur weer uit. De warmte sloeg haar tegemoet, alsof ze een ovendeur opendeed. Ze liep langzaam, maakte haar lichaam zo klein mogelijk om het zweet binnen te houden, en gooide de zak in de grote afvalbak van de gemeente, niet ver van haar huis.

15

Michelle zette wijnglazen op de salontafel, een hartvormige schaal met groenteschijfjes waar je niet dik van werd, en een wat grotere ovale schaal met droog geroosterde pinda's. Fiona had gezegd dat ze die lekker vond en ze hoopte dat Matthew er ook een paar zou nemen. Zijzelf zou niets eten, zelfs niet de rode en oranje schijfjes biet en wortel, en ze zou voorzichtig zijn met de wijn. Ze had die ochtend na het douchen weer op de weegschaal gestaan. Ze had nauwelijks durven kijken, maar bleek anderhalve kilo afgevallen te zijn. De week daarvoor was het twee kilo geweest. Was er voor een te zware vrouw een grotere stimulans denkbaar dan dat ze in veertien dagen drieënhalve kilo was afgevallen? Ze had zich zingend aangekleed en Matthew had liefdevol naar haar geglimlacht.

Hij en zij hadden 's middags boodschappen gedaan en de wijn gekocht. Michelle had geen verstand van wijn, maar Matthew wel – in haar ogen was hij een expert op alle gebieden – en hij had een Meursault gekozen. Fiona zou komen en Michelle wist dat ze het liefst witte wijn dronk. Verder hadden ze niet veel nodig, alleen de paar dingen die Matthew zou eten. Vandaag zou hij een stukje kip proberen, ook een suggestie van Fiona, het soort kipfilet dat in heel dunne plakjes in een delicatessentoonbank ligt en eruitziet als witbrood met een dichte structuur. Zij zou daarmee ook genoegen moeten nemen, samen met wat sla. De boodschappentassen waren zo'n tien kilo lichter dan gewoonlijk.

Omdat het zo'n mooie dag was, had Michelle voorgesteld dat ze naar de Heath zouden rijden, waar ze in de zon konden zitten en van het uitzicht konden genieten. Daar hadden ze een hele tijd gezeten en over Matthews televisiesuccessen gepraat. Hij zou gaan lunchen met een producent die een korte serie volgens de formule van het proefprogramma wilde maken.

'Toen hij het over lunchen had,' zei Matthew, 'schoot ik in de lach, schat. Ik dacht: ík lunchen met iemand. In een restaurant! Hij dacht dat ik lachte omdat ik blij was met die serie.'

'Zou het lukken?' Michelle was een en al bezorgdheid. 'Met iemand in een restaurant eten, bedoel ik? Ik weet dat je de serie kunt doen.'

'Ik ga het proberen. Eerst herinner ik hem eraan wat ik ben en waarom ik die baan heb gekregen. Dan eet ik een salade en wat droog brood. Met "eten" bedoel ik eraan knabbelen en driekwart laten liggen.'

Toen Michelle op haar horloge keek, was het vier uur geweest en moesten ze terug. Ze hadden Fiona geen tijd genoemd, alleen gezegd dat ze iets kon komen drinken als ze terugkwam van haar werk. Over Jeff hadden ze het niet gehad, maar Michelle wist dat als mensen een paar vormden je niet alleen degene die je aardig vond kon uitnodigen, maar ook de partner moest accepteren.

'Toch hoop ik dat hij niet voor zeven uur thuis is,' zei ze tegen Matthew terwijl ze de twee flessen wijn in de koelkast zette.

Matthew keek op van zijn computer. 'Ik denk niet dat hij in mijn bijzijn grof tegen je zal zijn, schat. En anders zeg ik dat hij op zijn woorden moet passen.'

'O, Matthew, we moeten Fiona niet van streek maken.'

'Hij moet jou niet van streek maken,' zei Matthew.

Toch had Michelle het aan Jeff te danken dat ze nu aan het lijnen was. Telkens wanneer ze door een croissantje of een stuk quiche in de verleiding werd gebracht, herinnerde ze zich zijn kwetsende woorden en keerde zich van het gevaarlijke voedsel af. Het was nogal vreemd om een hekel aan iemand te hebben en toch het gevoel te hebben dat je veel aan hem te danken had.

Kort na halfzes drukte Fiona op de bel. 'Je had achterom kunnen komen,' zei Michelle. 'We hoeven niet zo formeel te doen.'

'Goed, dan kom ik de volgende keer achterom. Jeff is in de stad. Hij is aan het solliciteren. Nou, eigenlijk heeft hij twee sollicitatiegesprekken, een onder de lunch en een om vier uur vanmiddag.'

Michelle zei niets. Ze geloofde niet in die banen, maar het zou net iets voor Jeff Leigh zijn om te zeggen dat hij een lucratieve betrekking had gevonden – om iedere dag het huis uit te kunnen en zich op de louche bezigheden toe te leggen die hem een inkomen verschaften.

'Ik heb een briefje voor hem achtergelaten, dan kan hij hierheen komen als hij thuis is. Ik hoop dat jullie daar geen bezwaar tegen hebben.'

'Natuurlijk niet.'

Michelle zei het nogal kil, en dat ontging Fiona niet. Ze glimlachte onzeker en zei tegen Michelle dat ze er goed uitzag. Had ze het mis of was ze afgevallen?

'Een paar kilo,' zei Michelle tevreden.

Matthew zette zijn computer uit en schonk de wijn in. Hij hield Fiona de schaal met pinda's voor en at er zelf twee. Michelle dronk bronwater. Ze zag tot haar verbazing dat Matthew zich een half glas wijn inschonk en daar een teugje van nam alsof hij helemaal geen eetprobleem had. Hij hief zijn glas naar Fiona en zei: 'Op je toekomstig geluk!'

Het gesprek kwam op Fiona's bruiloft: wie er werden uitgenodigd, wat ze zou dragen, waar ze op huwelijksreis naartoe zouden gaan. Michelle zag dat ze nog geen verlovingsring had. Misschien waren verlovingsringen niet meer in de mode, of misschien vond Fiona die niet mooi. Fiona praatte over een veganiste die ze kende en die haar kinderen als veganisten opvoedde. Dat laatste leek Fiona niet goed. Hoe kon ze er zeker van zijn dat die kinderen genoeg eiwitten binnenkregen? Ze had zich afgevraagd of Matthew die veganistische vrouw misschien in zijn programma wilde hebben.

Matthew lachte en zei dat dat wat voorbarig was. 'Ik moet eerst eens met die producer praten en kijken wat daarvan komt.'

'O, iedereen weet dat dat gaat lukken. Dat eerste programma was erg goed. Ik vraag me af waar Jeff blijft. Hoorden jullie daarnet ook mijn telefoon rinkelen? Dat kan hem geweest zijn.'

Michelle. Ze liep met Fiona mee naar de deur en gaf haar een kus ten afscheid.

'Zo zie je maar weer, schat,' zei Matthew tegen zijn vrouw. 'Hij houdt net zomin van ons gezelschap als wij van het zijne.'

Omdat het inmiddels zeven uur was geweest, keek Fiona of er boodschappen op haar antwoordapparaat stonden, of op de voicemail van haar mobiele telefoon. Niets. Natuurlijk was het mogelijk dat Jeff had gebeld zonder een boodschap achter te laten. Dat zou betekenen dat hij gauw thuis zou zijn. Omdat ze erg weinig eten in huis had en geen zin had om iets te gaan kopen, belde ze een restaurant in Swiss Cottage waar ze allebei graag kwamen en boekte een tafel voor halfnegen.

'Wakker worden,' zei Eugenie, en ze schudde Zillah heen en weer. 'Als je overdag naar bed gaat, kun je 's nachts niet slapen.'

Zillah deed loom haar ogen open en kwam kreunend overeind. Het was halfzes en ze had sinds elf uur geslapen. Een ogenblik wist ze niet waar ze was. Toen hoorde ze Jordan huilen.

'Waar is mevrouw Peacock?'

'Je hebt haar een sleutel gegeven en ze heeft ons binnengelaten. Anders hadden we de hele nacht voor de deur moeten staan, denk ik. In de kou. Waarom geef je mij geen sleutel, mammie?'

'Omdat kinderen van zeven geen sleutel hebben. En koud is het niet; het is waarschijnlijk de warmste dag van het jaar. Waar is mevrouw Peacock?'

'Daar.' Eugenie wees naar de deur. 'Ik wilde haar niet in je slaapkamer laten, omdat je misschien geen kleren aanhad.'

Zillah stond op en trok haar ochtendjas aan. Voor de deur van de slaapkamer zat een huilende Jordan. Ze pakte hem op en hij begroef zijn natte gezicht tegen haar hals. Mevrouw Peacock zat in de huiskamer voor het raam met zijn schitterende uitzicht op het zonovergoten paleis van Westminster. Ze dronk cream sherry uit een groot glas.

'Ik heb zelf maar wat ingeschonken,' zei mevrouw Peacock schaamteloos. 'Ik had het nodig.'

'Mevrouw Peacock is met ons naar McDonald's geweest, en toen naar de film,' zei Eugenie. 'We hebben *Toy Story 2* gezien. En zeg nou niet dat je niet naar de bioscoop moet gaan als de zon schijnt, want we vonden het prachtig, hè, Jordan?'

'Jordan huilde.' Hij drukte zijn vingers in de hals van zijn moeder tot ze huiverde van pijn.

'Ik ben u vast een heleboel geld schuldig.'

'Ik neem nog een Bristol Cream en dan zullen we het even optellen. Goed?'

Zillah betaalde mevrouw Peacock het dubbele tarief, en ook de bioscoop en de lunch. Een beetje wankel op haar benen liep mevrouw Peacock de lift in. Zillah deed de voordeur dicht. Waar was Jims? Natuurlijk bij Leonardo. Of was hij naar zijn kiesdistrict? Waarschijnlijk was hij met Leonardo in Fredington Crucis. Ze vroeg zich af hoe ze het weekend zou doorkomen. Dat was in Long Fredington al moeilijk geweest. Omdat hier geen Annie en Lynn waren, geen Titus en Rosalba, was het nog erger.

Het lichaam van Jeffrey John Leach lag op de vloer van de bioscoop, aan de rechterkant van de zaal, tussen de rijen M en N. Het duurde enkele uren voordat het werd ontdekt. Niemand die een bioscoopzaal verlaat kijkt naar een lege rij, zelfs niet als de lichten aan zijn. De volgende voorstelling van *The House on Haunted Hill* zou om tien over zes beginnen, waarna om kwart voor negen de laatste, en populairste, voorstelling zou beginnen. Maar ook de voorstelling van tien over zes werd vrij goed bezocht – of zou vrij goed bezocht zijn geweest, als twee meisjes van achttien niet om kwart voor zes rij M in waren gelopen. Ze zetten het meteen op een gillen.

Onmiddellijk werd de bioscoopzaal ontruimd. De bezoekers kregen hun geld terug. Er kwam een ambulance, gevolgd door de politie. Jeffrey Leach had er even over gedaan om dood te gaan, bleek later. Zijn bloed was langzaam weggesijpeld in de vloerbedekking van de zaal. De politie zag bloed op een van de stoelen, alsof de dader het wapen aan de bekleding had afgeveegd. De hele bioscoop, dus niet alleen deze specifieke zaal, werd voor het publiek gesloten.

Binnen een uur wisten ze dat Jeff tussen drie uur en halfvijf was gestorven. Geen van de personeelsleden wist nog wie er op die rij had gezeten en of er iemand eerder was weggegaan. Een van hen meende zich te herinneren dat er om een uur of vijf een man was weggegaan, en een ander herinnerde zich vaag dat er om tien over vijf een vrouw de zaal had verlaten. Geen van beiden kon een signalement geven of zelfs maar een schatting van hun leeftijd maken. Overal in de bioscoop werd naar het wapen gezocht. Het moest een lang, scherp mes zijn geweest. Toen dat niets opleverde, werd het zoekgebied uitgebreid. Edgware Road werd van Marble Arch tot Sussex Gardens afgesloten. Het leidde tot de ergste verkeersopstopping die het centrum van Londen in tien jaar had gekend.

Het lichaam werd weggehaald. De bebloede stoel en de stoelen aan weerskanten daarvan werden voor DNA-onderzoek verwijderd. De mogelijkheid bestond dat de dader een haar, een huidschilfer of een druppel van zijn of haar eigen bloed had achtergelaten. De politie had zich de moeite kunnen besparen. De haren die uit Minty's hoofd vielen, kwamen eruit als ze ze waste, hetgeen ze een of twee keer per dag deed, en verdwenen door het afvoerputje. Huidschilfers werden in warm zeepwater met een nagelborsteltje en een spons afgeboend. Ze liet niet meer DNA achter dan een plastic pop die net uit de fabriek komt. Het principe dat iedere moordenaar altijd iets van zichzelf op de plaats van het misdrijf achterlaat, was door Minty weerlegd.

Toen Jeff om negen uur nog steeds niet thuis was, maakte Fiona zich zoveel zorgen dat ze naar de buren ging. Niet omdat Michelle of Matthew meer zou weten dan zijzelf, en niet omdat ze haar iets konden adviseren wat ze zelf nog niet wist, maar gewoon om hun gezelschap, om hun troost en geruststelling. Al eerder had ze die dinerreservering afgezegd, thee voor zichzelf gezet en vergeefs geprobeerd een broodje te eten.

Toen ze later in bed lagen, bekenden Matthew en Michelle elkaar dat ze allebei hetzelfde hadden gedacht: dat Fiona door Jeff verlaten was. Natuurlijk zeiden ze daar niets van tegen haar. Als een vrouw gek van de zorgen is, zeg je niet tegen haar dat de man die ze pas acht maanden kent en wiens verleden een mysterie voor haar is, van haar is weggelopen. Je zegt niet: hij is een bedrieger en hij gaat ervandoor omdat hij bang is dat hij anders met je moet trouwen. Nee, je geeft haar een cognacje en je zegt tegen haar dat ze nog even moet wachten. En dan begin je de ziekenhuizen af te bellen.

Fiona ging twee keer naar huis om te kijken of hij intussen was teruggekomen. Het was inmiddels tien uur geweest. Als die man bij een andere vrouw is, dacht Michelle, vind ik wel een manier om hem te straffen. Dan doet het er niet toe dat hij me ertoe heeft aangezet om af te vallen. Dat heb ik zelf gedaan, niet hij. Als hij haar heeft bedrogen, zal ik hem het leven zuur maken. Ik zal hem vinden en tegen hem zeggen wat ik van hem denk. Ik stuur desnoods een privé-detective op hem af. Ze schrok van haar wraakzuchtige gedachten en dwong zichzelf om Fiona met een bemoedigend glimlachje aan te kijken. Zou ze thee zetten? Nog iets drinken? Fiona stond op en wierp zich in Michelles armen. Michelle omhelsde haar, klopte haar op haar schouder en hield haar tegen haar grote zachte boezem. Intussen belde Matthew naar een aantal ziekenhuizen. Daarna belde hij de politie.

Ze wisten niets van Jeff Leigh. Matthew spelde de naam.

'U zei Leigh, niet Leach?'

'Nee, Leigh.'

'Niemand met die naam heeft een ongeluk gehad.'

Inmiddels kenden ze de identiteit van het lichaam dat in de bioscoop was gevonden. In de binnenzak van het linnen jasje vonden ze een bebloed rijbewijs op naam van Jeffrey John Leach, Greta Road 45, Queen's Park, Londen NW10. Het was negen jaar geleden verstrekt, lang voordat de nieuwe Britse rijbewijzen waren ingevoerd, die een foto van de houder moesten bevatten. In de zak vonden ze ook een foto, in een plastic hoes, van een langharige jongeman met een baby in zijn armen, een bebloede brief van een vrouw die Zillah heette, een huissleutel van een veel voorkomend soort, zonder nummer erop, driehonderdtwintig pond in twintigjes en tientjes, een

Visa-card op naam van Z.H. Leach en een halfleeg pakje Polo-pepermunt.

Binnen enkele uren stelden ze vast dat Jeffrey John Leach getrouwd was met Sarah Helen Leach, geboren Watling, die ook een rijbewijs had en op een adres in Long Fredington in Dorset woonde.

16

Nadat hij vrijdagmiddag laat in zijn kiesdistrict was aangekomen, had Jims eerst een ontmoeting gehad met zijn agent, kolonel Nigel Travers-Jenkins. Daarna was hij, vergezeld door Travers-Jenkins, als eregast en voornaamste spreker naar het jaarlijkse galadiner van de Jonge Conservatieven van South Wessex in de Lord Quantock Arms in Markton gegaan. In tegenstelling tot wat Zillah vermoedde, was Leonardo niet bij hem. Terwijl hij zijn toespraak hield, over de toekomstverwachtingen van de partij en de inspiratie die van de jeugd in die partij moest uitgaan, de jeugd wier idealisme en enthousiasme hem die avond duidelijk waren geworden, zat Zillah in de flat in Abbey Gardens met de kinderen naar een video van *Rugrats* te kijken, met een jengelende Jordan op haar schoot.

Jims, die jarenlang een oppervlakkige genegenheid voor haar had gehad, had haar altijd meer als camouflage voor zijn seksuele geaardheid dan als vriendin gebruikt. De Conservatieven van South Wessex dachten dat ze een vrouw van losse zeden was. Elke inwoner van Fredington die hem in Willow Cottage op bezoek zag gaan, vooral 's avonds, dacht – om in hun termen te spreken – het ergste. Maar het waren ook mensen met een dubbele moraal. Ze veroordeelden de vrouw in zo'n situatie, maar kenden de man geen schuld toe – integendeel zelfs, want iemand had hem verteld dat kolonel Travers-Jenkins hem 'nogal een rokkenjager' had genoemd. Om die reden was hij Zillah altijd dankbaar geweest en had hij zichzelf wijsgemaakt dat het genegenheid was.

Nu hij met haar getrouwd was, dacht hij er anders over. Ze was lastig, en als hij haar niet aan banden legde, kon ze zijn carrière schaden. Jims dacht hierover terwijl hij naar zijn huis in Fredington Crucis terugreed. Wat was het jammer dat je, als je de huwelijksceremonie had afgewerkt, met je bruid onder hetzelfde

dak moest wonen! Wat een pech dat je haar niet een bedrag ineens en een huisje ergens in het land kon geven, zodat je haar
nooit meer terug hoefde te zien! Maar hij wist dat zoiets onmogelijk was. Hij moest getrouwd zijn en de mensen moesten zien
dat hij getrouwd was. En zijn vrouw moest Caesars vrouw zijn.
Als hij maandagmorgen thuiskwam, zou hij Zillah uitleggen
wat haar plichten als levensgezellin van het parlementslid voor
South Wessex waren. Hij zou haar alles vertellen over de bestu-
ren en commissies die ze moest voorzitten, de tuinfeesten waar
ze heen moest gaan, de babyparades waarin ze als jurylid moest
optreden, de toespraken die ze voor bijeenkomsten van de Conservatieve Vrouwen moest houden, de verkiezingscampagnes
waaraan ze moest meewerken en de passende kleding die ze
daarbij moest dragen. Geen rokken boven de knie, geen decol-
letés, geen sexy schoenen, strakke broeken – misschien helemaal
geen broeken – maar keurige japonnen en grote hoeden. Een
maîtresse mocht er als een vrouw van losse zeden bij lopen, maar
de vrouw van een parlementslid niet.

Jims had Leonardo gebeld en was toen naar bed gegaan. De volgende morgen begon hij stipt om negen uur aan zijn spreekuur
in de Casterbridge Shire Hall, waar hij zijn kiezers plechtig beloofde dat hij zich persoonlijk zou inzetten voor de schoolopleiding van hun kinderen, het ziekenfonds, het openbaar vervoer
en het milieu, terwijl hij ook zou ijveren voor het behoud van de
jacht. Met betrekking tot dat laatste was kort daarvoor een wetsontwerp ingediend. Al dat gepraat over de jacht herinnerde hem
eraan dat hij op zaterdagavond in het dorpsgebouw van Fredington Episcopi een toespraak voor de plaatselijke afdeling van
de Countryside Alliance zou houden. Die bijeenkomst zou zo
goed worden bezocht dat voor de grootste zaal uit de omgeving
was gekozen.

Hij had zijn toespraak bij zich. Die zat nog in zijn aktetas, die
hij niet had opengemaakt toen hij in Fredington Crucis House
was. Natuurlijk was Jims niet van plan zich ervan af te maken
door de tekst van papier op te lezen. Maar er waren allerlei details van een eerder wetsontwerp die hij op papier had gezet, en

verder waren er cijfers, rapporten over onderzoek naar wreedheid jegens mannetjesherten en stressniveaus bij vossen, en vooral rapporten over de problemen die de plaatselijke bevolking zou ondervinden wanneer de jacht werd verboden. Verder had hij het Burns-rapport met zijn donkerblauwe omslag bij zich, de weerslag van het onderzoek dat lord Burns naar de jacht had gedaan. Toen hij klaar was met zijn spreekuur en weer in zijn auto zat, maakte hij zijn aktetas open om zich ervan te vergewissen dat hij dat rapport en zijn aantekeningen bij zich had.

Jims was van plan om met de voorganger van Leonardo in de Golden Hind in Casterbridge te lunchen. Ze hadden indertijd samen besloten hun relatie te beëindigen en waren zonder rancune uit elkaar gegaan. Bovendien was Ivo Carew voorzitter van een liefdadigheidsstichting die Conservatives Target Cancer heette en kon het Jims extra goodwill opleveren als hij met hem gezien werd. Hij kon zijn aantekeningen voor de Countryside Alliance echter niet vinden. Hij schudde de aktetas leeg op de passagiersstoel, maar wist al dat ze er niet in zaten. Hij wist ook waar ze wél waren: in Leonardo's huis.

Maar waar precies? Dat wist hij niet meer. Leonardo had hem gisteravond door de telefoon verteld dat hij die vrijdag vrij nam om naar zijn moeder in Cheltenham te gaan. Hij ging vaak en graag naar zijn moeder, want Giuletta Norton, die kort na de Tweede Wereldoorlog in Londen geboren was en in de jaren zestig een hippie en groupie was geweest, was een fascinerende vrouw, heel anders dan wat je van een moeder zou verwachten. Misschien zou Leonardo bij haar blijven overnachten. Natuurlijk had Jims een sleutel van de flat; dat was het probleem niet. Zelfs als hij zich precies kon herinneren waar de map lag en een van Leonardo's buren kon overhalen om iemand binnen te laten, wie moest hij daarvoor dan nemen? Was er iemand die naar Glebe Terrace kon gaan om de aantekeningen op te halen en naar hem te faxen zonder het vreemd of verdacht te vinden dat het parlementslid James Melcombe-Smith belangrijke papieren in het huis van een jonge en erg goed uitziende effectenbankier had achtergelaten? En naar alle waarschijnlijkheid nog in de slaapkamer ook? Zillah misschien. Hij gebruikte zijn mobiele telefoon om naar zijn huis in Londen te bellen. Er werd niet opgenomen. Zillah, in diepe slaap verzonken, hoorde de telefoon rinkelen in een droom waarin Jims van seksuele geaardheid veranderde en verliefd op haar werd. Ze dacht dat het haar moeder was en nam niet op.

Hij had ook niets aan haar! Ze was geen behulpzame metgezellin, maar een blok aan zijn been. Jims belde Ivo Carew om hun afspraak af te zeggen.

'Hartelijk dank,' zei Ivo. 'Moest je daarmee tot vijf voor één wachten?'

'Dacht je nou echt dat ik niet liever bij jou ben dan dat ik helemaal naar Londen terugrijd?'

Hij ging onderweg naar een Merry Cookhouse, waar hij met enige huivering kip in het pannetje en patat probeerde te eten. Hij had best met Ivo kunnen lunchen en een paar uur later kunnen vertrekken, maar het zat hem helemaal niet lekker dat hij die map bij Leonardo had achtergelaten. Hij moest zo snel mogelijk zijn gemoedsrust hervinden. Maar niet voordat hij had geklaagd over de slappe patat en de kip, die volgens hem van ouderdom was gestorven. De bedrijfsleider had een opvliegend karakter en de twee mannen scholden elkaar de huid vol.

Het was druk op de weg, en het werd nog drukker toen Jims in de buurt van Londen kwam. Een kettingbotsing bij een afslag veroorzaakte een file die zich over een aantal kilometers uitstrekte, terwijl wegens wegwerkzaamheden in de buurt van Heathrow maar één rijstrook beschikbaar was. Het liep tegen acht uur toen hij de auto in Glebe Terrace parkeerde. Het leek wel of hij seniel werd. Eerst had hij zijn aantekeningen zoekgemaakt, nu kon hij de sleutel van Leonardo's huis niet vinden. Hij keek naar zijn huissleutelring en de ring met zijn autosleutels, en zocht toen in zijn zakken. De sleutel was er niet. De buurvrouw, Amber-en-nog-wat, had er een. Hij hoopte dat ze thuis was, en dat klopte. Ze keek hem een beetje raar aan, maar ze gaf hem de sleutel en zei dat ze hem de volgende morgen graag terug wilde hebben. Hij ging Leonardo's huis binnen.

Toen hij de smalle trap naar de slaapkamer op ging, bedacht hij hoe afschuwelijk het zou zijn als hij de deur opendeed en Leonardo met iemand anders in bed aantrof, misschien met die kerel van het ministerie van Onderwijs en Werkgelegenheid die volgens hem zo aantrekkelijk was. Veel mannen zouden het niet erg vinden, maar hij wel. Gelukkig was er niemand.

Jims zocht naar de map. Die was nergens te vinden en hij begon zich grote zorgen te maken. Hij ging weer naar beneden en nadat hij tien minuten op jacht – jacht! – was geweest, vond hij de map en het Burns-rapport achter in een stijlvolle archiefkast van rozenhout. Ze waren daar natuurlijk neergelegd door die overdreven nette werkster van hem.

Hij zou uit dineren gaan en hier slapen. Er was een kans dat Giuletta die avond uitging, en in dat geval kwam Leonardo misschien terug. Hoe dan ook, hij had geen zin om naar zijn eigen huis te gaan, met Zillah en die kinderen.

Terwijl Jims op zoek was naar zijn aantekeningen en Zillah in Abbey Gardens Mansions met Jordan op schoot naar de televisie keek, gingen twee politiemannen, een brigadier en een agent, naar Willow Cottage in Long Fredington.

Nadat Zillah was verhuisd, had de verhuurder, die bang was geweest dat ze nooit zou vertrekken maar altijd in dat huisje zou blijven zitten en uiteindelijk opvolgingsrechten voor haar dochter en zoon zou verwerven, besloten het huis te verkopen. In verband daarmee liet hij het opknappen en een nieuwe keuken en badkamer installeren. Hoewel het bouwbedijf kort voor Kerstmis was begonnen, was het werk nog niet klaar. Er stonden steigers aan de voorkant van het huis, de ramen waren dichtgetimmerd en de aannemer had een bord in de tuin gezet. Het was voor de politie duidelijk dat er niemand woonde. Ze belden bij de buren aan en kregen te horen dat mevrouw Leach in december was vertrokken en dat ze was hertrouwd. De buurvrouw kon hun zelfs vertellen met wie ze getrouwd was: het plaatselijke parlementslid, de heer Melcombe-Smith.

Het was natuurlijk zaak dat Jeffrey Leach' vrouw zo spoedig mogelijk van zijn gewelddadige dood op de hoogte werd gesteld. Nu bleek ze zijn vrouw niet meer te zijn. Ze was hertrouwd, en nog wel met iemand uit een maatschappelijke klasse die ver verheven was boven wat de politie als Jeffrey Leach' klasse had ingeschat.

Zillah was die zaterdagochtend nog maar net op toen een politieman op de bel van Abbey Gardens Mansions drukte. Het was halfnegen, vroeg voor haar doen, maar ze had het niet langer in bed uitgehouden. Eugenies voorspelling was uitgekomen: als je het grootste deel van de dag sliep, kon je 's nachts de slaap niet meer vatten. De kinderen keken naar tekenfilms op de televisie. Zillah kwam in haar ochtendjas beneden en begon toast te maken en cornflakes in kommen te schudden. Ze zag zichzelf in de spiegel en schrok ervan. Ze zag er verschrikkelijk uit, met sliertig haar en met donkere wallen onder haar ogen. Midden op haar kin was een pukkel opgekomen zoals ze in geen vijftien jaar had gehad.

'Wie is dat nou weer?' zei ze toen de bel ging.

'Dat weet je als je opendoet,' zei Eugenie. 'Wat een stomme vraag.'

'Hoe durf je zo onbeschoft te zijn!'

Jordan, die altijd overstuur raakte van geschreeuw, begon te jengelen. De deurbel rinkelde opnieuw en Zillah ging opendoen.

'Mevrouw Melcombe-Smith?'

'Ja.'

'Mag ik binnenkomen? Ik heb droevig nieuws voor u.'

Er was in de wereld buiten de flat op dat moment niemand om wie Zillah genoeg gaf om het belangrijk te vinden of hij of zij gewond of ongedeerd, levend of dood was. Toch kon ze haar schrik niet camoufleren toen de rechercheur haar over de dood van Jeffrey Leach vertelde. 'Ik kan het niet geloven!'

'Ik ben bang dat het waar is.'

'Hoe is het gebeurd? Een ongeluk?'

'Hij is gistermiddag vermoord. Ik vind het heel erg u dit te moeten vertellen.'

179

'Vermoord? Wie heeft hem vermoord?'

Daar kwam geen antwoord op. De rechercheur wilde weten waar ze tussen drie uur en halfvijf was geweest, en Zillah, nog steeds verbijsterd, zei dat ze thuis was geweest.

'Alleen?'

'Ja, alleen. Mijn kinderen waren op pad met hun... eh... kindermeisje.'

'En meneer Melcombe-Smith?'

Zillah kon moeilijk zeggen dat ze het niet wist. Dat zou voor iemand die pas twee maanden getrouwd was nogal vreemd zijn. 'In zijn kiesdistrict South Wessex. Hij is daar sinds donderdagmiddag. Ik kan niet geloven dat Jerry vermoord is. Weet u zeker dat het Jerry was?'

'Het was Jeffrey Leach. Is dit hem?'

En Zillah keek voor het eerst in bijna zeven jaar naar de foto die ze zelf in gelukkiger tijden had genomen – al had ze het toen niet zo gezien. Het was een foto van Jerry met de drie weken oude Eugenie in zijn armen.

'Allemachtig, ja. Waar hebt u die gevonden?'

'Dat doet er niet toe. U identificeert deze persoon als Jeffrey Leach?'

Ze knikte. 'Het verbaast me dat hij hem heeft bewaard.'

Toen kwam de vraag die het bloed naar haar gezicht joeg, waarna het zich snel weer terugtrok.

'Wanneer bent u precies gescheiden, mevrouw Melcombe-Smith?'

Ze wist dat het een fout zou zijn om te liegen, maar ze moest wel. Toch aarzelde ze. 'Eh... Dat moet in het voorjaar zijn geweest. Ongeveer een jaar geleden.'

'En wanneer hebt u meneer Leach voor het laatst gezien?'

Dat was twee dagen geleden geweest, hier in deze flat. Hij had gezegd dat ze bigamie had gepleegd. De keer daarvoor was zes maanden geleden, in oktober, in Long Fredington, toen hij een weekend bij haar had doorgebracht. Hij was toen weggereden in de rammelkast, tien minuten voordat die sneltrein en die boemeltrein op elkaar botsten. 'In oktober,' zei ze. 'Ik woonde toen met mijn kinderen in Dorset.' Om geloofwaardiger over te komen besloot ze wat bijzonderheden toe te voegen. 'Hij kwam op vrijdagavond en bleef het weekend. Het eerste weekend van oktober. Hij ging op dinsdagmorgen weer weg.'

Hij hield haar iets voor. Het was een Visa-card. 'Is deze van u?'

'Ja, nee, ik weet het niet.'

'De kaart staat op naam van Z.H. Leach. Dat zijn geen veel voorkomende initialen.'

'Hij moet van mij zijn.'

Het was de creditcard die Jims haar in december had gegeven toen ze zijn aanzoek had geaccepteerd. Ze zag dat hij in december was ingegaan en in november 2003 zou zijn verlopen. Toen ze getrouwd was en Jims haar twee nieuwe kaarten op naam van mevrouw Z.H. Melcombe-Smith had gegeven, was ze deze kaart helemaal vergeten. Hoe had Jerry hem te pakken gekregen? Die dag in de flat, toen hij zei dat hij naar de wc ging... Ze had zijn stiekeme voetstappen gehoord, had gedacht dat ze hem haar slaapkamer hoorde binnengaan, maar had daaraan geen belang gehecht. Per slot van rekening was ze eraan gewend dat bezoekers in haar spullen rommelden, Malina Daz, mevrouw Peacock...

'Hebt u deze kaart aan meneer Leach gegeven?'

'Nee, ja. Ik weet het niet. Hij moet hem hebben meegenomen. Gestolen.'

'Dat is interessant, omdat deze kaart pas in december is verstrekt en u meneer Leach voor het laatst in oktober hebt ontmoet. Weet u zeker dat u hem daarna niet hebt ontmoet?'

Toen sprak Zillah de bekende frase uit, het typische antwoord van oude bajesklanten die voor de zoveelste keer voor de rechter stonden: 'Misschien toch wel.'

De rechercheur knikte. Hij zei dat hij voorlopig geen vragen meer had, maar dat hij nog contact zou opnemen. Wanneer verwachtte ze de heer Melcombe-Smith terug? Zillah wist het niet, maar zei zondagavond. Eugenie kwam de kamer in, haar broertje aan de hand. Beide kinderen waren aangekleed en zagen er schoon en netjes uit. De rechercheur zei op de toon die kinder-

loze mannen gebruiken als ze tegen kinderen praten die ze nooit eerder hebben ontmoet, bruusk, ondervragend, gegeneerd:
'Hallo. Hoe gaat het?'
'Heel goed, dank u. Wat hebt u tegen mijn mammie gezegd?'
'Het was maar een routineonderzoek.' De rechercheur besefte plotseling dat wijlen Jeffrey Leach hun vader moest zijn geweest. 'Ik kom er zelf wel uit,' zei hij tegen Zillah.

Een beroemde Italiaanse romanschrijver en hoogleraar had een nieuw, opzienbarend boek gepubliceerd en Natalie Reckman ging naar Rome om hem te interviewen. Haar vliegtuig vertrok laat in de ochtend van Heathrow. Bij een kiosk op het vliegveld kocht ze het eerste boek van de schrijver in pocketeditie en drie kranten, maar daar stond alleen in dat een man in een Londense bioscoop was vermoord en dat interesseerde haar niet bijster.
In het vliegtuig las ze haar pocket. De *Evening Standard* werd uitgedeeld, maar Natalie schudde haar hoofd; ze had al genoeg kranten gezien voor één dag. Ze zou tot maandag in Rome blijven. Ze zou een kijkje nemen bij een nieuw theater dat werd gebouwd en misschien ook nagaan wat er waar was van de verhalen dat iemand grafschennis pleegde op de Engelse begraafplaats. Met een beetje geluk kreeg ze drie verhalen voor de prijs van één.

Toen Jeff zaterdagmiddag nog steeds niet terug was, werd Fiona bang dat hij haar had verlaten. Ze zocht het hele huis af naar een briefje, keek onder tafels en achter kasten voor het geval het op de vloer was gevallen. Ze vond niets. Het was extra beledigend dat hij was weggegaan zonder een woord te zeggen, maar het was niet anders.
Michelle hielp met zoeken. Ze merkte op dat als Jeff echt was weggegaan hij niets had meegenomen. Al zijn kleren hingen nog in de kast, inclusief het zwarte leren jasje waarop hij zo gek was. Zijn schoenen zaten in Fiona's schoenenrek en zijn onderbroeken en sokken lagen in de la. Zou hij zonder zijn elektrische scheerapparaat zijn vertrokken? Zonder zijn tandenborstel?

'Ik ben bang dat hij een ongeluk heeft gehad,' zei Michelle, met haar arm om Fiona heen. 'Fiona, had hij iets bij zich dat hem kan identificeren?'

Fiona probeerde het zich te herinneren. 'Dat weet ik niet. Jij zou toch ook niet Matthews zakken doorzoeken?'

'Dat heb ik nooit gedaan.'

'Ik ook niet. Ik vertrouw Jeff. Vind je dat ik dat nu moet doen? Ik bedoel, in de zakken van het leren jasje kijken?'

'Ja, ik vind van wel.'

Ze vonden niets waar ze iets aan hadden, alleen een munt van een pond, een bonnetje van een supermarkt en een balpen. Fiona probeerde de zakken van Jeffs regenjas. Een metrokaartje, een knoop, een munt van twintig pence. 'Waar is zijn rijbewijs?'

'Waar heeft hij dat meestal?'

'Misschien ligt het in de auto.'

De twee vrouwen gingen naar Fiona's donkerblauwe BMW, die ze altijd op straat moest parkeren. Michelle, die het tegenwoordig minder moeilijk vond om in een auto te stappen, ging achterin zitten en keek daar in de vakken, terwijl Fiona achter het stuur klom en in het handschoenenvak keek. Een wegenkaart, een zonnebril, een kam, allemaal van haarzelf. Michelle vond ook een wegenkaart, een halflege doos met papieren zakdoekjes, een chocoladepapiertje en een Polo-pepermuntje. Dat zou misschien een waardevolle aanwijzing voor de politie zijn geweest, als ze ervan hadden geweten. Fiona gooide het in een afvoerrooster in de goot.

Michelle bleef bij haar, maakte het middageten klaar: salade en kaas en knäckebröd. Ze hadden geen van beiden zin om te eten. In de loop van de middag kwam Matthew. Michelle had zijn middageten op een dienblad achtergelaten en om haar een plezier te doen en Fiona af te leiden, zei hij dat hij het allemaal had opgegeten, de schijfjes kiwi, tien gezouten amandelen, een half broodje en een toefje waterkers. Inmiddels was Fiona's stemming omgeslagen. Omdat ze Jeffs rijbewijs niet hadden gevonden, moest hij het bij zich hebben. Als hij een ongeluk had gehad, was hij dus te identificeren. Toen ze de vorige avond had geconstateerd dat al zijn kleren er nog waren, had haar woede plaatsgemaakt voor bezorgdheid. Nu kwam die woede terug. Hij had haar verlaten. Natuurlijk was hij van plan om op een dag zijn bezittingen op te halen, of misschien had hij zelfs het lef om haar te vragen ze door te sturen.

Op het eind van de middag werd de *Evening Standard* bezorgd. Matthew hoorde hem op de deurmat vallen en ging hem halen. Fiona lag met haar voeten omhoog op de bank en Michelle was in de keuken thee aan het zetten. De krant had als kop: *Moord onder de film* en daaronder: *Man doodgestoken in bioscoop*. Op een grote foto was de bioscoopzaal te zien waar het lichaam was gevonden. Het lichaam zelf kon je niet zien en er was ook geen foto van de dode man afgedrukt. Zijn naam stond er niet bij. Matthew ging naar de huiskamer terug, maar Fiona sliep. Hij liet hem aan Michelle zien.

'Er is geen enkele reden om te denken dat het Jeff is, schat.'

'Het zou best kunnen,' zei Matthew. 'Hij gaat graag naar de film en Fiona niet. Het zou niet de eerste keer zijn dat hij 's middags in zijn eentje naar de bioscoop ging.'

'Wat doen we?'

'Ik ga de politie bellen, schat. Misschien horen we dan meer.'

'O Matthew, wat gaan we doen als het Jeff is? Wat verschrikkelijk voor die arme Fiona. En waarom zou iemand hem willen vermoorden?'

'Jij kunt wel een paar redenen bedenken, en ik ook.'

Leonardo kwam net van zijn moeder toen Jims voor zijn diner naar buiten ging. De twee mannen gingen samen naar een nieuw en modieus Tunesisch restaurant en waren om halfelf weer thuis, waarna Jims de nacht in Glebe Terrace doorbracht. Het was onvoorstelbaar dat Leonardo met Jims zou meegaan naar Dorset, en daarom ging Jims om ongeveer tien uur in zijn eentje op weg.

Vroeger kón je, als je naar het westen van het land reed, in stadjes met mooie oude gebouwen stoppen en daar lunchen in het White Heart of de Black Lion of hoe zo'n eeuwenoude herberg heette. Sinds de snelwegen om de bebouwde kom heen waren gelegd, was die aangename mogelijkheid verdwenen, tenzij je een omweg van dertig kilometer maakte. De reiziger moest zich nu behelpen met wegrestaurants en enorme complexen met een restaurant, een winkel en toiletten. Nadat Jims zijn auto tussen honderden andere had geparkeerd, at hij een verlepte salade, twee samosa's en een banaan. Hij was blij dat hij in ieder geval het Merry Cookhouse had kunnen vermijden. Om drie uur was hij terug in Fredington Crucis, waar hij een bad nam en een pak aantrok dat geschikt was voor een bijeenkomst met plattelandsnotabelen, een tweed pak van goede snit met vest, geelbruin overhemd en gehaakte das. Voor het dorpsgebouw van Fredington Episcopi demonstreerden tegenstanders van de jacht. Ze hadden spandoeken met woorden als 'barbaren' en 'dierenbeulen' erop. Langs de korte oprijlaan waren gruwelijke foto's neergezet, foto's van vossen die op een verschrikkelijke manier aan hun eind kwamen en herten die aan jagers ontkwamen door in het Bristol Channel te springen. De demonstranten maakten joelende geluiden, ongeveer zoals jachthonden doen, toen Jims naar binnen ging, waar hij werd begroet met een langdurig applaus. De zaal zat stampvol. Er stonden stoelen in de gangpaden en achterin moesten mensen staan.

De voorzitter van de plaatselijke afdeling introduceerde hem en wenste hem geluk met zijn recente huwelijk. Het publiek juichte. Jims sprak hen aan met: 'Dames en heren, vrienden, Engelsen, u die onze Dorset-manier van leven in stand houdt, de ruggengraat van ons land, het land van zoveel dierbaren, deze aarde, dit rijk, dit Engeland!'

Ze klapten en juichten. Hij vertelde hun uitgebreid wat ze al wisten: dat de jacht met honden een glorieuze sport was, dat de jacht al sinds onheuglijke tijden deel uitmaakte van het Engelse plattelandsleven, dat de jacht een heilige traditie was die het landschap in stand hield en voor duizenden arbeidsplaatsen zorgde. Hoewel hij eigenlijk een hekel aan paardrijden had, vertelde hij hoe geweldig hij het vond om na een week in de drukte en vervuiling van Londen te hebben doorgebracht op een mooie zaterdagmorgen naar South Wessex te gaan. De frisse lucht, het prachtige landschap, en natuurlijk vooral de beelden en geluiden van de honden die een spoor hadden geroken. Vossen waarop werd gejaagd, zei hij, leden nauwelijks. Het stropen met lichtbakken was veel wreder, net zoals de jacht door mensen die niet met een geweer konden omgaan. In feite was de jacht helemaal niet wreed, aangezien maar zes procent van de bejaagde dieren werd gedood. De echte slachtoffers zouden de mensen zijn die hun werk vonden in de jacht – hij citeerde de alarmerende cijfers uit de aantekeningen die hij in Londen had opgehaald – en die hun bestaansgrond zouden verliezen als dat heilloze wetsvoorstel werd aangenomen.

Hij ging in die trant verder, al preekte hij voor bekeerden en hoefde hij geen twijfelaars te overreden. Kort voordat hij zijn toespraak besloot, herinnerde hij zich dat hij nog niet op de gelukwensen van de voorzitter had gereageerd. Hij bedankte hem daarvoor en zei dat hij zich erop verheugde zijn twee lieve stiefkinderen op een paard te zetten en hen met de vreugden van de jacht te laten kennismaken.

Het daverend applaus duurde bijna twee minuten. Er werd goedkeurend geschreeuwd en met voeten gestampt. Mensen gingen in de rij staan om zijn hand te schudden. Een vrouw zei dat ze bij de algemene verkiezingen bijna niet op hem had gestemd, maar nu iedere avond God dankte dat ze dat toch had gedaan. De plaatselijke afdeling van de Alliance nam Jims mee uit eten naar een klein en verschrikkelijk restaurant, waar hij kans zag rond tien uur weg te komen en naar Fredington Crucis House terug te rijden. Omdat hij in het restaurant een walgelijk rode Armeense wijn had gedronken, was hij de hele weg bang dat zijn alcoholpromillage te hoog was.

Zillah had de middag doorgebracht op een manier waarvan ze helemaal niet hield. Ze was eerst met de kinderen naar een speeltuin aan de zuidkant van Westminster Bridge geweest en was toen over de South Bank gelopen, langs de London Eye en het National Theatre en de boekenkramen, tot aan Tate Modern en Shakespeare's Globe. Het was zonnig en warm, en het leek wel of alle Londenaren zich op de verkeersvrije rivieroever hadden verzameld. Het was dan ook vreemd dat die wandeling haar aan het leven in Long Fredington herinnerde. Misschien kwam het door de eenzaamheid die ze hier voelde. Ze had niemand om mee te praten, behalve twee kinderen onder de acht, geen man in haar leven, zelfs Jerry niet. Omdat ze Jordans wandelwagentje niet had meegenomen, moest ze hem na een tijdje dragen. Ze kocht ijsjes en dat van Jordan maakte vlekken op haar Ann Demeulemeester-jasje.

'Soms denk ik dat ik je nog moet dragen als je achttien bent.'

Haar boze toon bracht hem weer aan het snotteren. De kinderen zeiden niets over het bezoek van de politieman, en Zillah hoopte dat ze nooit meer iets van hem zou horen, net zomin als over Jerry. Hij had met een volgend bezoek gedreigd, maar misschien had hij dan met Jims willen praten. Bigamie, dacht ze toen ze weer thuis was en de boterhammen voor de kinderen smeerde, bigamie. Waarom had die rechercheur naar de datum van haar echtscheiding gevraagd? Maar ook al was Jerry in leven geweest toen ze met Jims trouwde, zei ze tegen zichzelf, hij was nu dood. Hij was gestorven toen zij nog geen twee maanden getrouwd was. Hou daaraan vast, zei ze tegen zichzelf; je hebt maar een paar weken twee echtgenoten gehad.

Om halftien die avond belde de politie. Ze wilden dat ze de dode kwam identificeren en zouden een auto sturen om haar te halen. Schikte de volgende morgen om negen uur? Ze durfde niet te protesteren en belde mevrouw Peacock. Kon ze de volgende morgen op de kinderen passen? Ze moest ergens heen.

'Op zondag?' vroeg mevrouw Peacock ijzig.

'Het is voor zaken. Erg belangrijke zaken.' Zillah wilde haar niet vertellen dat ze een lijk moest identificeren. 'Ik betaal u het dubbele.'

'Dat moet dan maar.'

Eugenie, die in haar nachthemd haar kamer uit was gekomen en het gesprek had gehoord, zei met een even ijzige stem: 'Blijf je dan nóóit thuis om voor ons te zorgen?'

187

De rechercheur was een vrouw in burger. Ze was ongeveer even oud als Zillah en leek wel wat op die vrouwelijke rechercheurs in televisieseries: lang, slank, met lang blond haar en een klassiek profiel. Haar stem had helaas een onaangenaam vulgair accent, schel en grof. Ze zat achter in de auto met Zillah, die voor deze gelegenheid een zwart pakje en witte blouse had aangetrokken. Op weg naar het lijkenhuis spraken ze niet met elkaar.

Zillah had nooit eerder een dode gezien. Ze werd misselijk toen ze zag dat Jerry meer op een wassen beeld leek dan op een echte persoon die niet meer leefde.

'Is dat uw voormalige echtgenoot, Jeffrey Leach?'

'Ja, dat is Jerry.'

Toen ze het lijkenhuis hadden verlaten en over een pleintje naar het politiebureau liepen, vroeg de vrouw, die de rang van inspecteur had, aan Zillah waarom ze hem Jerry had genoemd.

'Meestal werd hij zo genoemd. Sommige mensen noemden hem Jeff en zijn moeder noemde hem Jock. Omdat zijn tweede voornaam John was.'

De inspecteur nam Zillah mee naar een functioneel ingericht kantoor en vroeg haar om tegenover haar te gaan zitten. Haar antipathie leek in golven van haar af te komen. 'Hebt u dit geschreven, mevrouw Melcombe-Smith?'

Ze reikte een papier over het bureau aan. Als Zillah niet op een stoel had gezeten, zou ze waarschijnlijk zijn flauwgevallen. Het was de brief die ze aan Jerry had geschreven, de brief waarin ze hem had gesmeekt om niet terug te komen en haar vooral niet openlijk van bigamie te beschuldigen. Ze was zo geschokt dat ze bijna niet kon lezen. Had ze het woord 'bigamie' gebruikt? Ze kon het zich niet herinneren. Ze deed haar ogen dicht, deed ze weer open en mobiliseerde alle wilskracht die ze in zich had. Nadat ze diep had ademgehaald, was ze in staat de brief te lezen.

Beste Jerry, had ze geschreven, *Ik schrijf je om je te smeken niet terug te komen, weg te gaan en uit mijn leven te verdwijnen. Je hebt zelf die brief geschreven waarin je me vertelde dat je dood was, en hoewel ik dat niet geloofde, dacht ik dat ik moest doen alsof je dood was. Alsjeblieft, laat dat zo. Alsjeblieft. Ik dacht dat je niet om de*

kinderen gaf omdat je ze maanden achtereen niet wilde zien. Als je
ze wilt ontmoeten, kunnen we dat wel regelen. Ik kan ze bij je bren-
gen. Jerry, ik wil alles doen, als je maar niet meer probeert me te
ontmoeten of hierheen komt, en alsjeblieft, alsjeblieft, gebruik dat
woord niet in verband met mij. Het maakt me bang, echt waar. Je
moet geloven dat ik je geen kwaad toewens, integendeel. Ik wil ver-
dergaan met mijn leven, dus als je nog een beetje medelijden met me
hebt, blijf dan weg. Met vriendelijke groeten, Z.

'Hebt u deze brief geschreven?' herhaalde de inspecteur.

'Misschien.'

'Nou, mevrouw Melcombe-Smith, er zijn niet veel vrouwen
met een voornaam die met een Z begint, hè? Een paar Zoes misschien. Ik heb nog nooit een Zuleika ontmoet, maar die schij-
nen er ook te zijn.'

Het woord 'bigamie' stond niet in de brief. Eigenlijk onthulde
de brief niets. 'Ik heb hem geschreven,' zei Zillah.

'Naar welk adres? We hebben de envelop niet in ons bezit.'

'Dat weet ik niet meer. Ja, misschien – het was ergens in NW6.'
Ze kon net zo goed de rest vertellen. 'Hij leeft samen met een
vrouw die Fiona heet. Ze werkt op een bank.'

'U wilde meneer Leach absoluut niet meer ontmoeten. Wat bedoelde u met "doen alsof je dood was"?'

'Ik weet het niet,' zei Zillah timide. 'Ik kan het me niet herinneren.'

'U schrijft dat u bang was. Heeft hij u ooit mishandeld?'

Zillah schudde haar hoofd. Ze vond dat ze nu een angstige indruk moest maken. 'Als u bedoelt of hij me sloeg: nee, dat deed
hij niet.'

'Welk woord mocht hij niet meer gebruiken? Was het een belediging? Een scheldwoord? "Kreng" of "trut" of zoiets?'

'Dat was het, ja.'

'Welk woord?'

'Hij noemde me een trut.'

'Aha. Een angstaanjagend woord, trut. Dat is voorlopig genoeg,
mevrouw Melcombe-Smith. We gaan morgen met uw man praten.'

189

Jims had een hekel aan Jerry Leach gehad, maar de weinige keren dat ze elkaar hadden ontmoet, had hij ook wel iets in hem gezien en gemeend een reactie in Jerry's ogen te zien. Jims was een van die homo's die denken dat alle mannen in hun hart homo zijn. Deze nieuwe ontwikkeling, zei hij tegen zichzelf toen Zillah het hem had verteld, was een hele schok. Toch geloofde hij niet dat het hem en Zillah zou treffen, want Jerry was voor hen iemand uit het verleden. Het kwam niet in hem op dat hij ook de vader van Eugenie en Jordan was geweest. Familiebetrekkingen zeiden hem niet veel. Maar toen hij kort na één uur de flat in Abbey Gardens Mansions binnenliep, schrok hij van Zillahs afgetobde gezicht en bevende handen.

'De politie komt morgenvroeg. Ze willen met jou praten.'

'Met mij? Waarom met mij?'

'Ze wilden weten waar ik vrijdagmiddag was, toen Jerry werd vermoord. Ze zullen ook willen weten waar jij was.'

Michelle zag de foto in het zondagsblad en herkende Jeff Leigh. Haat kan net zo scherpzinnig maken als liefde. Het gezicht op de foto was jonger, en de trekken waren nogal wazig, maar ze wist meteen wie het was en hoorde opnieuw die stem: 'De Dikke en de Dunne, Michelle, de Dikke en de Dunne. De ketels aan het opstoken, Michelle?' Hij had een baby in zijn armen, en om de een of andere reden moest ze daarvan huiveren.

Moesten ze het Fiona vertellen? Matthew belde eerst de politie. Hij zei dat hij dacht dat de zogeheten Jeffrey John Leach in werkelijkheid Jeffrey Leigh was, die de partner van zijn buurvrouw was geweest. Zijn vrouw had hem van een foto in de krant herkend. Waar woonde hij, wilden ze weten. Toen Matthew zei dat hij in West Hampstead woonde, waren ze geïnteresseerd. Ze zouden langskomen. Zou vier uur schikken?

Toen ging Michelle naar Fiona om haar te vertellen wat ze vreesden, en dat de politie zou komen.

17

Jock was weg. Pas na een paar dagen kon Minty het echt geloven. Wanneer ze weg was geweest en in het huis terugkwam, was ze angstig. Ze was altijd bang dat hij in een stoel zou zitten of in de schaduw achter de trap op haar zou wachten. Ze droomde over hem. Maar dat was niet hetzelfde als een geestverschijning. Sonovia en Laf kwamen ook in die dromen voor, en Josephine soms ook, en meneer Kroots zuster en Tante, altijd Tante. De droom-Jock, niet de geest-Jock, liep een kamer in waar zij was en bood haar een Polo-pepermuntje aan of zei 'Hallo'. Eén keer zei hij die woorden die half tussen een grap en een plagerij in zaten, die woorden over knijp, tik, eerste van de maand. In haar dromen droeg hij altijd zijn zwarte leren jasje.

Tantes stem hoorde ze nu veel vaker, maar ze zag haar nooit. De vorige dag had ze Tantes stem gehoord toen ze in bad zat.

'Het is nu al twee weken geleden dat je voor het laatst bloemen op mijn graf hebt gezet, Minty,' zei Tante. Ze bleef bij de deur staan en keek niet in Minty's richting. Tante was alleen maar een stem zonder lichaam, zonder ogen. 'Het is niet leuk om dood te zijn, maar het is nog erger als ze je vergeten. Hoe denk je dat ik me voel als ik op mijn laatste rustplaats alleen een bosje dode tulpen heb?'

Het had geen zin om antwoord te geven, want ze konden je niet horen. Jocks geest had zich nooit iets aangetrokken van wat ze zei. Die middag was ze naar de begraafplaats gegaan, waar de bladeren van de altijdgroene heesters nog frisser leken en de nieuwe bladeren oogverblindend groen waren, waar het gras helder was en glinsterde van de regendruppels. Ze had de dode bloemen weggehaald en vervangen door rode anjers en gipskruid. De anjers hadden geen geur, maar zoals Josephine zei: dat kon je ook niet verwachten, niet van planten die kunstmatig in broeikassen werden gekweekt. Als ze Tantes graf bezocht, knielde Minty altijd op een schoon stuk papier of plastic neer en sprak een kort gebed tot haar, maar dat had ze de vorige dag niet gedaan. Tante verdiende het niet, niet zoals ze zich nu gedroeg; ze zou zich tevreden moeten stellen met de bloemen.

Zondag was de dag waarop Minty de was deed. Dat wil zeggen, de grote was. Een aantal kleren werd elke dag gewassen. Maar op zondag waste ze de lakens en handdoeken van de afgelopen week, en omdat een handdoek nooit meer dan één keer werd gebruikt en een laken nooit meer dan drie keer werd beslapen, was het altijd een berg wasgoed. Terwijl de eerste partij in de machine ronddraaide en haar een goed gevoel gaf met al dat zeepschuim en die schone lucht – de momenten waarop ze naar de draaiende wasmachine keek, waren de enige momenten waarop Minty echt tevreden was met het leven – ging ze de tuin in om de waslijn op te hangen.

Sommige buren lieten hun waslijn gewoon hangen, onder alle weersomstandigheden. Minty huiverde bij de gedachte aan de zwarte neerslag van dieseldampen die op die lijnen terechtkwam. Haar eigen waslijn, met een bekleding van plastic, werd na elk gebruik geboend en afgespoeld en te drogen gehangen. Ze vergewiste zich ervan dat de palen goed in de grond zaten en bevestigde de lijn aan de ring op de paal aan het eind van de tuin, waarna ze hem zorgvuldig uitrolde terwijl ze over de tegels naar het huis liep.

De zuster van buurman Kroot was aan het wieden. Zijn tuin was al maanden overwoekerd, hij deed daar nooit iets aan. Alleen wanneer zijn zuster kwam, werden de paardebloemen en brandnetels en distels opgeruimd. Ze droeg geen handschoenen, haar handen zaten onder de aarde en haar nagels waren zwart. Minty huiverde. Ze ging naar binnen en waste haar eigen handen, alsof ze het vuil van meneer Kroots zuster had overgenomen. Hoe heette ze ook weer? Tante had het geweten. Ze had haar bij haar naam aangesproken tot de dag dat ze onenigheid over dat gaashek hadden gekregen en waren opgehouden met elkaar te spreken. Minty kon zich de naam niet herinneren, maar ze herinnerde zich die ruzie wel. Het kwam allemaal weer bij haar boven, al was het zeker vijftien jaar geleden.

Het gebeurde toen Tante een nieuw gaashek tussen hun tuinen had gezet. Meneer Kroot zei er nooit een woord over, maar zijn zuster beschuldigde Tante ervan dat ze twintig centimeter grond had geannexeerd. Als ze het hek niet verplaatste, zou ze het gaas doorknippen met een draadschaar. Tante antwoordde dat ze haar niet moest bedreigen, en als er gaas werd doorgeknipt, al was het maar één ijzerdraadje, zou ze de politie bellen. Niemand knipte iets door en de politie werd niet gebeld, maar Tante en meneer Kroots zuster spraken nooit meer met elkaar. Minty kreeg opdracht nooit meer met haar te spreken. Uit loyaliteit sprak Sonovia ook niet meer met haar.

Minty wou dat ze zich de naam van die zuster kon herinneren. Misschien zou Tante het haar vertellen als ze weer begon te praten. Ze haalde de eerste lading wasgoed uit de machine, stopte de volgende partij erin en droeg de vochtige handdoeken in een mand, die ze met een sneeuwwit laken had bekleed, naar buiten. Meneer Kroots zuster stond nu rechtop en keek naar haar. Ze was een steviggebouwde oude vrouw met geverfd roodachtig haar en ze droeg een bril met een violetkleurig montuur. Toen ze haar met aarde bedekte vinger met zwarte nagel naar haar gezicht bracht en over haar wang krabde, wendde Minty zich huiverend af.

Het was een heldere, zonnige ochtend, maar er stond een koude wind. Een goede dag om wasgoed te drogen. Ze maakte de handdoeken met wasknijpers vast. De plastic knijpers had ze tegelijk met de waslijn schoongeboend en laten drogen. Meneer Kroots zuster was naar binnen gegaan. Het onkruid had ze op het pad laten liggen. Minty schudde haar hoofd om zoveel nalatigheid. Ze ging ook naar binnen en bedacht wat ze als middageten zou nemen. Ze had bij Sainsbury's een mooi stuk ham gekocht en zou dat zelf gaan koken. Volgens haar was het erg riskant om gekookt vlees te kopen. Je wist nooit in wat voor pan het was gekookt. Als ze het vlees had opstaan, zou ze een zondagsblad gaan kopen, want Laf bracht dat van hen niet meer.

Eerst ging ze naar de huiskamer om te kijken wie er op straat waren. Het was maar goed dat ze dat deed, want toen ze het halfdichte gordijn opzij trok, zag ze Laf en Sonovia uit hun huis komen. Ze zagen eruit alsof ze naar de kerk gingen. Sonovia droeg het blauwe ensemble met een witte hoed en Laf droeg een pak met een streepje. Minty wachtte tot ze weg waren en ging toen in tegenovergestelde richting naar de boekhandel.

Dat was ook toevallig, dacht ze toen ze de voorpagina van *News of the World* zag: een man vermoord in dezelfde bioscoop waar zij zich van Jocks geest had ontdaan. De krant vermeldde niet wanneer het was gebeurd, alleen dat de man Jeffrey Leach heette.

'Er worden tegenwoordig steeds meer mensen vermoord,' zei Tantes stem plotseling. 'Ik weet niet waar het naartoe gaat met de wereld. Ze zitten allemaal in bendes, degenen die vermoord worden, en worden vermoord door andere bendes. Kijk maar in Harlesden High Street. Je ziet alleen maar bendes, als het geen Jamaicanen zijn.'

Minty probeerde haar te negeren. Ze ging in de huiskamer de zondagskrant zitten lezen. Toen ze hoorde dat de wasmachine stopte, ging ze naar de keuken en haalde de lakens en kussenslopen eruit. Nu nog één laken en een dekbedhoes. Ze stopte die in de machine en droeg het vochtige wasgoed naar de waslijn. Meneer Kroot gooide aardappelschillen uit een vergiet in zijn vuilcontainer. Ze lagen daar los in, precies zoals ze van de aardappelen waren gekomen. Minty werd misselijk bij de gedachte dat die vuilcontainer het huis door moest worden gereden als de mannen van de reinigingsdienst kwamen. Ze had haar eigen vuilcontainer aan de voorkant van het huis met ketting en hangslot aan de muur vastgelegd – dit was zo'n slechte buurt, mensen waren zelfs in staat om je vuilnis te stelen – en ze maakte hem telkens schoon en strooide smaragdgroen desinfecterend poeder over de binnenwand.

'De zoon van de hertog van Windsor is vermoord,' zei Tante. 'Degene die Edward de Negende had moeten zijn. Wanneer iemand beroemd is, zeggen ze niet "vermoord"; dan zeggen ze dat er een aanslag op hem is gepleegd. Het was in Frankrijk. Als hij op de troon had gezeten, zou het nooit zijn gebeurd.'

'Nou en?' zei Minty, maar ze wist dat het zinloos was. 'Ga nou eens weg!'

Er moest meer kokend water aan de ham in de pan worden toegevoegd. Ze zou er gekookte aardappelen en diepvriesdoperwten bij eten. Toen Jock er nog was, had hij haar een keer overgehaald om biologisch gekweekte broccoli te kopen. Toen ze die had gewassen, was er een rups met dezelfde kleur als de stengels uit gevallen. Nooit meer. Ze maakte de messenla open. Bovenop lag het mes dat ze had gebruikt om zich van Jocks geest te ontdoen. Ze had het gekookt en daarmee de kleur van het heft bedorven; het moest immers zo schoon worden als een mes maar kon zijn. Op de een of andere manier had ze geen zin om er vlees mee te snijden. Het moest weg. Jammer eigenlijk, want het behoorde tot een set die Tante in 1961 bij haar huwelijk had gekregen.

'1962,' zei Tante.

John Lewis – dat was Jocks naam geweest. Net als die winkel in Oxford Street. Wat gek, ze had er nooit eerder op die manier aan gedacht. Als hij was blijven leven, zou ze mevrouw Lewis zijn geworden en dat zou dan op enveloppen hebben gestaan: mevrouw J. Lewis. Ze moest daar niet aan denken, want hij was nu dood. Ze trok haar rubberen handschoenen aan, waste het mes weer en droogde het af, verpakte het in de sportpagina's van de krant, de pagina's die ze toch niet las, en deed het in een plastic draagtas. Ze kon het beter niet in haar vuilcontainer achterlaten. Als ze de bak niet konden stelen, zouden ze stelen wat erin zat en die bendes waren gek op messen.

'Die gebruiken ze,' zei Tantes stem. 'Pistolen zijn niet zo makkelijk te krijgen, je moet veel geld betalen voor een pistool; maar messen zijn iets anders. Ze lopen allemaal met messen rond. Zo krijg je al die moorden. Bendes tegen bendes. Opgeruimd staat netjes, als je het mij vraagt. Edward de Negende is door een bom gedood, maar hij was anders.'

'Ga weg,' zei Minty, maar Tante mompelde gewoon door.

Misschien moest ze het mes naar een van de grote bakken in de straat brengen, bijvoorbeeld naar die grote bak waar ze haar kleren in had gegooid toen er vlekken op zaten. Ze was net bezig de derde partij wasgoed uit de machine te halen, toen de deurbel ging. Wie kon dat zijn? Laf kwam de kranten niet meer brengen en er belde verder nooit iemand bij haar aan, of het moesten Jehova's getuigen zijn. Tante had geen hekel aan Jehova's getuigen gehad. Ze had de *Wachttoren* gekocht en was het eens geweest met alles wat ze zeiden, maar ze had het vertikt om met hen mee te gaan en bij mensen aan te bellen. Minty waste haar handen en was ze aan het afdrogen toen de bel weer ging.

'Ja, ja, ik kom eraan,' zei ze, hoewel degene die buiten stond haar niet kon horen.

Het waren Laf en Sonovia. Minty staarde hen aan. Ze zei niets.

'Gooi de deur niet voor ons gezicht dicht, Minty,' zei Laf. 'We komen in de geest van welwillendheid en van "heb uw naaste lief gelijk uzelve", nietwaar, Sonny?'

'Mogen we binnenkomen?'

Minty hield de deur verder open. Sonovia struikelde toen ze op de mat stapte, zo hoog waren haar hakken. De blauwe jurk die losjes om Minty heen had gehangen, zat haar een beetje strak om de heupen. Zij en Laf volgden Minty naar de huiskamer, waar het zoals gewoonlijk nogal somber was.

'Het zit zo,' begon Laf op een toon die hij ook aansloeg om tienercriminelen toe te spreken die voor de zoveelste keer in de fout waren gegaan. Het was meer een toon van verdriet dan van woede. 'Buren moeten elkaar niet met de nek aankijken. Dat is niet goed en dat is niet christelijk. Son en ik hebben net naar een preek geluisterd over het liefhebben van je vijanden, vooral je buren, en op de terugweg besloten we om hier in een geest van nederigheid naartoe te komen, nietwaar, Son?'

'Ik weet zeker dat ik niet iemands vijand ben,' zei Minty.

'En dat zijn wij ook niet. Sonny heeft iets te zeggen en dat is niet gemakkelijk voor haar, omdat ze nogal trots is, maar ze gaat zich vernederen en het zeggen, nietwaar, Son?'

Met een zachte, onwillige stem zei Sonovia dat ze hoopte dat het nu weer goed was. 'Wat gebeurd is, is gebeurd.'

'Zeg het nou, Son.'

Ze trok haar hele gezicht samen bij het vooruitzicht dat er een verontschuldiging over haar lippen moest komen. De woorden kwamen er langzaam uit, een voor een. 'Het spijt me. Van die jurk, bedoel ik. Ik heb niemand van streek willen maken.' Ze keek haar man aan. 'Het... spijt... me.'

Minty wist niet wat ze moest zeggen. Dit was een situatie die ze nog nooit had meegemaakt. Tante had met veel mensen ruziegemaakt, maar ze had het later nooit goedgemaakt. Als je eenmaal niet meer met iemand praatte, begon je daar nooit meer mee. Ze knikte Sonovia toe. Alsof alle woorden nieuw voor haar waren, alsof ze in een vreemde taal sprak die ze als kind had geleerd en daarna nooit meer had gebruikt, zei ze: 'Het spijt me. Ik ben het met je eens. Ik bedoel, wat gebeurd is, is gebeurd.'

De twee vrouwen keken elkaar aan. Sonovia deed een stap naar voren, na een behulpzaam duwtje van Laf. Onhandig sloeg ze haar armen om Minty heen en kuste haar wang. Minty stond daar en liet zich omhelzen en kussen. Laf juichte zachtjes en stak allebei zijn duimen omhoog.

'Weer vriendinnen?' zei hij. 'Zo mag ik het zien.'

'Mijn beste,' zei Sonovia weer met haar gebruikelijke vitaliteit. 'Om je de waarheid te zeggen, was ik blij dat je die kleren had laten reinigen. Dat had ik zelf moeten doen. Toen ik ze aan je had uitgeleend, herinnerde ik me dat er een lelijke ketchupvlek op de zoom zat.'

'Hij was er zo uit,' zei Minty.

Laf glimlachte. 'We wilden je vragen of je vanavond met ons naar de bioscoop gaat. Niet Marble Arch, niet nadat die arme kerel daar vermoord is, maar we dachten aan Whiteley's en *Saving Grace*. Wat zeg je daarvan?'

'Mij best. Hoe laat?'

'We dachten aan de voorstelling van kwart over vijf. Dan kunnen we na afloop een pizza gaan eten. Nou, krijg ik nog een kus?'

Ze deed het mes in een draagtas, een van die anonieme effen blauwe dingen die je in buurtwinkels meekreeg, en liep naar de container in Harrow Road waar ze ook haar bevlekte kleren in had gedaan. De bak was overvol, zoals op zondag vaak het geval was, met overal vuilniszakken waaruit de inhoud op het trottoir viel. Minty wilde die rommel niet erger maken, het was walgelijk. Ze ging weer naar huis voor haar middageten. Ze waste haar handen voor en na het eten.

Ze meende zich een stel containers in Kilburn Lane te herinneren en ging daarnaar op zoek. Uiteindelijk moest ze een heel eind door Ladbroke Grove lopen, langs het metrostation, voordat ze vond wat ze zocht: schone vuilcontainers waar geen rommel uit was gevallen. Ze maakte het deksel van een van die bakken open. Er kwam een vieze lucht uit, want er waren overal mensen als meneer Kroot, die hun vuilnis niet goed verpakten. Bovenop lag een knalgroene draagtas van Marks and Spencer, met daarin iets dat in keukenpapier was verpakt, een paar pakken ontbijtvlokken en een heel brood dat nog in de cellofaanverpakking zat. Ze stak het mes tussen het brood en de cornflakes en sloot het deksel.

Op de terugweg bleef ze een tijdje vanaf het viaduct naar het spoor kijken. De metro reed hier een eind boven de grond, en hier liep ook de belangrijkste spoorlijn naar plaatsen in het westen van Engeland. Net onder haar waren de stoptrein en de sneltrein naar Gloucester op elkaar gebotst. Er waren daarbij veel mensen omgekomen, onder wie haar Jock. Een van de treinen was in brand gevlogen en ze nam aan dat hij daarin had gezeten. Hij was bij zijn moeder op bezoek geweest. Minty stelde zich haar voor als erg oud en krom en met dun grijs haar, lopend met een stok. Ze had contact moeten opnemen met Jocks verloofde. Eigenlijk had ze zelfs naar haar toe moeten komen. Minty stelde zich een mooie brief van de oude mevrouw Lewis voor, een brief waarin ze schreef hoe droevig het was en waarin ze haar uitnodigde om te komen logeren. Ze zou natuurlijk niet zijn gegaan. Het huis was hoogstwaarschijnlijk vuil en er zou niet veel warm water zijn. Maar Jocks moeder had het moeten vragen. Natuurlijk was duidelijk waarom ze dat niet had gedaan. Mevrouw Lewis had het geld dan moeten teruggeven.

Het begon te regenen. Minty keek hoofdschuddend naar de regen, al wist ze dat die zich daarvan niets zou aantrekken. Zodra ze thuiskwam, liet ze het bad vollopen. Ze boende haar vingernagels en haar teennagels en plotseling kwam Tantes stem uit het niets: 'Regen is vies. Het valt door kilometers vuile lucht.'
'Hier ben ik op privé-terrein,' zei Minty. 'Laat me met rust.'
Maar Tante trok zich daarvan niets aan.
'Het was verstandig dat je dat mes hebt weggedaan,' zei ze. 'Er zaten miljoenen bacillen op. Ik heb net Jocks moeder gesproken. Je wist niet dat mevrouw Lewis hier bij mij is, hè?'
'Ga weg.' Minty zou het niet overleven als mevrouw Lewis ook nog verscheen.
Toen ze naar beneden ging, viel de regen met bakken uit de hemel. Het huis leek leeg. Het voelde koud aan, en grauw als de schemering. Laf kwam om vier uur met een grote paraplu met palmbomen erop en zei dat hij de auto zou nemen vanwege de regen. God wist waar hij hem moest parkeren, maar er zat niets anders op. Tantes woorden hadden Minty van streek gemaakt. Misschien kwamen Tante en mevrouw Lewis ook naar de bioscoop. Ze begon nerveus te worden. En in een bioscoop was geen hout dat ze kon aanraken, alleen plastic en textiel en metaal.
Vriendelijk en gracieus, trots op haar nieuwe nederigheid, liep Sonovia hun rij in, terwijl ze over haar schouder glimlachte. 'Zo, mijn beste, kom maar tussen ons in zitten. Jij hebt de popcorn, Laf?'
De popcorn was schoon en droog, zodat Minty hem ook kon eten. De bioscoopzaal liep vol. Alle plaatsen voor hen werden bezet. Er was geen ruimte voor Tante en Jocks moeder. De lichten gingen uit en plotseling werd het scherm in beslag genomen door de felle flikkerende kleuren en oorverdovende geluiden die ze met haar uitdrijving van Jock in verband bracht. Minty koos zorgvuldig de kleinere stukjes popcorn uit en ontspande zich.
Als ze mevrouw Lewis te zien kreeg, zou ze vragen wat er met haar geld was gebeurd. Ze zou de oude vrouw dwingen om antwoord te geven. Misschien zou ze het opschrijven. Ze gaven nooit antwoord als je tegen ze sprak, maar misschien wel als het

allemaal op papier stond. Terwijl de hoofdfilm begon, dacht ze aan wat ze zou schrijven en hoe ze mevrouw Lewis het papier onder haar neus zou duwen. Het duurde een hele tijd voor ze haar blik op het scherm richtte.

18

Jims stond er nauwelijks bij stil dat de politie die maandagmorgen met hem zou komen praten. Hij zou thuis zijn, en natuurlijk zou hij ze ontvangen, dat was zijn plicht als staatsburger. Hij zou hun routinevragen beantwoorden en later zou hij naar het Lagerhuis wandelen. Omdat hij niet gewend was veel tijd thuis door te brengen, vond hij die zondagavond ondraaglijk saai. Leonardo had hem op een homoclub uitgenodigd, de Camping Ground aan Earl's Court Square, en Jims zou graag met hem mee zijn gegaan, maar hij wist waar hij de streep moest trekken. Nu keek hij, terwijl Eugenie naast hem zat en kritische opmerkingen maakte, naar een Jane Austen-achtig kostuumdrama op de televisie en ging vroeg naar bed.

Om vier uur 's nachts schoot hij wakker. Hij ging rechtop zitten in zijn nogal Spartaanse slaapkamer, en herinnerde zich dat hij niet het hele weekend in Casterbridge en Fredington Crucis had doorgebracht. Op vrijdagmiddag was hij naar Londen teruggereden om de aantekeningen voor zijn jachttoespraak op te halen. Dat kon hij niet aan de politie vertellen, want die aantekeningen hadden niet bij hem thuis in Abbey Gardens Mansions gelegen, maar in Leonardo's huis in Chelsea. Er stond meteen een dun laagje zweet op Jims' gezicht, op zijn hals en op zijn gladde gebruinde borst. Hij deed het licht aan.

Ze zouden willen weten waarom die papieren in Glebe Terrace waren, en als hij op dat punt een bevredigend antwoord kon geven, zouden ze vragen waarom hij de nacht niet bij zijn vrouw in Westminster had doorgebracht. Ze wisten dat ze thuis was, want ze hadden haar gebeld, zoals ze hem de vorige avond had verteld. Ze zouden willen weten waarom hij de nacht had doorgebracht onder hetzelfde dak als Leonardo Norton van de bekende effectenfirma uit Londen en Wall Street, Frame da Souza Constantine. Hij kon gewoon verzwijgen dat hij naar Londen terug was geweest. Of hij kon zeggen dat hij 's middags terug was gegaan, Zillah slapend had aangetroffen, haar niet had willen storen, de papieren had gepakt en meteen naar Dorset was teruggereden. Of hij kon zeggen dat hij 's avonds laat thuis was gekomen, de papieren had gevonden, de nacht bij Zillah had doorgebracht en de volgende morgen vroeg was vertrokken, voordat de politie kwam. Dat zou betekenen dat Zillah voor hem moest liegen. De kinderen telden niet mee, want die hadden allebei in hun bed liggen slapen.

Over het geheel genomen was Jims gewetenloos en heel goed in staat om de politie een 'leugentje om bestwil' te vertellen. Toen hij overwoog om zijn vrouw te vragen voor hem te liegen, om tegen een inspecteur van de afdeling Moordzaken (of hoe dat tegenwoordig ook heette) te zeggen dat hij hier was geweest terwijl dat niet zo was, stolde het bloed hem in de aderen. Hij was lid van het parlement. De vorige week nog had zijn fractieleider naar hem geglimlacht, hem op de schouder geklopt en gezegd: 'Goed gedaan!' Andere parlementsleden noemden hem tijdens de zittingen 'de eerzame afgevaardigde van South Wessex'. De eerzame afgevaardigde. 'Eer' was geen woord waarover Jims veel nadacht, maar nu wel. Iemand in zijn positie had eer hoog in het vaandel staan. Wat dat betrof, was hij te vergelijken met een middeleeuwse ridder. Terwijl hij rechtop in bed zat en met een punt van het laken het zweet van zijn lichaam veegde, zei Jims tegen zichzelf dat hij niet iemand anders kon vragen voor hem te liegen.

Hij besloot te vergeten dat hij naar Londen was teruggegaan om die aantekeningen op te halen. Tussen nu en negen uur zou hij dat uit zijn geheugen laten verdwijnen. Per slot van rekening had hij die aantekeningen niet echt nodig gehad en had hij ook zonder die aantekeningen een succesvolle toespraak kunnen houden. Hij had er alleen een hekel aan om onvoorbereid ergens te spreken. Hij probeerde weer in slaap te komen, maar dat wilde niet erg lukken. Om zes uur stond hij op en constateerde dat Eugenie en Jordan de rust in zijn huiskamer al hadden verstoord door de televisie aan te zetten. Ze keken naar een luidruchtige oude zwart-witwestern. Toen de politie arriveerde, was Jims in een slecht humeur, maar het lukte hem om naast Zillah op de bank te gaan zitten en haar hand vast te houden.

De inspecteur was dezelfde die met Zillah naar het lijkenhuis was gegaan. Ze had een collega bij zich, een brigadier. Zillah vroeg haar of ze het erg vond als zij erbij bleef, maar de inspecteur maakte geen bezwaar. Zillah gaf een kneepje in Jims' hand en keek liefdevol naar hem op. Jims moest toegeven dat ze soms een aanwinst was.

Ze vroegen hem naar het weekend en hij zei dat hij het in Dorset had doorgebracht. 'Ik ging op donderdagmiddag naar mijn kiesdistrict en hield op vrijdagmorgen mijn gebruikelijke spreekuur in Casterbridge. In de Shire Hall. Daarna reed ik naar mijn huis in Fredington Crucis terug en werkte daar aan een toespraak die ik zaterdagavond voor de Countryside Alliance zou houden. Ik bracht de nacht en de volgende dag daar door, hield mijn toespraak en dineerde met de Alliance. Op zondagmorgen reed ik weer naar huis.'

De brigadier maakte aantekeningen. 'Is er iemand die kan bevestigen dat u vrijdag in uw huis in Dorset was, meneer Melcombe-Smith?'

Jims trok een ongelovig gezicht, zoals hij vaak in het Lagerhuis deed wanneer een kabinetslid een opmerking maakte die hij geacht werd belachelijk te vinden. 'Vanwaar deze vragen?'

Hij wist welk antwoord hij zou krijgen. 'Het zijn maar routinevragen, meneer. Is er iemand die kan bevestigen dat u daar was? Misschien iemand van uw personeel?'

'In deze gedegenereerde tijden,' zei Jims, 'heb ik geen personeel. Een vrouw uit het dorp maakt het huis schoon en houdt een oogje in het zeil. En mevrouw Vincey doet eten in de koelkast als ik daar een weekend naartoe ga. Ze is die dag niet geweest.'

'Er was niemand bij u?'

'Ik ben bang van niet. Mijn moeder brengt daar een deel van de zomer door, maar ze woont meestal in Monte Carlo. Ze was natuurlijk wel op onze bruiloft...' Zillahs hand kreeg een kneepje. 'Maar ze is een maand geleden teruggegaan.'

De rechercheurs verbaasden zich nogal over deze overbodige informatie. 'Meneer Melcombe-Smith, ik wil niet in twijfel trekken wat u zegt, maar is het niet vreemd dat een jonge en actieve man als u, een drukbezette man, en nog pas getrouwd ook, zo'n dertig uur in zijn eentje binnenshuis doorbrengt om een toespraak voor te bereiden zoals hij er al zoveel heeft gehouden? Het was een mooie dag, en volgens mij is het landschap rond Fredington Crucis prachtig. Ging u niet een eindje wandelen?'

'U trekt wel degelijk in twijfel wat ik zeg. Natuurlijk ging ik een eindje wandelen.'

'Heeft iemand u gezien?'

'Daar weet ik natuurlijk het antwoord niet op.'

Later de dag liep Jims over de Old Palace Yard naar St. Stephen's. Hij was redelijk tevreden over de gang van zaken en hij was er zeker van dat hij er niets meer van zou horen. Per slot van rekening konden ze hém moeilijk van de moord op Jeffrey Leach verdenken. Hij had geen motief, hij had de man minstens drie jaar niet gezien. Mochten ze ontdekken dat hij naar Londen was teruggekomen – en dat was niet waarschijnlijk – dan zou hij zeggen dat hij het vergeten was. Of hij zou ze verhaal nummer vier geven, het verhaal waaraan hij in de kleine uurtjes niet had gedacht: dat hij diep in de nacht was teruggekeerd en in de logeerkamer had geslapen om Zillah niet te storen, en was weggegaan voordat ze wakker was. Dat zou alles dekken.

Toen Michelle haar vertelde dat Jeff de man was die in de bioscoop was vermoord, viel Fiona flauw, een verschijnsel dat ooit veel onder vrouwen voorkwam, maar in de moderne tijd zeldzaam is. Michelle, die een paar weken geleden niet bij de vloer kon komen, deed dat nu met gemak. Ze ging naast haar zitten, streek over haar voorhoofd en fluisterde: 'Arm kind.'

Fiona kwam bij en zei dat het niet waar was, dat het niet waar kon zijn. Jeff kon niet dood zijn. Ze had in een krant gelezen dat het een zekere Jeffrey Leach was geweest. Michelle zei tegen haar dat de politie zou komen. Kon ze hen ontvangen? Fiona knikte. De schok was zo groot dat ze niet veel meer kon hebben. Michelle liet haar op de bank liggen en maakte koffie met veel melk en suiker voor haar. Een betere remedie tegen de schrik dan cognac, zei ze.

'Heette hij echt Leach?' vroeg Fiona na enkele ogenblikken.

'Het schijnt van wel.'

'Waarom zei hij dan tegen mij dat hij Leigh heette? Waarom gaf hij me een valse naam? Hij heeft zes maanden met me samengeleefd.'

'Ik weet het niet, Fiona. Ik wou dat ik het wist.'

Toen Fiona door de politie werd ondervraagd, door dezelfde vrouw die met Zillah naar het lijkenhuis was geweest en de dag daarop met Jims had gesproken, begon ze naast het verdriet om haar verlies ook gedesillusioneerd te raken. Zijn naam was inderdaad Jeffrey John Leach geweest, hij stond met zijn exvrouw in contact en had al jaren geen werk meer gehad. De politie vroeg haar waar ze vrijdagmiddag was geweest, en daarover hoefde ze niet lang na te denken. Ze kon zes mensen opnoemen met wie ze tussen drie en vijf uur op haar bank had gesproken.

'Ik zou hem geen kwaad hebben gedaan,' zei ze, terwijl er een traan over haar gezicht liep. 'Ik hield van hem.'

Ze doorzochten Jeffs kleren en wat ze zijn 'persoonlijke bezittingen' noemden. Fiona vroeg aarzelend of ze Jeff zou moeten identificeren. Ze zeiden dat het niet nodig zou zijn, want meneer Leach' ex-echtgenote had dat al gedaan. Fiona vond dat schokkender dan alles wat ze tot dan toe had gehoord en barstte in snikken uit. Huilend zei ze dat ze Jeff graag zou willen zien. Dat kon worden geregeld. Toen ze weg waren, viel ze in Michelles armen.

'Ik heb nooit voor iemand gevoeld wat ik voor hem voelde. Hij was de man op wie ik mijn hele leven had gewacht. Ik kan niet zonder hem leven.'

De meeste mensen zouden zeggen dat je dat na acht maanden niet zeker kon weten, en dat het verdriet wel zou overgaan, maar Michelle had Matthew pas twee maanden gekend toen ze met hem trouwde. 'Ik weet het, Fiona, ik weet het.'

Fiona herinnerde zich hoe onaardig ze die avond in de Rosmarino tegen Jeff was geweest. Ze had tegen hem gezegd dat hij zijn belachelijke verhaaltjes moest bewaren voor hun baby, en dat zij volwassen was. Ze herinnerde zich ook hoe ze hem de les had gelezen omdat hij niet aardig voor Michelle was. Waarom had ze niet van hem gehouden zoals hij verdiende?

De reinigingsdienst in de omgeving van station Ladbroke Grove viel niet onder de gemeente Westminster of Brent, maar onder de gemeente Kensington & Chelsea. De mannen die op maandag de bakken kwamen legen, beschouwden alles wat daarin zat en de moeite waard was als een extraatje voor henzelf. Dingen die door anderen waren weggegooid, werden met een kennersoog bekeken.

De groene draagtas van Marks and Spencer lag nog boven in een van de bakken en de jongste van de twee vuilnismannen zag er iets in liggen dat in cadeaupapier was verpakt. Blijkbaar was degene die de draagtas als afvalzak had gebruikt – het zou wel een vrouw zijn, zei hij smalend tegen zijn collega – vergeten dat er nog een pasgekocht artikel in zat. En dat bleek inderdaad het geval te zijn. Hij vond in de tas een lichtblauwe kasjmier trui, een prachtig verjaardagscadeau voor de vriendin van de jonge vuilnisman.

Er zat nog iets in de draagtas. Ze pakten het uit. Inmiddels wist iedereen die een krant las of televisie keek dat de politie op zoek was naar het wapen dat door de Bioscoopdoder was gebruikt. Dit zou het best eens kunnen zijn.

De grafschennis leverde een beter verhaal op dan Natalie Reckman had verwacht. Er bleek hekserij aan te pas te komen, en uit een interview met een Engelse inwoner van Rome kwam naar voren dat dicht bij de plaats waar Shelleys hart begraven lag satanische riten werden uitgevoerd. De bouw van dat nieuwe theater kon ze misschien wel tot een artikel uitwerken. Ze kon beschrijven wat er op de Palatijn gebeurde en iets dergelijks voor Londen aanbevelen, als een soort vervolg op de Millenniumvieringen. Misschien konden ze zo'n gebouw dan het Millennium Theatre noemen, of, dacht Natalie in een wilde fantasie, het Natalie Reckman Theatre.

Voordat ze op maandagmorgen in het vliegtuig stapte, kocht ze een Engelse krant. Het was natuurlijk een krant van de vorige dag, de *Sunday Telegraph*, en daarin las ze dat de dode man, het slachtoffer van de moordenaar die inmiddels de Bioscoopdoder werd genoemd, Jeffrey Leach was.

De meeste mensen, hoe hard en door de wol geverfd ook, voelen een steek, een *frisson* of huivering van nostalgie, als ze horen dat een vroegere minnaar dood is. Natalie had nooit van Jeff gehouden, maar ze had hem aardig gevonden. Ze had van zijn gezelschap genoten en bewondering gehad voor zijn uiterlijk, ook al had ze heel goed geweten dat hij haar gebruikte. In de kracht van zijn leven was hij door toedoen van een krankzinnige op een gruwelijke manier aan zijn eind gekomen. Die arme Jeff, zei ze bij zichzelf, wat verschrikkelijk, die arme Jeff.

Op het moment van zijn vreselijke dood was het amper een uur geleden dat hij in Wellington Street afscheid van haar had genomen. Met dat ochtendblad op haar schoot herinnerde Natalie zich dat Jeff haar bij het verlaten van het restaurant had gevraagd of ze meeging naar de bioscoop. Als ze was meegegaan, zouden de dingen dan anders zijn gelopen? Misschien had ze voor een andere bioscoop gekozen. Aan de andere kant zou zij misschien ook zijn gedood.

Haar vriend haalde haar van Heathrow af. Ze luchtten samen en Natalie vertelde hem alles over Jeff. Hij was zelf ook journalist, zij het op een ander terrein, en begreep wat ze bedoelde toen ze zei dat er misschien een verhaal in zat.

'Die arme Jeff keek een beetje raar toen ik over die Zillah praatte. Schuldbewust, dacht ik. Nou ja, misschien niet schuldbewust, maar wel alsof hij iets te verbergen had. Er is daar iets vreemds aan de hand. Ik vraag me af of ze wel gescheiden waren. Dat zou net iets voor Jeff zijn.'

'Dat is gemakkelijk na te gaan.'

'Dat zal ik zeker doen. Ik heb mijn researcher er al op gezet. Ik heb haar vanuit het vliegtuig gebeld.'

'Jij bent een snelle werker, lieveling.'

'Maar ik denk dat ik eerst de politie bel om ze te vertellen dat ik vrijdag met Jeff heb geluncht.'

Natalie was niet de enige die geloofde dat er iets vreemds aan de hand was. De rechercheurs namen geen genoegen met Zillahs verklaring over de brief die ze aan Jeffrey Leach had geschreven. Het woord dat hij had gebruikt toen hij een niet nader omschreven bezoek aan Abbey Gardens Mansions bracht en en passant haar creditcard stal, was niet 'trut'. Zillah Melcombe-Smith zou zich niet druk maken om zo'n woord. En ze maakte zich druk. Ze was erg bang. Zo'n vrouw schreef waarschijnlijk nooit een brief, daar was ze het type niet voor. Toch had ze Leach een brief geschreven. Blijkbaar stond ze onder grote druk van... Van wat? Schuldgevoel? Extreme angst? Vrees voor een onthulling? Misschien al die dingen tegelijk.

De politie was blij met Natalie. Ze kon een bijdrage leveren aan het levensverhaal dat ze van hem aan het samenstellen waren. Ze wist dingen over zijn verleden. Bijvoorbeeld dat hij pas getrouwd was toen hij in Queen's Park kwam wonen, dat er naast zijn echtgenote nog veel vrouwen waren geweest, allemaal vrouwen met een eigen huis en met het geld om hem te onderhouden. Natalie vertelde de rechercheurs dingen over Fiona Harrington en Zillah Melcombe-Smith die ze al wisten, en ook iets wat ze nog niet wisten, namelijk dat hij, toen zij en Leach ruim een jaar geleden uit elkaar gingen, weer naar Queen's Park was verhuisd, ditmaal naar Harvist Road, en dat hij daar ongetwijfeld een andere vrouw had gevonden. Ze bogen zich weer over de brief.

Mevrouw Melcombe-Smith was in maart hertrouwd. Haar scheiding had een jaar eerder, in het voorjaar, plaatsgevonden. Tenminste, dat zei ze. Er waren kinderen bij betrokken geweest, zodat er regelingen voor voogdij en alimentatie moesten zijn getroffen. De scheiding kon dus nooit een snelle, eenvoudige zaak zijn geweest. Het woord dat Leach tegen haar had gebruikt, had misschien iets met die scheiding te maken, een factor die in de procedure naar buiten was gekomen of daaruit was voortgevloeid. Het zou geen probleem zijn om dat uit te zoeken. Ze konden in de maand januari beginnen te zoeken en van daaruit verdergaan.

De vrouw van de brigadier had nog een exemplaar van het magazine *Daily Telegraph* waarin Natalie Reckmans stuk was verschenen. Ze was een van die mensen die nooit iets weggooien. De brigadier had het niet gelezen toen het pas was verschenen, maar las het nu wel. Hij las met veel belangstelling de passage waarin stond dat mevrouw Melcombe-Smith de eerste zevenentwintig jaar van haar leven blijkbaar zonder werk en zonder man in Long Fredington, Dorset, had doorgebracht. Er was geen sprake van een ex-echtgenoot of van kinderen.

De Melcombe-Smiths gedroegen zich op zijn zachtst gezegd eigenaardig. Er was niemand gevonden die het parlementslid op vrijdag of zaterdag in Fredington Crucis had gezien, maar twee mensen hadden de plaatselijke politie verteld dat zijn opvallende auto, die hij altijd bij de voordeur van Fredington Crucis House parkeerde, daar vrijdag na negen uur 's morgens niet had gestaan. De postbode die op zaterdagmorgen om kwart voor negen een pakje kwam brengen, nam het weer mee, want er werd niet opengedaan. Irene Vincey, die een halfuur later kwam schoonmaken, constateerde dat het huis leeg was. Jims' bed had er onbeslapen uitgezien.

Geen portier van Abbey Gardens Mansions had hem tussen donderdagmiddag twaalf uur en zondagmiddag gezien. En wat nog het meest bezwarend voor Jims was: de bedrijfsleider van de Golden Hind in Casterbridge belde om te zeggen dat meneer Melcombe-Smith zijn lunchreservering had afgezegd. Iemand had hem verteld dat die informatie van belang zou zijn voor de politie. De voorzitter van een kankerstichting, een zekere Ivo Carew, bevestigde dat met tegenzin. Hij had enkele minder vleiende benamingen voor de bedrijfsleider van de Golden Hind.

Jims hield intussen in het Lagerhuis een toespraak waarin hij naar voren bracht dat de Conservatieven de partij van de ouderwetse waarden, maar ook van de nieuwerwetse menselijkheid, consideratie en ware vrijheid waren. Quentin Letts citeerde daaruit in de *Daily Mail* met enkele venijnige opmerkingen en rond het Paleis van Westminster ontstond het gerucht dat het Lagerhuislid voor South Wessex kans maakte om staatssecretaris te worden. Natuurlijk in het schaduwkabinet – dat maakte de eer iets minder groot.

Jims vond toch al dat de politie uit stommelingen bestond, en waarschijnlijk hadden ze te veel ontzag voor hem, een aristocraat en grondbezitter, om hem opnieuw lastig te vallen. Hij was zo jong, zo aantrekkelijk en zo rijk. Die nacht droomde hij een nieuwe versie van een droom die hij vroeger soms had gehad. Toen hij ditmaal de trappen van Downing Street 10 af kwam, de wachtende camera's tegemoet, had hij Zillah aan zijn arm, de jongste en mooiste premiersvrouw die Groot-Brittannië sinds mensenheugenis had gehad. God was in Zijn hemel, dacht Jims, en in de wereld was alles min of meer goed.

19

Zillah was verbaasd dat Jerry's dood haar zo weinig deed. Had ze wel van hem gehouden? De jaren die ze met hem had doorgebracht, leken haar opeens tijdverspilling. Natuurlijk had ze de kinderen eraan overgehouden; die had ze in ieder geval. Nu ze de dagelijkse routine weer had opgepikt en de kinderen naar school bracht en weer ophaalde, voelde ze een grote onverschilligheid ten opzichte van iedereen, behalve zichzelf en haar kinderen. Omdat ze een vrije ochtend had, zette ze de politie uit haar hoofd. Ze vergat zelfs Jims en de moeilijkheden die hij opzettelijk voor haar leek te creëren, en genoot van drie uren helemaal alleen zijn. Ze vierde het door een Caroline Charles-jurk en een Philip Treacy-hoed te kopen, die ze op een koninklijk tuinfeest zou kunnen dragen.

Als Zillah kleren kocht, zag ze altijd voor zich hoe ze het nieuwe kledingstuk in een bepaalde, meestal stijlvolle omgeving zou dragen. Soms werd ze in die fantasie vergezeld door een man – tot aan haar huwelijk met hem was dat vaak Jims geweest – en soms door de kinderen, die dan net zulke schitterende kleding droegen. Het was een onschuldige vorm van fantaseren en ze beleefde er veel plezier aan. Toen ze in Great College Street uit een taxi stapte, met de rozenknopjesjurk in een draagtas en de roze strohoed in een hoedendoos, zag ze zichzelf op een zonnig gazon met een glas champagne in haar hand. Ze had net met uitzonderlijke gratie een revérence voor de koningin gemaakt en luisterde naar de bewonderende woorden van een jonge en knappe edelman die zich blijkbaar sterk tot haar aangetrokken voelde. De gebeurtenissen van de afgelopen paar dagen waren al bijna uit haar hoofd verdwenen.

Het was twintig over elf. Ze had nog net tijd om naar flat 7 te gaan, de jurk op te hangen, de hoed weg te leggen en vlug een kopje koffie te drinken voordat ze Jordan moest halen. Ze rende de trap op naar de dubbele deuren in art nouveau-stijl, duwde die open en kwam struikelend de hal in. Daar zat op een van de vergulde roodfluwelen stoelen de journaliste die zo onbeleefd tegen haar geweest was en dat afschuwelijke stuk voor het magazine van de *Telegraph* had geschreven.

Zillah begreep niet dat een vrouw voor twee achtereenvolgende bezoeken aan dezelfde persoon hetzelfde pakje aantrok. En ook nog dezelfde schoenen en sieraden. Met diezelfde eigenaardig gevormde gouden ring aan haar rechterhand.

'Wacht u op mij?' Ze bleef nauwelijks staan en liep meteen door naar de lift. 'Ik moet meteen weer weg. Ik moet mijn zoon van school halen.'

'Dat geeft niet, mevrouw Melcombe-Smith. Ik wacht wel.'

Zillah ging met de lift naar boven. Terwijl ze de jurk ophing, bedacht ze dat ze die vrouw – Natalie Reckman heette ze, hoe kon ze dat zijn vergeten? – had kunnen vragen boven op haar te wachten. Maar misschien was het niet zo verstandig om journalisten in je huis alleen te laten. Ze konden van alles doen: in je laden snuffelen, je brieven lezen. Ze waren nog erger dan Malina Daz, zelfs erger dan die arme Jerry. Ze had geen trek meer in koffie. Een cognacje zou haar goed hebben gedaan, maar daarvoor was het nog te vroeg. In plaats van naar de hal terug te keren ging ze met de lift naar de ondergrondse parkeergarage. Een kwartier later had ze Jordan opgepikt en teruggebracht.

Het was nu een halfuur geleden dat ze Natalie Reckman had gezien en ze kwam in de verleiding om te doen alsof ze haar niet had gezien. Ze deed een paar stukjes kipfilet voor Jordans middageten in de magnetron, schonk een glas sinaasappelsap voor hem in en liet hem aan de tafel zitten. Terwijl ze een broodje voor zichzelf klaarmaakte, ging de huistelefoon. De portier zei: 'Zal ik mevrouw Reckman naar boven sturen, mevrouw?'

'Nee – ja, doe maar.'

De journaliste had dan wel niet haar outfit veranderd, maar haar houding wel. De afstandelijke, intellectuele benadering had plaatsgemaakt voor warme vriendelijkheid. 'Zillah, als ik je zo mag noemen, ik wil graag nog eens met je praten. Het is erg aardig van je om me te ontvangen.'

Zillah vond dat ze niet veel keuze had gehad. 'Ik wilde net gaan lunchen.'

'Voor mij niet, dank je,' zei Natalie, alsof haar iets was gevraagd. 'Maar ik zou geen nee zeggen tegen een glas van dat sinaasappelsap. Dat ziet er heerlijk uit. Is dit je zoontje?'

'Dat is Jordan, ja.'

'Hij lijkt sprekend op zijn vader, als twee druppels water.'

Zillah probeerde zich te herinneren of er foto's van Jerry in de kranten hadden gestaan, afgezien van de foto die ze van hem met de kleine Eugenie had gemaakt. Ze wist zeker dat die foto's er niet waren geweest, want hij had nooit iemand een foto van hem laten nemen. 'Kende je mijn... Jerry... Ik bedoel, Jeff?'

'Ik heb hem erg goed gekend.'

Natalie ging zitten, met haar sinaasappelsap in haar hand. Haar toon onderging weer een subtiele verandering en haar houding werd strakker. Ze keek Zillah met een van die starende blikken aan waarvan ze de vorige keer ook zoveel gebruik had gemaakt. 'Hoe denk je anders dat ik wist dat je met hem getrouwd was geweest en twee kinderen had? Je hebt mijn artikel gelezen, Zillah?'

'Ja, ik heb het gelezen.' Zillah verzamelde haar moed. 'Als je het wilt weten: ik vond het een erg onvriendelijk stuk.'

Natalie lachte. Ze dronk het sap op en zette het glas op tafel. Jordan vond dat het een beetje te dicht bij hem stond en hij schoof het kribbig van zich weg. Het glas viel op de vloer en brak. Hij krijste van schrik, en toen zijn moeder hem oppakte, sloeg hij met zijn vuisten tegen haar borst en schreeuwde: 'Jordan wil papa!'

Alsof ze een maatschappelijk werker was, schudde Natalie bedroefd haar hoofd. Ze ging op haar knieën zitten en begon de glasscherven op te rapen.

'O, laat maar!'

Natalie haalde haar schouders op. 'Zoals je wilt. Ik las gisteren pas over de dood van je man. Ik was voor mijn werk naar Rome.'

Wat kon haar dat nou schelen? Ze zette Jordan met een doos blokken en twee autootjes op de vloer, maar hij stond meteen weer op, rende naar haar toe en sloeg zijn plakkerige handen om haar knieën. Toen drong tot Zillah door wat Natalie had gezegd. 'Hij was mijn man niet.'

'Weet je dat zeker?'

Zillah vergat de plakkerige handjes op haar benen, de plas sinaasappelsap op de vloer, de rommel op de tafel, de tijd, Jims, haar nieuwe jurk en hoed – alles. Er ging een kille huivering door haar heen, alsof er een ijsblokje langs haar rug gleed. 'Ik weet niet wat je bedoelt.'

'Nou, Zillah, ik ben gisteren een hele tijd bezig geweest, of beter gezegd, ik en mijn assistent, om een heleboel gegevens door te werken. We probeerden na te gaan wanneer je van Jeff gescheiden was. We konden het niet vinden.'

'Waarom zou jij je daarvoor interesseren?'

'Grote goden, je klappert met je tanden – heb je het koud? Het is hier anders behoorlijk warm.'

'Ik heb het niet koud. O, in godsnaam, ga spelen, Jordan. Laat mammie met rust.' Zillahs gezicht was lijkbleek en haar ogen glinsterden angstig. 'Ik vroeg je waarom je het nodig vindt om in mijn privé-zaken te wroeten.'

'Denk je nu echt dat jouw zaken privé zijn? Je hebt in alle kranten gestaan. Denk je niet dat de dingen die je doet tot het publiek domein behoren? Denk je niet dat de lezers het recht hebben om te weten wat je in je schild voert?'

'Jullie journalisten zijn allemaal hetzelfde. Jullie doen en zeggen alles wat jullie willen. En nu wil ik graag dat je weggaat.'

'Ik blijf niet lang, Zillah. Ik hoopte dat je me kon helpen. Je zou me de datum kunnen noemen waarop jullie officieel van elkaar gescheiden zijn. Ik had – net als de politie, trouwens – de indruk dat het vorig jaar voorjaar was, maar dat schijnt niet het geval te zijn.' Natalie had geen idee of de politie in dezelfde richting zocht als zij. Het was toeval dat ze gelijk had. 'Jij kunt ons vast wel helpen. Was het misschien het jaar daarvoor?'

Jordan zat op de vloer en jankte als een hondje. 'Ik kan me de

214

datum niet herinneren.' Zillah wist zich geen raad meer. Ze kon later nauwelijks begrijpen hoe ze zich had kunnen beheersen. 'Waar maak je je eigenlijk druk om?'

'Het publiek heeft hiervoor belangstelling. Je bent... eh... getrouwd met een parlementslid.'

'Wat bedoel je, "eh... getrouwd"? Ik bén getrouwd. Mijn eerste man is dood.'

'Ja,' zei Natalie boven Jordans geblèr uit. 'Dat heb ik begrepen. Ik laat je nu met rust. Volgens mij is er iets ernstig mis met je zoontje. Is hij ziek? Ik kom er zelf wel uit.'

Toen Natalie met de lift naar beneden ging, herinnerde ze zich dat ze een paar jaar geleden in een Amerikaanse stad in het Midwesten een politiecommandant had geïnterviewd. Ze praatte met hem over misdaadcijfers, de verschillende soorten misdrijven, en ze had hem naar een vrouw gevraagd van wie ze had gehoord dat ze hertrouwd was zonder eerst gescheiden te zijn.

'Mevrouw, we hebben in deze stad negen moorden per week,' zei hij, 'en u vraagt me naar bigamie?'

Zou de politie hier dezelfde houding innemen? Vast niet. Jeff was vermoord en zijn vrouw was met een parlementslid getrouwd. Natalie besloot er nog niets over te schrijven, want ze wist hoe riskant het was om te laten afdrukken dat Zillahs huwelijk ongeldig was. Het was altijd mogelijk dat het wél geldig was. Binnenkort zou ze een artikel over Jeffs vrouwen schrijven, en dat zou sensationeel worden. Maar eerst moest ze met de afdeling Geweldsmisdrijven praten en er tegelijk voor zorgen dat ze het verhaal kreeg, voordat iemand anders ermee aan de haal ging. In een peinzende stemming nam ze een taxi naar huis.

Zillah had altijd neergekeken op mensen die voor de rechter moesten verschijnen omdat ze wreed tegen kinderen waren. Ze had geloofd dat zulke mensen tot een heel ander ras behoorden dan zijzelf. Nu ze met haar zware, krijsende, natte kind in haar armen op en neer liep, alsof hij niet drie jaar maar drie maanden oud was, begon ze het te begrijpen. Het liefst zou ze hem het raam uit hebben gegooid. Als er maar een eind kwam aan die herrie en aan die eindeloze stroom tranen.

Terwijl ze heen en weer liep, zei ze keer op keer tegen zichzelf dat het allemaal wel goed zou komen, want Jerry was *dood*. Je kon geen bigamiste zijn als je man dood was en je opnieuw was getrouwd. Ze had alleen gezegd dat ze ongehuwd was, terwijl ze in werkelijkheid weduwe was of binnenkort weduwe zou worden. Ze had nooit gezegd dat ze gescheiden was, ze had Jerry helemaal niet genoemd – nee toch? Als haar man dood was, hoefde ze niet te scheiden. Trouwens, het was haar schuld niet. Het kwam door die journalisten, die hun neus staken in zaken die hun niet aangingen. Waar het om ging, was dat ze nu weduwe was – beter gezegd: dat ze weduwe zou zijn geweest als ze niet met Jims was getrouwd.

Tot Zillahs verbazing was Jordan in slaap gevallen. Hij zag er mooi uit als hij sliep, met zijn rozige huid, zijn ongelooflijk lange donkere wimpers, de vochtige krullen die over zijn voorhoofd hingen. Ze legde hem op de bank en trok zijn schoenen uit. Hij rolde van haar weg en stak zijn duim in zijn mond. Rust. Stilte. Waarom was ze er eigenlijk mee akkoord gegaan dat ze in die rare crypte zouden trouwen? Ze kon het zich niet herinneren. Het zou minder erg zijn als zij en Jims in een hotel of gemeentehuis waren getrouwd. Daar had ze die afschuwelijke woorden niet hoeven te horen. Toch had ze die op het moment zelf niet echt op zich laten inwerken; ze had aan haar jurk gedacht, en aan de foto's in de kranten... *Zoals gij op die vreselijke dag des oordeels ter verantwoording zult worden geroepen, als de geheimen van alle harten zullen worden onthuld, dat geen van u beiden enige gerede belemmering kent waardoor gij niet aldus verenigd kunt worden. Verklaart gij dit?* En toen kwam er nog iets over de velen die getrouwd waren zonder die verklaring af te leggen en die dus niet echt getrouwd waren, *en hun huwelijk is niet wettig.* Jims zou haar vermoorden als hij ontdekte dat zijn huwelijk niet wettig was. Maar het moest wettig zijn, bleef Zillah maar tegen zichzelf zeggen, want haar man was dood, en al was hij half maart niet dood geweest, een paar weken later was hij dat wel.

216

Ze moest Jordan wakker maken toen ze Eugenie van school ging halen. Hij begon weer te jengelen. Hij was ook nat. Ze trok zijn broek en onderbroek uit. Er zat een grote, vieze vlek op Jims' roomwitte zijden bank. Het was vreselijk om een kind van drie in een luier te laten lopen, maar ze durfde er niet mee te stoppen. Op de terugweg zou ze naar een drogist gaan en iets doen waarvan ze zich heilig had voorgenomen dat ze het nooit zou doen: een fopspeen kopen. En dan móést ze haar moeder bellen. Bij wijze van uitzondering was ze vroeg. De school was een groot gebouw in Georgian stijl in een zijstraatje van Victoria Street. Ze parkeerde de auto op een gele streep – het was een enkele streep en ze zou er niet lang staan – stapte uit, pakte Jordan eruit en leunde in de zon tegen de auto. Voor de zoveelste keer dacht ze aan de huwelijksdienst en aan die woorden. Toen stapte er een man uit de BMW achter haar. Hij kwam naar haar toe. 'Zillah Watling,' zei hij.

Hij was erg aantrekkelijk, lang en slank en blond, met een scherpe neus en een mooie brede mond. Hij droeg wat in Zillahs ogen het uniform was waarin een man het meest tot zijn recht kwam: een blauwe spijkerbroek en een effen wit overhemd. Het overhemd hing open tot halverwege zijn borst en hij had zijn mouwen opgestroopt. Ze had hem eerder gezien, lang geleden, maar ze wist niet meer waar.

'Ik geloof dat ik u ken, maar ik weet niet...'

Hij herinnerde haar eraan. 'Mark Fryer.' Ze hadden samen gestudeerd, zei hij. Toen was hij weggegaan en was Jerry gekomen... 'Is dit je zoon? Ik ben hier om mijn dochter op te halen.'

'Ik ben hier om de mijne op te halen.'

Ze wisselden nieuwtjes uit. Mark Fryer was blijkbaar niet zo'n kranten- en tijdschriftenlezer, want hij wist niets van haar huwelijk met Jims. En hij had het niet over een vrouw, partner, vriendin of iemand die de moeder zou kunnen zijn van het kind dat toevallig met haar arm om Eugenie heen de trappen van de school af kwam.

'We hebben elkaar veel te vertellen. Kunnen we elkaar nog een keer ontmoeten? Zullen we morgen lunchen?'

Zillah schudde haar hoofd en wees zwijgend naar Jordan. 'Vrijdagmorgen dan. We kunnen ergens koffiedrinken.'

Ze zou dat graag willen. Hij wees de straat in. Daar bijvoorbeeld? Zillah vond het een beetje te dicht bij de school en hij noemde een andere gelegenheid in Horseferry Road. Onder het wegrijden zwaaide hij en riep: 'Ik ben blij dat we elkaar tegen het lijf zijn gelopen.'

Eugenie, naast haar op de voorbank, keek haar streng aan. 'Wat bedoelde hij, "tegen het lijf zijn gelopen"? Botsten jullie tegen elkaar op?'

'Dat is een uitdrukking. Het betekent "toevallig ontmoeten".'

'Hij is de vader van mijn vriendin Matilda. Ze zegt dat hij een rokkenjager is en toen ik vroeg, wat dat betekent, zei ze dat hij op vrouwen jaagt. Jaagt hij op jou?'

'Natuurlijk niet. Je moet zulke dingen niet zeggen, Eugenie. Begrepen?'

Zillah voelde zich stukken beter. Het was geweldig wat een beetje bewondering van een man kon uitrichten. En wat dat andere betrof dat steeds weer door haar hoofd spookte: niemand kan me iets maken, zei ze tegen zichzelf, want ik ben weduwe.

De politie was weer met Fiona gaan praten. Hoewel ze het nooit openlijk zeiden, wist ze dat ze in hun ogen niet diep door Jeffs dood getroffen kon zijn, omdat ze hem nog niet zo lang kende. Evengoed verwachtten ze wel dat ze alles over hem wist – over zijn verleden, zijn familie, zijn vrienden en de plaatsen waar hij had gewoond sinds hij negen jaar geleden van de kunstacademie was gekomen.

Er waren veel dingen die ze niet wist. Zijn huwelijk was een gesloten boek voor haar. Ze wist niet waar hij met zijn vrouw had gewoond, of ze ooit in Harvist Road was geweest, hoe oud de kinderen waren. Ze vond het erg moeilijk dat ze niet in alle rust kon rouwen. En zijn ex-vrouw? 'Ik weet niet eens waar ze woont.'

'Dat geeft niet, mevrouw Harrington, wij wel. Dat regelen we wel.'

Verbeeldde ze zich dat de ogen van de man even oplichtten bij het woord 'ex-vrouw'? Ze hadden haar verteld dat Jeff dat hotel helemaal niet had geboekt, niet voor de afgesproken dag en ook niet voor een andere dag. Waarom had hij tegen haar gelogen? Was hij nooit van plan geweest met haar te trouwen? Ze had geprobeerd er met Michelle over te praten, maar haar buurvrouw, die anders zo hartelijk en meelevend was, stelde zich afstandelijk op zodra van haar werd verwacht dat ze Jeffs tekortkomingen afzwakte. Fiona wilde dat er positief over hem werd gesproken. Ze had geen behoefte aan suggesties, dat ze moest proberen naar de toekomst te kijken in plaats van te blijven treuren om een man die – Michelle had er nooit op gezinspeeld, maar Fiona wist wat de ontbrekende woorden waren – 'op je geld uit was'.

'U hebt ons, voorzover u kon, iets over zijn vrienden en familie verteld. Hoe zit het met zijn vijanden? Had Jeff vijanden?'

Ze vond het niet prettig dat ze haar mevrouw Harrington en hem Jeff noemden, alsof hij een schurk was die geen achternaam verdiende. Wat zeggen ze tegen elkaar als ze hier weg zijn, vroeg ze zich vaak af. 'Voorzover ik weet, had hij die niet,' zei ze vermoeid. 'Hebben gewone mensen vijanden?'

'Ze hebben mensen die een hekel aan hen hebben.'

'Ja, maar dat is wat anders. Ik bedoel, mijn buren, de Jarveys, hadden een hekel aan Jeff. Mevrouw Jarvey heeft dat toegegeven. Allebei trouwens.'

'Waarom was dat, mevrouw Harrington?'

'Jeff was... U moet begrijpen dat hij een enorme vitaliteit bezat. Hij zat vol leven en energie...' Fiona kon zich niet meer bedwingen. Ze snikte even.

'U moet uzelf niet van streek maken, mevrouw Harrington.'

Hoe kon je dat vermijden als je gedwongen werd om over dingen te praten die je het liefst voorgoed in jezelf opgesloten zou willen houden? Ze veegde zorgvuldig over haar ogen. 'Wat ik wilde zeggen, was dat Jeff dingen zei die... Nou, dingen die onvriendelijk overkwamen, maar zo bedoelde hij ze niet.'

'Wat voor dingen?'

'Hij dreef een beetje de spot met Michelle – mevrouw Jarvey. Over haar dikte. Hij noemde haar en haar man de Dikke en de Dunne, dat soort dingen. Ze vond dat niet prettig en haar man had er een hekel aan. Als het aan haar had gelegen, had ze het liefst niets meer met Jeff te maken willen hebben.' Fiona besefte wat ze zei en probeerde het minder scherp te formuleren. 'Ik bedoel niet dat ze zich ernaar gedroegen; ze hebben er zelfs nooit iets over gezegd. Michelle is geweldig voor me geweest. Alleen begrepen ze Jeff niet.' Ze dwong zichzelf ertoe om Michelles standpunt te verwoorden, al had ze daar nooit eerder zo over nagedacht. Ze dacht weer aan de leugen die Jeff haar over die hotelreservering had verteld. 'Ik denk dat Michelle niet wilde dat ik met Jeff zou trouwen. Ze dacht dat hij niet geschikt voor me was. En... Michelle ziet me als een soort dochter, dat heeft ze me zelf verteld. Mijn geluk is belangrijk voor haar.'

'Hartelijk dank, mevrouw Harrington,' zei de inspecteur. 'Ik denk niet dat we u nog lastig zullen vallen. U hoeft niet op het gerechtelijk onderzoek te verschijnen. Maar belt u ons wel als u iets te binnen schiet wat u ons niet hebt verteld.'

In de auto zei hij tegen zijn brigadier: 'Voor dat arme mens is het een hele ontgoocheling.'

'Wil je dat ik naar die echtscheidingsakte blijf zoeken?'

'Naar sommige dingen kun je zoeken, Malcolm, zonder dat je ze vindt. Want ze bestaan niet.'

'We houden haar dus aan voor bigamie?'

'Dat moeten we aan de officier van justitie overlaten. Wij hebben al genoeg aan ons hoofd.'

'Ik ga vanmiddag naar het kiesdistrict,' zei Jims, 'maar pas na vieren; dan heb je tijd om Eugenie eerst van school te halen.'

Zillah keek hem geërgerd aan. 'Dat is niet nodig. Ik ga niet mee.' Hoe zou ze ook kunnen? Ze zou vrijdagmorgen om elf uur bij Starbuck's koffie gaan drinken met Mark Fryer. 'Waarom dacht je dat ik zou meegaan?'

Jims was die droom over hemzelf als premier en Zillah als zijn vrouw al vergeten. 'Ik zal je vertellen waarom ik dat dacht, *schat*.

We hadden toch een afspraak? Tot nu toe heeft dit huwelijk jou een heleboel opgeleverd en mij nog geen fuck. Je bent mijn vrouw, of in ieder geval het pronkstuk dat indruk moet maken op mijn kiezers, en als ik wil dat je me naar Dorset vergezelt, dan doe je dat. Waarschijnlijk lees je nooit een krant en kijk je op televisie nooit naar iets dat boven het niveau van een ziekenhuissoap uitkomt, maar er is volgende week een tussentijdse verkiezing in North Wessex en ik wil daar zaterdag zijn om onze kandidaat te steunen. Met jou. Op je best gekleed en stralend en gracieus en toegewijd. Met de kindertjes, en hopelijk krijst dat rotzakje de boel niet bij elkaar.'

'Schoft.'

'De kinderen zijn van jou, niet van mij. Je zou er goed aan doen zulke woorden niet te gebruiken als ze erbij zijn.'

'Terwijl jij "nog geen fuck" zegt?'

Jordan had de fopspeen uit zijn mond genomen en gooide hem door de kamer. 'Geen fuck,' zei hij peinzend. Het was blijkbaar een beter middel om zijn gehuil te voorkomen dan de fopspeen.

'Schoft.'

'Hoe dan ook, ik ga niet mee. Ik wil nooit meer naar Dorset. Ik heb genoeg van Dorset gezien toen ik daar woonde. Neem die Leonardo maar mee. Ik wed dat je dat toch al van plan was.'

'Discretie, Zillah, komt in jouw vocabulaire kennelijk niet voor. O ja, heb je er nog aan gedacht om naar je vader te informeren?'

De volgende morgen kregen ze geen van beiden het artikel van Natalie Reckman onder ogen. Jims niet omdat hij laat opstond en haast moest maken om op tijd op zijn spreekuur in Toneborough te zijn. Zillah niet omdat ze na het wegbrengen van de kinderen regelrecht voor een gezichts- en make-upbehandeling naar de Army and Navy Stores ging. Even na elf uur zei Mark Fryer dat ze het toonbeeld van schoonheid was, en het klonk niet sarcastisch. Ze dronk cappuccino met hem in Horseferry Road. Hij vertelde haar alles over zijn gebroken huwelijk, zijn recente scheiding – dat woord lag bij Zillah nogal gevoelig – en keek verbaasd toen ze zei dat ze weg moest omdat ze Jordan moest halen.

'Laat me met je meegaan.'

Later kon Zillah zich niet voorstellen hoe ze het in haar hoofd had gehaald om met Jordan en Mark Fryer uit de auto te stappen en naar de voorkant van het gebouw te lopen. Deed ze dat omdat het gebouw aan de voorkant zo mooi was en die ondergrondse garage zo'n groezelige betonnen nachtmerrie was? Had ze hem willen imponeren? Maar goed, ze had het nu eenmaal gedaan. Ze liepen met zijn drieën door Millbank en gingen de hoek om naar Great College Street.

Voor Abbey Gardens Mansions had zich een menigte persfotografen en jonge vrouwen met blocnotes verzameld. Ze draaiden zich allemaal tegelijk om toen Zillah op hen af liep. De camera's flitsten en hun scherpe stemmen bombardeerden haar met vragen. Ze probeerde haar handen voor haar gezicht te houden, en wilde Marks jasje daarvoor gebruiken, dat hij over zijn schouder had gedragen.

Hij griste het weg en zei haastig: 'Hier moet ik niet wezen. Tot ziens.' En hij verdween. Jordan zette het op een schreeuwen.

20

Laf had een vrije dag. Om elf uur 's morgens zaten de Wilsons voor hun tuindeuren. Ze dronken koffie en lazen de *Mail* en de *Express*. Sonovia hield haar kleine tuin zoals volgens haar een tuin moest zijn, 'namelijk een weelde van kleuren', in tegenstelling tot de tuin daarnaast, waar alles netjes, steriel en bloemloos was. In bloembakken bloeiden roze azalea's en vuurrode en pastelroze geraniums, terwijl slingerplanten in felle kleuren uit hangende manden hingen en over de randen van stenen bakken kwamen. Een knalgele klimplant verhief zich tegen de achterschutting.

Laf legde zijn krant neer en zei waarderend tegen zijn vrouw dat de tuin een lust voor het oog was. 'Die blauwe dingen zijn prachtig. Ik geloof dat je die nog niet had.'

'Lobelia's,' zei Sonovia. 'Ze contrasteren mooi met al dat rood. Ik heb ze per post besteld, maar om je de waarheid te zeggen heb ik nooit gedacht dat ze zo mooi zouden worden. Heb je het al gelezen over de vrouw van die man die in het Odeon is vermoord? Het schijnt dat ze met iemand anders is getrouwd zonder dat ze gescheiden was. Hier staat dat ze dacht dat ze gescheiden was. Dat kan ik me niet voorstellen, jij wel?'

'Ik weet het niet. Er zijn mensen die tot alles in staat zijn, zoals ik in mijn werk steeds weer meemaak. Misschien heeft hij haar valse papieren laten zien.'

Hij wilde Sonovia niet vertellen dat dit laatste nieuws over de zaak van de bioscoopmoord nog niet tot het politiebureau Notting Hill was doorgedrongen. Over het mes daarentegen wist hij alles: dat het in een vuilcontainer was gevonden en dat iemand zei dat het eruitzag alsof het uitgekookt was en dat het lab niet kon zeggen of het door de moordenaar was gebruikt of niet. Wie kookte er nou een mes uit? Dat had de inspecteur gezegd, en Laf had gedacht: dat zou Minty doen. Hij had moeten lachen om het idee dat de kleine Minty iemand kwaad zou doen.

'Vind je dat die Zillah Melcombe-Smith iets verkeerds heeft gedaan?' vroeg hij zijn vrouw. 'Ik bedoel, door te hertrouwen toen ze nog niet gescheiden was? Als ze nu eens dacht dat ze gescheiden was en te goeder trouw met dat parlementslid is getrouwd?'

'Ik weet het niet, Laf. Misschien had ze dat moeten nagaan voordat ze naar het altaar ging.'

'Denk je dat iemand iets verkeerds doet als hij niet weet dat het verkeerd is?' Laf was een politieman met veel verantwoordelijkheidsgevoel, en zulke dingen zaten hem soms dwars. 'Ik bedoel, als je iemand aanvalt en zelfs doodt, omdat je denkt dat het een demon of Adolf Hitler of zoiets is? Als je denkt dat je de wereld van een groot kwaad verlost – een slecht wezen? Zou dat verkeerd zijn?'

'Dan moet je wel gek zijn.'

'Goed, maar er zijn meer mensen gek, zoals jij het noemt, dan jij denkt. Zou dat verkeerd zijn?'

'Dat gaat me te diep, Laf. Vraag het maar aan de dominee. Wil je nog koffie?'

Maar Laf wilde geen koffie meer. Hij zat in de zon en dacht dat wat hij Sonovia had verteld verkeerd zou zijn voor degene die gedood werd, en al zijn of haar vrienden en familieleden. Voor hen zou het net zo verkeerd zijn als wanneer de moordenaar bij zijn verstand was geweest. Maar het zou niet verkeerd zijn voor de dader; die zou geen moord hebben gepleegd in de zin van het gebod 'Gij zult niet doden'. Hij zou zo onschuldig zijn als een lammetje en misschien zelfs trots zijn op het feit dat hij Hitler of de duivel had gedood.

Laf, een diepreligieus man en lid van de evangelische kerk, vroeg zich af of zulke mensen naar de hemel zouden gaan. Hij zou het inderdaad aan de dominee vragen. En die zou waarschijnlijk antwoorden dat God, die hen gek had gemaakt, hen tot het paradijs zou moeten toelaten. Hij keek weer naar de tuin. Die lichtroze geraniums hadden een prachtige kleur. Het was geweldig om een tevreden mens te zijn, om onder de wijnrank en vijgenboom te zitten, zoals de bijbel zei – in feite onder zijn meidoorn en zijn sering – met een goede vrouw en een nest vol kinderen.

Sonovia was naar binnen gegaan om Corinne te bellen. 's Middags zouden ze met hun kleindochter naar de Dome gaan. Hij zou tot kwart over één wachten, als ze hun lunch op hadden, en dan de kranten naar Minty brengen. Misschien wilde ze wel met hen mee. Het helen van de breuk tussen Minty en Sonovia was een goede daad van hem geweest, dacht Laf. Sonovia was een goede vrouw, maar soms een beetje opvliegend. Hij hield zijn hoofd achterover en deed zijn ogen dicht.

Het verbaasde Minty niet dat de oude mevrouw Lewis bij haar kwam spoken. Dat had ze wel verwacht. Ze kon haar niet zien, maar haar stem kwam net zo vaak als de andere stemmen. In ieder geval bewees het dat ze dood was en dat Jocks woorden, die ze hem in de nacht had horen fluisteren, waar waren. De levenden kwamen niet terug om tegen je te spreken; die waren er al. Ze wist dat de nieuwe stem aan mevrouw Lewis toebehoorde, want dat had Tante haar verteld. Tante stelde haar niet voor, die moeite nam ze niet, en Minty vond dat nogal onbeleefd. Ze noemde haar gewoon mevrouw Lewis. Het was nogal een schok. Minty was thuis aan het strijken geweest en Tante was opeens tegen haar gaan praten. Ze zei geen woord over de bloemen die Minty de vorige dag op haar graf had gezet – die hadden veel geld gekost, meer dan tien pond – maar begon kritiek uit te oefenen op haar strijkwerk. Ze zei dat het wasgoed te droog was en dat de vouwen er nooit meer uit zouden gaan. En toen had ze mevrouw Lewis naar haar mening gevraagd.
De nieuwe stem was nors en dieper dan die van Tante, en had een vreemd accent. Dat moest een accent uit het westen zijn. 'Ze moet zo'n spray nemen,' zei de stem. 'Die hebben ze op de stomerij waar ze werkt. Daar kan ze er een van lenen.'
Ze wisten alles, de doden. Ze konden alles zien, en dat maakte het des te vreemder dat ze niet konden horen wat je tegen hen zei. Mevrouw Lewis had bij haar leven in Gloucester gewoond, op honderden kilometers afstand, en ze had nooit iets van Immacue geweten, of dat Minty daar werkte. Nu wist ze het wel, omdat ze dood was en alle geheimen haar werden onthuld. De

twee stemmen praatten tegen elkaar terwijl Minty doorging met strijken. Ze babbelden over waspoeders en vlekkenverwijderaars. Minty probeerde ze te negeren. Ze begreep niet waarom mevrouw Lewis was teruggekomen om bij haar te spoken. Misschien was de oude vrouw gestorven toen ze hoorde dat haar zoon Jock dood was. Misschien was de schok te veel voor haar geweest. Ze hoefde niet te denken dat Minty haar graf zou verzorgen. Minty had al genoeg te stellen met Tantes graf, om over de kosten nog maar te zwijgen.

Het strijkwerk was klaar. Alles was opgevouwen en op een schoon laken in de wasmand gelegd. Minty pakte de mand op.

'Je moet die mand niet gebruiken,' zei Tante. 'Het is geen grote stapel. Je kunt hem zo dragen, dat is gemakkelijker.'

'Ga weg,' zei Minty. 'Jij hebt er niets mee te maken en ik zet geen bloemen meer op je graf. Dat is me te duur.'

'Ik kan me haar gevoelens wel voorstellen,' zei de oude mevrouw Lewis. 'Die zoon van mij heeft haar al haar geld afgetroggeld. Hij zou het natuurlijk hebben teruggegeven als hij niet bij dat treinongeluk was omgekomen. Hij zou haar elke penny hebben teruggegeven.'

'Als je me dingen wilt vertellen,' schreeuwde Minty, 'kun je dat in mijn gezicht doen, niet tegen háár. En jij bent zelf degene die me mijn geld moet teruggeven.'

Maar mevrouw Lewis praatte nooit tegen haar. Ze praatte tegen Tante. Als door een wonder had Tante haar gehoor teruggekregen en mevrouw Lewis praatte deze ochtend tegen haar terwijl Minty voor de klanten van Immacue aan het strijken was. Ze konden overal komen, die geesten. Tante zei dat ze er bleek uitzag, ze was natuurlijk weer te kieskeurig met haar eten geweest, maar mevrouw Lewis kwam tussenbeide en zei dat haar Jock ervoor had gezorgd dat Minty at. Hij was zelf een stevige eter en wilde dat zijn meisje dat ook was.

'Ga weg, ga weg,' fluisterde Minty, maar niet zacht genoeg, want Josephine kwam naar haar toe en vroeg of ze iets tegen haar had gezegd.

'Ik zei niets.'

'O, dat dacht ik. Heb je de kranten van vanmorgen al gezien? Die vermoorde man had een vrouw die met een ander getrouwd is.'

'Ik lees de kranten pas als ik thuiskom. Waarom zou ze dat niet doen, als hij dood is?'

'Hij was niet dood toen ze het deed,' zei Josephine. 'En wat denk je: zij en dat parlementslid zijn op dezelfde dag getrouwd als ik en Ken. Hier, kijk maar. Wat vind je van haar kleding? Het kan me niet schelen wat iedereen zegt, maar een spijkerbroek kan ook te strak zitten. En haar haar staat alle kanten op. En dat is een man die bij haar was. Er staat niet bij wie hij is, maar het is niet haar man. Dat is haar zoontje. Moet je hem zien huilen, het arme kereltje.'

'Het is slecht om mensen te vermoorden,' zei Minty. 'Kijk maar eens wat een moeilijkheden ervan komen.' Ze was klaar met haar laatste overhemd en ging naar huis.

Ze was nog maar vijf minuten thuis toen Laf de kranten kwam brengen. Hij wilde dat ze met hem en Sonovia en Daniels dochtertje naar de Dome ging, maar Minty zei: nee, deze keer liever niet, ze had thuis nog veel te doen. Ze had een bad moeten nemen, ze kon niet vuil naar buiten gaan, en ze zouden al over tien minuten vertrekken. Trouwens, ze moest de kranten lezen en ze moest nog afstoffen en stofzuigen.

'Niet in de middag,' zei Tante zodra Laf weg was. 'Een goede huisvrouw doet haar werk 's morgens. De middag is er om op een stoel te zitten en het naaiwerk in te halen.'

Mevrouw Lewis deed ook een duit in het zakje. 'Ze zal zeggen dat ze haar baan heeft. Je zou toch niet willen dat ze op zondag het huis ging schoonmaken? De zondag is een rustdag, of zou dat moeten zijn. In mijn tijd waren er mensen die bij het krieken van de dag uit hun bed kwamen om het afstoffen en stofzuigen klaar te hebben voordat ze naar hun werk gingen, maar die zijn er niet meer.'

'Ga weg,' zei Minty. 'Ik haat je.'

Om de een of andere reden dacht ze dat ze haar buiten niet zouden volgen, en daarin had ze gelijk. Misschien was het buiten te licht of te warm voor hen. Geesten verdwenen in het zonlicht, dat had ze weleens gehoord. Ze pakte de grasmaaier en maaide het kleine gazon en gebruikte daarna de heggenschaar voor de randen. Meneer Kroots zuster kwam de tuin van haar broer in om stukjes brood met groene schimmel voor de vogels te strooien. Minty wilde zeggen dat daar geen vogels op af zouden komen, maar ratten. Ze deed het niet, want zij en Tante hadden gezworen nooit meer te praten met meneer Kroot of zijn zuster of een ander die iets met hen te maken had.

Zodra ze de keuken in kwam, zei Tante: 'Ik zou een appeltje met je te schillen hebben gehad als je één woord tegen Gertrude Pierce had gezegd.'

Zo heette ze. De doden wisten alles. Minty herinnerde het zich nu, al had ze die naam in minstens tien jaar niet gehoord. Ze gaf Tante geen antwoord. De twee stemmen bleven op de achtergrond mompelen. Ze moest dat maar over zich heen laten gaan, tot ze moe werden en teruggingen naar waar ze vandaan kwamen. Ze zouden het niet prettig vinden dat ze ging stofzuigen, want hun stemmen zouden verdrinken in dat geluid. Nog een geluk dat ze ze niet kon zien.

Ze stofte altijd eerst af. Toen Tante nog leefde, hadden ze daarover heel wat discussies gevoerd. Tante stofzuigde eerst, maar Minty hield vol dat als je daarna afstofte al het stof op de schone vloerbedekking viel. Als je het goed wilde doen, moest je dan nog een keer alles stofzuigen. En inderdaad, Tante begon al te zeuren zodra Minty de schone gele stofdoek uit de keukenla pakte.

'Ik hoop dat je die doek niet gaat gebruiken voordat je de vloer hebt gedaan. Ik weet niet hoe vaak ik haar dat al heb gezegd, mevrouw Lewis. Het gaat het ene oor in en het andere oor uit.'

'Je kunt net zo goed tegen een muur praten,' zei mevrouw Lewis, want inmiddels was Minty begonnen alle prullaria op het tafeltje te verplaatsen en vloeibare was op het oppervlak te spuiten. 'Dat spul neemt al het stof op en laat een lelijk laagje achter.'

'Mijn idee. Kreeg ik maar een briefje van vijf voor elke keer dat ik dat had gezegd.'

'Het is niet waar,' schreeuwde Minty, terwijl ze naar het dressoir liep. 'Niet als je het huis zo schoon houdt als ik. En jij zou míj briefjes van vijf moeten geven.'

'Ze heeft een slecht humeur, Winifred. Je zegt iets tegen haar en ze bijt meteen je hoofd af.'

'Ik zou dat van jou er wel af willen bijten! Ik wou dat er een grote politiehond kwam om je kop af te bijten.'

'Spreek niet zo tegen mevrouw Lewis,' zei Tante.

Ze konden haar dus horen. Misschien alleen als ze zich kwaad maakte. Dat zou ze onthouden. Ze maakte het hele huis schoon. In de badkamer deed ze watjes in haar oren om de stemmen niet te horen, maar dat hielp niet. Pas toen ze in bad zat en haar haar waste, werd het stil. Terwijl ze in het water lag, probeerde ze zich voor te stellen hoe mevrouw Lewis eruitzag. Ze moest erg oud zijn. Om de een of andere reden ging Minty ervan uit dat mevrouw Lewis al tegen de vijftig liep toen Jock geboren werd. Haar haar zou wit en dun zijn, zo dun dat haar roze schedel erdoorheen schemerde. Haar neus zou spits zijn en haar kin zou omhoogwijzen, naar die neus toe, met daartussenin een mond als een barst in een stuk ruwe bruine huid. Ze leek net een heks, krom en erg klein omdat ze verschrompeld was. Als ze liep, deed ze dat met wankele stapjes.

'Ik wil haar niet zien,' zei ze hardop. 'Ik wil haar niet zien en ik wil Tante niet zien. Ze hebben mij niet nodig. Ze hebben elkaar.'

Niemand gaf haar antwoord.

Schoon en in schone kleren, met lichtgrijze Dockers uit de liefdadigheidswinkel en een wit T-shirt met Tantes zilveren kruis aan de ketting om haar hals, zat Minty voor het raam de kranten te lezen. Van tijd tot tijd keek ze de straat in. Het was vijf uur geweest en de Wilsons waren nog niet terug. Gertrude Pierce kwam met een brief in haar hand uit het huis van meneer Kroot. Haar oranje haar was bij de wortels wit. Ze droeg een paarse jas met een kraag van imitatiebont, een winterjas op een warme zomermiddag. Minty zag haar de straat oversteken en naar de brievenbus op de hoek van Laburnam lopen. Toen ze terugkwam, keek ze Minty's kant op. Er zat een dikke laag make-up op haar gezicht. Haar lippen waren knalrood en er zat zwart spul op haar wenkbrauwen. Minty huiverde bij het idee van al die troep op je huid, en die vrouw moest minstens vijfenzeventig zijn.

De geeststemmen zeiden er niets over. Ze hadden al een paar uur niet gesproken. Minty dronk thee uit een mooi schoon wit kopje en at er een koffiebroodje bij dat ze de man, die handschoenen droeg, persoonlijk met een smetteloze stalen tang onder een glazen stolp vandaan had zien pakken. Het broodje had op een wit bord met een wit onderleggertje gelegen. Toen ze het kopje en het bord had afgewassen en afgedroogd, trok ze een schoon wit vest aan en stak Harrow Road over naar de begraafplaats. Onderweg kwam ze Laf en Sonovia en het kleine meisje en Daniels vrouw Lauren tegen, die net thuiskwamen in Lafs auto. Ze zwaaiden door de open ramen naar haar. Lauren had een heleboel vlechten in haar lange zwarte haar, en plaatjes van bloemen op haar nagels. Een vrouw van een dokter zou zoiets niet moeten doen.

De begraafplaats was groen en weelderig, met boterbloemen en madeliefjes in het gras en fris glanzend mos op de oude stenen. De volle gashouder doemde aan de overkant van het kanaal op. Als de gashouder bijna leeg was, zag je alleen het geraamte, als de skeletten die hier overal in rottende kisten onder de grond lagen. Minty liep over het pad tussen de hulst en coniferen. De klimop slingerde zich hier over bemoste gevallen engelen en praalgraven. In sommige van de grafstenen was stenen klimop uitgehakt en daar groeide dan weer echte klimop overheen. Er was niemand. Op het kruispunt van deze twee paden had ze Jock in zijn zwarte leren jasje naar zich toe zien komen. Ze wist zeker dat ze hem nooit meer zou zien. Ze zou nooit meer tot Tante bidden, niet nu ze op die manier behandeld was, en ze zou geen bloemen meer op het graf zetten.

Dat was moeilijk, want Tante was het enige geweest wat ze had gehad, totdat Jock kwam. Sonovia had eens gezegd dat Tante een soort god voor haar was en Laf had geschokt gezegd dat ze zulke dingen niet moest zeggen, Minty bad immers niet tot Tante. In werkelijkheid deed ze dat wel, maar dat kon ze niet zeggen. Na thuiskomst was ze meteen op haar knieën gegaan om te bidden. Ze was in de war, wist niet of ze Tante moest bedanken omdat ze was doodgegaan en haar het huis en de badkamer had nagelaten, of dat ze moest wensen dat ze weer leefde. In zekere zin was die tweede wens uitgekomen.

Het gipskruid en de anjers die ze een paar weken geleden op het graf had gezet, waren dood en bruin. Het water in de vaas was ook bruin en er zat nog maar een laagje in. Ze pakte de dode bloemen, gooide het water op de grond en zette de vaas terug waar ze hem had gevonden: op de grafplaat van een oude man. De zon verwarmde haar en ze hield haar gezicht naar het zachte avondlicht gekeerd. Ze had verwacht dat Tante en misschien ook mevrouw Lewis iets zouden zeggen. Tante moest inmiddels weten dat ze het had gemeend toen ze had gezegd dat ze geen bloemen meer zou neerzetten. Dat moest duidelijk zijn geworden toen ze de vaas weghaalde. De doden wisten alles, zagen alles. Maar er kwamen nu geen stemmen; ze waren weggegaan, terug naar waar ze vandaan kwamen.

Ze besloot naar de film te gaan. In haar eentje. Ze zou lopend gaan, het was niet zo ver naar Whiteley's. Als ze de geesten ergens zou zien, dacht ze, zou het in de tunnel bij station Royal Oak zijn, al had ze geen speciale reden om een van hen met tunnels onder straten in verband te brengen. En ze waren er niet, zelfs niet hun mompelende stemmen. Ze kon kiezen uit *The Insider* en *The Beach*. Ze koos voor het laatste en moest een film uitzitten over een stel tieners die ergens in het buitenland waren. Een man kwam naast haar zitten en bood haar een Polo-pepermuntje aan. Ze schudde haar hoofd en zei nee, maar ze moest meteen aan Jock denken. Toen de man zijn hand op haar knie legde, herinnerde ze zich dat ze tegen Jock had gezegd dat ze van hem was en altijd van hem zou blijven. Er zou nooit iemand anders zijn. Het maakte geen verschil dat Jock al haar geld had gestolen. Ze pakte de hand van de man en boorde haar nagels in de rug van die hand tot hij het uitschreeuwde. Toen ging ze drie plaatsen verder zitten. Na een poosje ging hij weg.

Toen ze de bioscoop uit kwam, was het donker en niet warm meer. Ze liep naar Edgware Road en wachtte op bus 36. Terwijl ze daar stond, helemaal in haar eentje, op een sombere afgelegen plaats bij Paddington Basin, zag ze Tante in het bushokje zitten. Ze was niet zo duidelijk zichtbaar als Jock was geweest, maar ze was wel een gedaante waar je doorheen kon kijken, een half-transparant wezen dat niettemin onmiskenbaar Tante was, van haar ijzergrijze haar, in een knotje op haar achterhoofd samengetrokken, en haar montuurloze bril, tot en met haar praktische veterschoenen.

Minty wilde niet met haar praten; ze gunde haar die voldoening niet, maar ze vroeg zich wel af of ze Tante in zichtbare vorm had teruggebracht door die vaas te verwijderen en die dode bloemen weg te halen. Mevrouw Lewis was nergens te bekennen. Minty staarde naar Tante en Tante keek nadrukkelijk een andere kant op, naar de brug over het kanaal. Binnen enkele minuten kwam de bus. Als zij instapt, stap ik niet in, zei Minty tegen zichzelf. Maar toen de bus stopte, stond Tante op en liep naar de tunnel.

'Opgeruimd staat netjes,' zei Minty terwijl ze haar geld aan de chauffeur gaf.

'Wat zei u?'

Veel mensen staarden haar aan.

'Ik had het niet tegen u,' zei ze tegen de chauffeur, en tegen de rest: 'En ook niet tegen u.'

Om aan die mensen te ontkomen ging ze naar de bovenverdieping van de bus.

21

Nooit in zijn leven was Jims zo kwaad geweest, en die woede bestond voor een deel uit razernij en voor een deel uit angst. Hij zag zijn hele carrière al in scherven liggen. Telkens weer doemde de monsterlijke gedaante van de fractieleider voor hem op.

Hij lag in bed in Fredington Crucis House, nadat hij plichtsgetrouw een uur naar het radioprogramma *Today* had geluisterd. Om halfnegen bracht mevrouw Vincey hem een kop thee – wat ze nooit eerder had gedaan – en de sensatiekranten. Die moesten van haarzelf zijn geweest, want Jims las nooit kranten als hij buiten de stad was, en als hij dat wel had gedaan, dan in ieder geval nooit deze. Hij had vaak gedacht dat ze hem haatte en nu was hij daar zeker van.

Dit was de dag waarop hij naar Shaston zou gaan om de Conservatieve kandidaat te steunen. Hij stelde zich al voor hoe de media hem daar met hun camera's en opnameapparatuur stonden op te wachten en had al half besloten om niet te gaan, omdat het de partij meer kwaad dan goed zou doen, toen de telefoon ging.

Het was Ivo Carew. 'Hé, schat, ik moet je iets bekennen. Ik heb de politie verteld dat je onze lunch had afgezegd. Ik moest wel. Ze vroegen het me rechtstreeks.'

Jims kon dit niet vatten, want hij had hun nooit iets over Ivo verteld. 'Heb je de kranten gezien?'

'Wie niet?'

'Wat moet ik doen?'

'Nou, lieverd, als ik in jouw schoenen stond, zou ik doen alsof ik het niet wist. Ik bedoel, dat die echtgenoot nog de echtgenoot was.'

'Ik wist het écht niet.'

Het was duidelijk dat Ivo hem niet geloofde. 'Ik zou volhouden dat ik onschuldig was. Hardnekkig volhouden. Je kunt van een

bruidegom' – hij grinnikte venijnig bij dat woord – 'niet verwachten dat hij de scheidingspapieren van zijn bruid bestudeert. Zij zei dat ze gescheiden was en jij hebt dat geaccepteerd.'
Jims zei niets.
'Waarom ben je in godsnaam met haar getrouwd?'
'Ik weet het niet,' zei Jims. 'Het leek me indertijd een goed idee.'
'Zal ik naar je toe komen, schat?'
Ongetwijfeld om met hem het bed in te duiken en de zaken nog gecompliceerder te maken, en dat met de oude Vincey beneden die oren op steeltjes had. 'Beter van niet. Ik ga naar huis.'
Toen hij had gedoucht en zich had aangekleed, voelde Jims zich iets beter, al was hij niet in staat om het bord gebakken eieren, brood, spek en aardappelen leeg te eten dat mevrouw Vincey bij wijze van uitzondering voor hem had klaargezet. Hij dronk een kop Nescafé met melk. Waren de dingen wel zo erg als hij aanvankelijk had gedacht? Als politicus geloofde Jims dat er in het openbare leven weinig problemen waren die niet met de juiste strategie uit de wereld te helpen waren. Er waren weinig fouten die niet met (schijnbare) eerlijkheid, oprechte verontschuldigingen of een geloofwaardige betuiging van onschuld konden worden rechtgezet. En hij wás onschuldig. Waarom zou hij niet hebben geloofd dat twee mensen als Zillah en Jerry Leach, slordig en onnadenkend als ze waren, met elkaar hadden gehokt en twee kinderen hadden gekregen zonder te trouwen? Natuurlijk had hij haar geloofd. Hij kon zeggen dat haar eerste huwelijk zo pijnlijk voor haar was dat ze het niet in enig document vermeld had willen zien. Dat zou goed genoeg zijn. Nou, nee, het zou niet goed genoeg zijn, maar het zou helpen.
Hij kon maar het beste zeggen dat hij het niet had geweten. Zillah geloofde dat ze gescheiden was, en nu Jeffrey Leach dood was, zou hij, Jims, alles in orde maken door onmiddellijk met de weduwe te hertrouwen. Wilde hij dat echt? Natuurlijk niet. Het liefst zou hij haar nooit terugzien. Maar hij had geen keus. Een kat in nood maakt rare sprongen, en hij was die kat. Ze konden altijd nog scheiden als alle publiciteit was weggeëbd. Misschien moest hij een verklaring afleggen. Hij kon Malina Daz bellen en

vragen iets voor hem op te stellen. Evengoed zou het te laat zijn voor de *Evening Standard*. Hij kon maar beter eerst naar huis gaan, onderweg de verklaring in zijn hoofd uitwerken en dan met dat onuitsprekelijke kreng van een Zillah praten. Hij zou Malina met zijn autotelefoon bellen en daarna zou hij Leonardo bellen.

Misschien had hij toch wel een keuze. Misschien waren er andere opties. Hij pakte de telefoon en draaide Ivo's mobiele nummer. Al met al was Zillah niet erg intelligent.

Michelle vond het niet prettig dat zij en Matthew van de moord op Jeffrey Leach werden verdacht. Nu was dat ook overdreven. Natuurlijk zou ze het erg vinden als ze haar echt verdachten, als al die vragen niet alleen maar routine waren geweest. Ze moesten vragen stellen, dat was hun werk. Zij en Matthew zagen het als een grap. Ze hadden zelfs grappige namen voor de rechercheurs bedacht. Ze noemden de vrouw Miss Daad en de man Geweldsmisdrijven. Als die rechercheurs de heer en mevrouw Jarvey in Holmdale Road, West Hampstead, echt op hun verdachtenlijstje hadden gezet en serieuze verdenkingen tegen hen koesterden, zou dat door Fiona's verraad zijn gekomen.

Toen ze de vorige ochtend wilden weten waar zij en Matthew een week geleden waren geweest op de dag dat Jeff werd vermoord, en toen ze zeiden dat ze hadden gehoord dat ze een hekel aan Jeffrey Leach hadden en dat ze dat duidelijk hadden laten blijken, had ze hun gevraagd hoe ze dat wisten. Natuurlijk wilden ze haar dat niet vertellen. Ze hadden gezegd dat ze daarover geen inlichtingen mochten verstrekken. Het moest Fiona zijn geweest, en die wetenschap had haar diep getroffen. Alleen Fiona had van hun afkeer geweten. Zij en Matthew gingen met bijna niemand anders om, afgezien van haar zuster en zijn broer, die ze bijna nooit zagen en die ze nooit in vertrouwen zouden hebben genomen. Fiona wist dat de Jarveys een hekel aan haar verloofde hadden. Zij en Michelle hadden erover gesproken, en toen haar gevraagd werd of Jeff vijanden had, had ze de buren genoemd. Haar vrienden. De vrouw die als een moeder van haar hield en die dacht dat ze daarvoor dochterliefde terugkreeg. Het was monsterlijk. Vond Matthew dat niet ook, vroeg Michelle in tranen.

'Je weet het niet zeker, schat. Misschien gingen ze er alleen maar van uit dat we een hekel aan hem hadden, omdat de meeste mensen dat hadden, behalve die arme vrouwen die hij inpalmde.'

'Nee. Fiona heeft het hun verteld. Hoe moesten ze weten dat iedereen een hekel aan hem had? Ze kennen niemand die hij kende. Er is niets over zijn verleden bekend, zei Fiona. Ze heeft me verraden en ik vind het verschrikkelijk om dit te zeggen, maar ik zal nooit meer dezelfde gevoelens voor haar kunnen hebben.'

'Niet huilen, schat, ik kan er niet tegen om je te zien huilen.'

Miss Daad en haar collega – het waren deze keer twee vrouwen – wilden iets waarvan Michelle altijd had gedacht dat het alleen maar een rol speelde in detectiveboeken en comedyseries op de televisie. Ze vroegen haar en Matthew naar een alibi. Eerst vond ze dat schokkend. Ze leefde in een beschermde wereld waarin eerlijkheid een vanzelfsprekende zaak was en had verwacht dat de oudste van de twee vrouwen haar op haar woord zou geloven. 'Mijn man en ik deden boodschappen. We gingen eerst naar de Waitrose in Swiss Cottage, en omdat het zo'n mooie dag was, reden we ons toen naar de Heath.'

'Hampstead Heath?' vroeg Miss Daad, alsof er in Londen tientallen open ruimten waren die de Heath werden genoemd. Michelle knikte. 'U parkeerde daar en bleef in de auto zitten? Waar was dat precies?'

Iedereen wist toch hoe moeilijk het was om daar ergens in de buurt te parkeren? Je kon niet meer gaan en staan waar je wilde, zoals dat nog wel kon in de tijd dat zij en Matthew pas in Holmdale Road woonden. Je moest genoegen nemen met ieder plekje dat je kon vinden.

'Het was bij de Vale of Health-vijver.'

'Hoe laat was dat, mevrouw Jarvey?'

Ze kon het zich niet herinneren. Het enige wat ze kon zeggen, was dat ze kort na halfvijf daar waren weggegaan omdat mevrouw Harrington om halfzes iets bij hen zou komen drinken.

Matthew zei: 'We gingen om halfdrie van huis en waren om kwart voor vier bij de Vale of Health. We zijn daar drie kwartier gebleven.'

Ze zouden vast wel onder de indruk zijn van zijn prachtige stem. Was dat de stem van een schurk die mensen doodstak? Michelle had de volgende vraag niet verwacht.

'Heeft iemand u gezien? Zou iemand zich kunnen herinneren dat u in de Waitrose was?'

'Ik denk het niet.' Matthew keek geamuseerd. 'Er waren daar honderden mensen.' En wij zien er niet meer zo grappig uit als vroeger, dacht Michelle. Ik ben nog dik en hij is nog dun, maar het contrast is niet meer zo groot. Er zijn veel echtparen die op ons lijken. 'Ik kan me niet herinneren dat ik iemand bij de Vale of Health heb gezien,' zei Matthew. 'Mensen gaan niet veel meer wandelen, hè?'

Niemand gaf hem antwoord. Toen had Michelle gevraagd hoe ze wisten dat zij en Matthew een hekel aan Jeff hadden en hadden de rechercheurs gezegd dat ze daarover geen inlichtingen mochten verstrekken. Matthew zei dat hij niet begreep waarom ze zo op een alibi aandrongen. Ze gaven elkaar een alibi, ze waren de hele tijd bij elkaar geweest. De collega van Miss Daad glimlachte meewarig. Ja, maar ze waren getrouwd. Daarmee suggereerde ze dat ze zouden liegen om elkaar te redden. Dat was absurd, als je bedacht hoeveel echtgenoten met elkaar overhooplagen.

Michelle kwam er de volgende morgen op terug. Ze had de slaap maar moeilijk kunnen vatten, en toen dat eindelijk lukte, had ze gedroomd van Fiona's ongeboren kinderen, de kinderen die nooit meer geboren zouden worden. Het waren er drie, allemaal meisjes, allemaal klonen van Fiona, en ze keerden haar alle drie de rug toe, liepen weg en zeiden dat ze nooit van haar hadden gehouden omdat haar hart vol haat zat. Ze wilde daarover met Matthew praten en begon er terloops over.

'Ik kan niet geloven dat ze serieus denken dat wij in staat zouden zijn tot moord.'

'Nou, als je dat denkt, lieve, hoef je je nergens zorgen over te maken. Dus kop op. Geef me eens een kus.' Michelle kuste hem. 'Je ziet er vandaag goed uit – jaren jonger.'

Zelfs dat kon haar niet troosten. Ze hoorde het Fiona zeggen: de mensen van hiernaast, daar gingen we heel vriendschappelijk mee om, maar ze maakten wel duidelijk dat ze een hekel aan Jeff hadden. Het was niet prettig meer om bij ze te zijn. Soms had mevrouw Jarvey een wraakzuchtige uitdrukking op haar gezicht. Het enige wat Jeff deed, was erop zinspelen dat ze dik was. Nou, allemachtig, ze ís dik, en dat weet ze heel goed.

'Je weet niet of ze die dingen heeft gezegd, Michelle. Het heeft geen zin om al die scenario's te bedenken. Dat is een gevaarlijke vorm van fantaseren. Na een tijdje kun je geen onderscheid meer maken tussen de fantasie en de werkelijkheid.'

Michelle wist dat er maar één soort werkelijkheid was: Fiona had de politie laten geloven dat zij en Matthew, de zachtmoedigste en beschaafdste man die ze kende, de vriend van hun buurvrouw zo erg haatten dat ze in staat waren hem te doden. Met een neutrale stem zei ze: 'Ik denk dat ik ons middageten maar ga klaarmaken.'

Niet dat ze iets naar binnen zou krijgen. Sinds Jeffs dood had ze geen trek meer. Vaak had ze het gevoel dat ze in voedsel zou stikken. Zowel in de dood als in het leven had hij haar waardevolle hulp gegeven. Wat zou de politie denken als ze dat tegen hen zei? Dat ze gek was of dat ze Jeff had gedood om er zeker van te zijn dat haar eetlust niet zou terugkomen? Matthew daarentegen had de genoegens van ciabatta ontdekt, het beste wat hij in jaren had geprobeerd. Of beter gezegd: Fiona had dat de vorige week voor hem ontdekt. Voordat Jeff stierf, voordat ze me verried, dacht Michelle, terwijl ze twee plakjes van het Italiaanse brood afsneed en die met hüttenkäse en twaalf gezouten amandelen op een bord legde.

Voor Zillah waren het een vreselijke dag, een afschuwelijke nacht en een nog ergere ochtend geweest. Eerst was ze omstuwd geweest door die journalisten, met al die flitsende camera's en dat bombardement van geschreeuwde vragen.

'Hoe is het om met twee mannen tegelijk getrouwd te zijn, Zillah?' Niemand noemde haar nog mevrouw Melcombe-Smith. 'Waarom ging je niet scheiden, Zillah? Trouwde je beide keren in de kerk? Gaan jij en Jims opnieuw trouwen? Deze keer echt, Zillah? Is dat je zoontje, Zillah? Hoe heet je, jongen?'

Op dat moment had Mark Fryer, die rat, haar in de steek gelaten. Hij was hard weggerend, achtervolgd door een aantal jonge vrouwen met blocnotes. Zillah had haar handen voor haar gezicht geslagen en geschreeuwd: 'Ga weg, ga weg, laat me met rust!'

Ze had Jordan opgepakt, die nu niet gewoon huilde, maar snikte, brulde, gilde van angst. Een van de portiers was de trap af gekomen. Hij had geen hulpvaardige indruk gewekt, maar haar met een gezicht vol afkeuring aangekeken, alsof hij wilde zeggen: dit soort dingen verwachten we niet in Abbey Gardens Mansions, hier in de schaduw van het parlementsgebouw. Maar hij gaf haar een jas waarmee ze zich kon bedekken en leidde haar het gebouw in. De andere portier deed zijn best om de menigte tegen te houden. Zillah werd de lift in geduwd. De deuren gingen dicht.

Zodra ze de flat binnenkwam, begon de telefoon te rinkelen. 'Hallo, Zillah,' zei een mannenstem. 'Met de *Sun*. Wil je in het zonnetje gezet worden? Kunnen we een paar woorden met je wisselen? Nou, wanneer heb je voor het eerst...'

Ze gooide de hoorn op de haak. De telefoon ging opnieuw. Ze nam aarzelend op. Het zou haar moeder kunnen zijn. Het zou – o nee – Jims kunnen zijn. Jordan zat midden op de vloer. Hij schommelde heen en weer en schreeuwde. Ditmaal was het de *Daily Star*. Die journalist gebruikte blijkbaar een mobiele telefoon, want ze hoorde het verkeer op Parliament Square en ook de slagen van de Big Ben.

'Hallo, Zillah. Hoe vind je het om het middelpunt van de aandacht te zijn? Eindelijk beroemd, hè?'

Nadat ze de stekker uit het stopcontact had getrokken, en ook die in Jims' slaapkamer en die in haar eigen slaapkamer, ging ze met Jordan in haar armen naar bed. Ze hield hem dicht tegen zich aan en trok het dekbed over zich heen. Later sloot ze de telefoon op het nachtkastje weer aan en belde mevrouw Peacock. Wilde ze Eugenie van school halen?

'Deze ene keer wil ik dat wel doen, mevrouw Melcombe-Smith. Maar ik houd dit niet veel langer vol. Als u geen bezwaar hebt, kom ik morgenvroeg om een uur of tien naar u toe, dan kunnen we eens openhartig over de dingen praten.'

Zillah had daar eigenlijk veel bezwaar tegen, maar ze was niet in staat om 'nee' te zeggen. Eugenie kwam een halfuur later binnen. Ze zei dat mevrouw Peacock haar tot de deur van de flat had gebracht, op de bel had gedrukt en met de lift naar beneden was gegaan zonder te wachten tot iemand opendeed.

'Waarom zijn alle telefoons eruit getrokken? Mijn vriendin Matilda belt me om zes uur.'

'Je kunt op jouw leeftijd nog geen telefoongesprekken voeren, Eugenie.'

'Waarom niet? Ik ben zeven, en zeven is de leeftijd van de rede, heeft juf McMurty ons verteld.'

Zover ben ik nog niet, dacht Zillah met ongewone nederigheid, en ik word volgende maand al achtentwintig. Ze weigerde de telefoons weer aan te sluiten en Eugenie zat de hele avond te mokken. Die nacht werd Zillah wakker doordat Jordan keihard schreeuwde. Hij was drijfnat, en zijn bed ook. Ze verschoonde hem en nam hem bij zich in bed. Wat mankeerde hem toch? Ze zou met hem naar die kinderpsychiater moeten gaan. Op zijn leeftijd was Eugenie zindelijk geweest, kon zichzelf aankleden, praatte over van alles en nog wat en huilde alleen als ze viel.

Mevrouw Peacock arriveerde om precies tien uur.

'Ze hoeft toch niet wéér op ons te passen?'

'Nee, Eugenie, dat hoeft niet,' zei mevrouw Peacock. 'Nooit meer, als ik het zo mag stellen. Hebt u vanmorgen uit uw raam gekeken, mevrouw Melcombe-Smith? Er staat een hele meute buiten.'

Zillah ging naar het raam. De journalisten leken dezelfde als de vorige dag. Ze wachtten geduldig, de meesten met sigaretten en een paar met flesjes van het een of ander. Er heerste een vrolijke stemming. Zo te zien konden ze goed met elkaar opschieten. Alsof hij wilde protesteren, zette Jordan weer een keel op.

'Ik heb wat kranten voor u meegebracht, voor het geval u die nog niet hebt gezien. U staat erin, op alle voorpagina's.'

'Dank u. Ik kijk er liever niet naar.'

'Eerlijk gezegd verbaast dat me niet. Mag ik gaan zitten? Het is nog vroeg, maar dit is nogal een schok voor me geweest en ik zou wel een glas Bristol Cream willen.'

Zillah schonk een sherryglas vol. Ze kon het lachen en praten op straat, twee verdiepingen beneden haar, duidelijk horen. De telefoon ging. Ze trok de stekker uit het stopcontact. Mevrouw Peacock zat aandachtig naar haar te kijken.

'Nou, mevrouw Melcombe-Smith – al betwijfel ik eerlijk gezegd of u wel recht hebt op die naam – toen ik u gisteren belde, verkeerde ik in een staat van onschuld. Nu ligt dat anders. Ik heb de kranten gelezen en kon mijn ogen niet geloven. Abbey Gardens Mansions is geen plaats voor jou, Maureen Peacock, zei ik tegen mezelf.'

'Er zitten twee kanten aan,' zei Zillah. 'Ik kan alles uitleggen.'

Onschuldigen zeggen dat nooit, en misschien wist mevrouw Peacock dat. 'Daarop hoeven we niet in te gaan. Wie met pek omgaat, wordt ermee besmet. Ik zie mezelf gedwongen onze samenwerking te beëindigen. U bent me zevenenvijftig pond en vijfentwintig pence schuldig, en ik zou dat graag contant willen hebben. Van sommige mensen weet je nooit of een cheque wel gedekt is.'

Er flakkerde nog een beetje geestkracht in Zillah op. 'Hoe durft u zo tegen me te spreken?!'

Mevrouw Peacock negeerde dat. Ze stond langzaam op, dronk het sherryglas leeg en veegde met een kanten zakdoekje over haar lippen. 'Nog één ding voordat ik ga.' Ze wees naar Jordan, die inmiddels op zijn rug lag te kronkelen en te huilen. 'Er is iets heel erg mis met dat kind. Hij heeft gespecialiseerde hulp nodig. Ik heb vijfentwintig jaar geleden een kind als hij gekend – altijd maar schreeuwen en huilen. En wat denkt u? Er werd niets aan gedaan en toen hij groot was, was hij een psychopaat. Hij zit nu in de gevangenis, in een dwangbuis, waar ze gewelddadige mensen in stoppen die een gevaar voor de samenleving zijn.'

Zillah was naar haar slaapkamer gegaan om het geld te halen. Het was meer dan ze cash had en ze moest een briefje van vijf uit Eugenies spaarvarken halen. Eugenie begon te lachen zodra mevrouw Peacock weg was. Zillah kon niet geloven dat ze had begrepen wat de vrouw had gezegd, maar om de een of andere reden moest ze lachen en even later lachte Zillah met haar mee. Ze sloeg haar armen om haar dochter heen, wat ze een hele tijd niet had gedaan. Eugenie verstijfde en trok zich terug.

Jims had misschien pogingen gedaan om haar te bereiken, maar dat deed er niet veel toe. Ze wist dat hij er tussen de middag zou zijn. Hij had zijn afspraak in Casterbridge afgezegd en was op weg naar huis. Er was erg weinig te eten en ze kon natuurlijk geen boodschappen gaan doen. Als mevrouw Peacock niet zo onbeschoft was geweest, had ze haar kunnen vragen een paar dingen te halen. De kinderen hadden roerei kunnen krijgen, al hadden ze dat de laatste tijd nogal vaak gehad. Eugenie had haar al verteld dat eieren propvol cholesterol zaten, wist ze dat dan niet?

Het was net twaalf uur geweest toen Jims thuiskwam. In tegenstelling tot haar was hij niet zo dom om spitsroeden te gaan lopen in Great College Street. Toch kon hij de moeilijkheden niet ontwijken. Aan de achterkant stonden namelijk ook journalisten. Zillah, die trilde van de zenuwen, hoorde de lift naar boven komen en de deuren opengaan. Malina Daz was bij hem. Ze droeg een zeegroene salwar kameez en had opgestoken haar, zoals Japanse geisha's. Jims deed de deur van de huiskamer open, ging naar binnen en bekeek zijn gezinnetje zoals onbarmhartige mensen asielzoekers bekijken. Tegen de kinderen zei hij geen woord. Hij sprak Zillah aan met een stem zo ijzig als de poolzee. 'Malina en ik gaan een verklaring voor de media opstellen. Ik zal hem aan je laten zien als we klaar zijn.'

Malina bracht haar even later de verklaring. Het was een korte verklaring, opgesteld met een tekstverwerker.

Mijn vrouw Zillah en ik hebben begrip voor de sensatie die recente omstandigheden – de tragische dood van de heer Jeffrey Leach in combinatie met ons huwelijk – bij de media hebben gewekt. Hoewel wij het volkomen eens zijn met de redacties van landelijke dagbladen dat deze zaak van publiek belang is en niet onder het kleed geveegd moet worden maar in de openbaarheid moet komen, willen we degenen die zo goed zijn belangstelling voor ons te hebben toch verzekeren dat wij volkomen onschuldig zijn aan enig delict.

Mijn vrouw was er oprecht van overtuigd dat haar huwelijk met de heer Leach twaalf maanden geleden was ontbonden. Ze had een impliciet vertrouwen in de heer Leach, en ik had dat ook. We hebben geen van beiden ook maar een ogenblik gedacht dat we ons schuldig maakten aan een vergrijp. Anders hadden we ondanks onze liefde voor elkaar ons huwelijk uiteraard uitgesteld totdat we een formele bevestiging van de scheiding hadden ontvangen.

Vanzelfsprekend zullen we hertrouwen zodra dat mogelijk is. We zouden graag onze beste wensen doen toekomen aan degenen die zo goed waren belangstelling voor ons te hebben en we willen hun vragen om begrip, geduld en – ja, vergeving.

'Het is een beetje formeel,' zei Malina, 'maar gezien de ernst van de situatie vonden we dat wel passend. Het leek Jims beter om niet te vermelden dat je door de dood van je man weer vrij bent. Dat komt niet goed over. En we hebben ook het woord "bigamie" niet gebruikt. Dat klinkt vreselijk twintigste-eeuws, vind je niet?'

Omdat ze het Jims niet durfde vragen, vroeg Zillah aan Malina: 'Wat gaan ze met me doen?'

'Je bedoelt, omdat je met twee mannen tegelijk getrouwd was? Niet veel, denk ik. Per slot van rekening is je man dood, nietwaar? Het zou anders zijn als hij nog in leven was. Ze zullen zich nu op de moord concentreren.'

Malina ging weg om de verklaring in de openbaarheid te brengen. Jordan huilde zich in slaap. Eugenie zei dat als iemand haar wilde brengen ze die middag graag naar haar vriendin Matilda wilde, maar eerst had ze nog erge honger.

'Er is geen eten in huis,' zei Jims.

'Ik kon toch geen boodschappen gaan doen? Met al dat gedoe

daar buiten?' Zillah wilde zich graag met hem verzoenen. 'Ik kan nu gaan, via het souterrain. Ze staan niet aan de achterkant.'

'Inmiddels wel. Ze drukten mijn auto bijna plat toen Malina en ik kwamen aanrijden.'

'Juf McMurty zegt dat je als je niet genoeg eet een vitaminetekort krijgt. Je wordt blind en je tanden vallen eruit.'

'Ik zal een van de portiers vragen boodschappen voor ons te doen,' zei Jims.

Zillah vroeg zich af wanneer de confrontatie zou komen, wanneer hij haar zou vragen waarom ze hem over die niet-bestaande scheiding had voorgelogen. Ze maakte intussen het middageten klaar. De portier had voedsel van inferieure kwaliteit uit een buurtwinkel gehaald en hij had ook net alle dingen meegenomen die de kinderen niet lekker vonden. De sla was verlept en de tomaten waren zacht. Jordan zette het op een krijsen toen hij cornedbeef moest eten.

'Mag ik Matilda bellen en haar hierheen laten komen?'

'Het verbaast me dat je dat nog vraagt.'

'Mag het?'

'Vooruit dan maar. Maar dan moeten jullie wel in jouw kamer spelen. Ik heb een barstende hoofdpijn.'

Te laat herinnerde Zillah zich dat Matilda's vader haar waarschijnlijk zou brengen, maar het bleek een erg jonge en mooie au pair te zijn. Waarschijnlijk moest ze er dankbaar voor zijn dat Eugenies vriendinnetje mocht komen, dat ze zich nog met de Melcombe-Smiths mocht afgeven, na wat er in de kranten had gestaan.

'Ik kom je om zes uur halen, Matilda.'

Dus ze zou drie hele uren blijven? Dat betekende dat Zillah hun iets te eten moest geven. Ze gingen naar Eugenies kamer, opgewekt pratend, haar dochter giechelend als een normaal kind. De telefoon begon te rinkelen. Zillah nam op. Het was haar moeder. Ze zei ditmaal niets over kranten, maar vroeg of het lot van haar vader haar zo onverschillig liet dat ze was vergeten dat hij die ochtend een bypass had gekregen. Nadat ze wilde beloften had gedaan waarvan ze wist dat ze ze niet zou nakomen, en nadat Nora Watling de hoorn op de haak had gegooid, was ze alleen met Jims.

Hij haalde een nog niet gelezen biografie van Clemenceau uit de boekenkast, ging ermee naar zijn stoel en sloeg het boek bij het voorwoord open. Zillah pakte een magazine en probeerde een stuk over lipimplantaten van collageen te lezen. Als hij nooit meer tegen haar sprak, wat zou ze dan doen? Ze herinnerde zich dat hij in december verwachtte dat ze na hun huwelijk een kuis en plezierig leven met elkaar zouden hebben. Als twee vrienden, die samen leuke dingen zouden doen, van het leven zouden genieten en uiteindelijk meer genegenheid voor elkaar zouden hebben dan ze voor hun minnaars hadden.

'Wat wil je dat ik zeg?' vroeg ze toen ze de stilte niet langer verdroeg.

Hij keek geërgerd op. 'Sorry – wat zei je?'

'Ik vroeg je wat je wilt dat ik zeg.'

'Niets,' zei hij. 'Er valt niets te zeggen. De kranten hebben het al gezegd.'

'We kunnen hier toch samen doorheen komen, Jims? Ooit komt er eens een eind aan al die toestanden. Jij hebt niets misdaan. De verklaring maakt er toch een eind aan? O Jims, het spijt me zo verschrikkelijk. Ik wou dat ik dood was. Het spijt me zó.'

'Doe niet zo belachelijk. Kruiperigheid staat je niet.'

Ze zou voor hem op haar knieën zijn gegaan, maar op dat moment ging de telefoon. 'Niet opnemen. Laat maar rinkelen.'

Hij stond op, liep de kamer door en nam de telefoon op. Terwijl hij luisterde, voltrok zich een subtiele verandering in zijn gezicht. 'Ja,' zei hij, en nog een keer: 'Ja.' En toen: 'Mag ik vragen waarom?' Ze kon zich niet herinneren hem ooit zo ontredderd te hebben meegemaakt. 'Ik zou graag eerst mijn advocaat willen bellen.' En toen: 'Goed, over een halfuur.'

'Wat is er, Jims?'

'Ze willen me op het politiebureau hebben. Ze komen me halen.'

'Allemachtig, Jims, waarom?'

In plaats van antwoord te geven pakte hij de telefoon weer en draaide het nummer van zijn advocaat. Eugenie kwam binnen, gevolgd door Matilda.

'Je bent me vijf pond schuldig, mammie. Schrijf het maar op, anders vergeet je het.'

22

Fiona was alleen thuis. Ze had sinds het nieuws van Jeffs dood geen voet meer in haar tuin of serre gezet. En ze was ook niet meer naar haar werk gegaan. Ze was de deur bijna niet uit geweest. Als Geweldsmisdrijven en Miss Daad er niet waren – en hun bezoeken werden korter en korter, tot ze niet meer kwamen – zat ze in haar huiskamer. Ze las niet, keek geen televisie, luisterde niet naar de radio, zat daar maar. Haar handen had ze meestal in haar schoot gevouwen, haar knieën dicht bij elkaar. Ze had al in geen dagen meer gehuild. Ze had niemand gebeld en als de telefoon ging, nam ze niet op.

Michelle, die elke dag bij haar was geweest, was na donderdag niet meer geweest. Ze zou haar graag hebben gesproken, want haar buurvrouw was het enige gezelschap dat ze wilde. Maar Michelle, nam ze aan, had er genoeg van gekregen om een door verdriet overmande vrouw te troosten en wist natuurlijk niet meer wat ze nog moest zeggen.

Fiona stond versteld van de intensiteit van haar verdriet. Ze was er net zo ellendig aan toe als een weduwe na twintig jaar huwelijk. Haar hart was gebroken. Vroeger had ze gelachen om frasen over hartzeer en hartenpijn. 'Je zult je hart nog breken,' had haar moeder tegen haar gezegd toen ze als studente een klein vergrijp had begaan. Wat een onzin. Dat had ze toen gedacht, maar nu begreep ze het. Haar hart was gebroken en ze zei tegen zichzelf dat ze sinds Jeffs dood niet meer kon voelen dat het sloeg. Als ze haar hand onder haar linkerborst legde, voelde ze geen fladderende beweging, alleen maar een doffe pijn. Soms maakte ze zich daarover zorgen en voelde dan haar pols. Als ze het zachte, regelmatige kloppen voelde, wist ze niet of ze opgelucht moest zijn.

Elke dag hadden de kranten een nieuw verhaal over Jeff. Over zijn huwelijk, zijn luie leventje. Fiona nam zich voor om die ar-

247

tikelen niet te lezen, maar ze kon het niet laten. De media hadden alles over de moord zelf verteld en stortten zich nu op Jeffs activiteiten als rokkenjager, zijn eeuwige weigering om te werken voor de kost, zijn gewoonte om te profiteren van de vrouwen die hem onderhielden en daarna in de steek werden gelaten. Als ze daarover las, voelde ze een intense fysieke pijn, die haar tot snikken en kreunen bracht. Een vrouw bij wie hij vijf jaar geleden was ingetrokken, had haar spaargeld van tweeduizend pond verloren. Later was ze ook nog haar baan kwijtgeraakt en nu leefde ze van de bijstand. Fiona, die nog steeds dacht dat zij de grote liefde in Jeffs leven was, degene die hem zou veranderen, vond dat ze die vrouw schadeloos moest stellen.

Dit alles kwam bij het verdriet dat ze al had. De week daarop zou ze weer aan het werk moeten. Ze had geen reden meer om weg te blijven. Ze had geen naast familielid verloren, geen man of partner met wie ze een langdurige relatie had gehad, zelfs geen verloofde. Dat was voor Fiona een vies woord geworden. Ze zou het nooit meer lezen of horen zonder zich te herinneren dat Jeff haar nooit een ring had gegeven en tegen haar had gelogen over hun trouwdatum. Die wetenschap deed geen afbreuk aan de kracht van haar liefde, maar vermengde die liefde wel met verdriet en verbittering.

Op haar werk zouden ze natuurlijk allemaal zeggen dat ze het heel erg vonden van haar vriend, wat een schok, wat een afschuwelijke gebeurtenis, en daarbij zou het blijven. Totdat de politie de moordenaar te pakken kreeg. Dan zou hun medegevoel weer tot leven komen en zou haar baas tegen haar zeggen dat ze die dag vrij kon nemen. Ze zou een curiositeit zijn, iemand naar wie ze zouden wijzen, de vrouw wier vriend was vermoord. Fiona stelde zich voor dat ze vijftig was, natuurlijk nog steeds alleenstaand, de solitair levende vrouw van middelbare leeftijd die, waar ze ook zou gaan wonen, in de ogen van de mensen altijd de vriendin van het bioscoopslachtoffer zou blijven.

Ze vergat te eten. Omdat ze bijna iedere avond een fles wijn met Jeff had gedeeld, kon ze die ook niet meer door haar keel krijgen. Ze viel af en voelde dat haar heupbeenderen naar buiten staken. Haar ellebogen werden puntig. Als dat zo doorging – en nu lukte het haar een wrang grapje te maken – zou Matthew haar nog eens in zijn programma willen hebben. Kwam Matthew maar! Kwam Michelle maar! De telefoon ging niet meer. Iets weerhield haar ervan om de hoorn van de haak te nemen en zelf te bellen. Ze kon dat fysiek niet aan. En ze durfde ook niet naar hen toe te gaan. Ze stelde zich voor hoe ze naar buiten zou gaan, op hun bel zou drukken en hoe, als de deur openging, die twee mensen haar aanstaarden alsof ze haar nooit eerder hadden gezien, alsof ze iemand was die langs de deuren ging om een product te promoten of een pamflet uit te delen.

's Avonds nam ze slaaptabletten, Temazepam. Die brachten haar in slaap, maar het was een onbehaaglijke slaap vol dromen. Ze droomde altijd van Jeff. In een van die dromen kwam hij van een buitenlandse reis terug. Ze had gedacht dat hij dood was en was onstuimig blij toen ze weer bij elkaar waren, want hij beloofde dat hij nooit meer zou weggaan. Toen ze wakker werd en de realiteit onder ogen zag, was dat een van de ergste ervaringen van haar leven.

De kranten gooide ze in de vuilnisbak. Op een dag zou ze die, voordat hij te zwaar was, op straat moeten zetten. Maandag zou ze toch naar buiten moeten en met de metro naar de City en London Wall moeten reizen. Toen ze op zaterdagmorgen de kranten opraapte, zag ze op de voorpagina een foto van een vrouw die ze herkende. Het was – ja, het was Jeffs ex-vrouw.

Alleen was ze niet zijn *ex*-vrouw. Ze waren nooit gescheiden. Er ging een intense pijn door Fiona's lichaam, alsof ze met een lang, scherp mes was gestoken. Het kon haar niet schelen of Zillah Melcombe-Smith willens en wetens bigamie had gepleegd. Jeff had weer gelogen, en deze leugen was oneindig veel erger dan dat hij haar had verteld dat hij een hotel voor de trouwdag had geboekt, terwijl hij dat helemaal niet had gedaan. Hij kon geen trouwdag boeken, want hij was al getrouwd.

Fiona liet de krant zakken. Ze lag op haar buik op de vloer van de hal, gekweld door verdriet en, vreemd genoeg, ook schaamte.

'Ik klaag die snertbladen aan wegens laster,' zei Jims toen Geweldsmisdrijven hem vijf minuten met zijn advocaat alleen liet. Hij was helemaal vergeten dat hij Zillah had bespot omdat ze hetzelfde dreigement had uitgesproken.

'Heb je een miljoen pond over?' Damien Pritchard was een beetje ouder dan zijn cliënt, maar hij leek wel wat op hem. Hij was ook lang en donker, had ook klassieke trekken en was ook homo. 'Een miljoen pond dat je in het water wilt gooien of aan een bedelaar wilt geven?'

'Natuurlijk niet. Dat zou ook niet nodig zijn. Ik zou winnen.'

'O, alsjeblieft. Doe me een lol. Laat me je wat vertellen. Toen ik een kind was, kwam er naast mijn ouders een advocaat wonen. Ik zal nooit vergeten wat mijn vader tegen mijn moeder zei: hij is advocaat, pak hem met zijden handschoenen aan. Misschien is het toen trouwens begonnen dat ik ook advocaat wilde worden. Nou, datzelfde geldt voor hoofdredacteuren van kranten. Pak ze met zijden handschoenen aan.' Damien schudde geërgerd zijn hoofd. 'Nou, kun je echt geen beter alibi bedenken dan wat je de politie op de mouw speldt? O god, daar heb je ze weer!'

Jims zou met een beter alibi kunnen komen. Hij zou de waarheid kunnen vertellen. Maar de resultaten zouden desastreus zijn. Opnieuw ging hij aan de lege tafel zitten, met Damien naast zich en Geweldsmisdrijven en Miss Daad tegenover hen. Ze zaten op stoelen die Jims nog niet in zijn tuinschuurtje zou willen hebben. In ieder geval zeiden ze nog 'u' tegen hem, al vroeg hij zich af hoe lang dat nog zou duren.

'Weet u wat het probleem is? Er is niemand die bevestigt dat u op vrijdagmiddag en vrijdagavond in Fredington Crucis House was, meneer Melcombe-Smith. Twee mensen die naar uw huis kwamen, zagen dat uw auto er niet stond.'

'Wie?'

'U weet dat ik u dat niet mag vertellen. U houdt vol dat u de vrijdagavond daar hebt doorgebracht? En dat u er de nacht van vrijdag op zaterdag hebt geslapen?'

'Mijn cliënt,' zei Damien, 'heeft u dat al verteld. Al een aantal keren.'

Jims begon zich kwaad te maken. 'Waarom zou ik die kerel hebben vermoord? Wat had ik nou voor motief om een mes in hem te steken?'

'Nou, meneer Melcombe-Smith,' zei inspecteur Miss Daad, 'hij was getrouwd met de dame met wie u een huwelijksvoltrekking hebt ondergaan.' Ze glimlachte zwakjes toen Jims huiverde. 'Het zou in uw belang zijn geweest om hem uit de weg te ruimen, vooral wanneer hij had gedreigd de waarheid aan bijvoorbeeld een krant te onthullen.'

'Nou, en? Alle andere onthullen het ook. Trouwens, hij chanteerde me niet. Ik dacht dat Zillah en hij nooit getrouwd waren. En ik had hem in geen jaren gezien.'

Zoals veel mensen in zijn positie wilde Jims de waarheid spreken op alle onderdelen van de ondervraging behalve één. 'Nou, twee jaar dan.'

De woorden 'dat zeg jij' stonden duidelijk op het gezicht van de vrouw te lezen. 'U bent vrijdagmiddag naar Londen teruggekomen, nietwaar, meneer Melcombe-Smith?'

Jims zweeg. Hij voelde dat Damien was gaan twijfelen, dat hij geen vertrouwen meer had in zijn vriend en cliënt. Geweldsmisdrijven keek hem aan. Achter hem, op de okergele muur, zat van plafond tot plint een barst in het stucwerk. Die barst, vond Jims, was net een silhouet van een man met een erectie. Hij keek er niet meer naar.

Damien, die ondanks zijn wankelend vertrouwen een echte vriend was, zei zachtjes: 'Als u niet van plan bent de heer Melcombe-Smith in staat van beschuldiging te stellen – en ik denk niet dat u dat van plan bent – moet u hem nu naar huis laten gaan.'

Geweldsmisdrijven kende die truc. 'U bent naar Londen teruggereden om iets te halen. Iets dat u vergeten was. Ik vroeg me af of het de aantekeningen voor uw toespraak voor de Countryside Alliance waren. De korpscommandant van Wessex was daarbij toevallig aanwezig.'

Jims probeerde zich te herinneren of hij toen had gezegd dat hij zijn aantekeningen was vergeten en naar Londen was teruggegaan om ze te halen. Hij kon het zich niet herinneren. *En het zou er niet toe doen of hij erover had gesproken of niet.* Het was genoeg dat deze politieman de scherpzinnigheid bezat om dat te suggereren. Het deed er niet eens toe of dat van die korpscommandant waar was. Hij keek Damien wanhopig aan en Damien zei niets.

'Meneer Melcombe-Smith?'

Jims dacht erover hun te vragen geheim te houden wat hij had op te biechten. Zouden ze daarmee akkoord gaan? Moest hij het erop wagen? Hij had in de kranten weleens over de procedures gelezen die aan moordprocessen voorafgingen, of aan strafzaken in het algemeen. De politie vertelde nooit aan de media hoe ze ertoe gekomen waren iemand te arresteren of in staat van beschuldiging te stellen, of waarom ze iemands alibi accepteerden of niet. Er moest iets in de wet staan dat hun verbood dat te doen. Niet voor het eerst wenste hij dat hij rechten in plaats van geschiedenis had gestudeerd en een tijdje in de strafpraktijk had gewerkt.

'Meneer Melcombe-Smith?'

'Goed, ik ben naar Londen teruggekomen.' Hij durfde Damien niet aan te kijken. 'Ik was, zoals u zegt, mijn aantekeningen vergeten. Ik begon kort na één uur aan de terugreis en heb iets gegeten in een... nou, in een soort cafetaria aan de A30.' Damien maakte een geluid dat het midden hield tussen gesnuif en gebrom. Of misschien had hij het zich verbeeld. 'Ik weet niet meer precies waar dat was. Het was druk op de weg. Ik was pas om zeven uur... thuis.'

Het was interessant, bijna verontrustend, dat ze zo gemakkelijk accepteerden dat hij tot dan toe had gelogen. Ze gaven geen commentaar. Ze zeiden niet: waarom hebt u tegen ons gelogen, of: waarom hebt u niet meteen de waarheid verteld? Blijkbaar waren ze gewend aan dit soort endemische leugenachtigheid en verwachtten ze niet anders meer. Jims begon zich beroerd te voelen.

'Dus u ging naar huis, meneer Melcombe-Smith?'

Nu kon alleen de waarheid hem nog redden. 'Ik had de aantekeningen in het huis van een vriend laten liggen.'

'Aha,' zei inspecteur Miss Daad. 'En waar was dat?'

Hij gaf haar Leonardo's adres. Hij had het idee dat Damien opzwol en pulseerde, maar toen hij opzij keek, bleek de advocaat roerloos en kalm op zijn stoel te zitten. Jims zou op zijn knieën willen gaan om hun te smeken niets te zeggen, tegen niemand, om hem op zijn woord te geloven, maar hij bleef met een onbewogen gezicht zitten.

'En meneer Norton zal bevestigen wat u zegt?'

Als je eenmaal met de waarheid begon, kon je niet meer ophouden. 'Ik zag hem pas om halfnegen. Toen ik de deur uit ging om iets te gaan eten, kwam hij net thuis.'

'Dus u verliet Casterbridge om... hoe laat? Halftwee?'

'Ongeveer,' zei Jims.

'En u kwam om zeven uur in Glebe Terrace aan? Vijfenhalf uur om tweehonderdvijftig kilometer af te leggen?'

Door wat hij had gezegd, of door toe te geven dat hij had gelogen, was hij in hun achting gedaald. Dat kon hij horen aan hun stem. Hij had zijn eigen waardigheid afgelegd en daardoor het privilege van een hoffelijke behandeling verloren. 'Ik weet dat het een hele tijd was,' zei hij. 'Ik heb er nog nooit zo lang over gedaan. Er waren wegwerkzaamheden, kilometers lang. Ik deed er bijna een uur over om daarlangs te komen. En dan was er een kettingbotsing bij Heathrow.'

Ze zouden dat natuurlijk nagaan en constateren dat het waar was. Hij schoot er niet veel mee op. 'De Merry Cookhouse...' Het deed hem pijn die naam uit te spreken. 'Daar heb ik geluncht. Het was vlak voor de wegwerkzaamheden, als u daar iets aan heeft.'

'Misschien. Het gaat ons om de tijd tussen halfvier en twintig voor vijf 's middags. Heeft iemand u het huis in Glebe Terrace zien binnengaan?'

Hoe kon hij dat vergeten zijn? Hij slaakte een zucht van verlichting. Het was of hij in een shocktoestand verkeerde en iets warms en zoets te drinken kreeg. 'De buurvrouw – van 56a, geloof ik – die gaf me haar sleutel.'

'En nu,' zei Damien, 'wilt u meneer Melcombe-Smith wel laten gaan.'

Telkens wanneer de telefoon ging of er iemand aan de voordeur belde, dacht Michelle dat het de politie was. Het was helemaal niet grappig meer dat ze misschien verdacht waren. Ze haalde het in haar hoofd dat ze misschien nooit getuigen zouden vinden die konden bevestigen waar zij en Matthew op vrijdagmiddag waren geweest, en hoewel ze geen nerveus type was, zag ze hen beiden toch hoog op de lijst van verdachten staan. Justitie maakte soms fouten, mensen werden ten onrechte veroordeeld en in de gevangenis gezet. Ze had maar één keer eerder met de politie te maken gehad, namelijk toen er in hun auto was ingebroken en de radio was gestolen.

Matthew deed zijn best om haar gerust te stellen. 'Liefste, als ze zeggen dat het een routineonderzoek is, moet je dat ook geloven.'

'Ik vond het verschrikkelijk om op die manier te worden ondervraagd. Het was het ergste wat me ooit is overkomen.'

Daarom moest hij lachen, zij het niet onvriendelijk. 'Nee, dat was het niet. Het ergste wat jou ooit is overkomen, was die tijd waarin je dacht dat ik door mijn stomme eetstoornissen zou doodgaan.'

'Ze waren niet stom,' zei Michelle opgewonden. 'Dat meende je niet. Je bedoelt je ziekte.'

'Je bent toch niet echt bang dat je wordt gearresteerd? Je maakt je niet zo druk omdat je van een misdrijf wordt verdacht of omdat je wordt ondervraagd, maar omdat Fiona zich zo heeft gedragen.'

Ze ging dicht achter de stoel staan waarop hij de *Spectator* zat te lezen en sloeg haar armen om zijn hals. Hij keek naar haar op. 'Ik ben diep getroffen door wat ze heeft gedaan.'

Heel ernstig zei hij: 'Daar zul je je overheen moeten zetten.'

'Ja, maar hoe? Ik wou dat ik niet iemand was die zich altijd de kwetsende dingen herinnert die mensen hebben gezegd of gedaan. Maar zo iemand ben ik. Ik houd er niet van, ik weet dat ik zou moeten vergeven en vergeten. Kon ik dat maar. Ik herinner me onvriendelijke dingen die mensen tegen me hebben gezegd toen ik nog op school zat. Ik bedoel, dertig jaar geleden, schat.

De woorden die ze gebruikten, liggen nog vers in mijn geheugen.'

Hoewel hij dit wist, want ze had het al eerder tegen hem gezegd, zei hij op lichte, geamuseerde toon tegen haar: 'Dan moet ik voorzichtig zijn met wat ik tegen je zeg.'

Ze reageerde heftig, intens. 'Jij zegt nooit, nóóit zulke dingen. Dat heb je nog nooit gedaan. Dat is een van de redenen waarom ik van je houd en van je blijf houden: je hebt me nooit gekwetst.'

Opnieuw keek hij met zijn verschrompelde, ingevallen gezicht naar haar op. 'Niet omdat ik zo sexy en charmant ben?'

'Dat ook. Natuurlijk.' Ze was volkomen serieus. 'En weet je wat het met Fiona is? Het was waar wat ze tegen de politie zei. Ik had een hekel aan Jeff, ik haatte hem, als je het zo wilt noemen. Ik haatte hem omdat hij die wrede dingen zei. Hij is dood en hij is op een gruwelijke manier aan zijn eind gekomen, maar ik ben er blij om. Hoe ik ook mijn best doe, ik zal nooit de dingen vergeten die hij heeft gezegd.'

Matthew legde zijn handen op de hare. 'Zelfs niet als jij mager wordt en ik dik?' Hij wist dat ze probeerde af te vallen en hij steunde haar, zij het zonder iets negatiefs over haar vroegere dikte te zeggen of haar met het gewichtsverlies te feliciteren. 'Zelfs niet als ik de Dikke ben en jij de Dunne bent?'

Toen ze hem wilde antwoorden, ging de deurbel. Michelle bracht haar handen naar haar gezicht en keek ontzet. 'Daar heb je ze weer. Op zondag. Het kan ze niet schelen wanneer. Ze laten ons niet eens weten dat ze komen.'

'Ik ga wel,' zei Matthew.

Hij liep tegenwoordig erg vlug en kon bijna helemaal rechtop staan. De bel ging opnieuw voordat hij bij de deur was. Fiona stond op de stoep, een nieuwe, onaantrekkelijke Fiona, haar vuile haar in pieken, haar gezicht gezwollen van het huilen, haar ogen rood. De broek die ze droeg, was een aantal maten te groot en leek wel een mannenbroek. Een overhemd dat wit had moeten zijn, was in haar broekband gestoken en liet zien hoe vermagerd ze was.

'Kom binnen.'

Ze bracht haar gezicht dicht bij het zijne en kuste hem op beide wangen. Het was het soort kus dat de ontvanger niet hoefde te beantwoorden. 'Ik moet jullie spreken. Ik hou het niet langer in mijn eentje uit. Ik moet morgen weer naar mijn werk. Ik ben bang dat ik het niet red.'

Michelle kreeg een kleur toen ze de huiskamer binnenkwamen. Ze stond op en deed twee wankele stappen in de richting van de bezoekster. Matthew vroeg zich af wat ze zou zeggen, of ze naar haar vermoedens zou verwijzen. Fiona liep naar haar toe, de diepbedroefde vrouw sloeg haar armen om Michelle heen en barstte in snikken uit.

'Waarom zijn jullie niet bij mij gekomen? Waarom hebben jullie me in de steek gelaten? Wat heb ik gedaan?'

Er volgde een diepe stilte. Toen zei Michelle met een stem die Matthew nooit eerder had gehoord: 'Je weet wat je hebt gedaan.'

'Nee, dat weet ik niet. Ik had je nodig en je liet me in de steek. Ik heb niemand die iets om me geeft, behalve jij. Wat heb ik gedaan? Vertel het me, je moet het me vertellen. Ik zweer je dat ik het niet weet.'

'Je weet niet dat je tegen die mensen van de politie hebt gezegd dat Matthew en ik een hekel aan Jeff hadden? Dat je ze dat hebt verteld en dat ze ons nu verdenken? Dat weet je niet?'

'Nee, schat, ze verdenken ons niet,' zei Matthew resoluut. Fiona was opnieuw in tranen uitgebarsten. Haar gezicht was nat en ze maakte wilde gebaren met haar armen. 'Ga zitten, Fiona. Kom eerst maar tot rust. Ik ga thee zetten.'

'Niet voordat Michelle zegt dat ze me vergeeft. Ik wist niet wat ik deed of zei. Ik zei iets wat in me opkwam. Ik zou er alles voor overhebben als ik het kon terugnemen.'

Michelle keek haar verdrietig aan. 'Maar je kunt dingen niet terugnemen.'

'Zeg dan dat je me vergeeft. Zeg dat het kan zijn alsof het nooit gebeurd was.'

'Ik heb je al vergeven,' merkte Michelle droogjes op, en ze ging de keuken in om water op te zetten. Maar ik ben het niet vergeten, dacht ze. Waarom is het zoveel gemakkelijker om te vergeven dan om te vergeten?

Geweldsmisdrijven ondervroeg Leonardo Norton op zondagavond. Leonardo vond het schokkend dat Jims, die hij als het summum van discretie had beschouwd, zijn naam had doorgegeven. Er klonk een zekere ergernis in zijn stem door.
'Het was minstens halfnegen toen ik hem zag, waarschijnlijk al bijna negen uur. Ik was die dag bij mijn moeder in Cheltenham geweest.' Dat klonk in zijn eigen oren als de onschuldigste manier om de dag door te brengen. 'Ik kan niet instaan voor wat meneer Melcombe-Smith 's middags heeft gedaan.'
Ze vroegen hem niet waar Jims de nacht had doorgebracht. Vermoedelijk interesseerden ze zich niet zo erg voor wat er na halfvijf 's middags was gebeurd. De volgende vraag was pijnlijker.
'Had hij een sleutel van uw huis?'
'Van mijn huis? Welnee.' Hij wist dat Jims dat nooit zou toegeven.
'Maar de buurvrouw wel?'
'Amber Conway? Ja, die wel. Zoals ik een sleutel van haar huis heb. Dat leek ons verstandig. Ik heb begrepen dat meneer Melcombe-Smith haar sleutel heeft geleend.'
Volgens haar zuster was Amber Conway naar Ierland gegaan, maar ze was daar niet tot zaterdag gebleven. Ze was op vrijdagavond thuis geweest, maar de zuster wist niets van een sleutel. Geweldsmisdrijven zei tegen Leonardo dat ze zouden terugkomen.
Leonardo belde Jims thuis op. Toen er werd opgenomen, hoorde hij een kind krijsen en een ander kind lachen. Hij hoorde ook iets dat als een Disney-video klonk, met veel geblèr en geschetter.
'Jij bent me er eentje,' zei Leonardo toen hij Jims' norse stem hoorde. 'Wie had dat ooit achter jou gezocht? Heb je echt een mes in de man van je vrouw geplant?'
'Natuurlijk niet, verdomme.'
'Straks pak je nog smeergeld in bruine enveloppen aan.'
'Ik verbied je om dat te zeggen.'

Leonardo lachte. 'Kom je naar me toe?'

Jims zei koel dat het hem geen goed idee leek. Hij was het grootste deel van de dag verhoord en hij was moe. Trouwens, er stond hem de volgende morgen een nieuwe confrontatie te wachten.

'Maak je maar geen zorgen,' zei Leonardo. 'De kranten zullen alleen zeggen dat een politicus de recherche met het onderzoek heeft geholpen. Of misschien "een bekend Conservatief parlementslid".'

'Wil je nou ophouden?' zei Jims.

23

Tegenover Amber Conway en Leonardo Norton, aan de overkant van Glebe Terrace, woonde een vrouw die Natalie Reckman kende. Ze was de zuster van de vriendin van de flatgenoot van haar vriend, een nogal verre kennis dus, al ontmoette ze haar regelmatig bij maaltijden die door de flatgenoot werden klaargemaakt. De zuster van zijn vriendin vertelde dat de rust in de straat de hele dag werd verstoord door het komen en gaan van de politie. Er waren geüniformeerde agenten bij, maar ook rechercheurs. Ze hadden het blijkbaar voorzien op de vrouw aan de overkant, of op de buurman van die vrouw, een jonge bankier of effectenmakelaar of zoiets, iemand die haar altijd een brave burger had geleken. Er was haar verteld dat die persoon vaak bezoek had van die parlementariër wiens vrouw bigamie had gepleegd.

Natalie was zo opgewonden dat ze nauwelijks kon eten. Jammer genoeg moest ze wel eten en daar ook overnachten, anders kwam haar relatie met haar vriend in gevaar. Hij had al geklaagd dat ze altijd weg was en meer om haar werk gaf dan om hem. Trouwens, ze kon nu toch niet veel doen. Maar de volgende morgen om negen uur was ze in Glebe Terrace. Ze had haar auto in een ondergrondse parkeergarage gezet om niet het risico te lopen dat hij werd weggesleept of een wielklem kreeg. Nu drukte ze op de bel van een mooi huisje dat de rechterhelft van een twee-onder-een-kap was. Er was geen politie te bekennen. Toen Natalie drie keer had aangebeld en Amber Conway niet thuis leek te zijn, werd er opengedaan door een slaperige vrouw met warrig haar. Ze droeg een korte ochtendjas over een babydoll.

'Amber Conway?'

'Ja. Wie bent u? Ik ben vannacht pas om drie uur thuisgekomen. Bent u van de politie?'

'Beslist niet,' zei Natalie. 'Het idee alleen al.'

'Ze belden me. Ik heb tegen ze gezegd dat ze hier niet voor tien uur moeten komen.'

'Daarom kwam ik om negen uur.' Natalie zette een voet over de drempel. 'Mag ik binnenkomen?'

Jims had Zillah die avond een preek gegeven over wat hij haar 'walgelijke en criminele gedrag' noemde. Als hij zijn leven met haar zou blijven delen, deed hij dat alleen op de strikte voorwaarde dat ze deed wat haar gezegd werd, te beginnen met een huwelijksplechtigheid, die ditmaal discreet zou worden afgewerkt. Het zou verstandiger zijn als ze daarna in Fredington Crucis House ging wonen en alleen naar Londen kwam als ze bij een bijzondere gelegenheid van de Conservatieve Partij moest verschijnen, bijvoorbeeld wanneer de fractieleider een feest gaf. Eugenie moest naar een kostschool en Jordan zou haar over drie jaar volgen. Intussen zou hij naar een kleuterschool van Jims' keuze gaan.

'Dat doe ik niet,' zei Zillah. 'Ik ben daar net weg en ik ga niet terug.'

'Als je het niet doet, Zillah, zit er niets anders voor me op dan je te verlaten, of beter gezegd: je eruit te zetten. Als we niet getrouwd zijn en korter dan twee maanden hebben samengewoond, ben ik wettelijk niet verplicht je te onderhouden. Jerry kan dat niet, als hij het ooit al kon. Hij is dood. Dus je doet wat je wordt gezegd, of je gaat de bijstand in. In dat geval zal de gemeente Westminster je in een of ander pension onderbrengen.'

'Wat ben jij een schoft.'

'Met schelden bereik je niets. Ik heb aan wat touwtjes getrokken en geregeld dat we woensdag trouwen. Ga je daarmee akkoord?'

Dat was maandag geweest. Ze hadden die nacht geen van beiden veel geslapen. Hoewel hij dat Zillah niet had verteld, maakte Jims zich grote zorgen over het politieonderzoek. Je wist nooit wanneer ze weer zouden toeslaan, want toeslaan zouden ze vast en zeker. De fractieleider had nog niets tegen hem gezegd, maar hij had wel ijzig gekeken. Zillah lag ook wakker, maar zij verkeerde in een veel vrolijker stemming en verheugde zich meer op de toekomst dan hij. Die middag had ze, voordat hij thuiskwam, een telefoontje gehad van een televisiestation dat Moon and Stars heette. Ze hadden haar gevraagd of ze in hun *A Bite of Breakfast* wilde komen om over haar ervaringen te praten. Ze had gezegd dat ze erover zou nadenken en dinsdag zou terugbellen. Als ze het handig speelde, kon ze misschien een televisiecarrière opbouwen. Misschien was het verstandig om voor alle zekerheid eerst te trouwen. Ze zou de volgende morgen Moon and Stars bellen en nog één dag bedenktijd vragen. Daarna zou ze hun een positief antwoord kunnen geven.

Jims maakte zich ook zorgen over de kranten. Die opmerking van Leonardo dat ze van de man die 'de politie met het onderzoek hielp' konden zeggen dat hij een bekend Conservatief parlementslid was, zat hem nog dwars. Opnieuw wilde hij dat hij rechten had gestudeerd. Waarschijnlijk konden ze hem nergens mee in verband brengen – maar als ze nu eens terugkwamen om hem te halen? Zou hij de moed kunnen vinden om een afspraak met de fractieleider te maken voordat hij door hem werd ontboden? Vroeger zou hij hebben gezegd dat zijn moed grenzeloos was, maar daar was hij niet zo zeker meer van. Hij begreep niet waarom hij geen uitnodigingen van het programma *Today* of *Start the Week* van Jeremy Paxman had gehad. Die kwamen snel genoeg als hij niets te zeggen had.

De kranten vielen om halfzeven 's morgens op de mat. Jims had maar een uur geslapen. Hij vloog met ongepaste haast op de kranten af, maar er was toch niemand die het zag. Hij slaakte een zucht van verlichting, want er stond niets meer over hem in dan de gebruikelijke frase, 'iemand die de politie assisteert'. Tot zover was er niets aan de hand. Jammer dat het geen zin meer had om naar bed terug te gaan. Nu had hij kunnen slapen.

De bedrijfsleider van de Merry Cookhouse aan de A30 herkende Jims meteen van een foto. Sterker nog, hij had geweten wie hij was toen hij het restaurant binnenkwam: het parlementslid dat getrouwd was met die vrouw terwijl ze nog met iemand anders getrouwd was. Het had in alle kranten gestaan. Toen hij de

Merry Cookhouse was binnengestapt, had de bedrijfsleider helemaal geen moeite meer gehad om hem te herkennen. Het was de onbeschoftste en moeilijkste klant geweest die de man in lange tijd was tegengekomen. Nadat hij eerst de inrichting en de service had bekritiseerd, had hij gezegd dat het voedsel nog niet geschikt was voor varkens, en dat het personeel bestond uit debielen die nog niet het verschil tussen een kippenborst en de ballen van een varken wisten.

Dat was die vrijdagmiddag om drie uur geweest. De rechercheurs moesten met enige tegenzin concluderen dat Jims, gezien de verkeersdrukte, onmogelijk binnen twee uur van dat punt in Hampshire naar Marble Arch kon zijn gereden. Hij zou daarover zeker drie uur hebben gedaan. Ze vertelden hem dat niet. Het kon geen kwaad hem een beetje te laten zweten. Het was duidelijk dat hij iets op zijn kerfstok had, al was het niet moord. Nadat ze met de man van het Merry Cookhouse hadden gepraat, namen ze niet de moeite Amber Conway te ondervragen. Dat zouden ze wel hebben gedaan als ze hadden geweten dat Natalie Reckman bij haar was.

'Die parlementariër, dat was een vriend van Leonardo Norton, hè?' Natalie stelde die vraag om tien uur, het moment waarop Geweldsmisdrijven zou komen. 'Zou u het een goede vriend noemen?'

'Meer dan dat,' zei Amber. 'U noemt mijn naam toch niet?'

'Absoluut niet.'

'Misschien is het naïef van me, maar ik heb een hele tijd gedacht dat het politiek was. We zijn hier in Westminster allemaal erg politiek ingesteld, weet u.'

Natalie zette de bandrecorder uit. Amber had niet eens gezien dat ze hem had gebruikt. 'Hij leende vaak uw sleutel?'

'Het was de eerste keer. Hij heeft een eigen sleutel.'

Toen Natalie thuiskwam, trof ze een boodschap op haar antwoordapparaat aan. Het was Zillah, die tamelijk goed en in de maat zong: *'I'm getting married in the morning.'* Dit werd gevolgd door de tekst: 'Ik ga dus morgenvroeg trouwen. Sorry dat ik de vorige keer niet aardig tegen je was. Ik stond onder zware druk. Als ik eenmaal legaal met die kerel getrouwd ben, heb ik een verhaal voor je. Zou je woensdagmiddag willen komen, om een uur of drie?'

Natalie stelde al het andere uit. Jeff werd die middag in Golders Green gecremeerd. Ze besloot daarheen te gaan. Per slot van rekening was ze langer bij hem geweest dan de meeste van zijn vrouwen. Hoewel ze hem er ten slotte uit had gegooid, waren ze zo vriendschappelijk uit elkaar gegaan als onder de omstandigheden mogelijk was geweest. Ze had tot aan zijn dood een zwak voor hem gehad, waarschijnlijk omdat ze zich nooit illusies over hem had gemaakt.

Om twee uur trok ze een zwarte rok en een zwart jasje aan. Ze vond het ongepast om in een broekpak naar een begrafenis te gaan. Natalie hield niet van hoeden en had er maar één: een ongebleekte strohoed met een grote rand die ze voor een vakantie in Egypte had gekocht. Die was niet geschikt en dus ging ze zonder hoed. Dat deed Zillah Melcombe-Smith ook, die ze daar niet had verwacht. Ze glimlachte naar haar in de aula en wuifde discreet, zoals bij een uitvaartplechtigheid past. Zillah had een kind bij zich, het jongetje dat altijd huilde, Jeff Leachs zoon. Ze zou wel geen oppas hebben kunnen regelen. De orgelmuziek maakte hem onrustig en tegen de tijd dat de kist naar binnen werd gedragen, krijste hij de longen uit zijn lijf.

De huilende vrouw in het zwart zou wel zijn huidige vriendin zijn, of beter gezegd: de meest recente ex-vriendin. Fiona-en-nog-wat. Blond, zoals al zijn vrouwen, met uitzondering van degene met wie hij getrouwd was. Ze huilde gedurende de hele dienst, die overigens nogal plichtmatig was. De dikke vrouw die met haar meegekomen was, sloeg haar arm om haar schouders en drukte haar tegen de grootste boezem – je kon het geen 'borsten' meer noemen – die Natalie ooit had gezien. Die man die zo'n succes van een televisieprogramma over anorexia had gemaakt, was er ook en hij zong de psalmen met een vrij goede baritonstem mee. Natalie had geen bloemen gestuurd. Ze had zich daarover al schuldig gevoeld, maar vond het nu nog erger, want er waren maar weinig kransen. Degene die er waren, lagen op een bestraat pleintje bij het crematorium – vooral gerbera's, lelies en ranonkels. Natalie vond dat er de afgelopen tien jaar verandering was gekomen in het assortiment bloemen. Vroeger zouden het allemaal rozen en anjers zijn geweest. Op de grootste krans zat een kaartje: *In aanbiddende herinnering voor mijn dierbare Jeff, je Fiona.* Daarnaast lag een krans van witte anjelieren, strak samengewonden, die griezelig veel op een grote Polo-pepermunt leek. Op het kaartje met 'In liefhebbende herinnering' stond: *Van pa en Beryl.* Niets van de weduwe. Niets van andere ex-vriendinnen.

Natalie vroeg zich af wie er tussen haar en die Fiona had gezeten. Er moest iemand zijn geweest – of had hij zich met zijn vrouw tevredengesteld? Ze kon zich niet voorstellen dat Jeff genoegen nam met de seks, het comfort en het dak boven zijn hoofd, om van het geld nog maar te zwijgen, van een vrouw die in een uithoek van Dorset woonde. Als ze een verhaal over de vrouwen uit zijn leven wilde schrijven, moest ze achter de naam van die ontbrekende vrouw of vrouwen zien te komen.

De bezoekers hadden de aula inmiddels verlaten en stonden naar de bloemen te kijken, sommigen in tranen. Niemand van hen zag er in de verste verte uit als Natalies opvolgster en Fiona's voorgangster. De dikke dame met het mooie gezicht kon het niet zijn – te oud en met het verkeerde figuur. Er was wel een blonde vrouw die enigszins op Fiona leek, maar dat was een inspecteur van politie. Natalie stelde zich voor aan een lange slanke vrouw van zestig die Jeffs hospita in Harvist Road, Queen's Park, was geweest.

'Hij was zo'n aardige man. Nooit moeilijkheden met hem gehad.'

'Ik wed dat hij weleens achter was met de huur.'

'Dat wel. Stel je voor, zijn vrouw die wegging en met een ander trouwde terwijl ze nog met hem getrouwd was! Is zij dat? Ik geloof dat ik haar al eerder heb gezien.'

'Was hij 's nachts vaak weg toen hij bij u in huis woonde?'

'Dagen achtereen en vaak in de weekends. Maar daar was niets verkeerds aan. Hij ging vaak naar zijn moeder in Gloucester.

Ik was vreselijk bang dat hij in die verongelukte trein zat.'

Vast niet, dacht Natalie, want op dat moment reed hij in zijn oude rammelkast van Long Fredington naar Londen terug. Jeffs moeder was in 1985 overleden en zijn vader leefde in Cardiff samen met een vrouw aan wie Jeff een hekel had gehad, de Beryl van de Polo-pepermuntkrans. Ze hadden in geen jaren met elkaar gesproken. 'Was hij door de week ook vaak weg?'

'In de zomer wel, en in september. "Volgens mij heb je een vriendinnetje," zei ik, en hij sprak dat niet tegen.'

Natalie ging even met Zillah praten. 'Gefeliciteerd met je aanstaande huwelijk.'

'Wat? O, ja. Bedankt.'

'Ik zie je morgen.'

Wie kon die andere vrouw zijn geweest, de vrouw tussen haar en Fiona? Ze was natuurlijk in goeden doen, met kapitaal of een behoorlijke baan. Ze had een eigen huis, en dat huis stond ergens in Londen. Noord-Londen, dacht Natalie. Jeff was een van die mensen die Zuid-Londen als een gebied beschouwen waarvoor je een paspoort nodig hebt. Hij had een keer opgeschept dat hij de rivier nog nooit was overgestoken. Ze vroeg zich af wat er met zijn auto was gebeurd, die twintig jaar oude Ford Anglia die hij nooit had schoongemaakt in de tijd dat hij bij haar was. Ze stelde zich voor dat die auto ergens in een depot stond, nadat hij een wielklem had gekregen of was weggesleept uit een van die talloze straatjes tussen de North Circular Road en de Great Western Line.

Toen ze weer thuis was, voerde ze enkele telefoongesprekken om bevestigd te krijgen dat Zillah (alias Sarah) Leach en James Melcombe-Smith inderdaad de volgende ochtend in de gemeente Westminster zouden trouwen, maar dat leverde niets op. Blijkbaar wilde Jims het in South Wessex doen. Ze vroeg zich af of ze Leonardo Norton tot een interview zou kunnen bewegen, maar besloot te wachten tot ze met Zillah had gepraat. Misschien kwam die met onthullingen die haar stoutste dromen overtroffen.

Vergeleken met haar vorige en zelfs met haar eerste huwelijk, was deze bruiloft een saaie vertoning. Toen de wet was veranderd, had Zillah het schitterend gevonden dat je niet meer in een kerk of voor de burgerlijke stand hoefde te trouwen, maar ook naar een hotel of landhuis kon gaan, mits dat een vergunning voor het sluiten van huwelijken bezat. Ze veranderde van gedachten toen ze de plaats zag die Jims had uitgekozen, een wegrestaurant uit de jaren dertig, niet ver van de A10, in de buurt van Enfield. Ze droeg het witte pakje en een nieuwe clochehoed met krullende zwarte en witte veren, maar ze had net zo goed in een spijkerbroek kunnen komen.

Het plafond was voorzien van zwarte nepbalken en op de muren waren panelen aangebracht, ook al nep. Er stonden rustieke stoelen en tafels en banken waarvan de sitsen bekleding een patroon van verwaaide roze en rode rozen had. Zillah had nog nooit zoveel harnassen, zadels, hoofdstellen, sporen en martingaalschildjes gezien. Ze werd voorgesteld aan de eigenaar van het etablissement, een mooie jongen met een cockney-accent die Ivo Carews minnaar was geweest. Terwijl hij zei dat het hem een genoegen was kennis met haar te maken, knipoogde hij onbeschaamd over haar schouder naar Jims.

De ambtenaar van de burgerlijke stand was een vrouw, jong en aantrekkelijk. Zillah vroeg zich af of ze zich wel echt getrouwd zou voelen als het huwelijk door een vrouw was voltrokken, al wist ze dat de meeste ambtenaren van de burgerlijke stand tegenwoordig vrouwen waren. Ivo en de mooie jongen waren getuigen en de ceremonie werd snel afgewerkt. Zillah had – al was het maar in dit troosteloze etablissement – een lunch verwacht, maar Jims, die behalve het verplichte 'Ja, ik wil' niets tegen haar had gezegd, nam vlug afscheid van iedereen en bracht haar naar Londen terug.

Eindelijk zei hij iets tegen haar: 'Dan moeten we nu regelingen treffen om jou en je kinderen naar Fredington Crucis te verhuizen.'

24

Hoewel Josephine er niet aan zou denken, was het deze week twintig jaar geleden dat Minty bij Immacue kwam werken. Het was eind mei geweest; Minty was toen achttien. Terwijl ze aan de overhemden begon, probeerde ze uit te rekenen hoeveel ze er in al die jaren moest hebben gestreken. Zo'n driehonderd per week, vijftig weken per jaar, want ze had twee weken vakantie, keer twintig: driehonderdduizend overhemden. Genoeg om een leger te kleden, had Tante gezegd toen ze het tien jaar had gedaan. Witte, blauw-met-wit gestreepte, grijze en blauwe, er kwam geen eind aan. Ze pakte het eerste van de stapel. Het was licht- en donkergroen, een zeldzame combinatie.

Zoals vaak gebeurde wanneer ze aan Tante dacht, sprak de geeststem tegen haar: 'Het zijn er geen driehonderdduizend, daarin vergis je je. Je deed nooit overhemden op zaterdag, niet toen je hier pas werkte. Minstens twee jaar niet. En er waren dagen waarop je er geen twintig deed, omdat er geen twintig waren.'

Minty zei niets. Het zou haar opluchten om Tante antwoord te geven, maar het zou haar ook in moeilijkheden brengen. Toen ze de vorige dag iets terug had geschreeuwd, was Josephine komen aanrennen om te vragen of ze zich had gebrand. Alsof iemand die al driehonderdduizend overhemden heeft gestreken zich zou branden.

'Evengoed zou ze iets voor je kunnen doen. Ze is vreselijk egoïstisch, denkt alleen maar aan zichzelf en die man van haar. Als ze een baby krijgt, moet jij ervoor zorgen. Dan brengt ze hem hierheen en vraagt jou erop te passen terwijl zij boodschappen doet of naar de Chinees gaat. Die Ken is misschien wel in de wolken, maar hij gaat niet op de baby passen. Dat doen mannen nooit.'

'Ga weg,' zei Minty, maar ze zei het erg zachtjes.

'Mevrouw Lewis weet meer van die dingen dan ik. Ze heeft ervaring. Met kinderen krijgen, bedoel ik. Al het werk en de kosten van jouw opvoeding kwamen voor mijn rekening, maar ik heb de barensweeën nooit gehad. Als Jock niet bij dat treinongeluk was omgekomen, zou je misschien zelf ook een baby hebben gehad. U had best oma willen worden, hè, mevrouw Lewis?'

Nu kon Minty zich niet meer inhouden. 'Wil je weleens je mond houden? Zij krijgt geen baby en ik ook niet. Haal die oude vrouw hier weg. Ik wil haar niet bij me hebben.'

Josephine kwam weer naar haar toe. 'Tegen wie praatte je, Minty?'

'Tegen jou,' zei Minty zonder aarzelen. 'Ik dacht dat je me riep.'

'Sinds wanneer roep ik jou als je aan het strijken bent? Zeg, ik ga even weg. Pas jij op de winkel? Ik ga met Ken lunchen. Kan ik iets voor je meebrengen?'

Minty bedwong een huivering. Zij iets eten dat door iemand anders was aangeraakt en gekocht? Josephine zou het nooit leren. 'Nee, dank je. Ik heb mijn eigen boterhammen.'

Ze ging pas eten toen ze klaar was met de overhemden. Het waren boterhammen van witbrood dat ze zelf had gesneden – je wist nooit door wie of wat gesneden brood was aangeraakt – met verse Ierse boter en kip die ze zelf had gekookt en in stukjes gesneden. Ze had het grote mes gebruikt, dat bij het mes hoorde dat ze had moeten wegdoen omdat je nooit wist of iets schoon genoeg werd als je het kookte. Als ze die mevrouw Lewis ooit zag, zou ze het grote mes misschien moeten gebruiken, zoals ze dat andere mes had gebruikt om zich van Jocks geest te ontdoen.

Ze had mevrouw Lewis nog nooit gezien. Tante wel, al was ze nooit zo helder en massief als Jock was geweest. Door Tante heen kon je altijd meubelen of deuren zien. Soms was ze niet meer dan een contour met daarin een waterige gedaante die golfde en zwaaide als de luchtspiegeling op de weg die ze de vorige week vanuit de bus had gezien. Minty bedacht dat ze misschien zou weggaan als ze weer bloemen op haar graf zette. Als ze daar weer heen ging om tot haar te bidden. Maar waarom zou ze? Ze had Tante nooit tegengesproken toen ze nog leefde, maar nu werd het tijd om zich te laten gelden. Waarom zou ze daaraan voor de rest van haar leven gebonden zijn, waarom zou ze al dat geld uitgeven en steeds weer die bloemen neerzetten, en dat alleen voor een geest?

Ze was niet bang voor Tante, waarschijnlijk omdat ze haar zo goed had gekend en had geweten dat Tante haar geen kwaad zou doen. Per slot van rekening had Jock haar al kwaad gedaan doordat hij zich haar geld op die manier had toegeëigend. En toen hij als geest was teruggekomen, had hij haar soms kwaad aangekeken, zijn ogen wijdopen en zijn tanden ontbloot. Maar ze was wél bang dat mevrouw Lewis zich zou laten zien, al wist ze niet waarom. Als de oude vrouw haar zelf had aangesproken in plaats van zich tot Tante te richten, zou ze misschien niet zo bang zijn geweest. Mevrouw Lewis had zich als een schaduw aan Tante gehecht, en net als een schaduw was ze er alleen op bepaalde tijden en op bepaalde dagen. Zo had ze vanmorgen nog niets van zich laten horen, en toen Tante haar een vraag stelde, had ze niet geantwoord. Dat kon betekenen dat ze er niet was en dat Tante om duistere redenen tegen lege lucht had gesproken. Aan de andere kant kon ze met Tante zijn meegegaan uit de plaats waar ze vertoefden – een hemel, een hel of een onbekend, ongenoemd oord – en toch haar mond houden. Dat vond Minty een afschuwelijk idee, want ze stelde zich voor hoe de oude vrouw onzichtbaar achter Tante bleef staan loeren, Tante van haar wegnam, op alles lette wat Minty deed en zich een oordeel vormde over haar uiterlijk en haar huis. Ze beidde haar tijd, maar Minty wist niet waarvoor.

Met de komst van Josephine in de strijkkamer was Tante verdwenen. Minty at haar boterhammen op en ging haar handen wassen. Ze waste haar gezicht ook, want je wist nooit of er niet een onzichtbare veeg boter op haar kin was gekomen. Terwijl ze in de wasruimte was, ging de winkelbel. De zuster van meneer Kroot stond midden in de winkel, met in haar armen een berg vuile kleren die ze uit een oude, versleten draagtas had gehaald. Gertrude Pierce was net zo verrast als Minty.

'Ik had geen idee dat je hier werkte.' Impliciet zei ze daarmee: als ik dat had geweten, was ik hier nooit gekomen. Haar stem was diep en had iets snauwerigs. Ze had een accent dat Minty niet

kon thuisbrengen. Ze had de kleur van haar haar pas laten bij-
werken. Dat was nu net zo rood en glanzend als het satijnen jasje dat ze met een groene wollen trui en een paarse broek op de
toonbank had gelegd. Minty rook die kledingstukken al op twee
meter afstand. Ze trok haar neus op, en Gertrude Pierce reageerde meteen.

'Als je ze niet kunt reinigen, breng ik ze ergens anders heen.'

Josephine zou het niet prettig vinden als ze klanten wegstuurde.
'Dat is niet nodig.' Minty moest haar antwoord geven, maar
beefde bij het idee dat Tante zou ontdekken dat ze tegen de zuster van meneer Kroot had gepraat. Met trillende hand rekende
ze de kosten van het chemisch reinigen uit. Ze noteerde het bedrag op een kaartje en zette er 'Mevr. Pierce' bij, waarna ze het
over de toonbank schoof. 'Zaterdag klaar.'

Gertrude Pierce keek met argwaan en ook een zekere verwonde-
ring naar het kaartje. Alsof Minty over een bijzondere gave of
bovenmenselijk inzicht moest beschikken om haar naam te weten. 'Mag ik mijn draagtas terug?'

Hij lag op de toonbank, een zwarte draagtas, gehavend en ge-
krast door de talloze keren dat hij was gebruikt sinds de ver-
koopster van Dickins and Jones er een aantal pasgekochte artikelen in had gedaan. Minty schoof hem een centimeter of vijf
naar Gertrude Pierce toe. Meneer Kroots zuster bleef wachten,
misschien wel tot Minty de tas met een kniebuiging zou over-
handigen. Ze ging de strijkkamer in en gooide de deur achter
zich dicht. Even later hoorde ze zware voetstappen en de rinke-
lende winkelbel.

'Ik heb je gezegd dat je niet tegen haar moet praten,' zei Tante.
'Ik kon mijn oren niet geloven. Je had moeten doen alsof ze er
niet was. Je had haar die voldoening niet moeten gunnen.'

'Ik zou wel willen doen alsof jij er niet was.' Nu Josephine weg
was, kon ze haar hart luchten. 'Ik wil dat je voorgoed weggaat en
Jocks moeder meeneemt.'

'Als je móóie bloemen op mijn graf zet, zal ik erover nadenken.
Tulpen zijn uit, wat de bloemist ook zegt. Rozen zijn zeker te
duur.'

270

'Niets is me te veel om van je af te komen,' zei Minty onbezonnen.

Toen ze om halfzes naar huis ging, kocht ze rozen, een dozijn witte – duur, maar niet zo duur als ze bij het hek van de begraafplaats zouden zijn geweest. Het was een sombere avond. Op de begraafplaats viel haar blik op een gebouw dat haar nooit eerder was opgevallen, een gebouw met zuilen en boogpoorten in verweerde grijze steen. Het zag eruit alsof het daar al honderden jaren had gestaan, misschien wel duizenden jaren. Minty, die onlangs een televisieprogramma over het oude Rome had gezien, vroeg zich af of het uit die tijd stamde. Het was een kleinere versie van het grote, sombere crematorium en de deuren waren dicht. Binnen zou de lucht donker en muf en altijd koud zijn. Ze deed haar ogen dicht en keerde het haar rug toe. Ze wist niet waarom ze hier was, want dit was niet de richting van Tantes graf.

Het kwam natuurlijk doordat ze de oostelijke ingang had genomen en niet, zoals anders, de westelijke. Plotseling vond ze het erg belangrijk om Tante de bloemen te 'geven'. Tante had erom gevraagd, ze had specifiek om rozen gevraagd. Lag het graf aan dit pad of aan het volgende? Er waren zoveel paden op de begraafplaats en zoveel graven, die allemaal op elkaar leken. Er stonden veel altijdgroene heesters, maar je zou ze beter altijdzwart kunnen noemen, want zo zagen hun bladeren eruit. Alleen het gras en de kleine bloemen die daarin groeiden, geel en wit, waren helder en varieerden van seizoen tot seizoen.

Het was nog licht en dat zou het nog uren blijven, al werd de zon door bewolking aan het oog onttrokken. Ze wilde naar het crematorium en het westelijke hek gaan, maar ze wist niet hoe. Ze liep het ene na het andere pad af, ging rechtsaf en dan weer linksaf. Ze zou het graf herkennen als ze het zag, natuurlijk door de naam die erop stond, maar eerst door de engel, die een van zijn handen voor zijn ogen hield en in de andere een gebroken viool hield. Nu stond de begraafplaats vol met stenen engelen. Het leek wel of één op de twee graven een engel had. Sommige hadden een boekrol in de hand, andere een snaarinstrument, meestal een harp, en weer andere huilden met gebogen hoofd. Het huilen stond Minty zelf ook nader dan het lachen. Ze wist dat ze de begraafplaats zou moeten verlaten door het hek waardoor ze was binnengekomen, om vervolgens via het andere hek weer naar binnen te gaan. Maar dan kwam ze langs de man die bloemen verkocht. Hij zou misschien denken dat ze die van haar had gestolen toen hij eventjes niet keek, of dat ze ze van het graf van iemand anders had gepakt. Ze had gehoord dat dat laatste tamelijk veel voorkwam.

Maisie Julia Chepstow, geliefde echtgenote van John Chepstow, heengegaan op 15 december 1897, 53 jaar oud. Slapend in de armen van Jezus. Ze kende het opschrift uit haar hoofd en herinnerde zich dat ze tegen Jock had gezegd dat het lijk dat eronder lag van Tantes grootmoeder was. Dat deed er nu allemaal niet meer toe. Het enige wat ertoe deed, was dat ze Tantes as op dat graf had begraven. Inmiddels was ze bij het kanaal, met dat Romeinse gebouwtje voor zich. Ze draaide zich weer om. Er waren hier zoveel graven en er werd zo weinig naar omgekeken dat het gras en het mos en de klimop alles wat van steen was bedekten en de namen van de overledenen aan het zicht onttrokken. Ze had hier nooit een kat gezien, al stelde ze zich voor dat ze 's avonds over de begraafplaats uitzwermden. Nu zag ze er een, lang, mager en grijs. Hij zocht zich behoedzaam een weg over de anonieme graven en dook in een met klimop overwoekerde holte tussen de wortels van een boom toen hij haar zag.

Plotseling zag ze, op het punt waar het middenpad een rechte hoek met een ander pad maakte, een engel die iets vasthield. Dit moest het zijn; hier had ze, knielend op de aarde, opgekeken en Jocks geest zien naderen. Toen ze dichterbij kwam, zag ze dat het dezelfde engel was, met dezelfde afgeschermde ogen en dezelfde gebroken viool. Maar toen ze de klimopslierten opzij duwde en las wat er op de steen gegraveerd stond, zag ze dat het een ander graf was. Dit was niet Maisie Julia Chepstow, geliefde echtgenote van John Chepstow, maar *Eva Margaret Knipeton, enige dochter van Samuel Knipeton, vluchtte naar haar Heiland, 23 oktober 1899.* Adam en Eva en Knijp Mij, dacht Minty.

Neem een Polo, Polo. Hoe konden twee graven zo op elkaar lijken en toch niet aan dezelfde persoon toebehoren? Misschien had degene die de beelden had gemaakt veel dezelfde geproduceerd.

Eigenlijk was dit graf ook goed. Dat Tantes as hier niet lag, was niet zo belangrijk. Wat wél anders was aan het graf van deze vrouw, was de stenen vaas die deel uitmaakte van het beeldhouwwerk rond de onderkant van het platform waarop de engel stond. Die vaas stond droog en was tot dicht onder de rand met groen mos bedekt. Zoals ze al eerder had gedaan, gooide Minty de halfverlepte bloemen van een ander graf in de struiken en gebruikte het water waarin ze hadden gestaan om de bemoste vaas te vullen. Ze schikte de rozen, brak stelen af om ze korter te maken en sneed daarbij haar handen aan de doornen. Het bloed gaf haar vreemd genoeg een goed gevoel, al maakte ze zich wel zorgen over het vuil dat op de rozenstelen moest zitten. Er moest ergens een waterkraan zijn, maar ze wist niet precies waar.

Ze stond op, draaide zich om en begon te lopen, van de gashouder vandaan. Dat moest de juiste richting zijn voor het westelijke hek. Maar dat bleek niet zo te zijn. Ze begon bang te worden. Als ze nu eens de uitgang niet kon vinden? Dan zou ze uren moeten dwalen, misschien wel jaren, eeuwig tussen de overwoekerde graven waar huiveringwekkende katten overheen liepen. Dit was vast en zeker een plaats van geesten, met al die doden die onder de grond lagen, maar die van haar waren er niet. Er was hier alleen vaagheid en een drukkende stilte, en in de verte het gonzen van verkeer op Harrow Road. Geen mensen, levend of in geestgedaante, geen vogels. Ze kwam plotseling op een open plek met recht tegenover haar het crematorium, dat op een kolossale tempel met zuilengalerijen leek. Het was altijd al een angstaanjagend gebouw, maar vanaf hier gezien des te meer, met zijn hoge lege muur en de zich samenpakkende grijze wolken daarachter, en aan de voet ervan de wildernis van de verwaarloosde begraafplaats. Minty stelde zich voor dat de grote deur openzwaaide, dat de gebrandschilderde ramen verbrijzelden en dat de geesten blindelings naar buiten kwamen, hun handen opgeheven en hun gewaden golvend. Ze begon te rennen.

Borden stuurden je alle richtingen op, maar nooit naar de plaats waar zij wilde zijn, nooit naar Tantes graf. Al rennend zag ze in de verte een bord. Ze durfde niet achterom te kijken, want misschien werd ze wel gevolgd. Op het bord stond UITGANG. Een enorme opluchting maakte zich van haar meester. Ze wist nu waar ze was. Ze naderde het westelijke hek, tegenover haar eigen straat en de plaats waar de bloemenman stond. Ze vertraagde nu haar pas. Het lukte haar zelfs om even naar de bloemenman te glimlachen en hem toe te knikken. Er was niemand en niets achter haar.

Het gebeurde maar zelden dat Minty zich gelukkig voelde. Niet alleen verdriet maar ook angst verdrijft geluk, en ze was meestal bang. Ze leefde in een wereld van onnoemelijke angsten, die ze alleen van zich af kon houden door zich strikt aan bepaalde gewoonten te houden. Iets had haar angsten verzacht, had ze een of twee keer zelfs helemaal uitgebannen, en dat was wat ze in de eerste zevenendertig jaar van haar leven nooit had gekend: het gevoel dat ze voor Jock had gehad. Toen ze hem, nadat hij de liefde met haar had bedreven, had verteld dat ze voor altijd de zijne was, had ze voor het eerst in haar leven haar ware gevoelens tot uiting gebracht, niet aangetast door reinheid of netheid of vooroordelen over voeding. En wat hij haar teruggaf – tenminste, dat dacht ze – had haar een vreemd, onbekend gevoel gegeven dat ze niet zou kunnen omschrijven. Geluk. En nu ze de begraafplaats verliet en naar Syringa Road liep, kwam dat gevoel in lichte mate bij haar terug.

Bij Jock was het van relatief lange duur geweest. Als hij niet was gestorven, als hij was blijven leven en bij haar was gebleven, zouden die gevoelens waartoe hij haar inspireerde een andere vrouw van haar hebben gemaakt. Het beetje geluk dat ze nu ervoer, zou niet van lange duur zijn. Dat wist ze wel. De angst was al terug toen ze haar voordeur naderde. Ze was bang voor wat haar binnen te wachten stond en ze dacht erover om bij de Wilsons aan te kloppen en een halfuur bij hen door te brengen, een

274

kop thee te drinken, een praatje te maken, hun misschien te vertellen over haar dwaaltocht over de begraafplaats, waarvan ze nu de humor wel kon inzien. Een vrouw die haar hele leven op een steenworp afstand van het kerkhof woonde en die het graf van haar eigen tante niet kon vinden! Als ze nu naar Sonovia's huis ging, zou ze uiteindelijk toch weer naar haar eigen huis moeten. Ze kon niet de hele nacht bij de buren blijven.

Ze stak de sleutel in het slot en draaide hem om. Hoewel het nog lang niet donker was, deed ze het licht in de hal aan. Niets. Leegte. Ze ging naar boven, bang dat ze Tante onderweg zou tegenkomen, maar er was niemand, niets. Heel zwakjes hoorde ze door de tussenmuur het soort muziek waarvan piepjonge mensen hielden. Dat zou niet meneer Kroots radio zijn, maar die van Gertrude Pierce. Een vreemde vrouw was dat, die van tienermuziek hield. Minty liet water in het bad stromen, waarbij ze het soort gel gebruikte dat schuim maakt, waste haar haar erin en boende met een nagelborsteltje het bloed van haar handen. De prikken die de doornen hadden gemaakt, vormden een heleboel wondjes. De muziek ging uit en het bleef stil. Minty droogde zich af en trok haar gebruikelijke schone T-shirt, schone broek en schone sokken aan. Ze droeg nooit sandalen, zelfs niet bij warm weer, want de straten waren vuil. Dingen konden zich onder je voeten ingraven en de ziekte veroorzaken die bilhar-en-nog-wat heette. Ze had daarover in Lafs krant gelezen. Dat was in Afrika, maar ze zou niet weten waarom het hier in Londen niet ook kon gebeuren.

Ze had geen honger. Die boterhammen waren erg voedzaam geweest. Misschien zou ze later roerei op toast nemen. Je wist nooit waar een ei vandaan kwam, maar het was in ieder geval afkomstig van een kip, en trouwens, ze bakte ze langdurig in een schone koekenpan. Door haar keukenraam kon ze wasgoed aan de ver doorbuigende lijn in meneer Kroots tuin zien hangen. Het zag er kurkdroog uit en had daar waarschijnlijk al gehangen voordat Gertrude Pierce naar Immacue kwam. Minty ging naar buiten. Het was de hele dag niet heet geweest, daarvoor was er te veel bewolking, maar wel tamelijk warm en dat was het nog steeds. Ze keek naar het wasgoed van de buren. De lijn was ver doorgezakt en had een van de palen al tot een hoek van vijfenveertig graden opzij getrokken, zodat de randen van de lakens en handdoeken het droge, stoffige gras aanraakten. Minty was geschokt, maar niet bereid er iets aan te doen. Sonovia riep haar over de andere schutting.

'Minty! Lang niet gezien.'

Zo lang geleden was het niet. Niet meer dan twee of drie dagen. Omdat ze wist dat Sonovia zoiets graag hoorde, vertelde Minty haar over Gertrude Pierce die naar de winkel was gekomen zonder te weten dat zij daar werkte. Sonovia lachte, vooral omdat het haar verbaasde dat Minty haar naam kende. Zo'n twintig jaar geleden had meneer Kroot een racistische opmerking gemaakt, al scheen niemand te weten waar en tegen wie hij dat had gedaan, maar Laf had er voldoende aanleiding in gezien om nooit meer tegen hem te praten. Sonovia zei vaak dat ze wou dat het niet zo lang geleden was, want tegenwoordig zou ze hem voor de rechter slepen.

'Iemand heeft me verteld dat ze zaterdag over een week naar huis gaat. We zullen allemaal blij zijn haar te zien vertrekken.' Ze luisterde glimlachend toen Minty haar vertelde wat er op de begraafplaats was gebeurd. Ze bleef glimlachen, maar toen Sonovia weer in haar eigen huis was, zei ze tegen Laf: 'Als Winnie Knox op Kensal Green is begraven, is dat nieuws voor mij.'

'Ze is helemaal niet begraven. Ze is gecremeerd. Dat zou je moeten weten, want we waren er alle twee bij.'

'Daarom zei ik ook dat het voor mij nieuws was. Minty had de as maandenlang in een pot op de plank staan, en het was me al opgevallen dat die weg was. Ze vertelde me net dat ze op de begraafplaats verdwaald is toen ze naar Winnies graf zocht. Ze had witte rozen gekocht, want ze zei dat haar tante genoeg had van tulpen. Wat denk jij daar nu van?'

'We hebben altijd al gezegd dat Minty vreemd was, Son. Weet je nog dat gedoe over geesten?'

Minty was dat gedoe over geesten even vergeten. Toen ze haar keuken weer binnenging en naar de huiskamer liep, dacht ze aan Gertrude Pierce en het wasgoed en de vies ruikende kleren die ze naar de stomerij had gebracht. In de deuropening bleef ze staan. Er stonden twee vrouwen tussen de haard en de bank, Tante en een oude kromme vrouw met een gebogen rug en het gezicht van een heks. Minty kon geen woord uitbrengen. Ze stond op de drempel, zo roerloos als een van die beelden op de begraafplaats, en deed haar ogen dicht. Toen ze ze weer opendeed, waren de vrouwen er nog steeds.

'Je weet heel goed dat het niet mijn graf was, hè, mevrouw Lewis? Je hebt die rozen op het graf van een vreemde gezet. Hoe denk je dat ik me nu voel? Mevrouw Lewis vond het weerzinwekkend.'

Tante had bij haar leven nooit zo tegen haar gesproken, al had Minty vaak gedacht dat ze het graag had gedaan. Als ze aardige dingen zei, had ze weleens woede in haar ogen gehad, de woede die er nu uit kwam. Mevrouw Lewis bleef heel stil staan. Ze keek niet naar Tante en ook niet in Minty's richting, maar staarde naar de vloer, haar knokige oude handen samengevouwen.

'Er kan niet eens een verontschuldiging af. Ze kon nooit zeggen dat iets haar speet, zelfs niet toen ze klein was, mevrouw Lewis. Er kwam nooit een woord van spijt over haar lippen.'

Minty vond haar stem terug. 'Het spijt me. Het zal niet meer gebeuren. Is het zo goed?' Haar stem werd krachtiger, al was haar angst niet afgenomen, en de woorden kwamen er schor en krakend uit. 'Willen jullie nu weggaan? Allebei? Ik wil jullie niet meer zien. Jullie zijn dood en ik leef. Ga terug naar waar jullie vandaan komen.'

Tante ging weg, maar mevrouw Lewis bleef. Minty kon Jocks gezicht in het hare zien, dezelfde trekken, maar dan verschrompeld en verouderd alsof er duizend jaren overheen waren gegaan. Zijn ogen hadden op de hare geleken: verslagen en moe, wanneer hij naar de hondenrennen was geweest en de hond waarop hij geld had gezet als laatste was binnengekomen. Als dat treinongeluk geen einde aan zijn leven had gemaakt, zou hij er op een dag net zo hebben uitgezien als zijn moeder nu. De oude vrouw keek op. Ze was minder massief dan de eerste keer dat Minty haar zag. Minty was zich opnieuw bewust van dat luchtspiegelingseffect, die golvende waterigheid waardoor het leek of mevrouw Lewis' open vest en wijde rok huiverden als in een zomerbries. Ze keken elkaar aan, zij en Jocks moeder, en ze zag dat de ogen tussen die rimpels niet blauw waren, zoals ze eerst had gedacht, maar dof, koud groen. Elk oog was net een vogelei in een nest.

Als ze zich omdraaide en wegliep, zou de oude vrouw haar volgen. Voor het eerst wilde ze dat een geest iets zou zeggen. Ondanks al haar angst wilde ze horen wat voor stem mevrouw Lewis had.

'Zeg iets.'

Zodra ze dat zei, verdween de geest. Niet onmiddellijk, maar als rook die in de hals van een fles verdwijnt. En toen was ze weg en was de kamer leeg.

25

Toen Jims in Glebe Terrace arriveerde, zat Natalie in een slaapkamer in een flat aan de overkant van de straat. Die flat was van
Orla Collins, die ze op een van de etentjes had ontmoet. Orla
had eerst wat bezwaren gehad, maar die waren verdwenen toen
Natalie had uitgelegd dat ze een parlementariër bespioneerde
die in bigamie met zijn vrouw getrouwd was terwijl hij tegelijk
een verhouding had met een man aan de overkant van Glebe
Terrace. Donderdagavond was ze daar voor de derde keer. Ze
vond het niet vreemd dat hij de avond tevoren niet was gekomen. Zelfs Jims zou ervoor terugdeinzen om op zijn trouwdag
naar zijn minnaar te gaan.

Zillah had uit de school geklapt. Toen Natalie woensdagmiddag
bij haar kwam, droeg ze nog steeds het witte pakje dat ze bij haar
huwelijksvoltrekking had gedragen. 'Ik dacht dat je geen foto
van me zou maken,' zei Zillah, 'en dus heb ik een polaroid gemaakt.' Natalie bekeek hem aandachtig. Toen was Zillah van
wal gestoken.

Het was het beste verhaal dat Natalie in vijftien jaar journalistiek had binnengehaald. Ondanks alles durfde ze Zillah nog niet
helemaal te geloven als het om Jims' avonturen met Leonardo
Norton ging. Dat zou ze moeten verifiëren. Ze zat in een rieten
stoel bij het raam van Orla Collins en keek, niet voor het eerst,
naar de foto's die Zillah en Jims op hun huwelijksreis hadden
gemaakt. Aan de zijne had ze niet veel, want dat waren allemaal
plaatjes van het eiland, met uitzondering van één foto van Zillah
die in de Indische Oceaan zwom. De hare daarentegen waren
onthullend. Ze gaf toe dat ze ze had gemaakt omdat ze zich zelfs
toen al aan dat schijnhuwelijk ergerde. Jims en een jongeman
wiens gezicht was afgewend, lagen op strandstoelen naast elkaar
of zaten naast elkaar op badhanddoeken op het strand. En het
meest compromitterende was: ze zaten aan een tafel in de open-

lucht en Jims' hand rustte op de dij van de jongeman. Het was interessant dat Jims altijd naar hem glimlachte, terwijl Leonardo zijn gezicht uit beeld probeerde te houden. Die foto's zouden het gemakkelijk maken om de parlementariër te herkennen als hij naar Glebe Terrace kwam. Hoe zou hij komen? Terwijl de tijd verstreek en haar horloge halfacht, acht uur, kwart over acht aangaf, overwoog Natalie de verschillende mogelijkheden. Het metrostation Sloane Square was maar drie haltes van Westminster vandaan. Hij kon de metro en dan een taxi nemen. Of een taxi voor het hele eind. Het scheen dat hij een hoog privé-inkomen had. Hij kon ook zelf rijden, en omdat het halfzeven geweest was, mocht hij overal parkeren. Natalie geloofde niet dat hij met de bus kwam. Dat was te volks voor iemand als Jims. En op de fiets...

Om twintig voor negen zag ze hem aankomen. Lopend. Hij zag er in het echt nog beter uit dan op de foto's die op de Malediven waren gemaakt. Natalie nam zoals veel vrouwen een standpunt in dat homoseksuele mannen nooit deelden. Wat zonde, zei ze tegen zichzelf. Tot haar vreugde haalde hij een sleutel uit zijn zak en maakte daarmee Leonardo Nortons voordeur open. Voor een raam, vermoedelijk van de huiskamer, was de zonwering neergehaald, maar een bovenraam was onbedekt, afgezien van een paar centimeter gordijn aan weerskanten. Het was de vraag of ze wel foto's mocht maken, maar ze had haar camera in de aanslag. Bijna wenste ze dat ze hem niet had meegenomen, want voor de foto die ze maakte zou elke hoofdredacteur terugdeinzen. Door de zestig centimeter tussen de gordijnen kon ze vastleggen hoe Jims en Leonardo elkaar innig omhelsden.

Bijna onmiddellijk trok Leonardo, die alleen een slipje met strepen in rood-witte zuurstokkleuren droeg, de gordijnen dicht. Natalie bleef zitten. Ze was vastbesloten desnoods de hele nacht in die stoel te blijven zitten. Ze had boterhammen meegenomen en kon slokjes uit een halve fles Valpolicella nemen. Maar om halftwaalf wilde Orla naar bed.

'Het heeft geen zin te wachten,' zei ze. 'Hij blijft altijd slapen.'

Als de politie nooit in Holmdale Road was teruggekomen, zou Michelle – wat Fiona betrof – Matthews advies hebben opgevolgd en met haar hand over haar hart hebben gestreken. Per slot van rekening had haar buurvrouw een schokkend verlies geleden en onder bijna ondraaglijke druk gestaan. Daar kwam nog bij dat zij en Matthew haar hadden gesteund door haar te vergezellen naar de begrafenis van een man aan wie ze een hekel hadden gehad en die ze hadden gewantrouwd. Maar de politie kwam op vrijdagmorgen terug om te zeggen dat ze niemand hadden kunnen vinden die kon bevestigen dat de Jarveys op die cruciale middag op de Heath waren geweest. Aan de andere kant had een auto van hetzelfde merk en met dezelfde kleur als de hunne op die tijd bij een parkeermeter in Seymour Place, West 1, gestaan. Seymour Place lag dicht bij de Odeon-bioscoop aan Marble Arch.

Met een koele, gereserveerde stem zei Matthew: 'Dat was onze auto niet.'

'De getuige had het nummer niet opgeschreven.'

'Als hij of zij dat wel had gedaan, zou het niet het nummer van onze auto zijn geweest.'

Michelle keek even naar haar man en vervolgens naar haar dikke handen, die in haar omvangrijke schoot lagen. Ze kon zich niet voorstellen dat iemand die naar hen tweeën keek hen er ook maar een seconde van kon verdenken dat ze een misdrijf hadden begaan. Een dikke vrouw van vijfenveertig die geen tien stappen kon zetten zonder te hijgen en – hoeveel ze ook van hem hield, ze kon er niet omheen – een erbarmelijk skelet, invalide geworden door zijn eigen absurde fobieën. Dat zou voorlopig haar laatste realistische, logische gedachte zijn.

Ze hield haar adem in toen de vrouw haar vroeg: 'Kunt u ons iets concreters vertellen om te bevestigen dat u in die tijd in uw auto op de Heath zat?'

'Wat dan?' Ze hoorde dat haar stem ijl en schor werd.

'Of in de Waitrose? Het personeel daar kan zich u niet herinneren. Dat wil zeggen, ze herinneren zich u wel,' – Michelle meende een vage grijns op haar gezicht te zien – 'maar ze weten niet meer op welke dag u daar was. Blijkbaar gaat u daar vaak naar-toe.'

Het was duidelijk wat ze wilde suggereren: dat zij en Matthew met opzet vaak naar de supermarkt waren gegaan om getuigen in verwarring te brengen over de enige dag waarop ze daar níet waren.

'En over de Heath, mevrouw Jarvey?'

'Dat heb ik u al gezegd. Er waren daar auto's met mensen erin, maar ik kende hen niet en zij kenden ons niet.'

Toen de rechercheurs weg waren, sloeg ze haar armen om Matthew heen en keek hem vertwijfeld aan. 'Ik ben zo bang, ik weet niet wat ik moet doen. Ik dacht... Fiona heeft ons hierin betrokken, zij moet ons er ook weer uit helpen.'

'Wat bedoel je, liefste?'

'We kunnen haar vragen te zeggen dat ze ons op de Heath heeft gezien. Ze was daarheen gereden zodra ze thuiskwam – ik bedoel, ze kan zeggen dat ze een uur eerder thuiskwam dan ze in werkelijkheid deed – en ze zag ons en praatte met ons. Of – en dat zou nog beter zijn – ze kan een vriendin van haar laten zeggen dat die ons heeft gezien, iemand uit de straat; ze kent die vrouw van 102, ik heb hen samen gezien, en ze zou...'

'Nee, Michelle.' Matthew was zachtmoedig als altijd, maar ook hard, zoals hij lang geleden altijd was. 'Je zou haar aanzetten tot meineed. Dat zou verkeerd zijn. En afgezien van de morele aspecten: het zou uitkomen.'

'Als ze niet zoiets kleins voor ons kan doen, denk ik dat ik nooit meer een woord tegen haar zeg.'

'Misschien zou ze het wel doen. Je hebt het niet geprobeerd – en, Michelle, je gaat het ook niet proberen.'

'Wat moet er dan van ons worden?'

'Niets,' zei hij. 'Onschuldige mensen staan niet terecht wegens moord.' Al was hij daarvan helemaal niet zeker. 'Je moet niet zo raar doen. Het is je reinste hysterie.'

'Dat is het niet!' Ze begon te snikken en tegelijk te lachen. 'Dat is het niet, dat is het niet!'

'Michelle, hou op. Ik heb er genoeg van.'

Ze keek naar hem op. De tranen liepen over haar gezicht. 'En nu hebben wij door haar ook nog ruzie. We maken nooit ruzie.'

Fiona was die maandag weer aan het werk gegaan. Haar collega's zeiden dat ze het verschrikkelijk vonden van Jeff, maar degenen die zich zijn naam niet konden herinneren, noemden hem alleen 'je vriend'. Fiona vond dat hij daardoor werd teruggebracht tot een vage kennis uit haar studietijd of zoiets. Ze moest meer nieuwsgierige blikken en pijnlijke stiltes doorstaan dan wanneer Jeff aan kanker of een hartaanval zou zijn gestorven. Een moord laat voorgoed een stempel op de nabestaanden achter. Fiona wist dat haar kennissen haar naam nooit meer zouden noemen zonder erbij te zeggen dat ze de vrouw was 'die met die man samenwoonde die in de bioscoop vermoord is'. Bovendien had ze er bittere spijt van dat ze Geweldsmisdrijven de naam van de Jarveys had genoemd. Ze wist niet meer waarom ze dat had gedaan en kwam tot de conclusie dat ze, zoals onder zulke omstandigheden vaak gebeurde, met die naam was gekomen omdat ze niets te melden had en toch graag wilde helpen.

Michelle had wel gezegd dat ze haar vergaf, maar erg gemeend was dat niet overgekomen. Deze stille, bedroefde vrouw was niet de liefdevolle, extraverte moederlijke vrouw die ze had gekend. Het leek wel of ze zich in zichzelf had teruggetrokken. Fiona was sinds de verzoening van afgelopen zondag drie keer in het huis van de Jarveys geweest, telkens in de hoop dat Michelle weer als vanouds zou zijn. En hoewel ze iedere keer erg beleefd en gastvrij was geweest, bleef ze op een afstand. Deze vrijdagmiddag was Fiona er weer. Ze gebruikte de achterdeur om een vertrouwelijkheid te suggereren die ze graag weer wilde herstellen. En even leek het erop dat het goed zou komen, want Michelle kwam haar tegemoet en kuste haar op haar wang.

Matthew leek ook hartelijker dan anders. Meestal was het Michelle die haar een glas wijn aanbood. Nu haalde hij een fles die hij in het ijs had staan en schonk glazen voor haar en zijn vrouw in. Maar tot haar schrik zag ze dat de tranen Michelle in de ogen stonden.

'Wat is er? O, wat is er? Als je huilt, ga ik ook huilen.'

Michelle probeerde het te vertellen. 'De politie is hier vanmorgen weer geweest. Ze geloven niet dat we waren waar we zeiden dat we waren op die... die dag. Iemand zag een auto als de onze in de buurt van die bioscoop geparkeerd staan. Ze willen nu dat we bewijzen dat we op de Heath waren, en... en dat kunnen we niet, dat kunnen we niet. Dat zullen we nooit kunnen.'

'Toch wel. Ik zal jullie helpen. Dat is het minste wat ik kan doen. Ik kan niet zeggen dat ik jullie daar heb gezien, want de mensen bij mij op kantoor hebben al tegen hen gezegd dat ik daar tot vijf uur was. Maar ik kan iemand vinden die het wil zeggen. Ik ken iemand – ik bedoel, ik ken haar goed – die in de Vale of Heath woont, en ze zal zeggen dat jullie daar waren, dat weet ik zeker. Ze is absoluut iemand die naar de politie gaat om te zeggen dat ze een verklaring komt afleggen om jullie verhaal te ondersteunen. Alsjeblieft, laat me dat doen. Ik weet dat het werkt.'

Michelle schudde haar hoofd, maar Matthew begon te lachen alsof er geen probleem was.

Omdat hij zijn spreekuur in Toneborough op zaterdagmorgen in plaats van vrijdag had, had Jims zijn reis naar zijn kiesdistrict vierentwintig uur uitgesteld. Hoewel zijn huwelijk in de kranten van donderdag was bekendgemaakt en de politie hem blijkbaar niet meer van de moord verdacht, keken veel Conservatieven in het Lagerhuis hem nog met de nek aan. Maar de fractieleider had niets meer gezegd en had hem die ochtend toegeknikt en zelfs vaag naar hem geglimlacht. Jims begon er weer vertrouwen in te krijgen dat degenen die er werkelijk iets toe deden geloofden dat hij niets van de gehuwde staat van zijn vrouw had geweten toen hij de eerste keer met haar trouwde.

De rit naar Dorset verliep zonder incidenten. Alle wegwerkzaamheden waren voltooid en de pionnen en borden met maximumsnelheden waren weggehaald. Hij kwam op tijd in Toneborough aan voor een verzoeningslunch met Ivo Carew. Ivo's zuster kwam iets met hen drinken en lachte om iets waarmee zij tweeën, samen met Kevin Jebb, Jims de vorige dag hadden geholpen. Jims bracht de middag in een bejaardentehuis door. Het tehuis was gevestigd in een riante villa en welgestelde bejaarden van zijn politieke richting brachten daar hun laatste levensjaren in luxe suites door. Hij praatte met alle bewoners afzonderlijk, kreeg een rondleiding door de bibliotheek en de filmzaal en hield een toespraakje – niet om hen aan te moedigen conservatief te stemmen – dat sprak vanzelf – maar om naar de stemhokjes te gaan. Hij verzekerde hun dat er comfortabel vervoer zou zijn om hen naar het stembureau te brengen. Voordat ze aan hun viergangendiner begonnen, reed hij naar het station van Casterbridge om Leonardo van de trein uit Londen te halen.

Dat was indiscreet. Hij had het nooit eerder gedaan, maar hij hield zichzelf voor dat niemand erachter zou komen. Natuurlijk zouden ze niet samen in een restaurant dineren. Jims had koude kip, wildpastei, wat asperges en *livarot* meegebracht. Fredington Crucis House was altijd royaal voorzien van drank. Tegen de tijd dat ze thuiskwamen, stonk de hele auto naar de kaas, maar daar konden ze alleen maar om lachen. De volgende middag, als Jims' spreekuur voorbij was, zouden ze naar Lyme rijden, waar Leonardo, die gek was op Jane Austen, naar de plek wilde waar Louisa Musgrove van de Cobb sprong.

Omdat Jims de volgende ochtend pas om halfelf in Toneborough hoefde te zijn, bleven ze tot negen uur in bed. Ze zouden nog langer zijn blijven liggen als Jims geen geluiden buiten het huis had gehoord. Leonardo sliep door. Hij was het gewend om in zijn slaapkamer verkeerslawaai te horen, schreeuwende stemmen, ronkende taxi's en piepende vrachtwagens. Jims was dat in Londen ook gewend, maar niet hier, niet op het terrein van Fredington Crucis House. Als hij hier al eens wakker werd van geluid, dan was het vogelzang. Hij ging rechtop zitten en luisterde. De radio van mevrouw Vincey? Nee. Hij had uitdrukkelijk tegen zijn schoonmaakster gezegd dat ze niet hoefde te komen. Trouwens, het geluid kwam van buiten. Het was een mengeling van stemmen, en het grind van de oprijlaan knerpte. Een portier werd dichtgegooid. Jims stond op, schoot een ochtendjas aan en ging naar een raam. De gordijnen waren dicht, maar er zat een spleet van een centimeter tussen. Hij keek door die spleet en deinsde van schrik terug.

'O mijn god!'

Leonardo bewoog, draaide zich om en mompelde slaperig: 'Wat is er?'

Zonder antwoord te geven wierp Jims zijn ochtendjas van zich af en trok de spijkerbroek aan die hij de vorige avond ook had aangehad, en een donker sweatshirt. Hij ging naar de tweede verdieping, waar de ramen kleiner en de gordijnen open waren. Jims wist dat iemand die buiten stond heel goed moest kijken, wilde die op zo'n afstand zien wat zich binnen afspeelde. Hij kroop op handen en voeten naar het raam toe en bracht zijn hoofd tot aan zijn neus boven de vensterbank.

Buiten stonden ongeveer vijftig mannen en vrouwen. Sommigen hadden een camera, anderen notitieboekjes en opnameapparatuur. Hun auto's stonden er ook, en ze leunden ertegenaan of zaten erin met de portieren open. Een vrouw, vergezeld door twee andere vrouwen en een jongeman, schonk iets uit een thermosfles in plastic bekers. Ze praatten en lachten allemaal. Jims zag dat zijn oprijlaan al bezaaid was met sigarettenpeuken.

Het was een sombere ochtend, maar het was niet echt donker. Deze kleine kamers hier waren ooit slaapkamers van personeelsleden geweest. Het was er altijd een beetje schemerig. Toch was het onvergeeflijk wat Leonardo deed. Hij kwam achter hem de kamer in, gekleed in zijn boxershort, riep uit: 'Wat ben jij nou aan het doen? Waarom kruip je rond als een hond?', en deed de plafondlamp aan.

De menigte reageerde hilarisch. Fototoestellen flitsten en de hele meute kwam naar voren, naar de voordeur.

De krant waarin Natalies verhaal werd gepubliceerd, werd normaal gesproken niet op Abbey Gardens Mansions 7 bezorgd. Zillah had hem speciaal besteld. Ze werd die zaterdagmorgen erg vroeg wakker en keek uit naar de komst van de kranten. De vorige middag had ze, nadat ze eerst had gekeken of de royale maandelijkse toelage die Jims haar gaf op haar bankrekening was overgeschreven, Moon and Stars Television gebeld. Ze zouden maandagmorgen vroeg een auto sturen om haar te halen, zodat ze in *A Bite of Breakfast* kon verschijnen. Nu mevrouw Peacock ontslag had genomen, had Zillah een regeling getroffen met een jong Iraans meisje dat op nummer 9 schoonmaakte. Het meisje zou van zondag op maandag bij hen overnachten en 's morgens voor Eugenie en Jordan zorgen. Zillah had ook een afspraak met een kinderpsychiater gemaakt.

Ze vond het prachtig om zich voor te stellen hoe Jims door deze ramp zou worden getroffen. Ze wist zeker dat hij geen ochtendbladen op Fredington Crucis House liet bezorgen. Trouwens, deze krant, die hij altijd een 'achterbuurtvod' noemde, zou hij nooit inkijken. De kans was groot dat hij al met zijn spreekuur bezig was voordat hij erachter kwam. Een ingezetene van Toneborough, die zich zorgen maakte over zijn gemeentebelastingen, de uitlaatgelegenheden voor zijn hond of zijn invaliditeitsuitkering, zou misschien een exemplaar van het vod bij zich hebben. Ze had zich niet meer zo gelukkig gevoeld sinds ze door het gangpad was gelopen om in de St. Mary Undercroft met hem te trouwen.

Toen de krant om zeven uur op de deurmat plofte, werd Jordan huilend wakker. Zillah pakte hem op, zette hem in zijn kinderstoel – hij zou toch niet meer in een kinderstoel moeten zitten? – en gaf hem sinaasappelsap en een chocoladereep. Die laatste zou ze hem eigenlijk niet moeten geven, want zijn gebit ging ervan rotten en verkeerde eetgewoonten konden leiden tot overgewicht. Toen ging ze op de bank de krant bekijken.

Ze schrok van de voorpagina. Een grote kop luidde: *Homo in Lagerhuis: Twee Bruiloften en één Begrafenis*. Er stond een foto van haar bij die ze nooit eerder had gezien. Die moest genomen zijn in de hoogtijdagen, toen ze de hele tijd gefotografeerd werd. Misschien hadden ze deze foto in eerste instantie niet gebruikt omdat hij niet erg flatteus was. Deze ene keer vond Zillah het niet erg. Ze keek ontredderd, alsof ze niet meer wist wat ze

moest doen. Haar gezicht ging half schuil achter haar hand en losse, vettige haarslierten kwamen tussen haar gespreide vingers door. Dat was de dag, herinnerde ze zich, waarop ze de fotograaf niet had verwacht. Links daarvan – zoals 'voor de behandeling' en 'na de behandeling' in advertenties – stond de eerste trouwfoto van haar en Jims, allebei glimlachend, ontspannen, gelukkig. Er was niet veel tekst. Daarvoor moest ze naar pagina 3. Ze hadden ook een van haar eigen Malediven-foto's afgedrukt, waarop Jims duidelijk herkenbaar zijn hand op de blote dij hield van een jongeman die zijn gezicht half had afgewend en in de schaduw hield. Ze begon bang te worden. Wat zou hij doen als hij dit las? Wat zou hij met háár doen? Was hij het nu aan het lezen of lag hij nog lekker te slapen in Fredington Crucis House, zonder te weten wat hem te wachten stond? Ze las haar eigen woorden. *'Ik dacht echt dat ik vrij was om te hertrouwen. Die arme Jeff....'* Ze had hem in hun hele leven met elkaar nooit zo genoemd. *'Die arme Jeff vertelde me dat we officieel gescheiden waren. Toen hij werd gedood en ik ontdekte dat ik een fout had begaan, werd ik – tragisch genoeg – bevrijd door zijn dood. Ons huwelijk was niet gelukkig, vooral niet omdat hij veel verhoudingen met andere vrouwen had. Evengoed was de moord op hem een vernietigende slag voor mij, net als de ontdekking dat James een enigszins andere geaardheid had dan ik had gedacht. Dat bleek toen hij op onze huwelijksreis zijn minnaar meenam.'*
Mevrouw Melcombe-Smith huilt tegenwoordig veel. De tranen sprongen haar in de ogen toen ik haar vroeg hoe ze over de toekomst van haarzelf en het parlementslid voor South Wessex dacht. 'Dit alles is afschuwelijk geweest, maar ik zal hem blijven steunen,' zei ze. 'Het kan me niet schelen wat hij heeft gedaan. Ik houd van hem en ik geloof dat hij in zijn hart ook van mij houdt.'
Er kwam nog veel meer, maar die regel over de steun die ze aan Jims zou blijven geven – woorden die ze inderdaad tegen Natalie Reckman had uitgesproken – herlas ze nu met nieuwe ogen. Toen ze ze had uitgesproken, had ze er niet bij nagedacht. Het was wat vrouwen in haar positie altijd zeiden. Ze had het in de loop van de jaren talloze malen in kranten gelezen. Nu dacht ze

aan de werkelijkheid. Ze vond het wel een prettig idee om zichzelf in de rol van toegewijde, steunende vrouw te zien, een vrouw die slecht was behandeld maar vergevensgezind was en nog steeds van haar man hield. Niet dat die nieuwe rol haar van haar verschijning in het televisieprogramma *A Bite of Breakfast* zou weerhouden. Ze hoefde niet meteen alles te vergeven...

In de weinige maanden die sinds haar eerste huwelijk met Jims waren verstreken, had ze precies geleerd hoe de media werkten. Toch wist ze niet dat de krant die zij om zeven uur 's morgens onder ogen kreeg de vorige avond al door concurrerende journalisten kon zijn gelezen. Daarom dacht ze dat ze nog uren de tijd had voordat de troep verslaggevers en fotografen op de stoep van Abbey Gardens Mansions zou verschijnen. Jordan huilde weer. Ze gaf hem pap en een beker melk. Hij stak zijn handen in de melk alsof het een vingerkommetje was en begon zacht te jengelen, tussen kreunen en zingen in.

Eugenie kwam haar kamer uit en wilde weten waarom iedereen zo vroeg op was en wat al die mensen op straat deden. Zillah ging naar het raam. Ze waren er al. Ze stonden al op haar te wachten. Ze zou deze keer niet proberen zich te verstoppen of via de garage te ontsnappen. Ze waren welkom. Ze dacht aan alle vrouwen die de laatste tijd als tv-presentatrice of fotomodel waren doorgebroken. Die beroemd waren geworden zonder dat ze een bepaald talent bezaten, alleen doordat ze in het openbaar hun kleren hadden uitgetrokken of tegen iets hadden gedemonstreerd of het slachtoffer van het een of ander waren geworden. Hoeveel meer succes lag er dan niet in het verschiet voor een beeldschone bigamiste, weduwe van een vermoorde man en echtgenote van een parlementariër van wie recentelijk bekend was geworden dat hij homoseksueel was?

Maar de meute mocht haar nog niet zien. Ze moest een uur de tijd hebben om zich zo mooi mogelijk te maken. Zillah liet water in haar bad stromen en ging er met Jordan in zitten om hem stil te houden.

26

Die hele zaterdagmorgen lette Sonovia op de straat, in het bijzonder op het stukje straat voor meneer Kroots huis, maar Gertrude Pierce ging niet weg. Sonovia ging steeds even naar de voorkamer om te kijken. Laf kwam met een kop koffie de kamer in.

'Waarom zit je uit het raam te kijken?'

'Er gebeurt nooit iets opwindends in Syringa Road.'

'Daarvoor zou je dankbaar moeten zijn. Wat wil je dan dat er gebeurt?'

Sonovia gaf geen antwoord. De voordeur van meneer Kroot ging open. De oude zwarte kat glipte naar buiten en de deur ging weer dicht.

'Wil je vanavond ergens heen?'

'Mij best, alleen moet je me nu even met rust laten. Je verstoort mijn concentratie.' Sonovia nam het zichzelf kwalijk dat ze niet oplettender was geweest toen Jock Lewis nog bij Minty kwam. Wat vond ze het jammer dat ze zijn gezicht nooit had gezien!

Laf keek in de filmrubriek van de krant. Er was niets voor hem en Sonovia bij. Trouwens, sinds de moord op Jeffrey Leach was hij een paar keer naar de film geweest, maar had er niet meer van kunnen genieten. Het was vreemd dat hij daar als politieman last van had; hij zou gehard en onverschillig moeten zijn, maar telkens wanneer iemand voor of achter hem opstond, verwachtte hij een mes te zien flikkeren, en als hij voor de stoelen langs liep, verwachtte hij in het donker over een lichaam te struikelen. Waarom gingen ze in plaats van naar de bioscoop niet naar de schouwburg? Laf was daar pas twee keer geweest, een keer naar *The Mousetrap* toen hij nog een kind was, en later, ter gelegenheid van zijn veertigste verjaardag, naar *Miss Saigon*. Als ze nu eens naar *An Inspector Calls* gingen? Zo te horen ging het over de politie, en dat betekende dat hij zich zou ergeren als de procedures niet klopten. Aan de andere kant zou hij Sonovia na afloop kunnen vertellen hoe onnauwkeurig alles was geweest. Er stonden korte beschrijvingen van de verschillende stukken bij. Laf las dat het een 'vermaarde psychologische thriller' was. Dat klonk niet slecht. Hij pakte de telefoon en boekte drie plaatsen voor kwart over acht. Sonovia zou het geweldig vinden en Minty... Laf verheugde zich op het gezicht dat Minty zou trekken als hij het haar vertelde.

Zoals Sonovia naar Gertrude Pierce uitkeek, zo wachtte Minty op een verschijning van mevrouw Lewis. Ze was aan het strijken. Het lichtgroen-en-donkergroen gestreepte overhemd lag boven op de stapel. Het kon niet meer dan tien dagen geleden zijn dat ze het had gestreken. De man van wie het was, moest er wel gek op zijn. Misschien was het zijn favoriete overhemd. Ze spreidde het op de strijkplank uit en betastte het katoen. Het was vochtig genoeg, maar niet zo vochtig dat er damp van afkwam toen ze het ijzer erop zette.

Ze had overhemden voor Jock gestreken, niet veel en niet vaak, maar als hij bleef overnachten, vond ze het niet goed dat hij 's morgens hetzelfde overhemd weer aantrok. De volgende keer dat hij kwam, gaf ze hem het schone overhemd, en hij had een keer gezegd dat hij nog nooit zulk goed strijkwerk had gezien als dat van haar. Dat was de dag waarop hij met haar naar de bowlingbaan was gegaan. Dat was een van de meest bijzondere avonden uit haar leven geweest. Ze schoof de kartonnen boord om de hals van het groene overhemd en deed het in de cellofaanzak. Een traan rolde over haar wang en spatte op het glanzende, doorzichtige cellofaan. Minty veegde hem weg en waste haar handen. Omdat ze toch bezig was, waste ze haar gezicht ook. Het benauwde kamertje rook naar wasmiddel en warmte, een geur die ze niet nader zou kunnen omschrijven. Het was geen brandlucht, maar wel iets wat je op een smoorhete zomerdag ruikt. Ze was alleen. De geesten waren de hele morgen weggebleven. Ze begon aan het op twee na laatste overhemd, wit met een erg licht roze ruitje.

Sonovia kreeg genoeg van het wachten. Er gebeurde verder op straat ook niets interessants, afgezien van twee herrieschoppers die hun motoren onnodig lang lieten ronken en een Iraanse vrouw die naar buiten kwam in de *chador* die haar van top tot teen in het zwart hulde en alleen haar vermoeide ogen vrijliet. Haar drie kinderen zagen er net zo uit als andere kinderen: in spijkerbroek en T-shirt en op sandalen. Sonovia begreep daar niets van.

'Als je in Rome bent, doe dan zoals de Romeinen doen,' zei ze toen Laf binnenkwam.

'Pardon?'

'Onze moeders stelden zich nooit zo aan toen ze hier net waren. Ze pasten zich aan.'

'Voorzover ik me herinner, kleedde jouw moeder zich nooit als een non,' zei Laf sarcastisch. 'Voor het geval het je interesseert: mevrouw Pierce zit op een klapstoel in de achtertuin van de oude man. Dus je kunt je wachtpost verlaten. Wil je een biertje? Ik neem er een.'

Sonovia nam het biertje aan, maar bleef toch nog tien minuten zitten, om te bewijzen dat ze niet op Gertrude Pierce wachtte, maar zich zat te ontspannen. Ze stond net op om het middageten voor zichzelf en Laf klaar te maken, toen ze Minty zag aankomen. Het laatste wat ze wilde, was dat Minty zelf merkte dat Gertrude Pierce er nog was, en dat zou gebeuren zodra ze uit haar keukenraam keek. Daarom zwaaide Sonovia en vormde ze geluidloos de woorden met haar lippen: 'Ze is niet weg. Ze is achter.'

Minty knikte en trok een gezicht dat tegelijk walging en kameraadschap uitdrukte. Ze stak de sleutel in het slot, voelde de gebruikelijke angst en zette zich schrap. Er was niemand en niets. Het was gek, ze voelde tegenwoordig bij binnenkomst meteen of het huis leeg was. Hoe dan ook, ze had op dat moment wel wat anders aan haar hoofd. Om onduidelijke reden had Josephine haar gekust toen ze wegging. Ze voelde haar geur en de veeg lipstick nog op haar huid, evenals haar eigen tranen. Eerst ging ze naar de keuken en keek uit het raam naar de twee mensen van het huis naast haar, Gertrude Pierce en meneer Kroot. Ze zaten op ouderwetse gestreepte klapstoelen aan een gammele tafel met een groen laken. Ze waren aan het kaarten. De zwarte kat met zijn oude grijze snuit lag in het gras. Het leek of hij dood was, maar dat leek hij vaak en hij was het nooit. Minty kon zich de tijd niet heugen dat die kat er niet was. Zijn gezicht leek op dat van een oude man met grote snorharen, en hij bewoog zich steeds stijver. Een hommel kwam dicht bij zijn oren. Die trilden even en de kat bewoog zijn staart. Gertrude Pierce pakte de kaarten bij elkaar en schudde ze.

Was meneer Kroots kat weer op de begraafplaats geweest en had hij over de plaats gelopen waar haar graf zou komen? Of was hij met zijn jichtige poten over Tantes graven gelopen? Minty was inmiddels naar boven gegaan en liet water in het bad stromen. Als ze een bad nam, dacht ze tegenwoordig altijd aan haar geld en aan de douche die ze ervoor had kunnen kopen. Ze liet haar kleren op de vloer vallen. Ze waren die ochtend natuurlijk schoon geweest, maar voor haar gevoel roken ze nu naar Josephine en de rommel op straat, de dieseldampen van vrachtwagens en taxi's en al die sigaretten die mensen tussen haar huis en Immacue rookten. Ze boende zich schoon met de nagelborstel, niet alleen haar handen, maar ook haar armen en benen en voeten. Onder water was haar huid lichtroze. Toen gebruikte ze de rugborstel. Ze liet haar hoofd in het water zakken en waste haar haar, waarbij ze hard met haar vingertoppen wreef. Nadat ze op haar knieën was gaan zitten, spoelde ze haar haar uit onder de stromende kraan. Had ze die douche maar!

Terwijl ze zich afdroogde, met een andere handdoek als een tulband om haar hoofd, had ze opeens het gevoel dat ze terug waren. Niet hier in de badkamer. Dat moest ze Tante nageven: die zou nooit een vreemde in de badkamer laten. Ze had haar eigen ideeën over zedigheid en Minty was nooit meer bloot gezien sinds ze negen was. Ze stonden voor de deur. Nou, ze moesten maar wachten. Minty gebruikte haar deodorant niet alleen onder haar armen maar ook op haar voetzolen en op de palmen van haar handen, want het was nu zomer. Ze trok een witte ka-

293

toenen broek en een wit T-shirt met lichtblauwe streepjes aan. Dat waren 'achterblijvertjes' uit Immacue, kledingstukken waarvan de eigenaren om de een of andere reden niet meer kwamen opdagen en die Josephine na zes maanden voor twee pond per stuk verkocht. Minty kreeg korting. Ze had maar twee pond voor beide kledingstukken betaald. Ze zou dat nooit hebben gedaan als die kleren alleen maar chemisch gereinigd waren, maar deze twee konden in de wasmachine en waren al vele malen gewassen. Ze had de broek in de kookwas gedaan om hem te laten krimpen, want dan paste hij haar beter. Ze kamde haar haar, rolde haar vuile kleren in de handdoeken, haalde diep adem en gooide de deur open.

Daar stonden ze, een paar meter van haar vandaan in de deuropening van Tantes slaapkamer. Minty raakte al het hout aan waar ze bij kon, roze hout en wit hout en bruin hout, maar ze gingen niet weg. Mevrouw Lewis was vandaag veel helderder en massiever dan Tante. Ze leek echt, het soort oude vrouw dat je op straat zag lopen en uit winkels zag komen. Hoewel het een warme dag was, droeg ze een winterjas van donkerrode wol, een kleur waaraan Minty een hekel had, en een donkerrode vilthoed die tot over haar oren was getrokken. Dus op de plaats waar ze vandaan kwamen, konden ze andere kleren aantrekken, dacht Minty verbaasd.

Tante zag er nogal schimmig uit. Maar ze werd dichter en scherper toen Minty naar haar bleef kijken. Minty herinnerde zich dat vroeger een familielid of kennis – het kon Kathleens man zijn geweest of die van Edna – foto's maakte en zelf ontwikkelde. Het was die van Edna, schoot haar nu te binnen, maar ze herinnerde zich hem om andere mysterieuze redenen. Ze had hem de films zien ontwikkelen, had gezien hoe het lege papier in de vloeistof werd gelegd en geleidelijk in een foto veranderde. Tante ging nu ook van vage vormloosheid in een afbeelding van zichzelf over.

Met haar armen vol vochtige handdoeken en kleren staarde Minty hen aan, en zij staarden terug. Ditmaal sprak zijzelf als eerste. Ze richtte het woord tot Tante. 'Je zou niets met haar te maken willen hebben als je wist wat ze mij schuldig was. Haar zoon heeft al mijn geld geleend, en ook jouw geld, wat je me hebt nagelaten. Ze had het terug kunnen betalen, daar had ze de tijd voor, maar ze deed het niet.'

Tante zei niets. Mevrouw Lewis bleef staren. Minty haalde haar schouders op, draaide zich om en ging naar beneden. Ze stopte de kleren en de handdoeken in de wasmachine, zette hem aan en waste haar handen. Als ze op de overloop die twee geesten niet was tegengekomen, zou ze dat wasgoed op armlengte van zich af hebben gehouden. Mevrouw Lewis was achter haar aan gekomen, maar Tante was weg. Had ze Minty's woorden ter harte genomen?

Minty had geen zin om te eten terwijl die oude vrouw naar haar keek. Dan verhongerde ze nog liever. Mevrouw Lewis bewoog zich door de keuken en keek in de kasten en op de planken. Als ze dacht dat Minty niet goed genoeg in het huishouden was en dus geen geschikte vrouw voor haar zoon zou zijn geweest, zou ze versteld staan. Alles in de keuken was smetteloos schoon. Mevrouw Lewis lichtte het deksel van de theepot en keek in de broodtrommel.

'Ze houdt het schoon, moet ik zeggen.'

'Zeg wat je wilt,' zei Minty. 'Het kan me geen zier schelen. Waarom geef je me mijn geld niet terug?'

Geen antwoord natuurlijk. De oude vrouw was nu vlak naast haar. Minty kreeg een briljant idee. Ze trok de messenla open en pakte het mes dat bij het mes hoorde dat ze in de bioscoop had gebruikt. Met dat mes in haar hand deed ze een uitval naar achteren, maar mevrouw Lewis was weg. Ze was in de muur opgelost of door de vloer opgeslokt.

Blijkbaar was dreigen genoeg om ze weg te krijgen. Minty legde het mes niet meteen terug. Ze waste het lemmet omdat ze vond dat het besmet aanvoelde, al had het niets aangeraakt. Toen sneed ze enkele plakken van een stuk ham en hakte wat sla en tomaat. Het mes moest weer worden gewassen en ditmaal legde ze het meteen in de gootsteen, met veel heet water en wasmiddel. Misschien, dacht ze terwijl ze het afdroogde, zou het goed zijn als ze dit mes bij zich droeg, net als het eerste mes. Dan moest ze wel een betere manier vinden om het te dragen, bijvoorbeeld met iets eromheen en dan onder haar broek tegen de zijkant van haar been. Ze schonk zich een lekker glas koude melk in.

Ze had haar lunch net op en het serviesgoed in heet water gelegd, toen de deurbel ging. Dat zou Laf zijn, met de kranten. 'Wil je een kop thee?' vroeg ze toen ze hem binnenliet.

'Dank je, Minty, maar ik heb geen tijd. Waar denk je dat we vanavond heen gaan, ik en Sonny en jij? We gaan naar een voorstelling. In West End.'

'In een bioscoop, bedoel je?' Ze ging niet naar die in Marble Arch terug, wat hij ook zei. Dat was het soort plaats waar ze mevrouw Lewis en Tante zou kunnen tegenkomen. Die kwamen natuurlijk graag spoken op de plek waar Jock voor het laatst was verschenen. 'Ik weet het niet, Laf.'

'In een schouwburg,' zei hij. 'Het is een spannend stuk over de politie.'

'Ik kan geen nee zeggen, hè?'

'Natuurlijk niet. Je zult het prachtig vinden.'

Ze zou die kleren niet kunnen dragen, dat stond vast. Niet nadat ze die vuile handdoeken en die broek en dat T-shirt ertegenaan had gehouden. Jammer, want deze witte broek was erg mooi. Trouwens, ze zou zich toch moeten uitkleden om het mes aan de zijkant van haar been te bevestigen, en als ze dan toch bezig was, kon ze net zo goed een bad nemen. Ze deed de afwas, liep met de kranten naar buiten en ging in een schone rieten stoel zitten. Die stoel had ze grondig geboend en het kussenovertrek had ze gewassen en gestreken. Daardoor voelde ze zich hoog verheven boven meneer Kroot en Gertrude Pierce, die waren opgehouden met kaarten en nu aan de tafel met het groene laken zaten te eten. Zo te zien bestond hun maaltijd uit boterhammen en Fanta. Ze stapelden de vuile borden op een dienblad en lieten dat voor de neus van de kat op het gras staan. Er kwamen allemaal vliegen op af. Minty keek één keer, maar daarna niet meer.

Laf was graag met de auto gegaan, maar waar had hij dan moeten parkeren? Het was een nachtmerrie om daar een plekje te vinden waar je je auto kon neerzetten. Als ze met de metro naar Charing Cross gingen, hoefden ze zich nergens zorgen over te maken. Maar de Bakerloo Line-trein zat stampvol en in de straten was het al bijna net zo druk.

Zoals veel bewoners van buitenwijken hadden Sonovia en Laf niet meer dan een globale kennis van de Londense binnenstad. Laf reed weleens naar Kensington of langs Buckingham Palace. Hij wist ongeveer waar de grote straten heen leidden. Sonovia ging weleens winkelen in West End, en als ervaren bioscoopbezoekers gingen ze beiden naar de Odeon Metro en de Mezzanine. Sonovia had geen enkel inzicht in het stratenpatroon en zou je niet kunnen vertellen hoe je van Marble Arch naar Knightsbridge of van Oxford Street naar Leicester Square moest komen. Minty was in geen jaren in de binnenstad geweest en de grote gebouwen van Trafalgar Square met hun hoge zuilen en trappen kwamen erg intimiderend op haar over. Het was of ze ze nooit eerder had gezien of opeens in een buitenlandse stad verzeild was geraakt. Tegelijk deden die gebouwen haar aan die Romeinse tempels op de begraafplaats denken.

'Waarom is hij zo hoog?' vroeg ze aan Laf, wijzend naar Nelson op zijn zuil. 'Je kunt niet eens zien hoe hij eruitziet.'

'Ik weet het niet,' antwoordde hij. 'Misschien was hij moeders mooiste niet en kun je hem maar beter niet van te dichtbij zien. Ik vind die leeuwen mooi.'

Minty niet. Zoals die stenen leeuwen daar ineengedoken zaten, deden ze haar aan meneer Kroots kat denken. Misschien stonden ze midden in de nacht op en liepen dan over de hoge gebouwen en stampten op de bomen. Ze was blij toen zij en de Wilsons zich een weg door de menigte hadden gebaand en op hun plaatsen in het Garrick Theatre zaten. Laf kocht een programma voor haar en een voor Sonovia en een doos Dairy Milk. Minty wilde eigenlijk geen chocolaatje, die konden ze nooit in zo'n vorm hebben gekregen als iemand ze niet in handen had gehad, maar ze nam er een om niet onbeleefd te zijn. Het volgende halfuur had ze het eigenaardige gevoel dat er in haar maag bacillen rondrenden.

An Inspector Calls was heel anders dan ze zich hadden voorgesteld, al kwam er wel een politieman in voor, misschien niet een echte, maar een geest of een engel. Minty wilde niet dat hij een geest was, daar had ze er in het echte leven al genoeg van, en soms moest ze haar ogen dichtdoen. Het decor was het mooiste, daarover waren ze het alle drie eens. Het was niet iets waaraan je kon zien dat het als achtergrond voor een toneelstuk was gemaakt. Het leek een echt huis in een echte straat, maar dan verplaatst naar het toneel. Toen het was afgelopen en Minty opstond, drukte de punt van het mes bij haar knie tegen de stof van haar broek, maar ze trok haar broek vlug recht, voordat Laf of Sonovia het zag.

Het was tamelijk laat, maar overal waren nog cafetaria's en restaurants open. Ze had er nog nooit zoveel bij elkaar gezien en vroeg zich af hoe ze genoeg inkomsten konden verwerven om te blijven bestaan. Ze gingen een klein restaurant in een zijstraat in en bestelden pizza's. Minty wilde geen salade of gebraden vlees of iets anders waarvan ze de bereiding niet kon zien, maar een pizza was goed. Je kon zien hoe de man ze met een soort tang uit de oven pakte en op een schoon bord legde. Bovendien droeg hij handschoenen. Ze namen ieder twee glazen wijn, en dat deed haar aan Jock denken.

'Adam en Eva en Knijp Mij,' zei ze.

'Wat?'

'Adam en Eva en Knijp Mij gingen baden in de rivier. Adam en Eva verdronken. Wie werd er gered?'

'Knijp Mij, natuurlijk,' zei Sonovia, en Minty kneep haar.

Laf lachte uitbundig. 'Je had haar tuk, Minty. Ik wist niet dat je het in je had.'

'Ja, nou, ik trapte er inderdaad in,' zei Sonovia. 'Heb je dat zelf bedacht?'

'Nee.' Minty nam het laatste hapje van haar pizza. 'Ik heb het van Jock geleerd.'

Ze huiverde. Dat gebeurde haar vaak als ze aan hem dacht.

'Je hebt het toch niet koud? Het is hier erg warm. Ik vond het al jammer dat ik geen dunner jasje had aangetrokken.'

Buiten begon het inmiddels kouder te worden. Ze kwamen langs een café en nog een, en Laf vroeg of ze nog iets wilden drinken, een slaapmutsje zogezegd, maar Sonovia zei nee, genoeg was genoeg, en het werd toch al één uur voor ze in bed lagen. Op station Piccadilly stapten veel mensen in, op Baker Street gingen er veel uit en stapte er één oude vrouw in. Het was mevrouw Lewis.

De lege plaats tegenover Minty was een van de zitplaatsen die voor oude of invalide mensen waren gereserveerd. Niet dat veel mensen zich daarvan wat aantrokken, maar de stoel was op dat moment vrij en mevrouw Lewis ging er zitten. Ze droeg haar donkerrode jas en hoed nog. Tante was nergens te bekennen. Blijkbaar had ze ter harte genomen wat Minty over mevrouw Lewis had gezegd: dat ze Jocks moeder was en dat ze Jocks schulden nooit had betaald. Minty keek mevrouw Lewis strak aan, maar die weigerde terug te kijken. Minty had er goed op gelet dat ze niet op het mes ging zitten, al was dat eerst in plastic en ook nog in een schone witte doek verpakt. Ze was zich er nu heel goed van bewust.

'Wat kijk je toch, jongedame? Ik krijg er de kriebels van.'

'Ze is niet echt,' zei Minty. 'Ze is maar een geest, maar ze heeft wel lef. Dat ze zelfs hier achter me aan komt!'

Sonovia keek haar man aan en schudde haar hoofd. Laf trok zijn wenkbrauwen op. 'Dat komt zeker door de wijn,' zei hij. 'Ze is het niet gewend. In die pizzeria hadden ze erg grote glazen.'

Mevrouw Lewis stond op toen ze Paddington naderden. Voor het eerst zag Minty dat ze een tas bij zich had. Blijkbaar nam ze een trein naar Gloucester om terug te gaan naar het huis waarin ze had gewoond toen ze nog leefde.

'Kun je zo laat nog een trein naar Gloucester nemen?' vroeg ze Laf.

'Ik denk het niet. Het is al halfeen geweest. Waarom vraag je dat?'

Minty gaf geen antwoord. Ze zag mevrouw Lewis uit de trein

stappen en over het perron lopen. Ze liep moeilijk, het was meer schuifelen dan lopen. Toen herinnerde ze zich dat een deel van het geld dat Jock had geleend voor zijn moeders heupoperatie bestemd was geweest. 'Die heeft ze nooit gehad,' zei ze hardop. 'Ik denk niet dat ze daarvoor nog lang genoeg heeft geleefd.'

Opnieuw keken de Wilsons elkaar aan. Zoals Laf later tegen zijn vrouw zei, keken alle mensen in de trein een beetje onbehaaglijk naar Minty. In de metro maakte je wel vaker vreemde dingen mee – hij had zelf een keer iemand wormen zien achtervolgen op de vloer – maar Minty leek wel een krankzinnige. Haar gezicht was krijtwit en haar sliertige haar stond recht overeind. Trouwens, iedereen kon zien dat ze tegen de lucht had gepraat.

Ze stapten op Kensal Green uit en liepen naar huis. Het was niet ver. De enige mensen op straat waren groepjes jonge mannen, zwart en blank en Aziatisch. Ze waren rond de twintig en kwamen nogal dreigend over. Sonovia haakte haar arm achter die van Laf.

'Ik zou me niet op mijn gemak voelen als jij niet bij ons was, schat.'

'Nou, ik wel,' zei Laf tevreden. 'Tegen mij durven ze niets te beginnen.'

Op de hoek van hun straat stond een bankje met een bloembed erachter. De bloemen moesten concurreren met lege bierblikjes, *fish-and-chips*-papier en sigarettenpeuken. Het afval was aan de winnende hand. Mevrouw Lewis was niet naar Gloucester gegaan. Ze zat op het bankje, met de tas open naast zich. Laf en Sonovia dachten waarschijnlijk dat ze de oude zwerfster was die daar 's nachts soms zat, maar Minty wist wel beter. Sinds mevrouw Lewis op Paddington was uitgestapt, had ze andere kleren aangetrokken, ditmaal een zwarte jas en hoofddoek. Hoe ze hier was gekomen, was onduidelijk. Maar geesten konden alles. Ze konden door muren en vloeren gaan en met de snelheid van het licht grote afstanden afleggen. Ze was nu hier, maar straks zou ze in Minty's huis zijn en haar opwachten.

Er was verder niemand. De jeugdbenden hingen alleen in Harrow Road rond. Sonovia en Laf wensten haar welterusten. Minty werd zo door mevrouw Lewis in beslag genomen dat ze haar manieren vergat en hen niet voor de fijne avond en het theaterbezoek bedankte. Ze wenste hun niet eens welterusten. De Wilsons gingen naar binnen en Sonovia zei: 'Ik heb haar nog nooit zo vreemd meegemaakt. Ze praat in zichzelf en ziet dingen die er niet zijn. Vind je niet dat we iets moeten doen?'

'Wat dan? De mannen in witte jassen laten komen?'

'Doe niet zo flauw, Laf. Het is niet grappig.'

'Ze had te veel wijn op, Son. Sommige mensen krijgen dan hallucinaties. Vraag maar aan Dan, als je mij niet gelooft.'

Mevrouw Lewis stond haar niet op te wachten. Minty doorzocht het huis. Ze was er niet en Tante ook niet. Ze zou nog op dat bankje zitten en in die tas van haar grijpen. Ze zou plannen smeden en misschien lachen omdat het haar was gelukt dood te gaan voordat ze dat geld moest terugbetalen.

Minty wist wat haar te doen stond. Ze gaf een klopje op het mes, maakte de voordeur open en deed hem zachtjes achter zich dicht. De straat was stil en verlaten. De lantaarns waren uit. Alleen in het huis tegenover haar brandde licht, een gloed als van een kaarsvlam in een van de ramen. Blijkbaar waren de Wilsons meteen naar bed gegaan, want het licht in hun slaapkamer ging uit toen Minty naar boven keek. Ze liep naar de hoek van de straat. Plotseling was ze ervan overtuigd dat mevrouw Lewis weg zou zijn, dat er niemand op het bankje zou zitten.

Maar ze was er nog. Ze had besloten daar te slapen, al begreep Minty niet waarom. Een gehavende boodschappentas die Minty nog niet eerder had gezien, lag onder haar hoofd, bij wijze van kussen. Wat moest een geest nou met een boodschappentas? De bloemen achter haar hadden zich gesloten voor de nacht. Hun bladeren glansden vaag tussen de verkreukte kartonnen verpakkingen, plastic zakken en sigarettenpakjes. Mevrouw Lewis zou haar nooit haar geld teruggeven; dat was voorgoed verdwenen. Toen Minty het mes tevoorschijn haalde, werd ze plotseling verteerd door woede en verontwaardiging. Dit zou Tante leren dat het haar menens was. Dit zou haar leren dat ze voortaan voorzichtig moest zijn.

Het was nu erg stil op straat. Mevrouw Lewis maakte geen geluid. Als ze echt was geweest, zou Minty hebben gedacht dat haar hart was blijven staan op het moment dat de punt van het mes in haar binnendrong.

27

Jims zat alleen in zijn auto. Hij was ontsnapt uit Fredington Crucis House en was een paar honderd meter door verslaggevers en fotografen over de oprijlaan achtervolgd. Leonardo had hij achtergelaten. Die moest maar zien hoe hij zich redde. Ze hadden flink ruzie gehad.

Pas na een halfuur had hij begrepen waarom die verslaggevers en camerateams daar waren. Intussen had hij Leonardo de huid vol gescholden omdat die zo stom was geweest het licht aan te doen, en had hij een douche genomen, zich geschoren en aangekleed en moed verzameld om naar buiten te gaan. Eerst keek hij uit een raam. De ogen en camera's van de meute waren op de voordeur gericht en hij kon hen enkele ogenblikken bekijken zonder dat hij zelf werd gezien. 'Roofdieren,' zei hij bij zichzelf. 'Aasgieren.' En nogal ouderwets – de erfenis van een klassieke schoolopleiding: 'Harpijen.'

Toen draaiden ze zich allemaal tegelijk naar het hek om. Mevrouw Vincey maakte het hek achter zich dicht en begon de oprijlaan over te lopen. De verslaggevers kwamen op haar af, maar eerst zag Jims dat ze een krant bij zich had. Het enige woord dat hij op deze afstand kon lezen, was 'homo', in de kop. Omdat hij haar had gevraagd die ochtend niet te komen, lag het voor de hand dat er iets bijzonders in de krant stond en dat ze uit nieuwsgierigheid naar hem toe was gekomen. Ze wilde ook best een praatje met de journalisten maken. Ze maakten geen foto's van haar, maar dat kwam niet doordat ze weigerde te poseren. Wat zei ze? En wat was er eigenlijk aan de hand? Hij zou het gauw genoeg weten.

Ze ging door de voordeur naar binnen. Jims liep haar in de hal tegemoet en bevond zich nu ongeveer in dezelfde situatie als Zillah met Maureen Peacock. Mevrouw Vincey hield de voorpagina van de krant in beide handen en zei tegen hem dat ze haar hele leven nog nooit zoiets walgelijks had gelezen. Voor het eerst noemde ze hem geen meneer. Zoals Cleopatra vroeg toen haar macht was getaand, zou hij nu kunnen vragen: 'Wat, geen ceremonie meer?' In plaats daarvan bleef hij zwijgend staan en las keer op keer de krantenkop: *Homo in Lagerhuis: Twee Bruiloften en één Begrafenis.*

'Schaamt u zich niet? Een lid van het parlement! Wat moet de koningin wel niet over u denken?'

'Bemoei je met je eigen zaken,' zei Jims. 'Ga weg en kom niet meer terug.'

Hij ging naar boven. Hij kon het niet opbrengen om alles te lezen, maar hij had de foto's op pagina 3 gezien, vooral die van hemzelf en Leonardo op de Maledivien, en hij gaf Leonardo de schuld. Leonardo had gepraat, misschien geroddeld. In ieder geval had hij het iemand verteld en hun foto aan die rioolkrant gegeven. Leonardo was nog in de slaapkamer. Hij zat met al zijn kleren aan op het bed en maakte een neerslachtige en in Jims' ogen ook schuldige indruk. Jims begon tegen hem te razen en te tieren. Hij zwaaide met de krant, beschuldigde hem van ontrouw, achterbaksheid en vuig verraad – zijn ooit zo succesvolle carrière dankte hij voor een deel aan zijn taalvaardigheid. Leonardo begon zich verontwaardigd te verweren, maar Jims luisterde niet.

Leonardo stond op. 'Ik heb met niemand gepraat. Je bent gek. Ik moet net zo goed aan mijn carrière denken als jij aan de jouwe. Laat me die krant eens zien.'

Ze worstelden om de krant, trokken eraan tot de voorpagina in tweeën was gescheurd. Ten slotte kreeg Leonardo hem te pakken. 'Als je dit zou lezen, in plaats van te tieren als een maniak, zou je zien dat je lieve vrouwtje heeft gepraat, niet ik. Je mag wel zeggen dat ze haar hart heeft gelucht.'

Jims geloofde het niet, maar weigerde in de krant te kijken waar hij bij was. Hij griste de krant uit zijn handen en schreeuwde: 'Zie zelf maar dat je in Londen komt. Loop voor mijn part naar Casterbridge. Het is maar tien kilometer.' En hij rende naar beneden.

Mevrouw Vincey was weg. De meute niet. Jims stopte de krant in zijn aktetas, deed zijn portefeuille en autosleutels in zijn zak en maakte, als generaal Gordon die bij Khartoum in zijn eentje de soldaten van de Mahdi tegemoet treedt, de deur open en ging naar buiten. De meute kwam tot leven en de camera's flitsten.

'Deze kant op kijken, Jims!'

'Lach eens tegen ons, Jims!'

'Twee woorden maar, meneer Melcombe-Smith.'

'Is het waar, Jims?'

'Als u een verklaring wilt afleggen...'

Met zijn patriciërsstem zei Jims: 'Natuurlijk is het niet waar. Het zijn allemaal leugens.' Hij herinnerde zich Leonardo's woorden en voegde eraan toe: 'Mijn vrouw heeft een zenuwinstorting.'

'Wist je dat je bigamie pleegde, Jims? Zal je vrouw je steunen? Waar is Leonardo? Zal hij achter je staan?'

Dat laatste werd als een obscene grap opgevat en verwekte grote hilariteit. Jims bracht zijn aktetas omhoog om zijn gezicht te verbergen. Hij deed dat in een reflex, maar ook omdat zijn gezicht warm en dus rood werd. Camera's flitsten. Een van die flitslichten explodeerde bijna in zijn gezicht. Hij probeerde die camera te grijpen, maar dat lukte hem niet. Hij begon met grote passen naar zijn auto te lopen. Ze zaten erbovenop, als apen in een safaripark, dacht hij. Hij duwde een meisje van zijn auto af. Ze viel en schreeuwde dat ze hem zou aanklagen wegens mishandeling. Hij kreeg het portier open, wurmde zich naar binnen en deed het dicht, in de hoop dat iemands vingers ertussen zaten, maar een hand werd nog net op het laatste moment weggetrokken. Toen hij over de oprijlaan reed, zag hij dat het hek dicht was. Dat kreng van een Vincey had het met opzet achter zich dichtgedaan, dacht hij. Negen van de tien keer liet ze het ondanks zijn waarschuwingen juist openstaan.

'Maak dat hek open, verdomme!' Hij schreeuwde het uit het raam, maar ze negeerden het. Een van hen stak zelfs een camera door het raam naar binnen.

Hij stapte uit en ze verdrongen zich om hem heen, trokken aan zijn kleren, duwden camera's in zijn gezicht. Er zat zelfs iemand op de linkerhelft van het hek.

'Ga je naar Londen, Jims?'

'Wat ga je tegen Zillah zeggen als je thuiskomt?'

'Is Jeff Leach in opdracht vermoord?'

'Blijft Zillah bij je, Jims?'

Jims trok beide hekhelften abrupt open. De verslaggever die erop zat, viel eraf, bleef op de grond liggen en schreeuwde dat hij een been had gebroken. Hij schudde met zijn vuist en zei dat hij het Jims betaald zou zetten, al was het het laatste wat hij deed. Terwijl ze zijn aftocht probeerden te beletten, reed Jims, bereid om desnoods zijn dure eikenhouten hek op te offeren, recht op de journalisten af en dwong hen om opzij te springen. De meesten achtervolgden hem tot in het dorp, waar ze het opgaven toen ze zagen dat de Crux Arms open was. Hij reed door Long Fredington en keek verbitterd naar Willow Cottage, waar zijn vrijage, als je het zo kon noemen, was begonnen. Hij zag dat het te koop stond. Hij moest weer denken aan wat Leonardo over zijn 'lieve vrouwtje' had gezegd. Had ze echt met de pers gepraat? Er zat niets anders op dan zijn lafheid te overwinnen en die krant te lezen. Hij stopte in Mill Lane, waar Zillah, op weg naar Annies huis, eens van een toekomst met hem had gedroomd, van de rijkdom en glamour. Daar las hij het verhaal.

Het was nog erger dan hij had verwacht, maar nu hij aan de meute was ontkomen en er al enigszins aan gewend was geraakt dat de jacht op zijn privacy, zijn geaardheid en zijn reputatie was geopend, kon hij er beter tegen. Het was duidelijk dat Zillah hier verantwoordelijk voor was. Hij had haar onderschat. Hij had gedacht dat ze de manier waarop hij haar behandelde wel zou tolereren. Dit was haar wraak. In het verhaal werden ook dingen gesuggereerd waarvoor zij niet verantwoordelijk kon zijn. Hij ging naar de voorpagina terug en zag dat het stuk door Natalie Reckman was geschreven. Die had in het begin van hun huwelijk dat venijnige artikel over Zillah geschreven! Jims stelde zich voor dat ze Leonardo's huis bespioneerde en hem daar zag aankomen. Waarschijnlijk had ze de buren omgekocht. Ja, de wereld was verdorven en degenen die in het felle licht kwamen dat erop brandde, stonden bloot aan nimmer aflatende bedreigingen en gevaren.

Evengoed was het tussen Leonardo en hem uit. Misschien had hij een paar weken gedacht dat hij verliefd was, maar dat was nu in een oogwenk verdwenen. Hij wilde Leonardo nooit meer zien. Jims was een snob. Welke idioot liep nu in niets dan een vulgaire onderbroek van Cecil Gee door het huis van een aristocraat? En dat hij niet eens het benul had gehad om te weten dat als je in een kamer met open gordijnen het licht aandoet degenen die zich in die kamer bevonden duidelijk te zien waren voor iemand die buiten was! Het zou hem niet verbazen als Leonardo's moeder in een rijtjeshuis woonde. Dat het in (of waarschijnlijk een eind buiten) Cheltenham was, betekende niets. Hij feliciteerde zich met zijn ontsnapping, zowel aan Fredington Crucis als aan Leonardo, en reed naar het oosten. Hij verliet de weg om de steile helling op te gaan die zich uit het Vale of Blackmoor verheft, de helling waarop Shaston staat. Zelfs nu is het uitzicht vanaf Castle Green over 'drie graafschappen van groene weiden' nog bijna hetzelfde als in de tijd van Thomas Hardy. Het is nog steeds een aangename verrassing voor de argeloze reiziger, maar Jims stopte er niet meer voor. Hij zette de auto op het parkeerterrein van Shaston en liep door Palladour Street naar een makelaar. De vrouw achter de balie was waarschijnlijk de enige in Groot-Brittannië die het verhaal in de krant niet had gelezen en die zijn naam niet herkende. Des te beter. Nadat hij zijn zaken had geregeld, keerde hij naar de auto terug en vervolgde zijn weg naar Londen.

Onderweg ging er van alles door zijn hoofd. Wat er verder ook zou gebeuren, zijn carrière lag in puin. Hij was gebrandmerkt als bigamist, iets wat hij nog zwakjes kon ontkennen, en als praktiserende promiscue homoseksueel, wat hij niet kon en ook niet meer wilde ontkennen. Bovendien was hij als verdachte in een moordzaak ondervraagd. Al die jaren van campagne voeren, jaren waarin hij het aanbod van een onbetekenende kandidatuur in de industriële Midlands had aanvaard voordat hij een veilig district kreeg toegewezen, al die vrijdagen en zaterdagen dat hij spreekuur had gehouden, al die reizen door het land in een camper, al die toespraken die hij had gehouden, al die evenementen die hij had geopend, al die baby's die hij had geknuffeld – wat had hij de pest aan kinderen! – al die leugens die hij aan gepensioneerden, jagers, voorstanders van vivisectie, ziekenhuispatiënten en leraren had verteld – het was allemaal pure tijdverspilling geweest. De partij zou hem waarschijnlijk royeren, uit de fractie zetten en de laan uit sturen. Hij zou zijn carrière nooit opnieuw kunnen opbouwen. Hij had afgedaan. Hij mocht blij zijn dat hij een ijzersterk alibi had voor die vrijdagmiddag waarop dat misbaksel van een Jerry Leach was vermoord. En dat hij Zillah te slim af was geweest, al dacht ze daar zelf misschien nu nog anders over.

Bij een afslag naar een paar dorpen verliet hij de snelweg. Het was kwart voor één. Hij reed naar een hotel dat hij kende – in de dagen dat hij nog zorgeloos door het leven ging, hadden hij en Ivo Carew daar eens een aangenaam weekend doorgebracht – en bestelde een lunch. Maar zijn eetlust liet hem in de steek en hij kon geen hap door zijn keel krijgen.

Voordat ze naar de verslaggevers ging, had Zillah zichzelf en de kinderen met veel zorg aangekleed. Ze had daarover de vorige avond goed nagedacht. Eugenie en Jordan droegen het zomeruniform van modieuze rijkeluiskinderen in de tijd rond de millenniumwisseling: witte sportschoenen, witte halflange broek, wit T-shirt met strepen in Jordans geval en trendy stippen in Eugenies geval. Zillah zelf droeg een witte broek en een blauw shirt met een diep uitgesneden hals. Omdat ze zich herinnerde wat een journalist over haar schoenen had gezegd, had ze platte sandalen aangetrokken.

Eugenie had geen korte broek willen dragen. Ze had dat ronduit geweigerd.

'Ik ben niet zo'n meisje. Dat zou je langzamerhand moeten weten. Ik draag een lange broek of een jurk.'

'Maar je krijgt er wel iets voor,' zei Zillah roekeloos. 'Vijf pond.'
'Tien.'

'Het loopt nog eens slecht met jou af,' zei Zillah. Diezelfde woorden had haar moeder twintig jaar eerder tegen haar gebruikt.

Jordan snotterde. Zillah had erover gedacht hem op een effectieve, dramatische manier tot rust te brengen, namelijk door hem een scheut whisky te geven, maar ze durfde dat toch niet aan. In plaats daarvan had ze haar toevlucht tot een kinderaspirientje genomen. Zonder enig resultaat.

Ze glimlachte charmant naar de verslaggevers en poseerde, met aan elke hand een kind, voor de fotografen. Jordan was even opgehouden met huilen, gefascineerd door een hond die een van de cameralieden had meegebracht, de grootste hond die Zillah ooit had gezien. Ze zei dat ze iets voor hen had en liet exemplaren van een verklaring verspreiden die ze de vorige avond op Jims' computer had opgesteld. Die verklaring hield in dat alles wat in de krant van die ochtend had gestaan op waarheid berustte en dat ze er alleen nog aan wilde toevoegen dat ze achter haar man stond en hem door dik en dun zou steunen. Zij en hij hadden die ochtend door de telefoon met elkaar gesproken, schreef ze, en ze had hem verzekerd van haar toewijding en van haar vastbeslotenheid om als een rots in de branding voor hem te zijn. Voordat ze zich in haar huis terugtrok, beantwoordde ze maar één vraag.

Een jonge vrouw met een Yorkshire-accent vroeg haar of Jims biseksueel was.

'Hij vindt het vast niet erg als ik zeg dat hij dat inderdaad is. Alles is nu toch al in de openbaarheid gekomen.' Ze voegde er een van Malina's favoriete frasen aan toe: 'Vertrouwen en wederzijdse betrokkenheid moeten de bouwstenen van onze nieuwe relatie zijn.'

Jordan barstte weer in tranen uit. Tevreden over zichzelf droeg Zillah hem naar de lift. Na de interviews en de foto's voelde ze zich een beetje leeg. Ze had helemaal niets te doen. Wanneer zou Jims terug zijn? Ze had tegen de journalisten gelogen toen ze zei dat zij en Jims elkaar die ochtend door de telefoon hadden gesproken. Ze wist dat hij niet zou bellen en ze was niet van plan hem te bellen. Als hij thuiskwam, wilde ze het liefst ergens anders zijn. Ze dacht erover om naar de bioscoop of een zwembad te gaan, of naar de Trocadero, waar altijd wel iets te beleven viel. Uiteindelijk ging ze met de kinderen naar McDonald's en maakte daarna een boottocht naar de Thames Barrier, de grote stormvloedkering. Het water was rustig en de boot voer langzaam, maar Jordan moest toch overgeven en huilde de hele weg naar huis.

Ze kwamen om zes uur thuis en Jims was er nog steeds niet. Tenzij hij alweer weg was, maar dat leek haar onwaarschijnlijk. Ze trok een strandpyjama aan die ze in een winkel in The Cross had gekocht, herinnerde zich dat haar vader ziek was, maar dat ze haar moeder niet gebeld had, en stopte eerst de kinderen in bad. De voordeur ging open en dicht. Toen ze zich omdraaide, zag ze Jims in de deuropening staan. Zijn gezicht was bleek en hij zag er afgetobd uit.

'Ik wilde net mijn moeder bellen,' zei ze nerveus.

'Niet nu,' zei hij, en toen: 'Zal ik iets te drinken voor je halen?' Hij zei dat op de toon die hij aansloeg als hij erg tevreden of erg kwaad was.

Ze wist niet of ze ja of nee moest zeggen. Ze hield haar handen onder de kraan en droogde ze af. 'Een gin-tonic, alsjeblieft.' Haar stem klonk nogal timide. Ze volgde hem naar de huiskamer.

Hij bracht haar het drankje en bleef enkele ogenblikken bij haar staan. Er ging niets dreigends van hem uit, maar ze huiverde toch. Hij lachte, een droog bitter lachje. 'Ik heb de krant gezien,' zei hij, en hij ging zitten. 'Nou ja, het moet voor een krant doorgaan. Ik weet niet hoe ik het anders moet noemen. En ik heb met de media gesproken. Een beetje idioot, hè?'

'Wat?'

'De dingen die je tegen madame Reckman hebt gezegd. En de foto die je haar hebt gegeven. Heb ik dat verdiend?'

'Natuurlijk, gezien de manier waarop je mij hebt behandeld.'

Er ging een gekrijs op in de badkamer en Eugenie liep de kamer in, gekleed in nachthemd en ochtendjas. Ze keek naar Jims zoals iemand naar een hondendrol op de drempel kijkt, maar zei niets. 'Ik krijg hem niet uit het bad,' zei ze tegen Zillah. 'Hij is jouw verantwoordelijkheid. Hij zegt dat hij buikpijn heeft.'

Zillah liep weg. En Eugenie ook, om enkele ogenblikken later terug te komen met een boek. Jims' wereld was ingestort, maar hij was van plan moedig ten onder te gaan. Zijn wraak zou zoet zijn. Hij haalde een pakje sigaretten uit zijn zak en stak er een op. Het was de eerste sigaret die hij in zes maanden rookte. Hij werd een beetje misselijk, maar hij genoot er ook van en overwoog om weer te gaan roken. Niemand zou hem nu nog op de vingers tikken. Niemand zou in het Lagerhuis vragen stellen over walgelijke gewoonten. Niemand zou zeggen dat hij het goede voorbeeld moest geven. Hij inhaleerde en voelde zich duizelig worden. Als hij niet op een stoel had gezeten, zou hij zijn gevallen. Jordan zette het weer op een blèren en kwam de kamer in met Zillah achter zich aan.

'Waarom rook je?'

'Omdat ik dat prettig vind,' zei Jims. 'Breng dat kind naar bed.'

'Je hoeft niet zo'n toon aan te slaan. Hij heeft jou niets gedaan.'

'Nee, maar zijn moeder wel.' Hij stond op en zette de televisie aan. Er bleek een tekenfilm aan de gang te zijn en Jordan was vijf minuten stil.

'Mag ik een sigaret van je?'

'Koop je eigen sigaretten maar. God weet dat ik je genoeg geld geef.' Jims nam een nadrukkelijke trek van zijn sigaret en blies de rook in Zillahs gezicht. 'Ik verwacht niet dat je hier voor vrijdag weg bent,' zei hij. 'Ik zal een termijn van een week in acht nemen.'

'Wacht eens even. Als er iemand weggaat, ben jij het. Je bent met mij getrouwd, weet je nog wel? Ik ben je wettige echtgenote. Ik heb kinderen, en dus recht op je huis.'

'Je geloofde toch niet echt in die trouwceremonie, schatje? Ik had niet gedacht dat jij je zo gemakkelijk in de luren liet leggen. Geloofde je echt dat Kate Carew ambtenares van de burgerlijke

311

stand was? Jij en ik hebben geen gemeenschap gehad. Geen van onze zogenaamde huwelijken is geconsumeerd. Jij bent niet meer dan een kennis die ik in mijn huis heb opgenomen toen je geen dak boven je hoofd had. Uit barmhartigheid.'

Zillah staarde hem sprakeloos aan.

'Ik geef toe dat je reden hebt om enige ondersteuning van mij te verwachten. Daarom ben ik vanmorgen bij een makelaar geweest om een huis te kopen. Ik heb ook een leuk gesprek met de verkoper gehad. Daarom ben ik zo laat terug. Ik kan je tot mijn genoegen mededelen dat de koop is gesloten. Ik heb Willow Cottage voor je gekocht. Ben je niet blij?'

Toen Zillah begon te gillen, keek Eugenie op en zei: 'Mammie, kan het wat rustiger? Ik kan de tv niet verstaan.'

28

Een krantenjongen vond Eileen Drings lichaam die zondagmorgen om kwart voor zeven. Het lichaam lag nog op de bank waarop Eileen Dring zich de vorige avond te ruste had gelegd. Als dat bloed er niet was geweest, het bloed waarmee haar kleren en haar deken waren doordrenkt, zou je hebben gedacht dat ze nog sliep. Misschien was ze in haar slaap doodgestoken en had ze er niets van gemerkt.

Omdat de politie haar kende, leverde de identificatie geen problemen op. Ze had al een aantal jaren een kamer in Jakarta Road bij Mill Lane in West Hampstead, op kosten van de gemeente, maar ze was daar bijna nooit en zwierf liever door de straten en sliep in de openlucht, in elk geval 's zomers. Kilburn en Maida Vale en de Paddington Recreation Ground behoorden tot haar favoriete plaatsen. Ze hadden haar nog nooit zo ver in het westen gesignaleerd. Wel wisten ze dat Eileen van bloemen hield en ze hadden haar weleens zien slapen in het portiek van een leegstaand gebouw dat vroeger een bank was geweest, op de hoek van Maida Vale en Clifton Road. Dat was dicht bij de plaats waar de volgende morgen een bloemenman zijn kraam zou neerzetten. Misschien was ze daar gaan slapen om de volgende morgen bij het ontwaken de geur van anjers en rozen op te snuiven. De bank waarop ze was gevonden, stond voor een halvemaanvormig bloemperk dat rood, wit en roze was van de geraniums, met daartussen natuurlijk de resten van etenswaren en dranken die op straat waren geconsumeerd.

De rechercheurs stelden vast dat het mes waarmee ze was gestoken grote overeenkomst vertoonde met het mes waarmee Jeffrey Leach was gedood. Maar het was niet hetzelfde mes geweest. Misschien vormden die twee messen een stel dat tegelijk was gekocht. De forensische wetenschap is al zover dat onderzoekers tegenwoordig precies kunnen vertellen wat de vorm en grootte is van een wapen dat onder zulke omstandigheden is gebruikt. Ze kunnen ook iets zeggen over eventuele beschadigingen van het lemmet, hoe minuscuul ook, want ieder mes is uniek. Daarom wisten ze dat dit niet hét mes was geweest, maar zijn tweelingbroertje.

Het motief voor de moord op Jeffrey Leach was nog niet achterhaald, maar het motief voor deze moord leek in het begin wel duidelijk. De tas die Eileen bij zich had en die onder haar hoofd lag, bevatte gewoonlijk een deken en een trui en hoofddoek, een blikje frisdrank – ze was geheelonthouder – een paar boterhammen en haar pensioenboekje. Hij was nu leeg. Er moest ook geld zijn geweest, want Eileen had de vorige dag twee weken pensioen opgehaald en had daarvan maar een klein gedeelte voor eten en drinken gebruikt. Pleegt iemand een moord voor honderdveertig pond? Geweldsmisdrijven wist dat het wel voor half zoveel geld gebeurde, voor een kwart zelfs. Mensen vermoordden elkaar voor de prijs van tien gram hasj.

Aan de andere kant waren ze er zeker van dat Eileen het slachtoffer van Jeffrey Leachs moordenaar was geworden, en in het geval van Leach was geld waarschijnlijk geen motief geweest. Hadden de twee slachtoffers iets met elkaar te maken, afgezien van het feit dat ze met nagenoeg hetzelfde wapen waren vermoord? Bijvoorbeeld West Hampstead?

Leach had daar in de zes maanden voor zijn dood gewoond. Jakarta Road lag maar twee straten van Holmdale Road vandaan. Die straten liepen evenwijdig, met Athena Road als dwarsstraat. Hoewel ze nog niet wisten of Eileen ooit in Holmdale Road kwam, wist de politie van West Hampstead – het politiebureau stond aan Fortune Green Road – dat Anthena Road een favoriete stek van haar was. Ze hadden haar twee keer weggejaagd toen ze daar tussen de bloembedden in iemands voortuin had liggen slapen. Had ze ook geprobeerd in de tuinen van Holmdale Road te slapen?

Die zondag had Jims geen woord tegen haar gezegd. Hij bleef thuis, maar zweeg. Het was of hij zijn tong had verloren. Zillah begreep niet dat iemand zich zo kon gedragen. Hij zweeg niet alleen, maar deed ook of hij alleen in huis was. De kinderen en zij zouden net zo goed levenloze voorwerpen of meubelstukken kunnen zijn, zo weinig nota nam hij van hen. Het was of ze onhoorbaar en onzichtbaar waren geworden en het zou haar nauwelijks hebben verbaasd als hij zich, op zoek naar een stoel, op een van hen had geplant.

Het feit dat hij haar volkomen negeerde maakte dat ze, tegen haar wil en vaste voornemen in, toch een verzoenende houding aannam. Ze maakte een lekkere lunch van roerei en gerookte zalm met een salade voor hem klaar, zette die gerechten voor hem neer en schonk een glas wijn voor hem in. Hij deed alsof hij daar niets van merkte en ging naar de keuken, om even later terug te komen met een paar boterhammen die hij zelf had gesmeerd en een blikje bier. Ze merkte dat ze smachtend naar hem keek en dwong zichzelf ertoe een andere kant op te kijken. De middag bracht hij aan zijn bureau door. Zo te zien schreef hij brieven. Onwillekeurig dacht ze dat als hij alleen maar een andere seksuele geaardheid had gehad ze hem wel had kunnen verleiden en vermurwen. Maar als hij anders was geweest, zou hij natuurlijk nooit met haar getrouwd zijn, dat wist ze ook wel.

Om ongeveer vijf uur belde Moon and Stars Television. Eugenie nam op en zei wat ze altijd zei wanneer Zillah niet als eerste bij de telefoon was: 'Ze kan niet aan de telefoon komen.'

Zillah griste de hoorn uit haar hand. De vrouw aan de andere kant vertelde dat ze tot hun spijt de volgende morgen geen auto konden sturen. Natuurlijk kon ze wel met eigen vervoer komen, als ze dat wilde. Zillah, die voelde dat ze niet meer de grote attractie was, ging daarmee akkoord. Het betekende dat ze om halfzes moest opstaan, maar dat had ze er wel voor over. Ze kon hen met haar charmes in haar ban krijgen, ze kon haar publiek betoveren. De telefoon ging vrijwel meteen opnieuw. Het was de au pair van de verdieping beneden haar. Het meisje zei dat ze de volgende morgen toch niet op de kinderen kon passen.

Zillah keek Jims aan, die zijn brieven aan het ondertekenen was.

315

Ze durfde het hem niet te vragen. Ze zou de kinderen maar in de flat achterlaten. Per slot van rekening zou hij er zijn, en met een beetje geluk zou er niemand wakker worden voordat ze weer thuis was. En als Jordan begon te krijsen, zou Eugenie hem toch niet aan zijn lot overlaten?

Jims zette het televisiejournaal aan en keek met een ondoorgrondelijk gezicht naar reportages over overstromingen in Gujerat, aanhoudende conflicten in Zimbabwe en de moord op een oude vrouw in Kensal Green. Vervolgens zag hij zichzelf met een rood gezicht achter zijn aktetas wegduiken nadat hij uit Fredington Crucis House was gekomen. De kinderen keken ernaar en Zillah ook, en nu en dan wierp ze een angstige blik in Jims' richting. Hij werd nu niet rood, maar juist steeds witter. De beelden waren niet nieuw; ze waren de avond tevoren ook al vertoond, maar nu werden ze gevolgd door commentaar van allerlei partijfunctionarissen, onder wie de voorzitter van de Conservatieven in South Wessex, die moedig volhield dat hij volledig vertrouwen in de heer Melcombe-Smith had en dat die ongetwijfeld binnenkort duidelijke antwoorden op alle vragen zou geven.

'Waarom is mijn stiefvader op de tv?' zei Eugenie.

Niemand gaf haar antwoord. De telefoon ging. Jims nam op, legde zonder iets te zeggen de hoorn weer op de haak en trok de stekker eruit. Nerveus ging Zillah naar haar slaapkamer. Ze nam de kinderen mee. Jordan begon weer te jengelen.

Ze kleedde zich met zorg. Als dit interview werk opleverde, als het haar beroemd maakte en ze haar eigen televisieshow kreeg, kon ze in Londen blijven en hoefde ze niet naar Willow Cottage terug. Jims had op een nare sarcastische toon gezegd – op zaterdagavond, toen hij nog tegen haar sprak – dat het huisje haar zou bevallen, want er was heel wat aan vertimmerd. 'Vooral de fraaie, eigentijds ingerichte keuken,' had hij eraan toegevoegd, alsof ze zelf in dat soort termen dacht. Maar ze had een hekel aan dat huis en was absoluut niet van plan er te gaan wonen.

Ze trok haar favoriete witte pakje en een koraalrode blouse aan, want ze had gehoord dat felle kleuren het op de televisie goed deden. Zouden zij haar opmaken of verwachtten ze dat ze dat zelf had gedaan? Zillah kon zich niet voorstellen dat ze in Londen de straat op ging zonder dat ze zich had opgemaakt. In Long Fredington lag dat anders. Alleen al bij de gedachte daaraan moest ze huiveren. Zodra ze van Channel Four terug was en met Jordan naar de kinderpsychiater was geweest, zou ze een advocaat zoeken om te kijken of ze Jims uit de flat kon krijgen. Er moest toch iets mogelijk zijn.

Het stortregende. Ze was op haar tenen de flat uit gegaan en had haar sleutel in het slot gedaan om de deur geluidloos dicht te doen. Ze kon niet teruggaan om een regenjas of paraplu te halen. Terwijl ze het ergste vreesde voor haar haar en schoenen, ging ze in een portiek staan om van daaruit een taxi aan te houden. Het resultaat daarvan was dat andere mensen er eerder waren dan zij. Ze moest het portiek uit en de taxichauffeur die uiteindelijk stopte, grijnsde om haar drijfnatte haar.

Maar Zillah ontdekte algauw dat ze zich geen zorgen had hoeven te maken. Een andere vrouw die in het programma optrad, zag er in haar trainingspak en zonder make-up uit alsof ze net uit bed was gekomen. De make-upafdeling maakte het allemaal in orde. Ze droogden Zillahs haar en maakten haar gezicht opnieuw op. De andere vrouw vertelde haar in vertrouwen dat ze al jaren in dit soort programma's optrad. Ze ging er met ladders in haar nylons naartoe, omdat ze haar dan een nieuw paar zouden geven. Zillah voelde zich meteen een stuk beter.

Toen het programma begon en ze er met de andere gasten in een wachtkamer naar keek, besefte ze dat het live was. Ze kon niet repeteren en zou niet de kans krijgen om te zeggen dat ze iets niet zo had bedoeld, wilt u dat eruit knippen, of kunnen we niet opnieuw beginnen? De vragen waren indringend en zelfs iemand met weinig ervaring begreep dat ze niet vriendelijk waren. Een jongeman stak zijn hoofd om de deur en wenkte de vrouw van de nylons. Zij was het volgende – Zillah gebruikte voor zichzelf onwillekeurig het woord 'slachtoffer'.

Het was een vreemd gevoel om naar het scherm te kijken en

haar de set op te zien lopen. Zillah voelde zich plotseling naïef en nogal hulpeloos. De vrouw bleek een popzangeres uit de jaren zeventig te zijn die een comeback probeerde te maken. De presentator, een lelijke man met een baard en een schorre stem die hem beroemd had gemaakt, vroeg haar of ze niet een beetje te 'belegen' was voor een comeback. Ze was niet bepaald Posh Spice, hè? Misschien wilde ze nu wel voor hen zingen, ze hadden een begeleider klaarstaan. De zangeres gaf dapper antwoord op de vragen, maar zong niet erg goed. Intussen kwam de jongeman terug en gaf een teken aan de jongen die op zijn vijftiende tot Oxford was toegelaten. Zillah zou de laatste zijn.

'Ze bewaren het beste altijd tot het laatst,' zei een meisje, dat was binnengekomen om te vragen of ze nog meer koffie of sinaasappelsap wilde.

Na de zanger kwam een vrouw die het nieuws voorlas, gevolgd door de weersvoorspelling en reclame voor programma's die de rest van de dag werden uitgezonden. Ze verwachtte dat de zangeres zou terugkomen, maar dat gebeurde niet. De jongen was aan de beurt. Hij werd geïnterviewd door een vriendelijke presentatrice, die hem behandelde alsof hij de Nobelprijs had gewonnen. Zillah had gehoord dat de man met de schorre stem met haar zou praten. Nu hoopte ze dat ze van gedachten veranderd waren en dat ze deze vrouw kreeg, die nu tegen de jongen zei dat zijn ouders wel enorm trots op hem moesten zijn. En hij was niet eens erg goed, maar verlegen en zwijgzaam.

Zillah werd opgeroepen. Het meisje dat haar had gevraagd of ze koffie of sinaasappelsap wilde, leidde haar door een paar gangen naar de rand van wat een arenatoneel leek, een rond platform, deels met decors en gordijnen afgeschermd. Het wemelde daar van de camera's en geluidsmensen en elektriciens. In het midden was nog net het felverlichte gedeelte te zien dat op de televisie kwam.

'Ik geef u een teken. Als ik mijn vinger zo opsteek,' fluisterde het meisje, 'gaat u in die stoel tegenover Sebastian zitten. Goed?'

'Dat is goed,' zei Zillah hardop.

Iedereen in haar omgeving draaide zich om, met zijn vinger op zijn lip. Het beetje zelfvertrouwen dat ze nog had verdween. Haar hakken waren te hoog, dat wist ze nu ook. Als ze nu eens struikelde? Het wonderkind verliet de set, evenals de vriendelijke presentatrice. De man die Sebastian heette, vertelde de kijkers dat ze nu de gast van de dag verwachtten, Zillah Melcombe-Smith, bigamiste, echtgenote – of niet? – van het in opspraak geraakte parlementslid James Melcombe-Smith, en weduwe – of niet? – van de man die in de bioscoop vermoord was. Zillah had het plotseling erg koud. Zo'n introductie had ze niet verwacht. Maar het meisje dat haar hierheen had gebracht, stak haar vinger op, en ze kon niets anders doen dan naar de stoel tegenover Sebastian lopen. Het leek wel de langste en langzaamste voettocht van haar leven.

Hij keek haar aan alsof ze iets exotisch in een dierentuin was, een okapi of echidna.

'Welkom in *A Bite of Breakfast*, Zillah,' zei hij. 'Vertel ons eens hoe het voelt om tegelijk weduwe, echtgenote en bigamiste te zijn. Dat zal niet veel vrouwen overkomen, hè?'

Zillah zei: 'Nee' en: 'Dat denk ik ook niet', maar kon verder niets bedenken.

'Zullen we met de bigamie beginnen? Misschien ben je een van die mensen die tegen echtscheiding zijn. Je bent katholiek?'

Haar stem klonk zwak en hees. 'Nee.' Stel je voor dat haar moeder keek! Daar dacht ze nu pas aan. 'Mijn man – mijn eerste man – zei dat we gescheiden waren. En mijn man – mijn huidige man, bedoel ik – zei ook dat ik dat was.' Daaraan moest ze vasthouden. 'Ik verkeerde in de veronderstelling dat ik gescheiden was.'

'Maar toen je in de kapel van het Lagerhuis met James trouwde,' – zoals hij het zei, leek het wel de Sint-Pieter in Rome – 'zei je tegen de predikant dat je ongehuwd was. Ongehuwd en ongebonden, dat was het wel zo'n beetje, hè?'

Waarom had nooit eerder iemand daarnaar gevraagd? Haar stem beefde nu. 'James... James vond dat beter. James zei – ik wist niet dat ik iets verkeerds deed. Ik dacht dat ik... dat ik...'

'Het doet er niet meer toe. In zekere zin kwam het allemaal goed door de tragische dood van je eerste man in die bioscoop. Dat was natuurlijk verschrikkelijk, maar het gebeurde precies op het juiste moment. Wat was je reactie?'

Haar reactie op dat moment was dat ze in tranen uitbarstte. Ze voelde zich in het nauw gedreven, met maar één uitweg: de gevangenis. Ze boog zich voorover om niet in dat afschuwelijke bebaarde gezicht van hem te kijken, drukte haar hoofd tegen haar knieën en snikte. Wat hij deed of zei, wat al die camera- en geluidsmensen deden – ze wist het niet. Ze voelde dat er op haar schouder werd getikt, kwam met een ruk overeind, hield haar hoofd achterover en gierde het uit. De vriendelijke presentatrice pakte haar arm vast en hielp haar overeind. Ze kon het door die baard niet goed zien, maar het leek wel of Sebastian glimlachte. Achter haar hoorde ze hem tegen de kijkers zeggen dat ze overmand was door verdriet. Terwijl ze nog in beeld was, struikelde ze ook nog en viel bijna. Toen ze de set huilend en strompelend verliet, fluisterde een cameraman: 'Geweldige tv. Hiervan dromen presentatoren.'

Het programma betekende voor Zillah het einde van de strijd. Ze ging met een taxi naar Abbey Gardens Mansions terug. Het was pas negen uur. De kinderen hadden de televisie aanstaan en ze zag dat ze naar het kanaal keken waarop zij was verschenen.

'Deed je dat met opzet?' zei Eugenie. 'Dat huilen en vallen?'

'Natuurlijk niet. Ik was van streek.'

'Toen hij het over de tragische dood van je eerste man had, wat bedoelde hij toen?'

Zillah had er nooit bij stilgestaan dat de kinderen misschien naar het programma zouden kijken en op die manier over de dood van hun vader zouden horen. Ze keek naar Eugenies mooie, zorgelijke, verwijtende gezicht en wist dat het kind het wist. Toch kon ze haar geen antwoord geven. Niet nu, niet terwijl ze dit alles moest doormaken.

'Daarom zien we hem nooit,' zei Eugenie.

'Ik vertel het je later. Dat beloof ik.'

'Je mascara is uitgelopen.'

Zillah zei dat ze zich ging wassen. 'Waar is Jims?'

'In bed. Hij is niet weggegaan. Hij heeft ons niet alleen gelaten, als je dat denkt.'

Ze wilde het kind verbieden om op die manier tegen haar te spreken, maar ze was bang. Het was afschuwelijk om het toe te geven, maar ze was bang voor haar dochtertje van zeven. Wat moest dat worden als Eugenie een tiener was? Ze zou met haar moeder kunnen doen wat ze wilde. Ze zou de baas zijn in huis. Willow Cottage, Long Fredington, Dorset. Zillah besefte dat ze daarnaar terug zou moeten. Het had geen zin meer met een advocaat te praten. Jordan huilde weer. Waarschijnlijk had hij ook gehuild toen ze weg was en terwijl ze met Eugenie praatte, maar ze had het niet gemerkt. Ze raakte eraan gewend. Over een uur moesten ze bij de kinderpsychiater zijn.

'We hebben haar zelfs nooit gezien,' zei Michelle verontwaardigd. 'We weten niet wie u bedoelt. Er heeft nooit een oude dakloze vrouw in onze voortuin geslapen.'

'Niet dakloos, Michelle,' zei Geweldsmisdrijven. 'Ze had onderdak. Dat is het nou juist. Ze woonde in Jakarta Road. En jij, Matthew? Kun jij je haar herinneren?'

Matthew had aan zijn column zitten werken toen ze kwamen. Ze hadden niet eerst gebeld. Waarschijnlijk was het hun bedoeling geweest de Jarveys te overrompelen. Misschien waren ze net plannen aan het maken voor hun volgende moord, of misschien waren ze net bezig zich van het wapen te ontdoen.

'Ik heb liever niet dat u ons bij de voornaam aanspreekt,' zei Matthew.

Geweldsmisdrijven keek hem strak aan. 'Als u er zo over denkt, doen we dat niet. De meeste cliënten zeggen dat het de verstandhouding ten goede komt.'

'Maar wij zijn geen cliënten, hè? Wij zijn verdachten. En om uw vraag te beantwoorden: ik kan me mevrouw Dring niet herinneren. Voorzover ik weet, heb ik haar nooit gezien. Is dat genoeg?'

'We zouden graag dit huis willen doorzoeken.'

'Nee!' schreeuwde Michelle in een opwelling.

321

'We kunnen een huiszoekingsbevel halen, mevrouw Jarvey. Als u weigert, leidt dat alleen maar tot vertraging.'

'Als mijn vrouw akkoord gaat,' zei Matthew vermoeid, 'ga ik dat ook.'

Michelle haalde haar schouders op en knikte. Een week geleden had ze nog gedacht dat niemand mensen als zij en haar man serieus van een geweldsmisdrijf zou kunnen verdenken, maar ze was verrassend snel tot het besef gekomen dat Geweldsmisdrijven heel anders over haar en Matthew dacht. Ze zag al voor zich dat er ooit boeken over waar gebeurde misdaden zouden verschijnen met hun arrestantenfoto's erin. Een sinister paar, hij broodmager met het gezicht van een Eichmann of Christie, een man die zichzelf uithongerde en de kost verdiende met schrijven over anorexia, zij een schommelende massa spek met een bedrieglijk mooi gezicht dat wegzonk in kussens van vet. Voor het beeld dat Michelle van zichzelf en haar innig geliefde man had, maakte het geen verschil dat Matthew, sinds hij aan zijn televisieprogramma was begonnen, iedere dag een beetje meer was gaan eten, en dat zij sinds het begin van het onderzoek nauwelijks meer at dan een stukje fruit of een plakje kipfilet. Ze zag hen nog steeds als een grotesk echtpaar.

Vier rechercheurs werkten het hele huis af. Ze zeiden niet waarnaar ze zochten en de Jarveys vonden het beneden hun waardigheid om ernaar te vragen. 's Morgens vroeg had het geregend, maar het was een warme, zonnige dag geworden. Zij en Matthew gingen naar de tuin die, voor en achter, niet meer was dan een gazon met daaromheen wat niet-bloeiende struiken. Ze gingen op de schommelbank zitten, zwijgend maar hand in hand. Ze dachten allebei aan Fiona.

Hun buurvrouw was zoals gewoonlijk om halfnegen naar haar werk gegaan. Michelle vond dat ze een zorgeloze indruk maakte. Hoewel het tussen haarzelf en Matthew liefde op het eerste gezicht was geweest, stond ze nogal sceptisch tegenover de hartstochtelijke liefde die Fiona beweerde te voelen voor een man die ze nog maar zo kort kende. En wat voor een man! Ze was naar haar werk gegaan, ongetwijfeld om grof geld te verdienen voor zichzelf en haar cliënten, zonder stil te staan bij de mensen die haar vrienden waren geweest en die ze tot verdachten in een moordzaak had gemaakt. Ze moest meer geld hebben dan ze op kon, anders zou ze niet twee van die vrouwen van Jeffrey Leach schadeloosstellen voor het geld dat ze door zijn toedoen hadden verloren. Michelle geloofde niet meer dat ze spijt had van wat ze had gedaan. Ze achtte Fiona ertoe in staat om, toen ze de vorige avond het nieuws van de moord op Eileen Dring op de televisie had gezien, de politie te bellen en te zeggen dat de Jarveys de overleden vrouw hadden gekend. Was het niet al te toevallig dat ze beide moordslachtoffers hadden gekend?

Toen de huiszoeking voorbij was, gingen ze weer naar binnen. Natuurlijk hadden ze niets verdachts gevonden. Maar: 'We houden contact,' zei Geweldsmisdrijven. 'We zullen opnieuw met u willen praten.'

Michelle voelde zich alsof er in hun huis was ingebroken. Het was niet alleen een binnendringen, maar ook een ontheiliging. Ze stelde zich voor dat de rechercheurs in haar laden met ondergoed hadden gekeken en hadden gegrinnikt om de grootte van haar beha's en slipjes. En dat ze die röntgenfoto's van Matthews wervelkolom en bekken hadden gevonden die genomen waren toen een specialist vermoedde dat zijn botten broos begonnen te worden. Dat ze verbaasde en geamuseerde blikken hadden gewisseld bij het bekijken van hun album met trouwfoto's. Ze zou nooit meer over haar huis denken als vroeger. Zij en Matthew waren hun huwelijksleven in zo'n extase van geluk en hoop begonnen.

Ze ging naar de keuken en begon het eten klaar te maken. Zijzelf had absoluut geen trek. Matthew kwam naar haar toe.

'Ik hou van je.'

'Ik hou ook van jou, lieveling,' zei ze. 'Niets kan dat veranderen.'

'Dank je,' zei Jims. 'Dat is erg aardig van je.'

Hij was verbaasd geweest toen Eugenie hem een kop koffie op bed bracht. Hij smaakte niet echt goed, want hij was gemaakt van water dat niet helemaal had gekookt, instantkoffie en poedermelk. Toch was hij ontroerd, en het ging door zijn hoofd dat als de dingen anders waren gelopen hij en zijn stiefdochter op een dag misschien vrienden zouden zijn geworden. In ieder geval had ze, in tegenstelling tot haar moeder, een goed stel hersens.

'Ze is ergens heen voor een interview,' zei Eugenie.

'Wat anders?'

Eugenie lachte en tot zijn verbazing lachte hij ook. En hij had nog wel gedacht dat hij nooit meer zou lachen. Dus Zillah was uit – ongetwijfeld om slechte dingen over hem te vertellen – en had hem als oppas bij haar kinderen achtergelaten zonder het hem eerst te vragen. Hij had niet veel keus, maar het zou de laatste keer zijn.

Hij hoorde haar terugkomen. Omdat hij haar al zo lang kende, kon hij aan de manier waarop ze de voordeur dichtdeed en door de hal liep horen in wat voor stemming ze verkeerde. Een wanhopige, dit keer. Hij bleef nog een halfuur in bed, stond toen op en nam een lekker warm bad. Hij wist niet waar ze deze keer met de kinderen heen ging en het kon hem ook niet schelen, maar hij kwam pas de huiskamer in toen hij de deur had horen dichtgaan. Hij had zich met zorg aangekleed, maar dat deed hij altijd. Wat voor ellende had hij zich op de hals gehaald dat hij door die vrouw zijn eigen huis uit werd gejaagd?

Hij wandelde een tijdje door de straten. Het was een mooie dag geworden. De regenwolken waren verdreven door een harde wind, die daarna was gaan liggen, en de zon was tevoorschijn gekomen. Op een gegeven moment was hij in South Kensington bij het restaurant aan Launceston Place, waar ze hem met alle genoegen een lunch wilden serveren, ook al had hij niet gereserveerd. Zijn gedachten gingen van Zillah naar sir Ronald Grasmere en de condities die ze bij de verkoop van Willow Cottage waren overeengekomen, en toen naar Leonardo. Jims hoopte dat hij geen taxi had kunnen krijgen en zich gedwongen had gezien lopend naar Casterbridge te gaan, en dat de trein was uitgevallen en dat er in het weekend aan de spoorlijn werd gewerkt, zodat hij een deel van de reis per bus had moeten afleggen.

Een taxi bracht hem terug en de Big Ben gaf aan dat het twintig over twee was toen hij via Westminster Hall het Lagerhuis binnenging.

Er lagen twee boodschappen op hem te wachten. Die van de fractieleider was kil en gebiedend. Hij moest om drie uur precies bij hem zijn. Het was een bevel. De boodschap van de fractiesecretaris was omslachtiger. Zou Jims er iets voor voelen om tegen het eind van de middag in zijn kantoor iets te komen drinken en 'overleg te plegen' – waarom hanteerde zijn partij dat afschuwelijke taalgebruik? – over 'de situatie'? Jims gooide beide papiertjes in een prullenbak en hield zijn adem even in. Hij herinnerde zich hoe hij op zaterdagmorgen de pers tegemoet was getreden en liep de zaal van het Lagerhuis in.

Alle ogen waren meteen op hem gericht. Hij had dat wel verwacht en lette er goed op dat hij niemand in het bijzonder aankeek. Twee leden zaten naast de plaats waar hij altijd zat: op de tweede rij van achteren. Met gespeelde nonchalance ging hij tussen hen in zitten. De een negeerde hem, en de ander, met wie Jims altijd vriendschappelijk was omgegaan, boog zich naar hem toe en gaf hem een vaderlijk klopje op zijn knie. Dat was zo onverwacht en zo verdomd aardig dat Jims, die hem grijnzend aankeek en 'Dank je' zei, er tranen van in zijn ogen kreeg.

Jims bleef twintig minuten in de zaal zitten, deed of hij luisterde, maar hoorde niets. Toen stond hij op, keek de aanwezige leden een voor een aan, keek toen de voorzitter aan ('Zij die gaan sterven, groeten u') en liep naar de deur. Daar bleef hij staan en keek om. Hij zou dit nooit meer zien. Het begon al iets uit het verleden te worden, als de vervagende herinnering aan een droom.

De centrale hal was bijna leeg. De vorige dag had hij zijn ontslagbrief naar de voorzitter van de Parlementaire Conservatieve Partij en naar de fractiesecretaris gestuurd. Hij had geen enkele reden om hier te blijven, afgezien van één gesprekje. Een lid dat al veertig jaar in het Lagerhuis zat en alles over procedures wist, verwachtte hem in zijn kantoor om hem nuttige tips over zijn beëindiging van het lidmaatschap te geven. Dat was niet zo gemakkelijk als het opzeggen van het partijlidmaatschap. Het best kon hij een betaalde functie bij de overheid aannemen, want dan mocht hij formeel geen lid van het Lagerhuis blijven.

'Rentmeester van de Chiltern Hundreds,' zei Jims.

'Jammer, kerel, maar die post is al vergeven. Je weet nog wel – tja, een beetje tegenslag in de kwestie van het voormalige lid voor...'

'O ja,' onderbrak Jims hem. 'Ontucht met kinderen, hè?'

'Ik probeer me volledig van dat soort dingen te distantiëren.'

'Er moeten toch andere betaalde ambten zijn. Bijvoorbeeld beheerder van de Cinque Ports?'

'Ik ben bang dat Zijne Koninklijke Hoogheid de prins van Wales dat al is.'

'Natuurlijk.'

De man keek in een map. 'Er is het rentmeesterschap van de Tolpuddle Marshes. Daaraan is een jaarlijks honorarium van tweeënvijftig pence verbonden, en het zou je diskwalificeren voor het lidmaatschap van het Lagerhuis.'

'Klinkt perfect,' zei Jims. 'Ik heb altijd al iets over de Tolpuddle Marshes te zeggen willen hebben. Waar liggen ze eigenlijk? In Wales, nietwaar?'

'Nee, in Dorset.'

Het bejaarde parlementslid vertelde later aan een vriend dat Melcombe-Smith zo hard had gelachen dat hij zich zorgen begon te maken. Blijkbaar hadden diens recente ervaringen een soort zenuwinzinking veroorzaakt.

Jims bleef niet rondhangen om verwijten, preken of onbeschofte vragen aan te horen. Hij liep New Palace Yard op toen de Big Ben halfvier sloeg, een ontzagwekkend geluid waaraan hij voor het eerst in jaren aandacht schonk. Het was een mooie middag, zonnig en warm. Wat zou hij eens gaan doen?

De kinderpsychiater vertelde Zillah dat hij ook gewoon arts was. Ze wist niet waarom hij dat zei. Ze had Jordan niet naar

Wimpole Street gebracht omdat hij keelpijn had. Sinds ze in de taxi waren gestapt, had Jordan aan één stuk door gehuild. Kort voordat ze waren vertrokken, had hij overgegeven. Het was niet vreemd, zei ze tegen de psychiater, dat een kind dat altijd huilde ook vaak overgaf. Eugenie, die mee moest omdat er thuis niemand was om op haar te passen, zat op een stoel in de spreekkamer. Ze had het zure, cynische gezicht van een gedesillusioneerde vrouw die zes keer zo oud was als zij.

Nadat hij met Jordan had gepraat, althans dat had geprobeerd, zei de psychiater dat hij met een lichamelijk onderzoek wilde beginnen. Zillah dacht meteen aan seksueel misbruik, maar knikte lijdzaam. Jordan werd uitgekleed en onderzocht.

De psychiater had twee minuten nodig om hem rechtop te laten zitten, op zijn schouder te kloppen, hem met een deken te bedekken en tegen Zillah te zeggen: 'Dit kind heeft een hernia. Natuurlijk moet u een second opinion vragen, maar het zou me sterk verbazen als dat niet de oorzaak van het probleem was. En misschien vormt zich aan de andere kant ook een hernia.' Hij keek haar aan met een blik waarin niets vriendelijks meer te lezen viel. 'Hij moet die hernia al een hele tijd hebben. De pijn begint pas als de hernia een kritiek stadium heeft bereikt. Het is misschien zelfs een beknelde breuk.'

In de kranten wordt een sensationeel verhaal altijd gevolgd door een anticlimax. De spanning kan niet in stand worden gehouden. Er is de wereld een schokkende onthulling gedaan, en daarop kan een vervolg komen, maar soms ook niet, bijvoorbeeld omdat de hoofdpersoon dood is of voor de rechter moet verschijnen of vermist wordt. Maar er moet iets worden gevonden om de kloof tussen de schok en triomf en de volgende verbijsterende primeur te overbruggen. Natalie had Jims' homoseksualiteit in de openbaarheid gebracht, maar ze durfde niet veel meer over hem te schrijven zolang hij blijkbaar van de moord op Jeff Leach werd verdacht. Het werd tijd om een geschiedenis van Jeffs leven te publiceren, een lijst van zijn vrouwen. Tot nu toe waren alleen zijn echtgenote en de vrouw met wie hij samenwoonde in de publiciteit gekomen. Het zou nogal schokkend overkomen als zijzelf toegaf dat ze een van zijn minnaressen was geweest. Ze had geen scrupules in dat opzicht, en haar vriend was in dat soort dingen net zo nuchter als zijzelf. Maar wie zou ze verder nog in haar verhaal kunnen noemen?

Ze had vaak gedacht aan het 'grappige kleine ding' waarover hij het had gehad toen ze elkaar voor het laatst ontmoetten, een vrouw met een eigenaardige naam. Hij had haar Polo genoemd en ze woonde in de buurt van de begraafplaats Kensal Green. Misschien zou het een goed idee zijn om die vrouw op te sporen. In ieder geval moest ze met Fiona Harrington praten, en misschien ook met haar eigen voorgangster. Ze wist heel goed dat die voorgangster niet Jeffs ex-echtgenote was geweest. Die vrouw heette... Ze probeerde op de naam te komen. Die zou haar wel te binnen schieten. Jeff had vaak genoeg over haar gesproken, en meestal nogal verbitterd.

Een restauranthoudster? Een arts? De directeur van een of andere instelling? Ze bewaarde haar herinneringen aan wat Jeff over die vrouw had gezegd en de weinige dingen die hij over 'Polo' had verteld ergens in haar achterhoofd. Er was geen haast bij. Op een dag zou ze in de warboel daar gaan zoeken en dan kwamen er misschien nog interessante dingen aan de oppervlakte.

29

Er werd een buurtonderzoek gedaan in de omgeving van de plaats waar Eileen Dring was vermoord. Agenten belden bij de Wilsons aan, maar gingen weg zodra ze ontdekten wie Laf was. Hij had hun al verteld over het bezoek dat hij en zijn vrouw en de buurvrouw op zaterdagavond aan de schouwburg hadden gebracht. Op zondagavond had hij, zodra hij op de radio over Eileens dood hoorde, zijn rapport ingediend. Daarin vertelde hij dat hij en Sonovia en Minty de oude vrouw om vijf voor één in de nacht van zaterdag op zondag nog in leven hadden gezien. Ze was gezond en wakker geweest. Hij gaf nog wat meer bijzonderheden door aan de hoofdinspecteur die de leiding over de zaak had, maar zei niets over Minty's eigenaardige gedrag in de metro, haar hallucinaties en het feit dat ze in zichzelf had gepraat. Per slot van rekening, zei hij later tegen Sonovia, was ze een vriendin, en je zei zulke dingen niet achter haar rug om. Je zei bijvoorbeeld niet dat ze te veel had gedronken.

De eerste keer dat de politie kwam, was Minty op haar werk. Sonovia had tegen hen gezegd dat ze niet thuis was, maar ze belden toch aan. Toen er niet werd opengedaan, gingen ze naar het volgende huis, en daar kwam Gertrude Pierce naar de deur. Zodra ze haar vertelden wie ze waren en wat ze wilden, riep ze haar broer.

'Dickie, er is een vrouw vermoord aan het eind van de straat.'

Kroot verscheen, strompelend op twee krukken. Alle kleur trok uit zijn toch al bleke gezicht weg. Hij moest gaan zitten. Gertrude Pierce gaf hem iets om te inhaleren en iets tegen zijn angina, en de politieagenten vroegen zich af of hij dood zou neervallen waar ze bij waren. Maar even later ging het weer wat beter met hem.

'Jullie zouden die vrouw van hiernaast eens aan een stevig verhoor moeten onderwerpen,' zei hij met zijn bevende oude stem.

'Dat is een rare. Zij en haar tante hebben in geen twintig jaar een woord tegen me gezegd.'

'Dat is waar, Dickie,' zei zijn zuster. 'Het zou me niet verbazen als ze míj had vermoord.'

Jims had een taxi naar Park Lane genomen. Daar ging hij naar een prestigieuze West End-makelaar, leverde de sleutels van Fredington Crucis House en de flat in Abbey Gardens Mansions in en vroeg hem beide objecten te verkopen. Zijn makelaar zou alles regelen. Jims zou voor onbepaalde tijd naar het buitenland gaan.

Dat idee was in een opwelling in hem opgekomen. In feite had hij geen plannen en kon hij nauwelijks vooruitdenken. Hij liep naar Hyde Park Corner en besloot om over het gras van het park naar Westminster terug te keren. Vroeger kon je door Hyde Park, Green Park en St. James' Park helemaal van Bayswater naar het parlementsgebouw komen zonder een voet op een verharde weg te zetten. Dat kon nu niet meer, maar het lukte hem wel om over gras en onder bomen tot aan Buckingham Palace te lopen. Toen hij een paar brede straten was overgestoken, bevond hij zich opnieuw in een koel en groen paradijs. Niemand herkende hem, niemand keek naar hem. Hij dacht eraan dat hij Zillah nooit meer zou hoeven te zien. Hij dacht aan het enorme geldbedrag dat hij voor zijn huizen zou ontvangen, iets in de orde van grootte van drie miljoen pond. Jims verkeerde niet in geldnood, maar het was leuk om te weten dat er nog meer op komst was.

Na een tijdje kwam hij bij de brug over de vijver en bleef in het midden staan. Hij keek van Buckingham Palace aan zijn rechterkant naar Whitehall, Horse Guards en het ministerie van Buitenlandse Zaken aan zijn linkerkant. Dat alles was in de afgelopen honderdvijftig jaar niet veel veranderd, met als enige nieuwkomer het London Eye, het grote reuzenrad dat achter Downing Street door de hemel bewoog, glanzend en zilverig, de spaken en capsules net grote glazen kralen. Het zonlicht glinsterde op het water, de treurwilgen maakten diepe schaduwen, zwanen gleden onder de brug door en de pelikanen verzamelden zich op hun eiland. Het idee dat hij weg zou gaan begon vastere vormen aan te nemen. Hij zou naar het buitenland gaan. Misschien zou het jaren duren voor hij terugkwam. Hoe lang zou het duren voordat hij dit uitzicht weer had?

Toen hij doorliep, herinnerde hij zich een verhaal over een kamerheer aan een oosters hof, die per ongeluk een wind had gelaten in het bijzijn van de vorst en zich zo diep had geschaamd dat hij was gevlucht en zeven jaar over de aarde had gezworven. Jims schaamde zich helemaal niet; hij wilde alleen ontkomen aan de discussies, de verwijten, de onderzoeken, de speculaties, de noodzaak om zich te verdedigen. 'Moeten,' zei Elizabeth I, 'is niet een woord dat men tegen vorsten gebruikt.' 'Waarom', 'uitleggen' en 'rechtvaardigen' waren geen woorden die tegen hem moesten worden gebruikt. Hij zou die avond nog vertrekken. De auto moest natuurlijk achterblijven. Zijn agent kon hem in een garage onderbrengen of verkopen. Het was te lastig om hem mee te nemen. Dat gold ook voor zijn kleren. Als hij ooit nog een pak zou dragen, zou hij dat alleen doen om zichzelf in de spiegel te bewonderen. Maar eigenlijk wilde hij dat iemand anders zijn uiterlijk bewonderde.

Marokko, dacht hij, hij had daar altijd al heen gewild, maar was er nooit toe gekomen. New Orleans, Santiago, Oslo, Apia – allemaal plaatsen waar hij nog niet was geweest. De politiek had hem tot slaaf gemaakt, had hem in de tredmolen gehouden, had al zijn tijd gestolen. Dat was nu voorbij. Toen hij vanuit het noorden in Great College Street kwam, sloeg de Big Ben vijf uur. Het was hem nooit eerder opgevallen hoe sonoor en diep die slagen klonken. De portier die boodschappen voor hen had gedaan stond achter de balie.

'Is mevrouw Melcombe-Smith al terug?' Hij vond dat een slimme manier om het te verwoorden.

De portier zei dat ze net was uitgegaan. Om 'de jongeheer Jordan' naar een afspraak in Harley Street te brengen, dacht hij. Opgelucht bedankte Jims hem. Was er een andere plaats op de wereld waar nog in zulke termen over een kind van drie werd gepraat dan dat stukje van Engeland, Londen, Westminster, de omgeving van het parlementsgebouw? Eigenlijk jammer. Hij hield van feodale gewoonten en zou binnenkort zelfs de rudimenten daarvan achterlaten.

Niet helemaal overtuigd ging hij voorzichtig de flat binnen, die inderdaad leeg bleek te zijn. Hij gooide het allernoodzakelijkste met zijn paspoort in een tas. De makelaar had beloofd dat hij de flat de volgende middag zou komen taxeren. Zijn garage, die zijn autosleutels had, zou dan ook de auto komen halen. Hij zou hier niet meer zijn. Zachtjes ging hij de trap af en via het parkeerterrein de straat op. Daar hield hij een taxi aan en vroeg de chauffeur hem naar Heathrow te brengen. Hij zou het eerste vliegtuig nemen dat ergens heen ging waar hij nooit was geweest.

Toen hij achter in de taxi zat, verdwenen al zijn zorgen, zijn verdriet, zijn stukgelopen ambitie als sneeuw voor de zon. Eerst kon hij de bron van zijn plotselinge geluksgevoel niet omschrijven. Die heette vrijheid.

Om kwart over zes, toen Minty net uit bad was, kwam de politie terug. De politie laat zich net zo beïnvloeden door reinheid, netheid en respectabiliteit als ieder ander. Iedereen associeert misdaad met vuil en rommeligheid, met laat opstaan en laat naar bed gaan met een bestaan zonder regelmaat, hoofdluizen, drugs, verstopte afvoeren en niet te omschrijven geuren – en ook met bizarre kleding, punkkapsels, piercings, een overdaad van leer, laarzen en nagels die in alle kleuren behalve rood of roze zijn gelakt.

Minty rook naar zeep en lavendelshampoo. Haar fijne zachte haar, dat de kleur van paardebloempluis had, zag eruit alsof ze in de wind had gelopen. Het bad had geen make-up verwijderd, want ze gebruikte nooit make-up. Ze droeg een lichtblauwe katoenen broek en een lichtblauw-en-wit gestreept T-shirt. Het huis was net zo schoon als zijn bewoonster en de openslaande tuindeuren boden uitzicht op een keurige, zij het steriele tuin. De politieagenten lieten zich niet door het gebazel van een paranoïde oude man beïnvloeden. Ze merkten dat Minty geen geheimen had en het geen enkel probleem vond om hun vragen te beantwoorden. Ze leek buitengewoon onschuldig, en dat was ze ook, want de enige oude vrouwen uit haar omgeving voor wie ze zich ooit had geïnteresseerd waren Tante en mevrouw Lewis. Eén van die twee was blijkbaar overleden en van de andere had ze zich ontdaan. De naam Eileen Dring zei haar niets, maar toen ze vroegen of ze zich herinnerde dat die vrouw in de nacht van zaterdag op zondag kort voor één uur op dat bankje bij het bloemperk had gezeten, knikte ze en zei 'ja'. Laf had haar de vorige dag verteld dat hij en Sonovia 'ja' zouden zeggen, ze hadden haar gezien en zij, Minty, was bij hen geweest. Eigenlijk kon ze zich niet meer zo goed herinneren wat ze daar had gezien; ze was zo kwaad en tegelijk zo vastbesloten geweest omdat ze mevrouw Lewis eindelijk te pakken had. Maar als Laf zei dat die Eileen-en-nog-wat daar was geweest, zou dat wel zo zijn.

'En toen nam u afscheid van uw vrienden. U ging naar huis en regelrecht naar bed?'

'Dat klopt. Ik deed de deuren op slot en ging naar bed.' Ze vertelde niet dat ze meteen weer naar buiten was gegaan en mevrouw Lewis had gevonden en voorgoed met haar had afgerekend.

'Hebt u nog uit het raam van uw slaapkamer gekeken?'

'Ik denk van wel. Dat doe ik meestal.'

'En hebt u iemand op straat gezien?'

'Niet op straat. Die vrouw uit Iran aan de overkant, die altijd helemaal bedekt is met dat zwarte gewaad, had nog licht aan. Dat soort gaat nooit naar bed.'

'Dank u, mevrouw Knox. Dat is alles, denk ik. Tenzij u nog iets kunt bedenken dat we moeten weten.'

Dat kon ze niet, maar ze wilde nog wel even kwijt hoe slecht moord was en dat mensen die zoiets deden de doodstraf moesten krijgen. Ze was een groot voorstander van de galg, zei ze. En daar liet ze het bij. Het had geen zin hun over mevrouw Lewis te vertellen, want ze zouden haar toch niet geloven; ze zouden net als Laf en Sonovia reageren. Blijkbaar waren ze tevreden, want ze gingen meteen weg.

Nadat ze die avond was thuisgekomen, had ze allereerst het mes en haar handen gewassen. Natuurlijk had ze daarna een bad genomen, maar dat zou ze anders ook hebben gedaan. Het mes zat haar nog dwars. Het lag weer in de messenla, maar ze kon het niet uit haar hoofd zetten. Ze had er de hele dag, terwijl ze die overhemden streek, aan gedacht. Ze stelde zich voor dat het de andere messen in de la besmette. Het maakte geen verschil dat ze het in zeepsop en met een desinfecterend middel had schoongeboend. Dat mes moest het huis uit. De containers in Harrow Road waren weer vol, had ze op weg naar huis gezien, en het idee dat ze met dat mes door Western Avenue zou moeten lopen, of helemaal naar Ladbroke Grove, maakte haar misselijk. Ze herinnerde zich hoe het de vorige week geweest was, toen ze dat vuile mes dicht op haar huid had moeten dragen. Het mocht absoluut niet in haar schone keukenla blijven. Ze wilde het kilometers ver weg hebben. Maar kon ze het aan om het over een afstand van kilometers met zich mee te dragen?

Ze zou wel moeten. Zoals Tante altijd zei: de wereld was een moeilijk oord om in te leven, maar het was alles wat je had. In sommige opzichten vond ze het jammer dat Tante er niet meer was. Zonder mevrouw Lewis kon je Tante best bij je hebben. Ze was gezelschap. Misschien kwam ze op een dag terug. Minty maakte de keukenla open en haalde het mes eruit. Ze had er zoveel aan gedacht en het was in haar gedachten zo groot en belangrijk geworden dat ze, net als Macbeth, zich verbeeldde dat ze kloddders bloed op het lemmet zag, en opgedroogd bloed in de spleten waar het lemmet op het heft aansloot. Althans geestsap, geen echt bloed natuurlijk. Dat kon niet, ze had heel grondig geboend, maar het was of haar ogen niets wisten van wat haar handen hadden gedaan. Met een kreet van walging liet ze het mes op de vloer vallen. Dat maakte het alleen maar erger, want nu moest ze het oprapen en de vloer boenen waar het enkele seconden had gelegen. Alles in die la moest opnieuw worden schoongemaakt, en de la zelf natuurlijk ook. Er kwam nooit een eind aan en ze was al zo moe.

Ze wikkelde krantenpapier om het mes, stak het in een plastic zak en maakte die aan haar been vast. Zonder te weten waar ze heen ging, verliet ze het huis en liep naar Harrow Road. Het was een mooie zomeravond en er waren veel mensen op straat, maar niet in de buurt van de bank bij het bloemperk, waar alles afgezet was met een blauw-wit politielint. Minty, die nooit eerder zoiets had gezien, veronderstelde dat ze het perk hadden afgezet omdat de gemeente het wilde schoonmaken. Waarschijnlijk zouden ze al dat vieze vettige papier en die gebakken-vissenvellen en wikkels van chocoladerepen weghalen. Dat werd hoog tijd. De mensen leefden als zwijnen.

Bus 18 kwam en ze stapte in. Op het kruispunt van Edgware Road stapte ze over op bus 6, die haar naar Marble Arch bracht, waar ze de 12 nam. Zo belandde ze in Westminster. Ze zag de glinstering van de zon op de rivier en liep erheen. Het was druk op de weg en er waren veel mensen. De meeste mensen waren jong, veel jonger dan zijzelf. Ze bewogen zich als een trage massa over de trottoirs, maakten foto's van de grote gebouwen, bleven over de reling van de brug staan kijken. Toen ze die glinstering op het water zag, had ze even gedacht dat ze het mes in de rivier zou kunnen gooien, maar nu ze dichtbij was, zag ze hoe moeilijk dat zou zijn. En misschien was het in strijd met de wet. Als Minty aan een overtreding dacht, was ze altijd bang voor twee rampen. Ten eerste zou ze haar baan kunnen verliezen en ten tweede zou het haar geld kunnen kosten. Bovendien merkte ze de laatste tijd dat mensen haar vreemd vonden. Ze keken naar haar alsof ze niet normaal was. Laf en Sonovia hadden ook zo naar haar gekeken toen ze in de metro met mevrouw Lewis praatte. Natuurlijk konden zij mevrouw Lewis niet zien. Ze hadden Jock ook niet kunnen zien. Het was een bekend gegeven dat sommige mensen geen geesten konden zien. Dat was nog geen reden om iemand te behandelen alsof ze gek was. Als ze op die brug ging staan en een langwerpig, vreemd pakje in het water gooide, zouden de mensen om haar heen dat denken: dat ze gek was, gestoord, krankzinnig.

Ze liep in westelijke richting, waar het niet meer zo druk was. Een paar mensen gingen het Atrium binnen en nog een paar zaten op de trappen van de Millbank Tower te wachten. Ze moest oppassen dat ze niet verdwaalde. Ze moest zich strikt aan de busroute houden. Bij de Lambeth Bridge sloeg ze Horseferry Road in. Het verkeer was hier druk, maar er liep niemand op het trottoir. Toen ze alleen bij een afvalbak stond en niemand naar haar keek, liet Minty het mes erin vallen en liep vlug door naar de bushalte.

Terwijl Minty door Westminster zwierf, betrapte de politie van Kensal Green die avond twee jongens die door het raam van een leegstaande winkel naar binnen klommen. In die winkel waren vroeger kristallen en bloemenmiddeltjes en substanties voor ayurveda-massage verkocht, maar er waren nooit veel klanten gekomen en de winkel was al meer dan een jaar dicht. De ramen aan de voorkant waren dichtgetimmerd, net als de deur aan de achterkant. Die deur leidde naar een plaatsje met een hoge muur eromheen, de achterkant van het huis in de volgende straat en een soort hut van spaanplaat, golfijzer en twee deuren uit een gesloopt huis. Hoewel je alleen via een smal steegje, dat met een hek was afgesloten, op dat plaatsje kon komen, lag het er vol rommel, blikjes en kapotte flessen, kranten en chipszakken. Over de achterdeur zelf waren twee planken in de vorm van een diagonaal kruis gespijkerd, maar een raampje was uitgespaard en lang geleden ingeslagen. De enige gezagsgetrouwe huurder van de twaalf huizen in de volgende straat had door zijn raam gezien dat de jongens naar binnen klommen en had de politie gebeld.

Het waren kinderen, allebei nog geen tien. Toen de twee agenten hen vonden, waren ze boven, in een donker hok van een kamer, waar ze een kaars hadden aangestoken en een felgekleurde gehaakte hoofddoek op de vloer hadden gespreid. Die doek gebruikten ze om op te zitten en zich zo tegen het ruwe, splinterige hout te beschermen, en hij diende ook als tafelkleed. Ze hadden er van alles op gelegd, alsof ze gingen picknicken: een blikje Fanta, twee blikjes cola, twee cheeseburgers, twee pakjes sigaretten, twee appels en een doos Belgische bonbons. Hoewel het buiten nog warm was, was het hier binnen koud, en de jongste van de twee had een wollen sjaal om zijn nek gedaan. Geen van beide agenten herkende die sjaal, maar een van hen wist dat er een lange rode sjaal uit de tas van de dode vrouw op het bankje was verdwenen. Eileen Dring had die sjaal 's winters altijd om gehad en veel mensen hadden haar eraan herkend. Ze haalden de jongens uit de winkel en brachten hen naar huis.

Eerst wilden ze niet zeggen waar ze woonden. De agenten zaten met het probleem dat ze kinderen onder de zestien jaar alleen mogen ondervragen in het bijzijn van een ouder of voogd. Nadat zijn vriend hem herhaaldelijk met zijn elleboog en voet had gepord, gaf de ander zijn naam en adres op en toen nogal uitdagend ook de naam en het adres van zijn vriend. Kieran Goodall woonde in een rijtjeshuis in College Park en Dillon Bennett in een flat op de oever van het Grand Union Canal. Toen ze de straat bij het kruispunt van Scrubbs Lane en Harrow Road bereikten, was er niemand thuis, maar Kieran, die bijna negen was, had een sleutel. De woning was vuil en rommelig en gemeubileerd met groentekistjes, twee oeroude leren fauteuils en een kaartentafel. Het rook er naar marihuana en op een bord lagen de korte peuken van twee joints. De vrouwelijke agent bleef bij Kieran terwijl de man om assistentie belde en Dillon naar huis reed.

Toen hij in Kensal Road aankwam, stonden daar twee andere agenten van Geweldsmisdrijven op hem te wachten. Dillons moeder was thuis, evenals haar tienervriendje, haar veertienjarige dochter, twee andere mannen van in de twintig en een baby van zo'n anderhalf jaar. Iedereen, behalve de baby, dronk gin met bier en de mannen zaten te kaarten. Mevrouw Bennett was tamelijk dronken, maar ze was bereid om met Dillon en de agenten naar de slaapkamer te gaan, die hij deelde met zijn zuster, de baby en een broer van dertien die nu niet thuis was.

Dillon, die Kieran het woord had laten doen en ook in de auto geen woord had gezegd, beantwoordde de eerste vragen die hem werden gesteld met 'Weet ik niet' en 'Kan ik me niet herinneren'. Toen hem werd gevraagd wat hij en Kieran met het mes hadden gedaan, schreeuwde hij zo hard dat iedereen ervan schrok, dat ze het in een afvoerputje hadden gegooid.

In College Park was de assistentie intussen gearriveerd, en die bleef daar samen met de vrouwelijke agent en Kieran wachten. Ze mochten niet met hem praten en hij zei niets tegen hen. In stilte vroegen ze zich af of het mogelijk was dat die twee kinderen Eileen Dring voor een sjaal, een hoofddoek, een blikje drinken en honderdveertig pond hadden gedood.

Laf was jarig en de hele familie was in Syringa Road. Julianna was er, haar trimester aan de universiteit was net afgelopen, en Corinne had haar nieuwe vriend meegenomen. Daniel en Lauren kwamen met hun dochter Sorrel en met het welkome nieuws dat Lauren opnieuw zwanger was. Het jongste kind van de Wilsons, musicus Florian, zou na het eten komen.

Ze vroegen zich af of ze Minty moesten uitnodigen. Omdat iedereen overdag moest werken, werd het feest 's avonds gehouden en Minty zou dan thuis zijn.

'Ik dacht dat het alleen voor de familie was,' had Sonovia gezegd. 'Ik beschouw Minty als familie.'

'Als ik jou niet zo goed kende, Lafcadio Wilson, zou ik nog denken dat je op Minty viel.'

Laf was geschokt. Hij was een man met een strenge moraal en hij verafschuwde alles wat maar in de verte op overspel leek. Het was zijn grootste nachtmerrie (na een voortijdige dood) dat een van zijn kinderen zou gaan scheiden. Dat was nogal prematuur, zoals Sonovia altijd zei, want tot nu toe was er pas één getrouwd. 'Doe niet zo weerzinwekkend,' zei hij nu streng. 'Je weet dat ik een hekel heb aan dat soort praatjes.'

Sonovia wist wanneer ze te ver was gegaan. Geërgerd zei ze: 'Het is jouw verjaardag. Doe maar wat je wilt. Misschien wil je Gertrude Pierce ook vragen.'

Laf keurde dat geen antwoord waardig. Hij ging met de krant naar Minty toe en nodigde haar uit voor zijn feest. Ze antwoordde op haar gebruikelijke manier: zonder enthousiasme, zonder hem te bedanken.

338

'Goed.'

'Het is alleen familie, maar we beschouwen jou ook als familie, Minty.'

Ze knikte. Het leek wel of ze zulke dingen als haar goed recht beschouwde. Maar ze bood hem een kop thee aan en het soort biscuitje dat bij hem het woord 'schoon' opriep, zo lichtgekleurd, dun en droog was het. Ongeveer zoals Minty zelf. Het had hem weleens dwarsgezeten dat ze dingen zag die er niet waren en met onzichtbare mensen praatte. Nu was ze rustig en gedroeg zich normaal. En toen ze op het feest kwam, was dat ook zo. Ze zei opgewekt 'hallo' tegen iedereen en bediende zich, zij het voorzichtig, van Sonovia's uitgebreide buffet. Toen John een uur eerder kwam dan verwacht, begroette ze hem met: 'Jij bent een vreemde. Ik heb je zo lang niet gezien.'

Ze praatten over de moord op Eileen Dring. Laf had gehoopt dat het niet zou gebeuren. Hij weigerde eraan deel te nemen en vond dat zijn kinderen beter zouden moeten weten dan te speculeren over geruchten dat de hoofdverdachten een echtpaar in West Hampstead waren, of dat twee jonge kinderen het hadden gedaan. Hij leidde Daniel van dat onderwerp af door hem het probleem voor te leggen dat hij een paar weken eerder aan Sonovia had voorgelegd. Hij had er daarna steeds weer aan moeten denken en was nog niet tot een conclusie gekomen.

'Als je nou eens iemand hebt vermoord zonder te weten dat het verkeerd was? Ik bedoel, als je nou eens een soort waan had dat iemand niet was wat hij was maar... nou, Hitler of Pol Pot, zo iemand, en als je zo iemand had gedood – zou dat verkeerd zijn of niet?'

'Hoe kom je daarbij, pa?'

Waarom stelden je kinderen, die beter geschoold waren dan jijzelf, altijd die vraag als je iets durfde te zeggen wat buiten de orde viel? Waarom verwachtten ze altijd dat hun ouders zwakzinnige idioten waren?

'Dat weet ik niet,' zei hij. 'Ik denk er de laatste tijd veel over na.'

'Wist hij wat hij deed,' zei Corinne, 'en als hij het wist, wist hij dan dat het verkeerd was?'

'Huh?' zei Laf.

'Dat is een soort test die op verdachten wordt toegepast.'

'Maar is het verkeerd?'

'Tegenwoordig zou er een psychiater bij worden gehaald. En als hij niet wist wat hij deed, zouden ze hem in een inrichting stoppen. Dat moet jij toch weten, pa. Je bent politieman.'

Geërgerd zei Laf: 'Natuurlijk weet ik dat. Ik vraag niet of hij een misdrijf had begaan. Ik weet alles van misdrijven. Ik vraag of het verkeerd was wat hij deed. Wat ze vroeger een zonde noemden. Moreel verkeerd.'

Zijn jongste dochter, die dit onderwerp interessanter vond dan het gesprek over stijfselsprays dat haar moeder met Minty voerde, had meegeluisterd. Hij keek haar aan. 'Jij studeert filosofie, Julianna. Jij zou het antwoord moeten weten. Zou het verkeerd zijn?'

'Dat is geen filosofie, pa. Dat is ethiek.'

'Goed, maar zou het verkeerd zijn? Zou het een zonde zijn?'

Julianna keek alsof ze zich voor dat woord schaamde. 'Ik weet niets van zonde. Het zou alleen verkeerd zijn als je wist dat iets in strijd was met je eigen morele code. Ik bedoel, een Azteek die een kind offert om zijn god gunstig te stemmen, zou denken dat hij iets goeds deed, omdat het in overeenstemming met zijn morele code was, maar de katholieke *conquistador* zou weten dat het verkeerd was, want in strijd met zíjn code.'

'Dus niets is absoluut verkeerd? Het hangt er maar van af wanneer en waar je leeft?'

'En ook van de vraag of je schizofreen bent, zou ik denken,' zei Daniel.

Tot ieders verbazing mengde Minty zich in het gesprek. 'Moord is verkeerd,' zei ze met luide stem. 'Moord is altijd verkeerd. Iemands leven wordt hem afgenomen. Daar kun je niet omheen.'

'Dit is wel een heel somber onderwerp voor een verjaardagsfeest,' zei Sonovia. 'Alsjeblieft, Laf, trek nog een fles wijn open.' Ze was naar het raam gelopen terwijl iedereen zich in Lafs ethische probleem verdiepte. 'Minty,' riep ze uit. 'Moet je kijken. Er staat een ambulance hiernaast. Dat moet voor meneer Kroot zijn.'

Hoewel het midden in de zomer was, was het nu donker, terwijl het ook nog regende. Toch verdrongen ze zich allemaal voor het raam om de ziekenbroeders naar buiten te zien komen, niet met een brancard maar met een rolstoel waarin de oude man zat, een deken over zijn knieën en nog een deken over zijn hoofd.

'Hartaanval of beroerte,' zei Sonovia. 'Je mag kiezen. Het kan alle twee zijn.'

Julianna ging net met opnieuw gevulde wijnglazen rond toen de deurbel ging. De ziekenbroeder die voor de deur stond, gaf Sonovia een sleutel en zei: 'Hij vraagt of je zijn kat wilt voeren. Er staan blikjes in de kast.'

'Wat is er met hem?'

'Dat kon ik niet nagaan. Dat moet onderzocht worden.'

Kieran Goodalls moeder Lianne kwam om twaalf uur 's nachts eindelijk thuis. Hoewel niemand haar verwijten maakte omdat ze niet thuis geweest was, ging ze ervan uit dat de aanval de beste verdediging was. Eerst zei ze tegen de politie dat ze niet Kierans moeder maar zijn stiefmoeder was en dat ze dus niet verantwoordelijk was voor zijn gedrag. Zijn moeder was jaren geleden verdwenen en zijn vader was, na met Lianne te zijn getrouwd, ook verdwenen. Hij en zij hadden, zonder officieel iets met elkaar te maken te hebben, de afgelopen vijf jaar in dit huis gewoond. Misschien was ze zijn voogd, maar niemand had haar officieel benoemd. Nadat ze 'Wat heeft hij gedaan?' had gevraagd, wachtte ze niet op antwoord, maar begon aan een tirade tegen de sociale dienst, die hem maar al te graag bij haar had 'gedumpt' en niet eens had geprobeerd zijn biologische ouders te vinden. Toen ze hoorde van het geld dat uit Eileen Drings tas ontbrak en het geld dat bij Kieran en Dillon was aangetroffen, zei ze dat ze gekke oude mensen moesten verbieden zoveel geld bij zich te dragen. Zoiets bracht kleine kinderen maar in de verleiding. Kieran werd naar het mes gevraagd. Hij had het in een vuilnisbak gegooid, zei hij, en hij kreeg de slappe lach.

'Als je een van mijn messen hebt gejat, Kieran,' zei zijn stiefmoeder, 'sla ik je kreupel.'

Ruim een halve kilometer daarvandaan, in Kensal Road, had Dillon Bennett zijn opmerking over dat mes in het afvoerputje ingetrokken. Hij had nooit een mes gezien. Inmiddels zat hij in een van de gehavende leren fauteuils, dicht tegen zijn zuster aan, die haar arm om hem heen had. Hij vertelde zijn ondervragers dat Eileen Dring al dood was geweest toen hij en Kieran bij haar kwamen.

'Hoe wist je dat ze dood was, Dillon?'

'Ze zat onder het bloed. Emmers bloed. Ze moest wel dood zijn.'

Hij liet zijn hoofd zakken en viel in slaap.

30

Michelle had niet het gevoel dat ze geloofd werd toen ze Geweldsmisdrijven vertelde dat zij en Matthew nauwelijks wisten waar de plaats van de moord was. Dat deel van Londen was onbekend terrein voor hen. Zoals alle Londenaren hadden ze weleens van de begraafplaats gehoord, maar dat was alles.

'"*And take the road to paradise*,"' citeerde Matthew. '"*By way of Kensal Green.*"'

Ze keken hem onbehaaglijk aan, maar Michelle dacht dat ze haar niet geloofden. Een alibi? Ze hadden er net zomin een voor deze moord als voor de moord in de bioscoop. Zoals altijd konden ze alleen maar elkaars alibi bevestigen, en wat had dat voor zin? Ze hadden in bed liggen slapen.

Toen ze kwamen, was Matthew net uit de studio terug, waar hij de eerste aflevering van zijn nieuwe serie programma's had gemaakt. Michelle was in de keuken bezig geweest munt te hakken voor een saus. Matthew ging steeds beter eten. Weliswaar wilde hij nog geen lamsvlees, waar muntsaus eigenlijk bij hoorde, maar hij vond de saus wel erg lekker op aardappelen. Vorige week had hij zelfs een kleine Yorkshire-pudding gegeten. Geweldsmisdrijven richtte zijn blik op het mes, zo groot als een slagershakmes en alleen geschikt om iemand te vermoorden als je zijn hoofd afhakte. Ze legde het neer en bedekte mes en munt met een stuk keukenpapier, alsof ze schuldig was aan het misdrijf waarvan ze haar blijkbaar verdachten.

Zoals de laatste tijd wel meer gebeurde, had ze nauwelijks iets kunnen eten van de maaltijd die ze had klaargemaakt. Matthew had de aardappelen met muntsaus eer aangedaan. Hij had ook wat plakken kipfilet genomen, en karamelpudding als toetje. Zes maanden geleden zou hij hebben overgegeven als hij die karamelpudding alleen maar zag. Hij praatte over het programma. De eerste aflevering had als onderwerp dat nieuwe interesses in

je leven, bijvoorbeeld geld verdienen en nieuwe mensen ontmoeten, een gunstig effect op de anorexiapatiënt konden hebben. Hij had zichzelf als voorbeeld genoemd. Michelle zag hem
altijd met de ogen waarmee ze op de slanke jongeman verliefd
was geworden, maar zelfs zij besefte dat hij er heel anders uitzag
dan het jaar daarvoor. Het interesseerde haar welke beelden een
vrouw van anderen en van zichzelf kon creëren. Ze wist nu dat
ze zichzelf altijd als dik had beschouwd, als kind, als tiener, in al
die jaren waarin ze een normaal postuur had gehad, en dat ze
zichzelf nu ook nog als dik zag, ondanks alle kilo's die ze was afgevallen. Zag Matthew zichzelf ook nog als broodmager?

Ze ging naar boven en stapte op de weegschaal. Die gaf zo'n dra-
matisch gewichtsverlies aan dat het angstaanjagend zou zijn
voor iemand die de reden niet kende. Ze stapte eraf, bekeek
zichzelf in de spiegel en probeerde dat met de ogen van een
vreemde te doen. Tot op zekere hoogte slaagde ze daarin. Gedurende enkele ogenblikken keek de vrouw van twintig jaar geleden naar haar terug, een vrouw met maar één kin, met een taille
en een buik die weliswaar niet plat was, maar niet de indruk
wekte dat ze zeven maanden zwanger was. Zodra ze zich af-
wendde, was de dikke vrouw terug. Wat maakte het uit? Wat
maakte dat alles uit in vergelijking met het feit dat zij en haar
man van twee moorden werden verdacht?

Matthew was de afwas aan het doen. Of beter gezegd, hij was
aan het afdrogen. Misschien geloofde Michelle nu niet meer in
de vrouw in de spiegel, maar die vrouw had haar wel een zelfres-
pect gegeven dat ze een hele tijd niet had gehad. Ze beefde toen
ze besefte wat het was: seksueel zelfvertrouwen. Ze sloeg haar armen van achteren om Matthew heen en legde haar wang tegen
zijn rug. Hij draaide zich glimlachend om. Het was jaren geleden dat ze die uitdrukking op zijn gezicht had gezien. Hij sloeg
zijn armen om haar heen en kuste haar zoals hij haar had gekust
toen ze elkaar voor de tweede keer ontmoetten. Met een trilling
van vreugde en weemoed begreep ze dat hij haar na al die jaren
opnieuw het hof maakte.

Jims had alles geregeld, van de brief van zijn advocaat die Zillah sommeerde om Abbey Gardens Mansions aan het eind van de week te verlaten tot de verhuiswagen die vrijdagmorgen om acht uur precies zou arriveren. Door middel van een andere brief, ditmaal van Jims zelf en in uiterst koele bewoordingen gesteld, werd haar meegedeeld dat ze haar auto mocht houden. Hij zou er ook voor betalen om Jordan particulier in een kliniek in Shaston te laten opereren. Sir Ronald Grasmere zou, omwille van hun oude vriendschap, toestaan dat ze in Willow Cottage trok voordat de akte was gepasseerd. Hij had het voorlopig koopcontract al getekend.

Een man die zich Jims' agent noemde (hij scheen er een heleboel te hebben) bezocht de flat en plakte etiketten op alle meubelstukken, die hetzij 'voor opslag' hetzij 'voor Long Fredington' bestemd waren. Zillah moest toegeven dat Jims haar goed behandelde. Inmiddels had ze zich erbij neergelegd dat er niets van haar dromen zou terechtkomen, haar dromen over een eigen televisieprogramma of een luxe leven, tuinfeesten bij Buckingham Palace, de Royal Enclosure in Ascot en cruises op het jacht van een edelman. Het was voorbij. Maar het zou toch anders zijn dan vroeger. Haar aangeboren optimisme liet zich gelden. Ze had een auto. Ze had een grote garderobe met allemaal nieuwe kleren. Willow Cottage was van háár.

Ze ging met de kinderen naar binnen en zag dat het huis in een nog betere staat verkeerde dan haar was verteld. Het hele huis was voorzien van nieuwe vloerbedekking en gordijnen. Alles in de badkamer en keuken was nieuw, er waren goudkleurige kranen en marmeren aanrechtbladen, inbouwkasten in alle kamers, een kolossale televisie en geluidsinstallatie. Bijna enthousiast liet ze het meubilair neerzetten en maakte de bedden op. Ze pakte de nieuwe telefoon en belde haar moeder.

Eugenie keek opgewonden om zich heen. 'Ik vond het vroeger mooier.'

'Nou, ik niet,' zei Zillah.

'Wil Titus zien.' Jordan was een beetje suf van de pijnstillers, maar hij huilde niet meer. 'Wil Titus en Rosalba en papa.'

Zillah en Eugenie keken elkaar aan alsof ze van dezelfde leeftijd waren. 'Misschien komt Annie straks Titus en Rosalba brengen.'

Annie kwam niet, maar iemand anders wél. Hij klopte om acht uur op de achterdeur, kort nadat Zillah haar zoon naar bed had gebracht. Zillah had geen idee wie die lange, tamelijk knappe man van in de vijftig kon zijn. Ze staarde hem met een verwonderd glimlachje aan.

'Ronald Grasmere. Ik woon in het grote huis. Ik ben een vriend van Jims.'

Zillah stelde zich met haar voornaam aan hem voor. Ze wist tegenwoordig niet meer wat haar achternaam was. 'Sir Ronald, komt u binnen.'

'Zeg maar Ronnie. Dat doet iedereen. Ik heb wat aardbeien uit de moestuin en de laatste asperges meegebracht. Ze zijn niet meer wat ze een maand geleden waren, maar nog heel goed te eten.'

Dus dit was haar boeman, de huisjesmelker, de uitbuiter van de armen, het fascistische beest, zoals Jerry in hun studententijd dat soort mensen noemde. De aardbeien waren vuurrood, bedauwd en stevig, heel anders dan wat je in de winkels van Westminster kon kopen. Eugenie kwam in haar ochtendjas de kamer in.

'Ik heb geen borrel voor je,' zei Zillah. 'Je kunt wel een kop thee krijgen.'

Sir Ronald lachte. 'Daarin vergis je je. Kijk maar eens in die kast.'

Gin, whisky, wodka, sherry, flessen wijn. Zillahs mond viel open van verbazing.

'Kijk mij maar niet aan. Ik heb er niets mee te maken. Jims heeft daarvoor gezorgd. Nou, wat vind je van het huis? Niet slecht, hè, al zeg ik het zelf.'

De bedelbrief die bij Fiona op de mat viel, samen met een folder van een restaurant in West End Lane en haar maandoverzicht van American Express, kwam van een vrouw van wie ze nog nooit had gehoord, een zekere Linda Davies. Zodra ze besefte wat het was, propte ze de brief samen en wilde hem weggooien. Toen herinnerde ze zich een besluit dat ze had genomen toen ze voor het eerst over Jeffs verleden had gelezen. Langzaam en met een zekere walging streek ze de kreukels glad en las de brief tot het eind.

Linda was een van de vrouwen met wie Jeff had samengeleefd en door wie hij zich had laten onderhouden. 'Op mijn zak geteerd' was de uitdrukking die ze gebruikte. Ze schreef dat ze een hypotheek op haar appartement aan Muswell Hill had genomen zodat hij en zij samen een bedrijf konden beginnen. Kort nadat ze hem het geld had gegeven, was hij verdwenen. Daarna was de ene ramp op de andere gevolgd. Linda Davies was haar baan kwijtgeraakt, had grote moeite haar toegenomen hypotheeklasten te betalen, en leed aan het Chronisch Vermoeidheidssyndroom. Ze had in de krant over Fiona gelezen, had gelezen dat ze met Jeff samenwoonde toen hij stierf, en dat ze welgesteld en succesvol was. Het enige waarom ze vroeg, was duizend pond om haar schulden af te betalen en een nieuwe start te maken.

Fiona werd onpasselijk toen ze dat las. Er leek geen eind aan Jeffs trouweloosheid te komen. Hoeveel vrouwen had hij nog meer benadeeld? Wist de politie daarvan? Misschien had een van die vrouwen hem vermoord. In al die tijd dat het onderzoek duurde, had ze zich nooit afgevraagd wie Jeff vermoord kon hebben. Ze had de politie de namen van enkele mogelijke vijanden gegeven, maar had dat niet met veel overtuiging gedaan. Het maakte voor haar niet uit. Als ze er al over had nagedacht, zou ze waarschijnlijk aan iemand uit de zelfkant van de samenleving hebben gedacht.

Maar toen een tweede sterfgeval zich voordeed, een oude vrouw die met ongeveer hetzelfde wapen was gedood, herzag ze haar standpunt. De dader moest iemand zijn die beide slachtoffers kende. En wie voldeed beter aan die beschrijving dan een vrouw uit zijn verleden? Wie beter dan zijzelf? Ze belde Geweldsmisdrijven voordat hij de kans kreeg zijn aandacht op haar te richten. Maar ze noemde Linda Davies niet.

Inmiddels geloofde de politie niet meer dat Kieran Goodall en Dillon Bennett de moordenaars van Eileen Dring waren. Ze waren wel nuttige getuigen. Hun fantasieën over wat ze met het mes hadden gedaan, liepen uiteen en veranderden van uur tot uur, maar hun afzonderlijke verhalen over het tijdstip waarop ze bij de plaats van het misdrijf aankwamen en wat ze daar aantroffen, kwamen tot in details overeen. Ze waren in de nacht van zaterdag op zondag om halftwee bij het bankje aangekomen. Dat wisten ze allebei, omdat Dillon zijn nieuwe horloge had gedragen. Dat horloge gaf ook aanleiding tot speculatie, maar ze gingen daar voorlopig niet op in omdat ze nu belangrijker zaken aan hun hoofd hadden. Het was gestolen, dat sprak vanzelf, al bezwoor Dillons stiefmoeder dat ze het hem de vorige maand voor zijn verjaardag had gegeven. Waar het ook vandaan kwam, het gaf precies halftwee aan. Beide jongens hadden ernaar gekeken. Omdat ze veel video's zagen, wisten ze hoe belangrijk het was om op de plaats van een misdrijf te kijken hoe laat het was. Ze hadden meteen geweten dat er een misdrijf had plaatsgevonden, al waren ze niet bang geweest. Verder was het interessant, en schokkend, dat ze het allebei heel gewoon vonden om midden in de nacht nog op straat te zijn. Ze zwierven 's nachts vaak rond. Ze sliepen de halve dag en gingen bijna nooit naar school. Kieran en Dillon hadden Eileen Drings hoofd opgetild en gemerkt dat het lichaam warm aanvoelde, helemaal niet stijf. Ze hadden de tas onder haar hoofd vandaan gepakt, hem op het trottoir leeggegooid en zich de inhoud toegeëigend. Het geld was een mazzeltje. Ze namen alles mee, behalve Eileens vest, en gingen met hun buit naar de leegstaande winkel, waar ze een heiligdom hadden dat ze hun 'kamp' noemden. Als ze in die nachtelijke uren iemand op straat hadden gezien, was hun niets opgevallen of ze hielden hun mond. De politie was klaar met hen. Het was nu een zaak voor de sociale dienst.

De twee rechercheurs zaten in Fiona's huiskamer en luisterden naar haar verhaal over de ontmoetingen die ze in de loop van de jaren met Eileen Dring had gehad. Te laat besefte Fiona dat ze informatie verstrekte die onontdekt had kunnen blijven. Het begon de twee rechercheurs te dagen dat ze met een verdachte te maken hadden, een vrouw die met het ene slachtoffer had samengewoond en met het andere slachtoffer bevriend was geweest en haar had geholpen.

'U bedoelt dat ze soms in uw tuin sliep?'

'Nee, maar ik zei tegen haar dat ze in mijn schuurtje mocht slapen. Alleen hield ik daaraan een rotgevoel over. Ik vond dat ik had moeten zeggen dat ze in het huis mocht slapen, en dat zei ik tegen haar. Toen zei ze dat ze zelf een kamer had, maar ze hield niet van binnen slapen en ging liever in mijn schuurtje liggen.'

'Waarom bood u haar dat aan, mevrouw Harrington?'

'Ik denk dat ik medelijden met haar had.'

'Gaf u haar ooit geld?'

'Ze bedelde niet.'

'Misschien niet, maar probeerde ze geld van u te krijgen?'

Suggereerden ze dat Eileen haar had gechanteerd? Fiona kreeg het gevoel dat ze in haar eigen val was gelopen. Ze herinnerde zich dat ze zich een aantal keren aan donquichotterie had bezondigd, een handvol kleingeld hier, een briefje van vijf daar. Ze herinnerde zich ook Jeffs verontwaardiging.

'Jeff zei dat ik haar niets moest geven, maar soms deed ik dat toch. Ik probeerde dat niet hier in de buurt te doen. Ik gaf haar geld als ik haar ergens anders tegenkwam – bij een bloemenzaak, bedoel ik. Ze vertelde me veel over zichzelf. Haar kinderen waren omgekomen in een brand. Ze kregen haar eruit, maar konden de kinderen niet redden. Dat tastte haar verstand aan, denk ik. Ze heeft zich daarna altijd vreemd gedragen.'

Ze kon aan hun gezichten zien dat ze die dingen al wisten. Ze vroegen haar waar ze in de nacht van zaterdag op zondag was geweest. Ze kon alleen antwoorden dat ze had liggen slapen. Met Jeffs dood, zei ze, was er voor haar een eind gekomen aan het laat opblijven en 's avonds uitgaan. Ze zeiden dat ze de bank moest bellen om te zeggen dat ze niet zou komen en vroegen haar toen om met hen mee te gaan naar het politiebureau. Ze was te geschokt om te protesteren en vroeg zelfs niet om een verklaring. Op het bureau zat ze urenlang op een harde stoel in de verhoorkamer. Ze beantwoordde eindeloos veel vragen, en vroeg zich steeds weer af hoe ze kon bewijzen dat ze in de nacht van zaterdag op zondag thuis was geweest.

Toen schoot het antwoord haar te binnen. Ze had niet goed geslapen. Ze sliep slecht sinds Jeffs dood en maakte zich zorgen omdat ze afhankelijk was van slaaptabletten. De ene na de andere nacht probeerde ze in slaap te komen zonder er een te nemen en bijna altijd nam ze er toch een. Zo was het zaterdagavond ook gegaan. Ongeveer een uur na middernacht was ze opgestaan en naar het raam gelopen. In het huis naast haar had ze een deur horen dichtgaan. En toen ze een gordijn opzij trok, had ze het licht in de slaapkamer van Michelle en Matthew zien uitgaan. Dat licht had een rechthoek op het gazon voor hun huis geworpen, en was toen abrupt verdwenen. Ze vertelde dat aan Geweldsmisdrijven.

Ze zag meteen dat ze twijfelden. 'We zullen zien of een van de andere buren dat kan bevestigen.' Het zou jou en die Jarveys vrijpleiten, kon ze hen horen denken. Ze vouwde haar handen samen en begon bijna te bidden. Als ze het kwaad ongedaan kon maken dat ze Michelle en Matthew had aangedaan, zou ze net zo gelukkig zijn als wanneer ze haar eigen onschuld bewees.

Toen ze haar hadden laten gaan, ging ze eerst naar de buren. Meteen voelde ze zich weer schuldig, al was daarvoor geen enkele reden. Ze was bang dat de politie haar schaduwde. Wie was bijvoorbeeld die jongen aan de overkant van de straat? Hij leek niet ouder dan achttien, maar was waarschijnlijk vijfentwintig. Hij zat op een tuinmuur en las de *Evening News*. Hij zou een politieman kunnen zijn die haar naar huis moest volgen om te zien wat ze deed. Ze keek over haar schouder naar hem toen Michelle de deur opendeed. Nu dacht hij natuurlijk dat zij en de Jarveys in een complot zaten.

Toen Michelle hoorde wat Fiona die dag was overkomen, was ze onwillekeurig blij dat haar buurvrouw nu in hetzelfde schuitje zat als zij en Matthew. En meteen nam ze zichzelf haar laag-bij-de-grondse gevoelens kwalijk. Een maand geleden had ze nog heel andere gevoelens voor Fiona gehad. Michelle pakte Fiona's

350

hand en gaf een kus op haar wang om het goed te maken. Matthew trok een fles wijn open en Fiona dronk gretig uit haar glas. 'Hij is vast een politieman die me in de gaten houdt.'

Michelle ging naar het raam en constateerde hoe gemakkelijk het tegenwoordig was om uit zachte kussens op te staan en hoe licht ze liep. 'Het is geen politieman,' zei ze. 'Het is het neefje van de vrouw die daar woont. Hij heeft geen sleutel en wacht tot ze thuiskomt.'

'Jullie denken toch niet dat ik Jeff of Eileen iets heb gedaan?'

Michelle gaf geen antwoord. Het was Matthew, altijd moedig en bereid om voor zijn mening uit te komen: 'Jij dacht dat van óns.'

Fiona zei niets. Ze liep naar het raam, kwam naast Michelle staan en keek de straat in. Plotseling draaide ze zich om en zei: 'Ik heb een bedelbrief gekregen. Van een vrouw van wie Jeff... geld heeft afgetroggeld.' Michelle legde haar hand op haar schouder. 'O, ik weet wat hij was. Ik ben na zijn dood veel aan de weet gekomen. Ze wil duizend pond.'

'Dat ga je haar niet geven, hoop ik,' zei Matthew. 'Ze is niet jouw verantwoordelijkheid.'

'Dat ga ik wél doen. Dat heb ik net besloten. Ik kan het me veroorloven. Ik zal het verschil niet eens merken.'

351

31

Mill Lane zag er in juli heel anders uit dan in december. Of misschien was Zillah een andere vrouw geworden, want het was koud voor de tijd van het jaar en dit was het soort dag waarop een hogedrukgebied eerder kille nevel dan warme zonneschijn zou brengen. Ze kwam terug van het Old Mill House, waar ze Eugenie en Jordan op Titus' nieuwe klimrek had achtergelaten, en reed naar de supermarkt. Over vier dagen zou Jordan geopereerd worden, maar tegenwoordig huilde hij alleen als hij viel. Zillah droeg het nieuwe, natuurlijk gekleurde linnen broekpak dat ze in een boetiek in Toneborough had gekocht, hoewel het daarvoor niet warm genoeg was. Ze wist dat je pijn moest lijden om mooi te zijn.

Om haar smalle sandalen niet nat te maken liep ze zorgvuldig over de platte stenen van de doorwaadbare plaats. Toen ze opkeek, zag ze Ronnie Grasmere met een enorme hond die net een tot leven gewekt zwart haardkleed was. Een ogenblik dacht ze dat de hond tegen haar broekpak zou opspringen. Ronnie, die een geweer droeg, zei rustig maar gezaghebbend: 'Zit,' en het dier deed dat onmiddellijk, zijn voorpoten recht, zijn kop omhoog. Zillah was onder de indruk en zei iets in die richting.

'Je hebt niets aan een hond als hij jouw baas is.'

Zillah knikte. Nooit eerder had ze zo'n bekakte stem gehoord.

'Waar gaat ge heen, mijn schone deerne?' vroeg hij.

Zillah vertelde het hem.

'Doe jij je eigen boodschappen? Wat zonde van de tijd.'

'De meeste mensen doen dat toch?'

Zijn antwoord was een hartelijke lach. 'Schiet je ook?'

Ze was zich sterk bewust van het geweer dat opengeklapt over zijn arm hing. Gebroken, noemden ze dat toch? 'Ik heb het nooit gedaan.' Omdat ze aanvoelde wat hij graag van een vrouw hoorde, voegde ze eraan toe: 'Ik zou bang zijn.'

'Jij niet. Ik zal het je leren.'

'Echt waar?'

'Ik moet lange einden met dit beest lopen, dus helaas, ik moet je verlaten. Maar als je eens met me ging dineren? Vanavond?'

'Vanavond kan ik niet.' Ze had niets, maar het was nooit verkeerd om te doen alsof je moeilijk te krijgen was.

'Morgen dan?'

'Dat zou ik leuk vinden.' Dat zou haar achtentwintigste verjaardag zijn.

Ronnie zei dat hij haar om zeven uur zou komen halen. Ze zouden naar een gezellig, eenvoudig restaurant bij Southerton gaan, zei hij, de Peverel Grange. Dat had, wist Zillah, de reputatie het beste restaurant van South Wessex te zijn. Toen ze naar Willow Cottage terugliep, voelde ze zich beter dan ze zich in maanden had gevoeld. Annie wilde waarschijnlijk wel voor haar babysitten, of anders kende ze wel iemand die dat wilde doen.

Geen van de buren in Holmdale Road had Fiona's verhaal kunnen bevestigen. Ze waren Londenaren en letten nauwelijks op wat de mensen naast hen of aan de overkant deden. Wat ze van buren verlangden, was dat ze 's nachts geen muziek draaiden, hun kinderen onder controle hadden en hun honden binnen hielden. Er was zelfs maar één echtpaar dat de naam van de Jarveys kende. Ze wisten allemaal meer van Fiona, als de vriendin van het bioscoopslachtoffer. Maar niemand kon vertellen waar ze die zaterdagavond was geweest, en ook niet of ze thuis was geweest. Ze werden spraakzamer als ze over auto's begonnen. Geweldsmisdrijven en Miss Daad hadden niets met het verkeer te maken en interesseerden zich niet voor de gebruikers van twee treinstations die de straten van West Hampstead met hun geparkeerde auto's vulden. Wanneer voerde de gemeente Camden nou parkeervergunningen voor bewoners in, was de vraag die vier van de vijf bewoners stelden. Geweldsmisdrijven wist het niet en het kon hem ook niet schelen. Al met al wisten ze nog steeds niet waar de Jarveys en Fiona Harrington op die avond waren geweest.

De kranten begonnen zich af te vragen wanneer de bioscoop-moordenaar weer zou toeslaan. Het zou gemakkelijker zijn geweest als de twee slachtoffers meer met elkaar gemeen hadden gehad, als het bijvoorbeeld twee jonge vrouwen waren geweest. Dan hadden ze in hun verhalen de waarschuwing kunnen opnemen dat in de straten van Londen geen meisje meer veilig was. Maar wat had een jonge, knappe, tamelijk goed gesitueerde man gemeen met een bejaarde zwerfster, behalve dat ze geen van beiden geld of een eigen huis hadden? Het enige wat ze wisten, was dat er niets rationeels was aan deze moordenaar. Het was iemand zonder duidelijk actieplan en blijkbaar had hij of zij het ook niet op een bepaalde categorie slachtoffers voorzien. Geen politici of mensen die verantwoordelijk waren voor vivisectie, geen prostituees of rijke oude vrouwen, geen kapitalisten of anarchisten. Wat was het motief van de moordenaar? Hij deed het niet om financieel voordeel of seksuele bevrediging te verkrijgen, en ook niet om een bedreiging weg te nemen. De kranten begonnen hem een 'doelloze doder' te noemen.

De buren in Holmdale Road hadden Michelle en Matthew alleen maar goed genoeg gekend om 'goedemorgen' of 'hallo' tegen hen te zeggen. Ze kenden Fiona alleen als de vrouw die op een gruwelijke manier haar verloofde had verloren. Toen ze waren ondervraagd over de bewegingen van die drie mensen op de avond dat Eileen Dring was vermoord, veranderde hun houding. Ze zagen hen niet meer als een keurig echtpaar en een onschuldige jonge vrouw.

Het was niet zo dat de buren hen negeerden of op een dramatische manier uit de weg gingen. Maar de vrouw wier neefje door Fiona voor een rechercheur was aangezien, keek de andere kant op als ze haar tegenkwamen. Haar buurman, die als hij aan het wieden was altijd opkeek om iets over het weer te zeggen, hield zijn hoofd nu omlaag. De rode graffiti die op Fiona's hekpaaltjes verschenen, hadden misschien niets met de moorden te maken; het kon toeval zijn, maar het feit dat de graffiti-artiest MOORD, MOORD op de witgekalkte paaltjes had gespoten ging niet aan haar voorbij.

Toen op zaterdagmorgen om een uur of tien de bel ging, dacht Fiona dat het de politie was. Ze had zin om te zeggen dat ze haar maar moesten arresteren, dan was het uit met dat gezeur. Zo langzamerhand begon ze er begrip voor te krijgen dat onschuldige mensen een moord bekenden, alleen om met rust gelaten te worden. Ze deed de deur open en zag een vrouw van ongeveer haar eigen leeftijd tegenover zich. Het was niet Miss Daad maar iemand met ongeveer dezelfde bouw, leeftijd en kleding.

'Goedemorgen,' zei de vrouw. 'Mijn naam is Natalie Reckman. Ik ben freelance journaliste.'

Nogal grof voor haar doen zei Fiona: 'Wat wilt u?'

'Ze hebben uw hekpaaltjes lelijk beklad, vindt u niet?'

'Het zijn idioten. Ik neem niet aan dat het persoonlijk bedoeld is.'

'Nee? Mag ik binnenkomen? Ik wil niet over de moord op Jeff praten. Ik ben ook zijn vriendin geweest.'

'Wanneer?' Fiona had opeens een droge mond. Er ging een lichte huivering door haar heen.

'O, ver voor jouw tijd. Tussen mij en jou zat nog een vrouw uit Kensal Green.'

Fiona moest het weten. Ze kon er geen weerstand aan bieden.

'Kom binnen.'

Hoewel het artikel over de vrouwen in Jeff Leachs leven voorlopig in de ijskast was gezet, kon Natalie het toch niet uit haar hoofd zetten. En op een ochtend, toen ze wakker werd na een droom waarin ze in Guatemala op zoek was naar de verdwenen Jims Melcombe-Smith, schoot de naam van haar voorgangster haar te binnen. Daar was die naam opeens, zo helder alsof haar geheugen hem nooit had zoekgemaakt: Nell Johnson-Fleet. Ze had voor een stichting gewerkt die Victims of Crime International, VOCI, heette. Natuurlijk zijn Johnson-Fleets dun gezaaid, en Natalie had haar adres en telefoonnummer meteen in het telefoonboek gevonden.

Misschien werd het nu tijd om aan dat verhaal te gaan werken. Ze herinnerde zich haar laatste gesprek met Jeff. Dat was bij

Christopher's in Covent Garden geweest, en toen ze had gevraagd wie er na haar was gekomen, had hij gezegd: 'Een grappig klein ding, ze woonde in de buurt van de begraafplaats Kensal Green. Ik ga je haar naam niet vertellen. Ik noemde haar Polo...' Had ze op grond van die informatie een kans om die vrouw te vinden? Om te beginnen had hij waarschijnlijk niet bedoeld dat ze recht tegenover de begraafplaats woonde. Ze woonde natuurlijk aan de andere kant van Harrow Road, in een van de straten daarachter. Natalie pakte haar stratenboek van Londen en sloeg bladzijde 56 op. Er lag daar een web van straatjes. In plaats van er een lijst van te maken, fotokopieerde ze de pagina uit het stratenboek. Voor tweehonderd pond kon je een cd kopen waarmee je via internet de naam, het adres en een dossier van iedere ingezetene van Groot-Brittannië kon opvragen. Tenminste, dat had ze in een of ander cyberspace-blad gelezen. Zou dat functioneel zijn? Volgens haar had ze meer aan het ouderwetse kiezersregister.

Waarom zou hij die vrouw Polo hebben genoemd? Hij was min of meer verslaafd aan Polo-pepermuntjes, kauwde daar iedere dag een buisje van weg, dus misschien had die vrouw daarmee iets gemeen. Om de een of andere reden moest ze aan Jeffs uitvaartplechtigheid denken, aan de krans van witte rozenknoppen die zijn vader en die Beryl hadden gestuurd. Die krans had eruitgezien als een mammoetversie van een pepermuntje met een gat erin. Mint, dacht ze terwijl ze in het kiezersregister van de Londense gemeente Brent keek, mint, hou dat in gedachten. Een vrouw die Minton heette misschien? Kon je ook 'Pepermunt' heten? Ze sloeg de ene na de andere bladzijde om. De kiesgerechtigden stonden niet op naam maar per straat in het register. Als ze erg jong of krankzinnig of van adel was, zou ze niet in de lijst voorkomen, maar ze kon toch niet onder de achttien zijn? Jeff viel nooit op erg jonge meisjes. Als ze geen Brits staatsburger was, zou ze er ook niet in staan. Dat leek Natalie een mogelijkheid, terwijl ze haar vinger langs de zijkant van de bladzijden bewoog. Er kwamen veel immigranten in die gemeente wonen, en velen van hen wachtten nog op naturalisatie. Maar dan zou hij toen hij over 'Polo' sprak en vertelde waar ze woonde en dat hij haar geld schuldig was, toch ook hebben gezegd dat ze Aziatisch of Afrikaans was of uit Oost-Europa kwam?

Ze was een heel eind terug begonnen, bijna bij de gemeente-grens, en kwam al zoekend steeds dichter bij Harrow Road en de begraafplaats. Na Syringa Road kwam alleen nog Lilac Road, en dan zou ze moeten toegeven dat deze poging om 'Polo' te vinden op niets was uitgelopen. Plotseling bleef haar vinger ste-ken. Daar, op nummer 39, zag ze misschien iets. *Knox, Aramin-ta K.* Verder woonde er niemand in dat huis. Alleen die vrouw. Waarschijnlijk noemde ze zichzelf 'Minta'. Natuurlijk zou Jeff daarbij meteen aan zijn Polo's hebben gedacht. Ze kon het hem horen zeggen: 'Ik zal je Polo noemen.' Polo, Polo, de vliegens-vlugge Stolo, ronde staart, korte staart, goed zo, Polo. Ze woon-de alleen en had waarschijnlijk een eigen huis. Natalie herinner-de zich dat Jeff had geprobeerd haar een tweede hypotheek op haar appartement te laten nemen. Dat geld zou hij dan kunnen gebruiken voor een bedrijf dat hij wilde opzetten. Inmiddels wist ze dat hij het geld aan paarden en andere vrouwen zou uit-geven. Kwam het daardoor dat hij die Polo duizend pond schul-dig was? Doordat hij haar een hypotheek op haar huis had laten nemen?

Dat was een beetje vergezocht. Een vrouw die in die buurt woonde, in Syringa Road, zou niet rijk zijn. Ze zou het zich niet kunnen permitteren zo'n bedrag te verliezen.

'Ik wil dit niet horen,' zei Fiona. Ze wou dat ze die Natalie Reckman nooit had binnengelaten en nam zich voor om niets over Linda Davies te zeggen.

'Nou, nee, voor mij is het ook niet erg leuk. Ik was gek op Jeff. Maar ik wist wat voor type hij was.'

Als een kind dat angstaanjagende dingen te horen krijgt, bedek-te Fiona haar oren. Ze was anders niet zo kwetsbaar, maar ze kon niet tegen deze vrouw.

'Het was duizend pond. Dat heeft hij me zelf verteld. Zoals je wel zult weten, heeft hij met me geluncht op de dag dat hij werd vermoord. Ik weet zeker dat die Araminta Knox zich het verlies van zoveel geld niet kon permitteren. Niet iemand die in een achterafstraatje woont in wat bijna Harlesden is. Heeft hij jou geld afgetroggeld?'

'We zouden gaan trouwen!'

'Geloof dat maar niet. Hij was getrouwd met Zillah Melcombe-Smith, alias Watling, alias Leach. Toen hij bij mij was, betaalde ik alle rekeningen en stond hem toe mijn auto te gebruiken. En ik gaf hem nog zakgeld ook. Hij noemde dat leningen, maar ik wist wel beter. Het zal bij jou wel hetzelfde zijn geweest. Wanneer dacht je dat jullie zouden trouwen, als ik vragen mag?'

'In augustus,' zei Fiona. 'En nee, dat mag je niet. Ik zou graag willen dat je nu weggaat.'

Natalie vond dat geen enkel probleem. Ze had een heleboel gezien en gehoord: de inrichting van het huis, de vloerbedekking en schilderijen, Fiona's kleren en haar hele verschijning, en bovendien had Fiona toegegeven dat ze van Jeff had gehouden. 'Je zou tevreden moeten zijn,' zei ze bij haar vertrek. 'Hij moet die Araminta voor jou hebben verlaten.'

'Voor mijn geld,' zei Fiona verbitterd, en ze had meteen spijt van die opmerking.

Zodra Natalie weg was, begon ze te huilen. Sinds Jeffs dood waren haar illusies, zoals die vrouw ze noemde, geleidelijk in rook opgegaan. Binnenkort zou ze niets anders meer hebben dan haar liefde, hoe geschonden die ook was. Na een tijdje droogde ze haar ogen, waste haar gezicht en zocht Araminta Knox in het telefoonboek op. Ze woonde op Syringa Road 29, NW10. Waarom zijn we zelfs in grote droefheid of wanhoop nog steeds zo nieuwsgierig dat we naar antwoorden zoeken die onze oude wonden alleen maar erger maken?

Ze ging naar de buren via de voordeur. Ze zouden wel nooit meer zo vertrouwelijk met elkaar worden dat ze achterom liepen, dacht ze, en ze belde aan. Ze kusten elkaar nog steeds, zij en Michelle, met lippen die de wangen net niet aanraakten. 'Ik kwam vragen of jullie iets bij me willen komen drinken. Ik moet jullie iets vertellen. Alsjeblieft, kom.'

Ze hadden dat niet meer gedaan sinds ze als een idioot tegen de politie had gezegd dat haar buren een hekel aan Jeff hadden gehad. Michelle aarzelde, maar misschien was er iets in Fiona's gezicht, een smekende blik, tranen die nauwelijks waren opgedroogd, waardoor ze zei: 'Goed. Een halfuurtje dan.'

Het eerste wat Michelle opviel toen ze in Fiona's huiskamer kwam, was dat er iets op de schoorsteenmantel was veranderd. Naast de klok en de kandelaars stond een duur uitziende urn van albast en zilver. Ze zei niets. Fiona had champagne in het ijs gezet. 'Valt er iets te vieren?' vroeg Michelle.

'Nee, niets. Als je je beroerd voelt, steek je meer vlaggen uit, hè?' Matthew ontkurkte de fles zorgvuldig, zonder een druppel te morsen. Fiona bracht haar glas omhoog en zei: 'Ik wil jullie om raad vragen.' Ze vertelde hun wat ze van Araminta Knox wist.

'Heb je de politie over haar verteld? Heb je ze verteld over die vrouw die je een bedelbrief schreef?'

Fiona keek Matthew verbaasd aan. 'Waarom zou ik dat doen?'

'Dat is toch ook een verdachte? Iemand anders die ze kunnen ondervragen in plaats van ons.'

'Ik heb met haar hetzelfde gedaan als wat ik met Linda Davies heb gedaan. Ik heb haar het geld gestuurd. En daardoor voelde ik me beter, een beetje beter.'

Michelle keek naar het glas in haar hand, zag de luchtbelletjes opstijgen, en zei zo nonchalant mogelijk: 'Je hebt haar duizend pond gestuurd? Je hebt haar een cheque gestuurd?'

'Ik dacht dat ze misschien geen bankrekening had, en daarom stuurde ik papiergeld, briefjes van vijftig, in een gevoerde envelop. En ik had het gevoel dat ik... nou, dat ik rechtzette wat Jeff verkeerd had gedaan. Ik weet nu dat hij op de zak van vrouwen teerde.' Ze gebruikte met stemverheffing de woorden van Linda Davies. 'En dat hij wat dat betrof geen scrupules had. Rijke of arme vrouwen, het maakte hem niet uit, als ze hem maar onderhielden en hij een dak boven zijn hoofd had. Zijn dood heeft me veel ellende bespaard, denk je niet?'

'O, Fiona, wat vreselijk...'

'Misschien was dat mijn motief om hem te vermoorden. Ik wilde van hem af, maar had niet de moed om het op een andere manier te doen. Het is alleen jammer dat ik nog steeds van hem houd, nog net zoveel als toen ik dacht dat hij eerlijk en fatsoenlijk was.'

Toen ze weg waren, zat Fiona een hele tijd naar de urn op de schoorsteenmantel te staren. Ze had erover gedacht Jeffs as te verstrooien, misschien op Fortune Green, maar de nieuwste onthullingen over zijn leven hadden haar op andere gedachten gebracht. De urn had een klein fortuin gekost, en dat was eigenlijk wel grappig, als je ervoor in de stemming was om zoiets grappig te vinden. Ze pakte hem van de schoorsteenmantel en zette hem, kruipend op handen en knieën, achter in de donkere kast onder de trap.

32

Nu Jock weg was en zijn moeder ook, was Minty niet zo bang meer. Ze vond het niet meer zo'n beproeving om haar huis binnen te gaan. Als ze de trap op ging om naar bed te gaan of een bad te nemen, was ze niet bang meer dat ze Tante en mevrouw Lewis in de deuropening van haar slaapkamer zou zien staan. Tante was nu al een hele tijd weg. Ze had haar niet meer gezien sinds juni – of was het mei?

Als een lid van een primitieve stam dat een godheid wilde verzoenen, bleef ze trouw bloemen op Tantes graf zetten, maar sinds ze het oorspronkelijke graf met een ander had verward, keek ze niet meer zo nauw. Ieder graf met een engel die een muziekinstrument bespeelde was goed. De doden waren overal, konden overal heen gaan, en nu Tante het huis had verlaten, geloofde Minty dat ze ook op de begraafplaats van de ene naar de andere rustplaats ging. Ze lette er altijd wel op dat ze het graf van een vrouw uitkoos. Tante, die zo'n hekel aan het huwelijk had gehad, zou zich nooit bij de beenderen van een man te ruste leggen.

Terwijl ze iedere week bloemen bleef brengen, ranonkel en zinnia's, anjers en inmiddels ook chrysanten, wist ze dat Tante tevreden zou zijn. Met een lichte huivering dacht Minty soms terug aan Tantes verontwaardiging toen zij, Minty, in dat opzicht tekort was geschoten. Dat zou nooit meer gebeuren. Een leven zonder geesten zou een leven zonder onrust zijn.

Het was warm en benauwd geworden. Soms hing er een dichte mist van dampen en uitlaatgassen over Harrow Road. Alles leek vuiler en stonk meer dan in de winter en Minty ging nu minstens twee keer per dag in bad. Er waren veertien maanden verstreken sinds ze Jock had ontmoet, en negen sinds zijn dood. Nadat ze een hele tijd nauwelijks aan hem had gedacht, merkte ze dat hij weer in haar gedachten was. Ze vroeg zich af hoe het zou zijn geweest als hij in leven was gebleven. Zou ze gelukkig zijn geweest? Zou ze zwanger zijn geworden, net als Josephine? Ze schrok een beetje bij het idee dat ze dan mevrouw Lewis zou zijn geworden. Telkens wanneer ze in bad ging, herinnerde ze zich dat hij haar spaargeld had weggenomen en het bij zijn dood aan zijn moeder had nagelaten. Wat was er van dat geld geworden? Het zou nu nog wel een eeuwigheid duren voordat ze een douche kon laten aanleggen. Ze wou dat ze het geld daaraan had besteed, want dan zou ze niets hebben gehad om aan Jock te geven.

Op een warme ochtend, toen ze haar bad had genomen en zich aankleedde om naar haar werk te gaan, hoorde ze zijn stem. Zijn stem kwam uit haar slaapkamermuur. Hij zong voor haar. Ditmaal was het *Tea for Two*.

'*Tea for two and two for tea...*'

Ze was te bang om een geluid uit te brengen. Toen hij die woorden herhaalde en er de volgende regel op liet volgen, en daarna in lachen uitbarstte, lukte het haar om te fluisteren: 'Ga weg, ga weg.'

Hij gaf blijkbaar gehoor aan wat ze zei, want in plaats van opnieuw het woord tot haar te richten begon hij tegen andere, al even onzichtbare mensen te praten. Een groep naamloze vrienden, met stemmen die ze nooit eerder had gehoord en die zich met elkaar vermengden. De stemmen waren niet meer van elkaar te onderscheiden en brachten een geroezemoes voort. Jock sprak telkens tegen die stemmen. Hij bood ze een pepermuntje aan of maakte een van zijn vreemde grappen. Als ze hem zou zien, zou dat haar dood worden, maar ze zag hem niet. Ze zag niemand, al wist ze dat er een nieuwe vrouw bij was gekomen, een vrouw die Agnes, haar echte moeder, zou kunnen zijn.

Minty huiverde, raakte hout aan, greep het vast, hield de rand van een tafel, het kozijn van een deur stevig in haar greep. De menigte was nu overal om haar heen en fluisterde in haar oren. Ze had moeten weten dat je je niet zo gemakkelijk van geesten kon ontdoen, je kon ze niet neersteken en doden zoals bendes echte mensen doodden. Zo werkte dat niet. Zouden ze haar hele leven bij haar blijven, die mannen en vrouwen die ze niet kende? Jocks familie? Die ex-vrouw van hem?

Ze werd afgeleid door de post. De brievenbus klepperde en er plofte iets op de mat. Ze ging vlug naar beneden, terwijl ze haar kam door haar nog natte haar haalde. Ze kreeg nooit veel post. Meestal waren het rekeningen en brochures van makelaars die haar een huis in St. John's Wood wilden verkopen. Net als Tante had ze, als er een onbekende envelop bij was, de gewoonte om er een hele tijd naar te kijken, het poststempel te bestuderen, het handschrift te ontcijferen of fronsend naar de drukletters te kijken, voordat ze haar duim onder de flap stak en hem openmaakte. Vandaag kreeg ze de gebruikelijke reclamepost en ook een mysterieus pakje. Het was een dikke, gevoerde bruine envelop zoals ze nooit eerder had gekregen, en haar naam en adres waren op een wit etiket geschreven. Er zat meer porto op dan op een gewone brief. Voorzichtig maakte ze hem open.

Er zat geld in. Twintig briefjes van vijftig met een elastiekje eromheen. Geen brief, geen kaartje, niets anders. Ze wist meteen van wie het kwam: mevrouw Lewis. Ze was dood, maar er moest nog iemand op aarde zijn die ze dit voor zich kon laten doen, iemand bij wie ze had gespookt en tegen wie ze had gepraat. Misschien had Jock een broer of zuster, al had hij dat nooit gezegd. Minty geloofde dat het zo iemand was, een broer die het geld had geërfd dat mevrouw Lewis had nagelaten. Ze had blijkbaar goed geluisterd toen Minty zei dat ze haar geld moest teruggeven. Toen ze bij haar zoon verscheen, had ze hem gevraagd wat ze moest doen.

Misschien hadden ze daarover gepraat, die anonieme stemmen in haar slaapkamer. Geef haar het geld terug, moeder, hadden ze gezegd, en hoewel ze dat eerst niet had gewild en Jock misschien ook bezwaar had gemaakt, hadden de broer en zijn vrouw gezegd dat het niet meer dan rechtvaardig was dat het geld terugging. Dat was de enige verklaring. Het was trouwens niet alles wat Jock haar schuldig was. Het was maar duizend pond. Minty kon in gedachten horen dat die gemene oude mevrouw Lewis dat kleinere bedrag wilde sturen en dat haar zoon zich uiteindelijk gewonnen gaf.

De oude kat van meneer Kroot lag in een van Sonovia's fauteuils te slapen. Zoals gewoonlijk leek het of hij dood was. Hij zat nooit als een sfinx rechtop, zoals de meeste katten doen, maar lag uitgestrekt. Je moest van dichtbij kijken om zijn magere flank een beetje op en neer te zien gaan.

'Hij is hier komen wonen, liefje.' Sonovia keek met een zekere gereserveerdheid naar de kat. 'Hij stond op de stoep en dat was dat. En ik geef hem liever hier te eten dan in dat vieze huis. O, de stank in die keuken – niet te geloven. Wat Gertrude Pierce dééd in de tijd dat ze hier was, ik zou het niet weten. Laf is bij de oude man op bezoek geweest. In het ziekenhuis, bedoel ik. Ik zei dat hij dat niet moest doen. Wat hebben ze ooit voor ons gedaan?, zei ik. Maar hij stond erop.'

'We moeten het verleden laten rusten,' zei Laf, de vredestichter. 'Ik bedoel, ik weet niet zeker of hij heeft gezegd dat we naar de jungle terug moesten. Dat hoorde ik uit de derde hand. Misschien is het niet goed doorverteld. Hij is er slecht aan toe, Minty. Ik bracht een half flesje whisky voor hem mee; dat mag hij daar eigenlijk niet hebben, maar je had hem moeten zien. Zijn hele gezicht begon te stralen. Het is verschrikkelijk om oud en alleen te zijn.'

'Ik ben alleen.' Terwijl ze dat zei, hoorde Minty de stemmen terugkomen. Het klonk eerst als het geroezemoes van een menigte op grote afstand, en toen vielen ze elkaar in de rede en lachten soms ook, zodat ze geen woord kon verstaan. Alsof Laf en Sonovia er niet bij waren, zei ze: 'Nou, eigenlijk heb ik altijd mensen om me heen. Ik wou dat ik ze niet had. Je kunt er ook te veel hebben.'

De Wilsons keken elkaar aan en Laf ging de drankjes halen. Sonovia en Minty liepen de tuin in en gingen op de stoelen zitten. Minty bewonderde de bloemenmandjes van haar buren. Er bloeiden alleen dahlia's en stokrozen en het gazon was vergeeld door de droogte. Geen zuchtje wind bewoog de takken van de kersenboom. De hemel was kleurloos, een ononderbroken vlak van wittige bewolking waarin de zon als een dofgele plas te zien was. Laf kwam met een dienblad naar buiten. De hoge glazen waren gevuld met een amberkleurige vloeistof waarin een marasquinkers dreef, en er lagen stukjes appel en komkommer bij. Hij was deze zomer gek op Pimms. Hij bood de drankjes trots aan en hield hun een schaaltje noten voor.

'Je hebt het toch niet koud, liefje?' zei Sonovia tegen Minty, die zat te rillen. Ze had net Jocks stem horen zeggen: 'Ik merk dat je een ouderwets meisje bent, Polo. Er zijn er niet veel meer als jij.' 'Er liep iets op mijn graf.' Minty durfde het bijna niet te zeggen, maar ze dwong zichzelf ertoe, alsof het een manier was om de stem van de geest te verdrijven. 'Of misschien op Tantes graf, op de begraafplaats.' Ze zag Sonovia en Laf weer een blik wisselen, maar deed alsof ze het niet had gezien. Het kon niet Jocks stem zijn geweest, ze had hem uitgebannen en hij was weggegaan. Misschien had ze het zich verbeeld, of misschien kwam het door de alcohol. Ze herinnerde zich waarvoor ze gekomen was. 'Jullie hadden afgelopen voorjaar de aannemer in huis. Hij heeft iets gedaan in de keuken.'

'Dat klopt, Minty.' Laf was altijd blij wanneer ze normale, alledaagse dingen zei. Hij glimlachte bemoedigend. 'We hebben toen die nieuwe kastjes laten plaatsen.'

'Wil je iets voor me doen?'

'Dat hangt ervan af,' zei Sonovia, maar Laf zei meteen: 'Natuurlijk. Dat spreekt vanzelf.'

'Wil je hem vragen om naar mijn badkamer te kijken en uit te rekenen wat het kost om een douche te installeren?'

'Geen probleem. En Sonny zal hem binnenlaten en een oogje op hem houden terwijl hij daar is.'

Toen ze zijn geest voor het eerst had gezien, had hij niet gesproken. Hij had gezwegen en was op de een of andere manier dreigend overgekomen, zodat ze erg bang voor hem was geweest. Ze kon zich nog heel goed herinneren dat ze van haar werk thuiskwam en hem met zijn rug naar haar toe in die stoel had zien zitten, zijn haar donkerbruin, zijn hals bruin en zijn leren jasje zwart. Zijn voeten waren naar achteren geschoven, alsof hij van plan was om op te staan, en toen had ze haar ogen dichtgedaan omdat ze niet naar zijn gezicht durfde te kijken. Toen ze ze weer opendeed, was de geest weg, maar ze wist dat hij er was geweest, want toen ze de zitting van de stoel voelde, was die warm. Ze was bang dat hij haar naar boven zou volgen, maar dat had hij niet gedaan. Hij was niet boven geweest, die keer niet. Later zag ze hem weer in die kamer en in de hal en in haar slaapkamer. Ze zag hem in de stomerij. Hij had nooit iets gezegd.

De meeste mensen zouden zeggen dat het erger was om een geest te zien dan te horen. Zij was daar niet zo zeker van. Tante en mevrouw Lewis hadden gekwebbeld en waren goed zichtbaar geweest. Als Jock tegen haar sprak, was dat tegen een achtergrond van mompelende en fluisterende stemmen, maar alleen zijn woorden waren verstaanbaar. De rest leek wel gekwetter in een vreemde taal, zoals die Iraanse mensen praatten wanneer ze met zijn allen uit het huis aan de overkant kwamen. Ze had zich van Jocks geest en de geest van zijn moeder ontdaan door ze met die lange messen te steken. Maar op die manier kon je je niet van geluiden bevrijden. Je moest je oren ervoor afsluiten, maar dat lukte niet.

Net als de geesten die ze kon zien, waren de geesten die ze kon horen niet de hele tijd aanwezig. 's Nachts was het rustig. Dan had ze rust en kon ze nadenken. Door de geesten neer te steken had ze zich misschien wel van hun aanblik bevrijd, maar ze wist nu dat het niet blijvend was. En als de geesten terugkwamen, stuurden ze hun stemmen vooruit om haar te waarschuwen dat ze ze binnenkort weer zou zien. Die bloemen die ze op Tantes graf zette, hadden meer effect dan het steken met die messen, want ze had Tante nooit meer gezien of gehoord. Jock moest ergens een graf hebben, zijn moeder moest een graf hebben. Als ze wist waar die graven waren, kon ze daar ook bloemen op zetten.

Toen ze de stemmen een week bij zich had gehad, en Jock alle dingen tegen haar had gezegd die hij vroeger altijd zei – Adam en Eva en Knijp Mij, jij bent een ouderwets meisje, Polo, het is maar 1 april tot twaalf uur 's middags en dan is het Staartprikdag, tweeduizend pond maar, Minty, onze toekomst staat op het spel – ging ze naar de begraafplaats en kocht bloemen bij de man met de kraam. Het was zaterdag, maar er was bijna niemand. Deze keer had ze een fles water meegenomen om in de vaas te doen. Ze kocht lichtgele chrysanten, met korte bloemblaadjes in het midden en lange dunne op de randen, wit gipskruid en ook alstro-en-nog-wat, een naam die ze niet kon uitspreken.

Maisie Julia Chepstow, geliefde echtgenote van John Chepstow, heengegaan op 15 december 1897, 53 jaar oud. Slapend in de armen van Jezus. Tantes grootmoeder. Minty had dat zo vaak tegen zichzelf gezegd dat ze het geloofde. Ze haalde de dode bloemen uit de vaas en goot het vieze groene water weg, waarin bloemblaadjes en een dode slak dreven. Ze had genoeg water bij zich om de vaas schoon te spoelen voordat ze hem weer vulde. Toen ze de gele en witte en perzikkleurige bloemen had geschikt, knielde ze bij Maisie Chepstows graf neer en deed ze iets wat ze een hele tijd niet had gedaan. Ze bad tot Tante, vroeg haar Jocks stem weg te halen, en ook de stemmen van die menigte die hij altijd bij zich had.

Toen ze thuiskwam, ging ze in bad. Laf was laat met de krant. Hij kwam pas in de namiddag. Sinds ze had gebeden, had ze de stemmen niet meer gehoord, maar ze vroeg het toch aan hem: 'Hoe kun je erachter komen waar iemand begraven ligt?'

'Dan zou je moeten weten waar hij gestorven is. Misschien mag je de overlijdensakte inzien. Mensen hebben tegenwoordig geen graf meer, Minty. Ze worden gecremeerd en er blijft alleen as over. Waarom wil je dat weten?'

Dat van die overlijdensakte was een tegenvaller. Ze wist dat ze dat nooit zou kunnen: naar de juiste plaatsen gaan, met de juiste mensen praten. Misschien wilde Laf het voor haar doen. 'Ik zou graag Jocks graf willen vinden.' Ze zou zijn moeder niet ter sprake brengen. Voorlopig nog niet.

'O, goed.' Laf wist zich niet goed raad met zijn houding.

'Zou je dat kunnen?'

'Ik zal eens kijken,' zei hij. 'Misschien lukt het niet.' Hij had opeens veel medelijden met haar. 'Minty, zou het geen goed idee zijn om... nou ja, om het verleden achter je te laten? Om te proberen Jock te vergeten? Je bent jong, je hebt een hele toekomst voor je. Kun je het verleden niet vergeten?'

Ze schudde haar hoofd. 'Dat kan ik niet,' zei ze, en in een vlaag van openhartigheid: 'Ik hoor steeds zijn stem.'

Laf zei dat hij zou zien wat hij kon doen en ging naar huis. Daniel was er. Hij had een bedlegerige patiënt in First Avenue opgezocht en kwam een kopje thee bij zijn ouders drinken.

'Misschien wordt het tijd dat iemand haar de waarheid vertelt,' zei Sonovia.

'Ik denk het niet, mam. Dat zou ik niet doen.'

'Straks gaat ze nog door het lint.' Laf sneed een plakje kleverig bananen-toffeegebak af. 'Ik bedoel, wat is beter? Geloven dat je vriend van je hield en bij een treinongeluk is omgekomen? Of dat hij je heeft bedrogen, nog leeft en wel op kosten van een andere vrouw?'

'Je hebt dat nagetrokken, hè pa?'

'Ik was er al tamelijk zeker van. Die brief die ze kreeg, klopte van geen kanten. Toen heb ik naar het onderzoek gekeken dat naar de ramp is ingesteld. Er zijn eenendertig mensen omgekomen. Ze dachten eerst dat het er honderden waren, maar het waren er niet meer dan eenendertig. Ik zeg "niet meer dan", maar dat was natuurlijk al erg genoeg.'

'En er was geen Jock Lewis bij?'

'Dat spul is niet best voor je hart, Lafcadio Wilson.'

'Wie heeft het op de tafel gezet? Dat zou ik weleens willen weten.'

'Het was voor mij bestemd, pa. Geen Jock Lewis?'

'Geen Jock of John Lewis. En bovendien geen enkele niet-geïdentificeerde dode man. Bij alle mannen op die lijst stonden een naam en een adres en een leeftijd en nabestaanden en noem maar op, en niet één van die mannen kon Jock zijn geweest. En nu wil ze dat ik zijn graf ga zoeken.'

'Je kunt zeggen dat het je niet is gelukt, Laf. Laat het op zijn beloop. Ze vergeet het vanzelf.'

'Wat wil ze eigenlijk met zijn graf?'

'Wat denk je, Dan? Er bloemen op zetten zoals ze elke week trouw op het graf van haar tante doet.'

Mevrouw Lewis had haar maar de helft gestuurd van wat ze schuldig was. Of Jocks broer. Als ze zijn adres had gehad, zou ze hem hebben geschreven en om de rest hebben gevraagd. Evengoed had ze genoeg voor wat ze wilde. De aannemer was nog niet geweest, maar Laf zei dat duizend pond ruimschoots genoeg was en hij had wat brochures voor haar opgehaald van een bouwmaterialenwinkel in Ladbroke Grove. Toen ze naar de foto's keek, zag ze dat ze zich nooit een apart douchehoekje zou kunnen permitteren, zo'n cabine waar je in liep. Daarin had Laf zich vergist. Het zou ook mooi zijn om een douche boven het bad te laten installeren, met een gescharnierde glazen wand om te voorkomen dat het water op de vloer viel. Eigenlijk was dat nog beter, want als ze een echt douchehokje had, was dat weer één ding extra dat ze iedere dag moest schoonmaken. Zolang ze maar geen vies douchegordijn had waarop allemaal spatten van opgedroogde zeep kwamen.

De stemmen kwamen op haar af toen ze de douche bestudeerde die ze zou laten installeren. Jocks schoonzuster en nog een stem, waarschijnlijk zijn vader. Het kon zijn broer niet zijn. Zijn broer leefde nog. Die moest haar dat geld hebben gestuurd. Misschien was zijn ex-vrouw ook dood, en de vrouw van die broer. Waren ze daar allemaal omdat ze nooit naar Jocks graf was geweest?

Ze gaven nooit antwoord, maar ze vroeg het toch: 'Waar is hij begraven? Waar hebben ze Jock gelegd?'

Stilte. Het was geen antwoord, eerder een stukje kennis dat plotseling in haar hoofd verscheen. Niemand zei het, want de stemmen waren weer weg. De gedachte kwam binnen en ze wist dat het waar was. Hij lag op die begraafplaats bij de voetbalvelden van Chelsea. Alsof ze het niet had verstaan, kwam het opnieuw. Die bij de voetbalvelden van Chelsea.

Edna had daar gewoond. Toen Minty een klein meisje was en Edna nog leefde, nog tien jaar te leven had, ging Tante vaak met haar bij Edna op bezoek. Ze had een grijs huisje in een lange rij, met een voordeur die rechtstreeks op het trottoir uitkwam. Minty ging daar 's avonds na haar werk naartoe en ze nam een mes mee. Een van de kleinere messen uit de la. Ze ging met een aantal bussen, en zat uiteindelijk in bus 11, die haar naar Fulham Broadway bracht.

Het was jaren geleden dat ze daar was geweest, wel vijfentwintig jaar. Zelfs toen hadden de hooligans al de gewoonte om de boel te slopen als hun team door Chelsea verslagen was. Tante had haar op kapotte etalageruiten gewezen en haar nog eens voorgehouden hoe slecht het was om andermans eigendommen te vernielen. Ze zag nu geen kapotte ruiten, en ook de oude winkels waren er niet meer. De buurt was opgeknapt. Ze ging bij Edna's huis kijken. Dat zag er nu net zo fris en fleurig uit als dat van de Wilsons, met een rode voordeur en rijtuiglantaarns, gordijnen met sierstroken achter de ruiten en bakken vol bloemen. Alle huizen waren zo. Alleen de bloemen waren verschillend en de deuren waren blauw of geel. Edna droeg altijd een schort met pantoffels en een tulband, zoals ze had gedragen toen ze in de oorlog aan de lopende band stond. Oom George was het grootste deel van de tijd in zijn donkere kamer bezig foto's te ontwikkelen. Hij wilde dat Minty bij hem kwam, maar Tante vond dat niet goed, behalve als de deur openbleef, en dat kon in een donkere kamer natuurlijk niet. Minty wist niet waarom het verboden was, toen niet en nog steeds niet, al kon ze zich de veelbetekenende blikken herinneren die Tante en Edna wisselden als oom George zijn schouders ophaalde en zich omdraaide.

Ze betrad de begraafplaats vanaf Old Brompton Road. Hoewel ze er vaak door Edna's ramen naar had gekeken – er was weinig anders te doen – was ze er nooit geweest. En ze vond deze begraafplaats angstaanjagend, terwijl die van Kensal Green haar helemaal niet dat gevoel gaf. Het had te maken met de achtkantige aula en de gebogen zuilengalerijen die je moest passeren of waar je zelfs doorheen moest, en misschien ook iets met de somberheid van de avond, een typische Londense zomeravond met zware bewolking en weinig zon en een windstille benauwde lucht. Er was een tombe met net zo'n leeuw erop als de leeuwen van Trafalgar Square, en een tombe met een stapel zwarte kanonskogels. Toen ze daar liep, was ze er zeker van dat ze haar geesten zou ontmoeten. Ze was banger voor Jock dan voor de anderen. Met oude vrouwen kon ze wel afrekenen. Maar ze voelde in Jock een gewelddadigheid die ze nooit had gevoeld toen hij nog leefde. Het was of hij, nu hij dood was, al zijn woestheid en kwaadaardigheid tot ontwikkeling bracht.

Terwijl ze naar links en rechts keek, zoekend naar zijn graf, een nieuw graf, misschien alleen een verhoging van aarde met nog geen steen, probeerde ze zichzelf te troosten met de gedachte aan de nieuwe douche, de douche die ze kreeg omdat Jocks broer of schoonzuster zo fatsoenlijk was geweest om dat geld te sturen. Maar die afleiding werkte nauwelijks. Ze zag algauw dat er geen verse graven waren op deze donkere, troosteloze begraafplaats, waar een sfeer heerste alsof de graven door iedereen vergeten waren. Ze besefte nu ook dat er geen mensen rondliepen, dat er geen andere bezoekers waren dan zijzelf. Daardoor leek het of deze begraafplaats niet echt bestond maar tot een andere wereld behoorde, verstoken van alles, van mannen en vrouwen, van dieren, zelfs van geesten. En dat was angstaanjagender dan de geesten zelf, want ze kon hier gevangen raken, kon voor altijd verloren gaan in een tijdloze, verlaten leegte. Ze keek naar de grond, naar het gras, naar de grauwe windstille lucht, en zag noch vogels, noch insecten. Toen zette ze het op een lopen, weg van de zuilengalerijen, de onbeweeglijke, eeuwige grijze stenen pilaren, weg, weg, weg naar het hek en de straat en de huizen en de mensen...

33

Natalie had zich vaak afgevraagd hoe ze met de pers zou omgaan als een journalist haar benaderde. Het advies dat ze zichzelf gaf, was ongeveer wat een advocaat zijn cliënt geeft wanneer die een confrontatie met de politie moet aangaan: zeg niets, of als je spreekt, doe dat dan met woorden van één lettergreep. Zoals de meeste verslaggevers en de meeste rechercheurs kwam ze zelden mensen tegen die zich aan dat advies hielden. Nell Johnson-Fleet was een van die weinigen.

Toen ze de deur van haar appartement in Kentish Town opendeed, keek ze Natalie recht aan, maar zei niets. Natalie zei wie ze was en vroeg of ze haar even kon spreken.

'Nee,' zei Nell Johnson-Fleet.

Zoals al Jeffs vrouwen – Zillah was de uitzondering geweest – was ze blond en tamelijk lang en kleedde ze zich zoals hij het graag had: broek en sweater. Natalie kon zich zijn voorkeuren nog goed herinneren. 'Ik ben ook een van zijn vriendinnen geweest. Een van zijn slachtoffers, als je het zo wilt noemen. Misschien helpt het om erover te praten, denk je niet?'

'Nee.'

'Misschien wil je het allemaal achter je laten? Misschien wil je vergeten dat het ooit is gebeurd?'

Voorzichtig sloot Nell Johnson-Fleet de deur. Natalie was niet iemand die het makkelijk opgaf. Ze drukte weer op de bel, en toen er niet werd opengedaan, liep ze de hoek van de straat om, ging op een muurtje zitten en belde de vrouw met haar mobiele telefoon. Er werd kortaf opgenomen: 'Ja?'

'Met Natalie Reckman, Nell. Ik hoop dat je me vijf minuten wilt binnenlaten.'

'Nee.' En de hoorn ging op de haak.

Je moest er bewondering voor hebben, dacht Natalie, die naar haar auto terugliep en een parkeerwachter zag naderen. Het was maar goed dat de meeste mensen niet zo waren. Aan de andere kant hadden mensen stemmingen, ze hadden goede en slechte dagen, en dit was misschien een slechte. Nell Johnson-Fleet had misschien ruzie met haar vriend gehad of hem met een andere vrouw gezien. Natalie zou het de volgende dag opnieuw proberen. Dan had Nell er misschien spijt van dat ze haar kans voorbij had laten gaan. En nu naar Kensal Green.

De politie had hen bijna twee weken met rust gelaten. Michelle was weer begonnen te eten, niet veel en alleen gezond voedsel, maar ze had niet meer bij elke hap het gevoel dat ze erin zou stikken. Haar gewicht was teruggebracht tot wat het tien jaar geleden was. En terwijl zij tevreden was met een salade en een enkele boterham als lunch, at Matthew regelmatig een omelet van twee eieren. Hij was ook weer begonnen met autorijden, in het begin onzeker, als iemand die net zijn rijbewijs heeft, maar geleidelijk met meer zelfvertrouwen. Toen ze lang genoeg niets van de politie hadden gehoord of gezien om zich veilig te voelen, deden ze iets wat ze niet meer hadden gedaan sinds ze pas getrouwd waren. Ze gingen het weekend weg.
Voor het eerst meende Michelle een zekere jaloezie in Fiona's ogen te zien. Jaloezie was het laatste wat ze bij iemand zou willen wekken. Het viel haar op omdat het zo ongewoon was. Fiona was jaloers op haar omdat ze een man had die van haar hield en die in een hotelletje ergens buiten de stad met haar alleen wilde zijn.
'Ik hoop dat jullie een geweldige tijd hebben,' zei ze. 'Jullie verdienen het.'
Maar die geweldige tijd was heel anders dan wat Fiona (en ieder ander die hen zag en erover nadacht) zich voorstelde. Fiona dacht natuurlijk aan mooie wandelingen, drankjes in kleine dorpsherbergen, een bezoek aan een bezienswaardigheid en misschien een diner bij kaarslicht. In werkelijkheid leek het meer op een huwelijksreis. Ze lagen voornamelijk in bed en vrijden zoals in de tijd dat ze elkaar nog maar pas kenden. En in de gelukzaligheid van hun passie voelde ze zich niet ouder dan ze zich zeventien jaar eerder had gevoeld.

De huizenblokken in Kentish Town waren in Natalies ogen nogal somber geweest, maar ze waren niets in vergelijking met Syringa Road, Kensal Green. Dat, dacht ze terwijl ze haar auto moeiteloos parkeerde, moest de bank zijn waarop Eileen Dring was gedood. Of waarschijnlijk een bank die ervoor in de plaats was gezet. Hij leek nieuw. Het bloemperk erachter was omgespit en er kwam nu gezond jong onkruid in op. Wel toevallig, dacht ze, dat een van de slachtoffers op een steenworp afstand van het adres van de vriendin van het andere slachtoffer aan haar eind was gekomen.

Aan weerskanten van de straat stonden lage, gedrongen Victoriaanse huizen, voor het merendeel verwaarloosd en met kleine voortuinen, waarvan sommige vol stonden met fietsen, rolstoelen, een enkele motor, rollen draadgaas en kapot meubilair. Onevenredig grote erkerramen staken op de benedenverdieping naar voren, en op de stoffige bordjes onder de overhangende dakranden stonden namen als Theobald Villa en Salisbury Terrace. Er was maar één huis dat bij Natalie in de smaak viel. Dat was nummer 27, dat een nieuwe gevel van (waarschijnlijk geen echte) grijze granietblokken had gekregen. Het hout was wit geverfd, de voordeur donkerroze. De tuin stond vol met dahlia's in vele kleuren en donkerblauwe herfstasters. Het huis daarnaast, Natalies doel, was netjes maar saai, de tuin bestraat, het schilderwerk versleten maar schoon. Jeff moest wel diep gezonken zijn dat hij hier zijn toevlucht had genomen, dacht ze. Toen herinnerde ze zich de sprongsgewijze stijgingen van de huizenprijzen in Londen en besefte ze dat deze straat niet zo erg ver van het modieuze Notting Hill vandaan lag. En een eindje verder, in Harrow Road, was een metrostation dat aan de Bakerloo-lijn lag. Als hij hier een huis in zijn bezit had gekregen...

Ze belde aan. Een vrouw kwam naar de deur en staarde haar aan. Ze keek niet zoals Nell Johnson-Fleet, en ze leek ook helemaal niet op Nell Johnson-Fleet. Eigenlijk was ze niet Jeffs type, behalve dat ze blond en slank was. Ze was een kleine, sprietige vrouw met een witte huid, fletse ogen zonder kleur, dunne lippen en haar als van een baby. Wat Natalie verraste, wat haar bijna bang maakte, was dat ze eruitzag alsof ze krankzinnig was. Natalie zou dat politiek incorrecte woord altijd alleen in haar gedachten gebruiken en nooit hardop uitspreken. Toch zou geen enkel ander woord recht kunnen doen aan Araminta Knox' grote starende ogen en dat vage glimlachje dat kwam en ging.

'Mevrouw Knox?'

Een hoofdknikje, en weer dat glimlachje.

'Ik ben Natalie Reckman en ik ben freelance journaliste. Ik zou graag met u willen praten over Jeff Leach.'

'Wie?'

Het was duidelijk dat ze niet wist wat Natalie bedoelde. In die glazige ogen had geen schrik te lezen gestaan, geen herinnering of verdriet of woede. En dit was het soort vrouw dat haar gevoelens niet kon verbergen, dat zonder dat ze het zelf wist alle emotionele nuances op haar gezicht liet zien. Natalie was naar het verkeerde adres gekomen, naar de verkeerde vrouw, of Jeff had een van zijn niet erg subtiele schuilnamen gebruikt. 'Jerry misschien? Jed? Jake?'

'Ik weet niet waar u het over hebt.'

'U had geen vriend die in een bioscoop is vermoord?' Het kon Natalie nooit iets schelen hoe iets overkwam. Daarom kon ze zich in haar werk niet druk maken. 'Jeff Leach of Leigh?'

'Mijn verloofde is omgekomen bij het treinongeluk bij Paddington Station,' zei Minty, en ze deed de deur nog harder dicht dan Nell Johnson-Fleet.

Misschien zat ze op het verkeerde spoor. Natalie had zich gebaseerd op twee dingen die Jeff had gezegd: de vrouw woonde bij de begraafplaats Kensal Green en hij had haar Polo genoemd. Polo was een pepermuntmerk, en de enige in de hele omgeving die zo'n soort naam had, was Araminta Knox. Maar hij kon een heleboel andere redenen hebben gehad om de vrouw in kwestie Polo te noemen. Bijvoorbeeld dat ze van die pepermuntjes hield die hij altijd at, of misschien speelde ze zelfs polo. Niettemin belde ze aan bij het opvallende huis met de roze voordeur.

De bewoonster was een grote, aantrekkelijke vrouw in een strak zwart rokje en een vuurrood shirt. Haar gezicht was amandel-bruin, met een Romeinse neus en volle lippen. Natalie zei wie ze was en wat ze wilde.

'Zou u me uw naam willen vertellen?'

'Sonovia Wilson. U mag me mevrouw Wilson noemen.'

'Hebt u ooit van een Jeffrey of Jeff of Jerry Leach of Leigh gehoord?'

'Nee. Wie is dat?'

'Ik dacht dat hij misschien de vriend van uw buurvrouw was geweest.'

'Ze heeft er maar één gehad en die heette Jock Lewis. Tenminste, dat zei hij. Hij zei, of iemand anders zei, dat hij bij dat treinongeluk was omgekomen, maar dat was niet zo, dat weet ik zeker. Waarvoor wilt u hem hebben?'

'Ik wil hem niet hebben, mevrouw Wilson. Dat zou ook niet veel zin hebben, want hij is hoogstwaarschijnlijk de Jeffrey Leach die in de Odeon op Marble Arch is vermoord. J.L., weet u, het was bij hem altijd J-en-nog-wat en L-en-nog-wat. Mag ik binnenkomen?'

'Praat u maar met mijn man. Hij werkt bij de politie.'

Laf wist niet wat hij moest doen. Hij en Sonovia zagen Natalie Reckman de straat oversteken en in haar auto stappen.

'Het is alleen maar wat ze dénkt,' zei Laf. 'We hebben altijd al geweten dat Jock Lewis niet bij die treinramp is omgekomen. Maar het enige waarop ze het idee baseert dat Minty's vriend die Jeffrey Leach was, is dat ze dezelfde initialen hadden.'

'Nou, dat niet alleen, Laf. Ze schijnt te weten dat Leach een vriendin had die hier in de buurt woonde en die hij Polo noemde.'

'Voorzover ik weet, noemde Jock Lewis haar nooit Polo.'

'Ik kan het haar vragen,' zei Sonovia. 'Ik kan dat heel terloops doen, in de trant van: "Zei je niet dat Jock gek was op Polo-pepermunt?" Of ik kan het gesprek op bijnamen brengen en vragen of hij er een voor haar had. En als ze het dan zou zeggen, zou ik het haar vertellen. Ik bedoel, ze moet het toch weten, Laf. Dat moet je toegeven.'

Laf wendde zich van het raam af, ging in een fauteuil zitten en wees Sonovia een andere fauteuil aan. Hij deed dat met het gebiedende gebaar en het ernstige gezicht dat ze alleen van hem kende op de zeldzame momenten dat hij vond dat zijn vrouw lang genoeg de broek had aangehad. 'Nee, ik hoef dat niet toe te geven, Sonovia.' Alleen wanneer hij bijzonder ernstig gestemd was, noemde hij haar bij haar volledige voornaam. 'Jij zegt geen woord hierover tegen Minty. Is dat begrepen? Dit is een van die momenten waarop we naar Daniels raad moeten luisteren. Weet je nog wat hij zei? Laatst vroeg je hem of we haar over Jock moesten vertellen. "Dat zou ik niet doen," zei hij. "Dat zou ik niet doen." Je hebt me zelf verteld wat hij zei. Toen onze zoon arts werd, nam ik me voor dat ik alles wat hij over medische dingen zei ter harte zou nemen alsof het de Heilige Schrift was. En dat moet jij ook doen. Afgesproken?'

Gedwee zei Sonovia: 'Afgesproken, Laf.'

Terwijl Zillah zich aankleedde om voor de vijfde keer met Ronnie Grasmere uit te gaan, dacht ze, toen de bel ging, dat het de oppas was. Ze maakte de rits van haar nieuwe zwarte jurk dicht – strak maar niet te strak, laag uitgesneden, flatterend – stak haar voeten in haar Jimmy Choo-schoenen en rende naar beneden. Er stonden twee mannen voor de deur. Een van hen droeg een uniform, maar anders zou ze ook meteen hebben geweten dat ze van de politie waren. Dat kon ze tegenwoordig al op een afstand zien. Onmiddellijk speelde haar in lycra verpakte maag op, want ze dacht dat ze haar wegens bigamie kwamen arresteren.

'Mevrouw Melcombe-Smith?'

Dat was tenminste een voordeel van haar nephuwelijk: iedereen dacht dat het echt was. 'Wat is er?'

'Politie South Wessex. Mogen we binnenkomen?'

Ze hadden Jerry's auto gevonden. De rammelkast. De twintig jaar oude Ford Anglia. Daarover ging het, zijn oude rammelkast. In Harold Hill.

'Waar?' vroeg Zillah.

'Dat is in Essex, in de buurt van Romford. De auto stond langs de kant van de weg in een woonwijk. Een bewoner belde ons om erover te klagen. Hij ergerde zich aan dat lelijke ding.'

Zillah lachte. 'Wat moet ik daarmee?'

'Nou, mevrouw Melcombe-Smith, we dachten dat u misschien wist hoe hij daar terechtgekomen is.'

'Ik weet het niet, maar als u het mij vraagt, heeft Jerry – ik bedoel Jeffrey – hem daar gedumpt omdat hij eindelijk een vrouw had gevonden die een mooie auto had en die hem die auto onbeperkt liet gebruiken. Waarschijnlijk voor het eerst in zijn leven.'

Ze keken elkaar aan. 'Hij kende niemand in Harold Hill?'

Eugenie was de kamer binnengekomen. 'Wie is Harold Hill, mammie?'

'Het is een plaats, geen persoon.' Tegen de politieman zei Zillah: 'Niet dat ik weet. Ik ga ervan uit dat hij dat dorp als dumpplaats heeft gebruikt. Zo was hij.'

'Wie was hoe?' vroeg Eugenie, toen de politie weg was en de oppas was gearriveerd. 'Wie gebruikte een dorp als dumpplaats?'

'Gewoon iemand,' zei Zillah.

Geen van beide kinderen had ooit over hun vader gesproken nadat Eugenie naar hem had gevraagd en geen antwoord had gekregen. Zillah, die een groot talent bezat om onprettige zaken uit te stellen, vroeg zich soms af of ze hun ooit over hun vader zou moeten vertellen. Of wist Eugenie het al uit de kranten, uit roddelverhalen, uit dingen die ze had horen vertellen? En had ze het in dat geval aan Jordan verteld? Zillah wilde er niet over praten in het bijzijn van de oppas, een vrouw die in tegenstelling tot mevrouw Peacock haar plaats kende. Toen de bel weer ging, was het Ronnie Grasmere.

'Ik vind hem niet zo leuk,' zei Eugenie toen Zillah opstond om hem binnen te laten. 'Je gaat toch niet ook met hem trouwen?

Toen de vrouw weg was, dacht Minty niet veel meer aan haar. Misschien was ze van de politie geweest en wist ze dat Minty vaak naar de bioscoop ging. Ze had niet gezien dat de vrouw ook naar de buren was gegaan. Ze ging nu zelf naar Laf en So-novia om naar de doucheman te informeren. Hoewel ze in de tuin zaten en van een glas wijn en een laat avondhapje genoten, hoorden ze de bel. Laf paaide haar met Chileense chardonnay en gemberbiscuits van Duchy Original, en liet haar in een van hun witte tuinstoelen zitten – de vierde stoel werd bezet door meneer Kroots oude kat. Ze vond dat ze raar naar haar keken. Ze vroeg Sonovia naar de doucheman en Sonovia zei dat hij had beloofd begin volgende week te komen.

'Als het aannemers zijn,' zei Laf, 'is het begin van de week don-derdagmorgen en het eind van de week de maandag daarop.'

Sonovia lachte, maar Minty vond het niet grappig. Jock had ook in de bouw gewerkt, dat zou Laf zich moeten herinneren. Ze vertelde dat ze naar zijn graf had gezocht. Misschien hadden ze tips voor haar.

'Waarom denk je dat hij in Brompton ligt?' vroeg Sonovia alsof ze het tegen haar kleindochter van vier had.

'Ik had een gevoel. Geen stemmen die het tegen me zeiden, dat was het niet. Ik wíst het gewoon.'

'Maar je wist het niet, liefje. Je dacht het alleen maar. Ik ver-trouw die gevoelens niet. Het is net als met voorgevoelens. Ne-gen van de tien keer komen ze helemaal niet uit.' Laf liet een waarschuwend kuchje horen, maar Sonovia ging gewoon door. 'Je moet zekerheid over die dingen zien te krijgen. Met overlij-densaktes en... en zo.'

Minty keek Laf hulpeloos aan. 'Wil jij het voor me doen?'

Hij zuchtte maar zei opgewekt: 'Natuurlijk, laat het maar aan mij over.'

'Wat bedoelt ze, "geen stemmen die het tegen me zeiden"?' vroeg Sonovia toen Laf hun buurvrouw uitgeleide had gedaan. 'Ze wordt echt gek. Het is erger dan ooit.'

Laf schudde bedroefd zijn hoofd en knikte toen. 'Het is mak-kelijk uit te zoeken waar Jeffrey Leach begraven is, daar ben ik in vijf minuten achter, maar wil ik dat wel, Son? Ik bedoel, wat moet ik tegen haar zeggen? "O ja, hij ligt in Highgate, maar hij is niet echt Jock, hij was die man die in de bioscoop is vermoord en hij heet Leach?" Zoals ik al zei: dat doe ik niet.'

'Je moet het maar op zijn beloop laten.'

'Dat zeg jij altijd, maar het is niet zo gemakkelijk. Ze zal er opnieuw naar vragen, denk je niet?' En toen dacht hij, maar hij zei het niet hardop: moet ik iets tegen de inspecteur zeggen? Ik bedoel, de man is doodgestoken, vermoord, en zij was zijn vriendin, ze was met hem verloofd, of dacht dat tenminste. Maar ze is mijn buurvrouw, ze is mijn vriendin, ik kan haar dat niet aandoen. Ze is niet goed bij haar hoofd, maar wat moord betreft... Nou, ze zou net zomin iemand vermoorden als ik. Hij huiverde.

'Je hebt het toch niet koud?'

'Zo langzamerhand wel. En de muggen komen.'

Sonovia nam de slapende kat in haar armen. 'Lieve help, dat was ik vergeten te vertellen. Meneer Kroot is dood. Hij is vanmorgen overleden. Het was me helemaal ontschoten. Nu ik die kat oppak, denk ik er weer aan.'

'Arme kerel.' De barmhartige Laf keek verdrietig. 'Misschien is hij zo wel beter af. Zullen we Blackie houden?'

'Ik laat hem niet aan de goede zorgen van Gertrude Pierce over.'

Toen Minty naar binnen was gegaan, voelde haar huis griezelig aan. Misschien is een leeg huis altijd zo als het avond is, totdat de lichten aan zijn, totdat de gordijnen dicht zijn of mensen gaan lachen. Er werd nu niet gelachen. Er heerste een diepe stilte, alsof er ieder moment iets kon gebeuren. Het huis hield zijn adem in, zette zich schrap voor wat ging komen.

In plaats van het licht in de hal aan te doen, liep Minty langzaam rond. Ze tartte het huis om zijn geesten te laten zien. Eigenlijk durfde ze zich niet om te draaien, maar ze deed het toch. Ze liep terug zoals ze gekomen was, liep rond en rond. Aan de voet van de trap keek ze naar boven, alsof ze 's nachts in een put keek, maar er brandde boven geen licht. Uit de diepe schaduw kwam Jock tevoorschijn. Hij zag er net zo uit als de eerste keer. Het leek wel of ze nooit van hem af zou komen.

Ze deed haar ogen dicht en draaide zich langzaam om, zodat ze met haar rug naar hem toe kwam te staan. Er volgde absolute stilte. Als hij haar aanraakte, als hij zijn hand op haar hals legde

380

of zijn koude adem over haar wang liet strijken, zou ze doodgaan. Er gebeurde niets en ze draaide zich weer om, dwong haar
ogen open te gaan, alsof er kracht voor nodig was om de oogleden omhoog te krijgen. Er was niemand; hij was weg. Van buiten kwam het geluid van een auto die door de straat reed, met
open ramen en stampende muziek. Ze dacht: hij komt terug
omdat ik zijn graf niet kan vinden, omdat ik er geen bloemen
op kan zetten, zoals ik bij Tante doe.

'Hoor eens, Minty,' zei Laf toen hij de kranten kwam brengen.
'Ik heb het beetje recherchewerk gedaan waar je om vroeg.
Jouw Jock is niet begraven. Hij is gecremeerd en zijn as is verstrooid.' Tot op zekere hoogte was dat waar. Laf had altijd erg
zijn best gedaan om geen leugens te vertellen, om alleen van
het rechte pad af te wijken als de waarheid te wreed was. Jeffrey Leach was inderdaad gecremeerd, maar zijn as was afge-
haald door Fiona Harrington, die tegen een bevriende collega
van Laf had gezegd wat ze ermee wilde doen. 'Ergens in West
Hampstead,' zei hij, en hij was teleurgesteld toen hij Minty's
gezicht zag betrekken.
'Waar kan ik mijn bloemen dan zetten?'
Laf stelde zich een in cellofaan verpakte bos chrysanten voor,
triest en troosteloos ergens op het trottoir in West End Lane.
Het zou lijken alsof daar iemand was gestorven. Hoewel hij
meestal niet zo cynisch over de menselijke natuur dacht, vroeg
hij zich af hoe lang het zou duren voordat er tien andere, soort-
gelijk verpakte boeketten bij kwamen liggen, neergelegd door
'rouwenden' die geen idee hadden aan wie ze eer bewezen.
'Nou, ze had het over Fortune Green.'
Een groene driehoek met bomen, dacht hij vaag. Hij verwachtte
meer vragen van Minty, maar toen er een kwam, was het iets
heel anders dan wat hij verwachtte.
'Laat je Sonovia weer met de aannemer bellen?'
'Geef hem de tijd, Minty,' zei hij, een beetje verbaasd.
Ze keek naar een hoek en het leek of ze iets meende te horen.
Toen schudde ze zich heen en weer als iemand die uit een verdo-

ving ontwaakt. 'Je zei dat donderdag het begin van de week was en de maandag daarna het eind van de week, maar het is maandag geweest en ze zijn niet gekomen. Als dat zo doorgaat, krijg ik mijn douche nooit.'

34

Iemand had Jims in restaurant Le Tobsil in Marrakech zien zitten. Dat was een van de laatste keren dat hij was gezien. Een liberaal-democratisch parlementslid, die in het kader van een rondreis door Marokko met zijn vrouw die stad bezocht, zag hem door het raam. Hij kon het zichzelf niet veroorloven om daar te gaan eten. De parlementariër zou het niet vreemd hebben gevonden als hij hem daar met een jonge, aantrekkelijke mannelijke metgezel had gezien, maar Jims was alleen. Hij gaf het interessante nieuwtje in een e-mail aan een vriend door en die vriend vertelde het aan een krant. Dat was het begin van het doorlopende en steeds weer fascinerende verhaal over de 'verdwenen homoparlementariër'.

Eind augustus beweerde een journalist dat hij hem in Seoul was tegengekomen, waar Jims hem een interview had toegestaan. Maar iedereen die Jims kende, stond daar sceptisch tegenover. Niemand van hen kon zich voorstellen dat hij ooit voet in Korea zou zetten, terwijl de tekst zelf, waarin hij blijk zou geven van schaamte, spijt en berouw, helemaal niet bij hem paste. Noch zijn agent noch zijn bank wilde iets over zijn verblijfplaats vertellen, al hadden ze vermoedelijk wel een idee. Er werden pogingen gedaan om de waarheid uit Zillah te krijgen, al duurde het even voordat ze haar hadden gevonden. Inmiddels had ze Willow Cottage voor een jaar aan een Amerikaanse schrijver verhuurd en was ze bij sir Ronald Grasmere in Long Fredington Manor gaan wonen.

'Ik heb altijd terug gewild,' zei Eugenie, 'en nu gaan we weer weg.'

Zoals gewoonlijk trok niemand zich iets van haar aan.

Zillah had geen idee waar Jims was en het kon haar ook niet schelen. Voortaan stelde ze alles in het werk om Ronnie gelukkig te maken. Ze probeerde hem ervan te overtuigen dat hij zich had vergist toen hij na zijn recente scheiding zei dat het huwelijk voorgoed voor hem had afgedaan.

Van tijd tot tijd verscheen Geweldsmisdrijven of Miss Daad op de televisie – alleen op het eind van het journaal van het Newsroom Southeast – om een onverschillig publiek te vertellen dat ze de jacht op de bioscoopmoordenaar en de moordenaar van Eileen Dring nooit zouden opgeven. In de niet al te verre toekomst zou een arrestatie worden verricht. Ze hadden veel sporen en hun team werkte er dag en nacht aan. Fiona en Matthew en Michelle keken daar soms naar, maar ze voelden zich er nooit bijster bij betrokken. Hun beproeving was voorbij. De politie toonde al weken geen belangstelling meer voor hen. Hun buren gingen weer normaal met hen om. Niemand stak de straat over om hen te ontlopen en Fiona liet de graffiti op haar hekpaaltjes overschilderen. Geleidelijk kwam ze erbovenop. Als er werd gebeld, verwachtte ze niet meer dat het Jeff was, en als ze thuiskwam, verwachtte ze niet meer dat hij op haar wachtte. De tijd was voorbij dat ze uit een gedrogeerde slaap ontwaakte en zich afvroeg waarom hij niet naast haar lag. Tegenwoordig kon ze het met kennissen eens zijn dat ze hem per slot van rekening maar acht maanden had gekend – een redenering die ze in het begin uiterst onvriendelijk had gevonden. Acht maanden was niet lang genoeg om zeker te zijn van je gevoelens. Als ze had geweten wat ze nu wist, had ze hem nooit kunnen vertrouwen. Hij had haar zo vaak bedrogen en haar zoveel leugens verteld. Soms vroeg ze Michelle of die het haar vergaf dat ze haar en Matthew tot Jeffs vijanden had gerekend, en hoewel Michelle dan altijd 'ja' zei, bleef Fiona het haar vragen, alsof ze haar niet geloofde.

Michelle was de laatste tijd zo stil dat Matthew haar vaak vroeg of er iets mis was. Ze glimlachte en zei: 'Verre van dat. Alles is in orde.' En daarmee moest hij zich maar tevredenstellen. Hij wilde graag nog een weekend weg, misschien zelfs een keer naar het buitenland, en Michelle zei dat ze dat graag zou willen, maar konden ze het een paar weken uitstellen? Hij had via zijn televisieprogramma veel nieuwe mensen ontmoet en ze hadden iets ongehoords gedaan: ze hadden een etentje gegeven. Fiona was er ook geweest, met een aantrekkelijke man van in de dertig, misschien wel Jeffs opvolger, dacht Michelle. Matthew zei dat ze niet moest koppelen, dat werkte nooit, en Michelle beloofde dat ze het niet meer zou doen.

Ze waren allebei gezonder dan ze in jaren waren geweest. Op een avond, toen ze met hun buurvrouw iets zaten te drinken, hield Michelle een soort toespraakje om Fiona te bedanken.

'Het kwam door jouw ideeën over voeding dat Matthew weer goed begon te eten,' zei ze. 'Dat kwam door jouw inventieve geest. En die arme Jeff...' Ze kon hem nu zo noemen. 'Die arme Jeff leerde me af te vallen. Die spottende opmerkingen van hem brachten me er niet toe om te doen wat ik volgens die stomme politie zou hebben gedaan, maar ze veranderden me wel van een dikke, vette vrouw in een... nou ja, in een gewone dikke vrouw.'

'Je bent voor mij altijd mooi geweest,' zei Matthew.

Ze glimlachte naar hem en gaf een kneepje in zijn hand. 'Daardoor haatte ik hem. Ik kan dat nu wel toegeven, want ik denk niet dat iemand daar nu nog aanstoot aan neemt.' Hoewel ze net zoveel met Fiona omging als vroeger, hoewel ze haar liefdevol kuste en haar steeds weer geruststelde, wist ze nog goed wat ze ten tijde van het verraad tegen Matthew had gezegd: 'Ik kan nooit meer hetzelfde voor haar voelen, nooit meer.' Dat was nog steeds zo, al zou ze het altijd verbergen, zelfs voor hem.

Ze was gezonder dan ze in meer dan tien jaar was geweest, zag er in ieder geval gezonder uit. Daarom maakte Matthew zich zorgen toen ze om acht uur 's morgens zei dat ze naar het spreekuur van hun huisarts ging. Ze zei dat ze niet lang zou wegblijven.

Hij was plotseling bang. 'Wat mankeer je dan, schat?'

'Dat weet ik pas als ik bij de dokter ben geweest, hè?'

Hij dacht dat hij verwarring op haar gezicht zag, en ook zorgen. Ze besloot hem niet te vertellen welke symptomen ze had en zei alleen dat hij zich geen zorgen moest maken.

Natalie had een artikel geschreven. Het was gebaseerd op haar mislukte ontmoetingen met Nell Johnson-Fleet, de problematische ontmoeting met Linda Davies, haar trieste interview met Fiona Harrington en haar onbegrijpelijke confrontatie met Araminta Knox. Het was, moest ze toegeven, nogal een fiasco geworden. Geen van de kranten die ze het aanbood, wilde het hebben. Andere affaires hadden de bioscoopmoordenaar en de moord op de oude zwerfster uit de belangstelling van het publiek verdrongen. Misschien als al dat gepraat over sporen dat de vorige avond op de televisie te horen was geweest tot een arrestatie leidde, maar anders...

Natalie had haar best gedaan. Ze had zelfs nog een keer in kiezersregisters gekeken en haar zoekgebied groter gemaakt, omdat het altijd mogelijk was dat een andere vrouw met 'mint' of 'munt' in haar naam zou opduiken. Ze ging zelfs naar Laf en Sonovia terug en probeerde een beroep te doen op hun geheugen, maar ze zeiden dat ze geen beschrijving konden geven van een man die ze nooit hadden gezien. Vroeger zou ze het verhaal in een la hebben gelegd; nu zette ze het op een floppy. Ze zou het bewaren omdat er altijd een kleine kans was dat de moordenaar werd gevonden.

Haar tweede bezoek had de Wilsons diep geschokt. Laf zag het als een poging om Minty te betrekken bij iets waarvan ze onmogelijk iets kon hebben geweten. Het kwam geen moment bij hem op dat zij de moordenaar zou kunnen zijn, niet die stille zachtmoedige Minty met haar krachtige morele principes en afschuw van geweld. Hoe vaak hadden hij en Sonovia haar niet horen zeggen dat ze voorstander van herinvoering van de doodstraf was? Maar er was wel iets vreemds met Jock Lewis aan de hand. Hij had niets kunnen vinden dat Jock met Jeffrey Leach in verband bracht, tot de politie de 'rammelkast' in Harold Hill vond. Daarover had niets in de kranten gestaan, het was niet de moeite van het publiceren waard geweest, maar Laf wist er natuurlijk van. Zonder een woord tegen Sonovia of zijn kinderen te zeggen, zonder een van zijn collega's hierover in te lichten, lukte het hem om een kijkje bij de auto te nemen. Het was jammer dat hij zich Jocks auto niet kon herinneren. Hij had de 'rammelkast' een aantal keren voor Minty's huis zien staan, maar hij had er nooit acht op geslagen. Eén keer had hij tegen Sonovia opgemerkt dat je sinds de invoering van de APK-test veel minder roestbakken op de weg zag. Hij kon zich niet eens herinneren of de auto donkerblauw of donkergroen of zwart was geweest. De auto uit Harold Hill was donkerblauw maar ook zo vuil, bedekt met een korst van dode bladeren, rookneerslag en te pletter gevlogen insecten, dat het, ook als Laf zich meer herinnerde, moeilijk te zeggen zou zijn geweest of het dé auto was.

'Ik wou dat ik Jock door het raam had gezien,' klaagde Sonovia. 'Ik begrijp niet waarom ik niet naar hem heb uitgekeken. Dat zou net iets voor mij zijn.'

Het was toeval dat Jeffrey Leach en Jock Lewis allebei een twintig jaar oude auto hadden, dezelfde initialen hadden en allebei in Queen's Park hadden gewoond. En meer ook niet. Jock was een jaar geleden uit Minty's leven verdwenen, terwijl Jeffrey Leach pas in april was vermoord. Hij zou het niet aan de inspecteur vertellen, want die zou alleen maar denken dat hij zich dingen in zijn hoofd haalde. Trouwens, Minty was hun vriendin.

Maar ze gedroeg zich wel steeds vreemder. Laatst nog had Sonovia tegen hem gezegd dat je, als je niet wist dat ze in haar eentje was, zou denken dat ze de hele tijd door een massa mensen werd omringd. Dat wil zeggen, onzichtbare mensen. Je kon nooit veel door de muren horen, die oude huizen waren goed gebouwd, maar ze had Minty horen schreeuwen dat ze weg moesten gaan en haar met rust moesten laten. Een paar dagen geleden nog had Michelle toen ze in de tuin zat Minty naar buiten zien komen om wasgoed op te hangen en had haar honderduit horen praten tegen een oude vrouw en een man die ze George noemde, en tegen Winnie Knox, die al drie jaar dood was. Er was een huivering door Sonovia gegaan toen ze dat hoorde.

De politie vroeg zich af of Leach de auto zelf had gedumpt toen Fiona hem had gezegd dat hij die van haar mocht gebruiken, of dat zijn moordenaar dat had gedaan. Ze hadden in de auto alleen vingerafdrukken van hemzelf en van een onbekende vrouw gevonden.

Er waren nu zes weken verstreken sinds Sonovia de aannemer voor het eerst om een offerte voor Minty's douche had gevraagd. Toen hij niet kwam, klaagde ze, en hij zei dat hij 'een zomergriepje' had gehad. Sonovia vroeg zich af of het wel zo'n goed idee was om hem naar nummer 29 te laten gaan zolang Minty zich zo vreemd gedroeg, met mensen praatte die er niet waren en altijd over haar schouder keek.

'Ze doet geen vlieg kwaad,' zei Laf, die het zondagsblad naar Minty ging brengen.

'Dat weet ik, liefste,' zei Sonovia. 'Ik denk niet aan hem, maar aan haar. Mensen kunnen een verkeerde indruk krijgen. Het is genoeg om de hele straat een slechte naam te bezorgen.'

'Zorg nou maar dat ze die douche krijgt. Dat zal haar goeddoen. Misschien tilt het haar uit haar depressie.'

Laf ging naar nummer 29. Minty had de keukenvloer geboend en had haar rubberen handschoenen nog aan. In een opwelling vroeg Laf of ze zin had om de volgende dag met hem en Sonovia naar de bioscoop te gaan. Met haar gebruikelijke houding zei ze: mij best, en wil je een kopje thee? Terwijl hij daar was, hoorde ze blijkbaar niet één keer stemmen. Ze praatte niet met onzichtbare mensen en keek ook niet over haar schouder.

Ze waren weg. Dat kwam door wat ze had gedaan. Ze was die ochtend met een bos bloemen naar Fortune Green geweest, en met een mooie schone schaal die Tante vroeger voor haar kerstpuddingen had gebruikt, en water en een vruchtensapfles met een plastic schroefdop. Toen ze het sap had opgedronken, had ze de fles uitgespoeld en Dettol in het warme water gedaan om er zeker van te zijn dat hij door en door schoon was. Het was geen probleem om met de metro van Kensal Rise naar West Hampstead te gaan. Ze was naar een kraam bij de begraafplaats in Fortune Green Road gegaan om de bloemen te kopen.

Waarom had zijn broer Jocks as daarheen gebracht? Trouwens, waarom in West Hampstead? Voorzover ze wist, had Jock daar nooit gewoond, was hij er zelfs nooit geweest. Het antwoord lag voor de hand: zijn broer woonde daar. De bloemen die ze had gekocht, waren herfstasters en guldenroede, je kon niet veel anders krijgen in deze tijd van het jaar. Het zou niet lang duren voordat de bladeren begonnen te vallen. Er zat al iets scherps in de lucht. In het parkje stond ze onder een boom en keek om zich heen. Ze vroeg zich af waar de as was verstrooid. Ze hurkte neer en onderzocht de grond, al raakte ze de aarde niet aan, want dan zouden haar handen vuil worden. Aandachtig keek ze om zich heen. Een vrouw met een hond bleef staan en vroeg haar of ze iets had verloren. Minty schudde heftig met haar hoofd, al was het waar, ze had iets verloren, of iemand, en ze zocht naar wat er van hem was overgebleven.

Haar bestudering van de grond leverde haar ten slotte iets licht-gekleurds op. Het was op een stukje kale grond gestrooid, waar om de een of andere reden het gras niet wilde groeien. Dichtbij was een sigaret uitgedrukt. Die schopte ze met de punt van haar schoen weg. Ze zette de schaal op de plaats waar het meeste van het grijzige poeder lag, goot het water erin en schikte de bloemen. Ze zagen er heel mooi uit. Ze kon zijn stem bijna horen zeggen: 'Dank je, Polo. Je bent erg lief.' Het was wat ze dacht dat hij zou kunnen zeggen, niet zijn eigen stem die sprak. Ze deed de fles met de verpakking van de bloemen in een afvalbak en liep de helling weer af naar station West Hampstead.

Matthew was zijn brieven aan het openen. Hij kreeg met de dag meer post. Die ochtend waren er vijftien brieven gekomen, sommige doorgestuurd door de BBC, andere door de agent die hij had moeten nemen. In veel gevallen was het regelrechte fan-mail. Sommige briefschrijvers stelden hem vragen over gezond-heid en eetgewoonten en verwachtten blijkbaar dat hij daarop antwoord wist. Anderen waren beledigend en vroegen hem wat je moest denken van een man die te stom was om gezond voed-sel te eten terwijl de helft van de wereld crepeerde van de hon-ger. Of ze wilden weten waar hij 'die obscene gekken' vandaan haalde die in zijn programma verschenen. Er was een uitnodi-ging van de Eetstoornissenvereniging die hem vroeg een van hun beschermheren te worden. Hij beantwoordde alle brieven, behalve de beledigende, die hij vlug weggooide omdat hij bang was dat de inhoud anders door zijn hoofd zou blijven spoken. Vandaag waren er geen vervelende brieven. Hij wou bijna dat ze er waren, want een paar beledigingen zouden hem van zijn zorgen om Michelles gezondheid hebben afgeleid. Twee keer typte hij haar naam in plaats van die van de geadresseerde, en één keer schreef hij in plaats van 'Lanker' – de naam van iemand die wilde weten of hij zijn abonnement op een afslanktijdschrift moest aanhouden – het woord 'Kanker'. Voordat hij op de Backspace-toets drukte, keek hij naar het woord en huiverde. Hij vroeg zich af wat hij zou doen 'als haar iets overkwam', een eufemisme waaraan hij zich ergerde als anderen het gebruikten. Het woord 'kanker' kon hij niet gebruiken, zelfs niet in zijn gedachten. En toen hij de letter weghaalde die alle verschil maakte, de 'K' die een onschuldige naam in een angstaanjagend woord veranderde, sprak hij haar naam fluisterend en toen hardop uit.

'Michelle,' zei hij. 'Michelle.'

Ze gaf hem antwoord, want op datzelfde moment was ze door de voordeur binnengekomen.

'Ik ben er, schat.'

Haar gezicht was rood. Ze maakte een opgewonden indruk. 'Ik heb je iets te zeggen. Het is goed nieuws – kun je het niet raden? Ik denk dat je het goed nieuws zult vinden. Ik heb thuis de test gedaan, al maanden geleden, maar ik wilde het niet geloven. Ik dacht dat mijn hormonen in de war waren. Ik dacht dat zo'n test niet werkte bij iemand van mijn leeftijd, maar de dokter zegt van wel en het is goed, het zou goed moeten zijn, er is geen reden waarom ik niet...'

Hij was zo wit weggetrokken als in de ergste dagen van zijn eetstoornis. 'Wat bedoel je?'

Ze ging voor hem staan en hij stond op. Hij stak zijn armen uit en ze liet zich er langzaam door omsluiten. 'Matthew, hij of zij wordt in maart geboren. Je bent toch blij? Je bent toch wel blij?'

Hij hield haar vast en kuste haar. 'Als ik het echt kan geloven, wordt dit de gelukkigste dag van mijn leven.'

35

De menigte mensen was onzichtbaar, maar het waren er een heleboel. Ze verdrongen zich om haar hoofd en hun stemmen waren hoorbaar zodra ze alleen was, en soms ook als ze niet alleen was. Minty had Jock niet meer gehoord sinds ze die bloemen op zijn as had gezet. Nu hoorde ze zijn stem opnieuw, luider en duidelijker dan de andere stemmen. Er waren mensen die ze kende en mensen die ze nooit had ontmoet of van wie ze nooit had gehoord. Niet Tante, en ook niet meer mevrouw Lewis, maar Bert die met Tante getrouwd was en de vrouw van Jocks broer, Tantes zusters Edna en Kathleen en hun mannen, en nog meer mensen van wie ze de namen niet kende – nog niet kende. Ze had niet geweten hoe Jocks schoonzuster heette tot Bert het aan Kathleen vertelde.

'Dit is Jocks schoonzuster, Mary, Kathleen,' had hij gezegd, en Tantes zuster zei dat ze blij was kennis met haar te maken.

Toen was het Edna's beurt om die Mary te ontmoeten. In ieder geval zat Tantes stem er niet tussen. Minty wist dat ze dat aan de gebeden en de bloemen op Tantes graf te danken had. Om dezelfde reden was Jock er ook niet. Ze kon die dingen niet voor de anderen doen, ze kon niet haar leven op zoek blijven naar graven van doden die ergens in dit land lagen. Hun onzichtbaarheid was maar tijdelijk. Na een tijdje begonnen ze een gedaante aan te nemen, Bert eerst, mager en vaag, niet veel meer dan een schaduw die er niet zou moeten zijn. Hoe wist ze dat het Bert was? Ze had hem nooit gezien, had nooit zijn stem gehoord, was nog niet eens geboren toen hij in Tantes leven kwam en er weer uit ging. Toch wist ze het.

Kathleen en Edna waren zwak en doorzichtig en soms zag ze hen alleen als schaduwen. Ook Mary, een andere bewoner van haar leven die ze nooit had gezien en die ze zelfs nooit had horen noemen. De schoondochter van wie mevrouw Lewis had gehouden en die ze had verwelkomd toen ze bij haar kwam. Het zonlicht was door de opening tussen de half gesloten gordijnen heen gedrongen en op de helderheid van dat licht vielen hun drie schaduwen, maar zonder de lichamen om die schaduwen te werpen.

Op de avond dat ze met Laf en Sonovia naar de bioscoop ging – hun eerste bioscoopbezoek in lange tijd – bleven alle stemmen thuis of gingen ze naar de plaats waar ze waren als ze haar niet lastigvielen. Alle gedaanten werden opgeslokt door de nacht en de felle lichten. Misschien lieten ze haar met rust omdat ze echte, levende mensen bij zich had. Aan de andere kant had ze Kathleen een aantal keren gezien toen ze de Wilsons bij zich had en was Jock haar een keer naar Sonovia's slaapkamer gevolgd toen ze die blauwe jurk ging passen. Er viel geen peil op te trekken. Het grootste deel van de tijd begreep ze er niets van.

Ze had nog andere dingen aan haar hoofd. Josephine had het erover dat ze de winkel wilde opgeven om fulltime huisvrouw en moeder te worden, al was van dat laatste nog niets te zien. Ze hadden Ken een compagnonschap in de Lotus Dragon aangeboden en hij had 'ja' gezegd. Het was eigenlijk niet meer nodig dat Josephine werkte. Minty moest zich daar maar niet druk over maken. Degene die de zaak overnam, zou haar vast wel in dienst houden.

'Niemand kan zo goed overhemden strijken als jij, Minty,' zei Josephine. 'Ze zouden wel gek zijn als ze je lieten gaan.'

Dat woord 'gek' maakte Minty altijd nerveus. Iemand had het in de bus tegen haar gezegd toen ze tegen die sissende, fluisterende stem zei dat hij moest weggaan.

'Ik weet het niet,' zei ze. Ze probeerde Mary Lewis te negeren, die haar mond bij haar oor had en zei dat ze haar alleen in dienst zouden houden als ze over computervaardigheden en zakelijke kwalificaties beschikte. Het was tegenwoordig niet meer genoeg dat je goed kon strijken. 'Ik weet het niet. Als ze die overhemdenservice nu eens opgeven? Misschien willen ze alleen nog maar chemisch reinigen.'

'Dan zouden ze wel gek zijn.' Josephine hield erg veel van dat woord. 'Maak je geen zorgen. Misschien besluit ik nog een paar jaar door te gaan. In elk geval tot ik een baby krijg.'

Minty streek met haar hand over het mes dat ze nog met een riempje op haar been had zitten. Zo langzamerhand zou ze zich halfnaakt voelen als ze het niet bij zich had, al vroeg ze zich soms af waarvoor ze het zou gebruiken. Mary zou een goede kandidate zijn geweest, maar Minty had alleen haar schaduw gezien, een slanke vrouw met lang haar en lange benen. Maar ze verscheen net zomin in de gedaante van een echt mens als de tantes of de ooms. Wanneer ze niet tegen haar praatten, babbelden ze altijd honderduit met elkaar, als de beste vrienden. Behalve Mary, die altijd ruziemaakte met Kathleen.

Ze wist niet wat beter was: ze zien én ze horen of ze alleen horen. Ze probeerde dingen te doen waaraan geesten een hekel hebben: door de straten lopen, in een stampvolle metrotrein stappen, naar Oxford Street gaan, waar altijd zoveel mensen doelloos over de trottoirs liepen dat je in de massa kon opgaan. Een tijdlang gingen hun stemmen dan weg, maar ze kwamen altijd terug. De avond dat ze met Sonovia en Laf uitging, zat de bioscoop vol mensen. Het was maar goed dat Laf had geboekt, want er was geen lege plaats te zien. De stemmen die tegen haar spraken als ze 's middags in haar eentje naar de bioscoop ging, waren verdwenen. Telkens wanneer dat gebeurde, hoopte ze tegen beter weten in dat ze voorgoed weg waren. Ze luisterde of ze er toch niet waren, genoot van de stilte, had geen aandacht voor wat er op het scherm gebeurde, totdat Sonovia haar met een sissende fluisterstem vroeg of ze in trance was.

Als Josephine in de zaak was en als Ken op bezoek kwam, als de ene na de andere klant binnenkwam, was het meestal stil in haar hoofd. Daarom ging ze tussen de middag niet meer naar huis. Ze wist dat ze daar zouden zijn en het zou zijn alsof ze door een massa kwebbelende mensen liep, allemaal gespannen wachtend op iets, zoals het theaterpubliek voordat het doek opging voor *An Inspector Calls*. Ze wilde niet hun toneelstuk, hun show zijn, maar had daarop geen invloed.

Eten was de reden waarom ze die donderdag tussen de middag

wel naar huis ging. Ze was haar boterhammen vergeten, die ze ze wel had klaargemaakt – kip en sla en tomaat op witbrood – had verpakt in vetvrij papier en plastic en in de koelkast had gezet. Dat was iets wat ze onder normale omstandigheden nooit zou doen, maar die ochtend was ze in allerijl het huis uit gegaan om aan de stemmen van Mary en oom George te ontsnappen. Ze ging lopen. Het was een mooie, zonnige dag, wel al een beetje herfstachtig, met wat scherpte in de lucht. Een jaar geleden zou ze zich erop hebben verheugd dat ze die avond met Jock zou uitgaan. Hoe had ze kunnen weten dat de trein waarmee hij uit Gloucester kwam hem zou verpletteren en doden? Een jaar geleden zou hij zijn grappige dingen tegen haar hebben gezegd. 'Ik ging de tuin in om een koolblad te halen om een appeltaart te maken, en toen kwam ik een grote vrouwtjesbeer tegen die zei: "Wat, geen zeep?" En die prompt met de kapper trouwde.' Kijk, ze kon het zich woord voor woord herinneren.

Het was een heel eind lopen en haar vertrouwdheid met het traject maakte het niet korter. Langs café Flora en de Kerk van de Verlosser van God, langs de oostelijke ingang van de begraafplaats, het metrostation Kensal Green, de garage, de dichtgetimmerde winkels, de bank en het bloemperk waar ze zich van mevrouw Lewis had ontdaan. Ze verliet Harrow Road voordat ze bij het westelijke hek van de begraafplaats was en sloeg Syringa Road in. Haar sleutel ging in het slot en ze draaide hem om. Ze wist wat ze binnen zou aantreffen: stemmen en de geluiden van een menigte mensen die elkaar verdrongen.

Het was stil in de hal. Een ogenblik dacht ze dat het stil was in het hele huis. Ze deed haar ogen dicht en genoot van de stilte. Toen begonnen de stemmen te fluisteren, Mary en Edna die over iets ruzieden, zoals altijd, Kathleen die mompelde dat Jocks as op de begraafplaats Brompton lag. Dat Laf haar dat verhaal over Fortune Green had verteld, wilde nog niet zeggen dat die as niet in Brompton lag. De as lag in de uiterste noordoostelijke hoek en ze kon de grafsteen zien, zei Kathleen, ze kon zijn naam erop zien, met de data van zijn geboorte en zijn dood. Edna onderbrak haar en zei dat het morbide was om bij een begraafplaats te wonen, ze wist welk effect het op haar had gehad. Als ze haar leven kon overdoen, zou ze ergens anders gaan wonen.

Minty deed een paar stappen in de richting van de keuken. Toen bleef ze staan luisteren. Er was iets verschrikkelijks gebeurd, iets waarvan ze wist dat het niet kon gebeuren. Boven hoorde ze Jock zingen.

'*Loop maar gewoon voorbij...*
Wacht op de hoek...'

Zijn stem was lichter geworden en een beetje de hoogte in gegaan. Misschien gebeurde dat wanneer geesten zongen. Hun stemmen werden ijler en vager, net als hun lichaam. Ditmaal zou ze hem zien, daarvan was ze zeker. Misschien zou hij de trap af komen, zoals hij al eerder had gedaan. Het had niet gewerkt dat ze hem bloemen had gegeven. Hij had ze niet mooi gevonden of ze had ze op de verkeerde plaats gelegd. Ze had de verkeerde plaats gekozen, ze had armenvol bloemen overal op het gras moeten verstrooien, op de aarde, op de paden, het was daar één groot graf. Ze begon hout aan te raken: de trapleuningen, de deuren, de deurkozijnen, wit hout en roze hout en bruin hout. Haar handen beefden en ze snikte.

Het zingen hield op. Hij riep: 'Ben je daar?'

Zijn stem was veranderd. Hij was lichter en vlugger, geen chocolademousse meer, maar het was wel zijn stem. En hij praatte nu tenminste tegen haar. Toen hij nog leefde, dacht ze dat ze nooit zou willen dat hij ophield met praten; ze kon niet genoeg van zijn stem krijgen, maar nu kon ze dat wel. Voor niets ter wereld, zelfs niet om van al die andere stemmen te worden verlost, had ze het kunnen opbrengen om hem antwoord te geven. Hoe kon je zoveel van iemand houden en hem toch haten? Ze zou sterven als ze antwoord gaf, of het huis zou instorten, of de wereld zou vergaan. Misschien was dit nog maar het begin en zou hij geleidelijk bij haar terugkomen, zou hij tegen haar spreken, zou hij een gedaante aannemen wanneer hij dat wilde of zou hij een schaduw op de muur zijn als de zon scheen.

Ze hield zich met beide handen aan bruin hout vast. De bloemen hadden niet gewerkt. Eigenlijk werkte maar één ding, althans voor korte tijd. Langzaam haalde ze haar handen van het hout, ze voelden ijskoud aan op de blote huid van haar middel. Ze trok haar T-shirt omhoog, maakte de band van haar broek los, trok het mes uit zijn verpakking en hield het als een dolk voor zich uit. Ze beefde nu over haar hele lichaam.

Hij riep nog een keer, misschien omdat ze hem geen antwoord had gegeven. Dezelfde woorden.

'Ben je daar?'

Ze draaide zich om en ging weer aan de voet van de trap staan, met het mes achter zich. Ditmaal zou ze goed werk leveren, al moest ze het om de paar maanden doen... Als hij boven aan de trap verscheen, zou de schok bijna te veel voor haar zijn. Er trok een waas voor haar ogen en ze keek omhoog in een donkere nevel waarin hij de trap af kwam lopen. En toen stak ze met bevende hand lukraak naar zijn lichaam, keer op keer. Soms trof ze doel en soms niet. Bij zijn eerste schreeuw ging de bel, een lang, gebiedend, verpletterend rinkelen.

Minty liet het mes vallen en er ontsnapte haar een verschrikte kreet. Snel drong tot haar door wat ze had gedaan. De man was echt. Hij droeg een spijkerbroek en een zwartleren jasje, maar hij was Jock niet. Er kwam echt bloed uit zijn lichaam. Het sijpelde knalrood door zijn blauwe overhemd. Hij lag half op de grond, half op de onderste twee traptreden, en hij kreunde en hield zijn gewonde hand op een wond net onder zijn middel. Hij had nog een andere wond op zijn bovenarm. Ze had geprobeerd een echte man te doden. Geen stem had tegen haar gezegd dat ze het moest doen, ze had het tegen zichzelf gezegd.

De bel ging nog eens en er schopte iemand tegen de deur. Minty wachtte even voordat ze de deur opendeed. Dat kwam doordat ze zich niet kon bewegen, ze kon niet lopen. Eindelijk wankelde ze naar de deur, tastte naar de deurknop, en deed hem open.

'Wat gebeurt hier? Wat is er aan de hand?'

Toen zag Sonovia de gewonde man en het mes dat op zijn dijen was gevallen. Ze stootte een paar korte kreten uit en hield haar handen omhoog alsof ze slagen wilde afweren. Laf kwam aangerend. Minty was te bang om aan iets anders te denken dan ontsnappen. Haar kracht keerde terug en trok als een vurige drank door haar heen. Ze sprong over het lage hekje tussen haar tuin en dat van de Wilsons en rende de straat op, net op het moment dat Laf door haar hekje kwam.

Hij belde 999 en zijn eigen inspecteur. Het was voor de man op de grond een groot geluk dat Laf thuis was, dat hij een vrije dag had, want Sonovia, die anders zo kalm en praktisch ingesteld was, verviel in ouderwetse hysterie. Ze hadden vooral behoefte aan een ambulance, meer nog dan aan de politie. Die ambulance was er binnen vier minuten en de man die naar Minty's huis was gekomen om een offerte voor de douche uit te brengen, werd op een brancard weggedragen. Dat was vooral een routinemaatregel. De shock was erger dan zijn oppervlakkige wonden.
De politie wist nu, wist Laf, wie verantwoordelijk was voor de bioscoopmoord en de dood van Eileen Dring.
'Je kon het eigenlijk geen moorden noemen,' zei Laf later die dag tegen Sonovia, toen ze een drankje namen om van de schrik te bekomen. 'Het was niet haar bedoeling echte mensen kwaad te doen. Ze wíst het niet.'
'Ik hoop wel dat de artsen dat beseffen. Goddank komt het goed met die arme Pete.'
'Waarom belde je eigenlijk aan, Sonny? Je zesde zintuig?'
'Welnee, lieverd. Ik zat voor het raam en zag haar thuiskomen, wat erg onverwachts was, en ik besloot even naar haar toe te gaan om te zeggen dat Pete er was. Anders zou ze misschien schrikken.'
'Waarvoor kwam ze thuis?'
'Het breekt je hart, echt waar. Toen de ambulance weg was, snakte ik naar een glas koud water, en dat spul dat uit de kraan komt – nou, je weet niet waar het doorheen is gestroomd, hè? Ik keek in haar koelkast en daar lagen haar boterhammen, allemaal netjes verpakt. Ze lagen daar te wachten tot ze ze kwam halen. De tranen sprongen me in de ogen, Laf.' En Sonovia snikte het uit tegen Lafs schouder.

'Het komt wel goed met haar,' zei hij. 'Dit is het beste voor haar', al was hij daar niet zeker van, net zomin als toen ze Minty drie uur eerder hadden gevonden.

Sonovia had gezegd waar ze misschien te vinden zou zijn. 'Haar tantes graf is daar.' Dat kon niet, maar wat had het voor zin om het arme ding ook nog als leugenaar te ontmaskeren?

Daniel en zijn vrouw en kind waren inmiddels gekomen om bij Sonovia te zijn. Laf was met de inspecteur en een rechercheur en twee vrouwelijke agenten op zoek naar Minty gegaan. Het was een erg warme middag geworden, benauwd en oranjebruin gekleurd. De lucht drukte op de aarde en het was of er goudstof in zweefde, zoals je soms in september kunt hebben. Ze gingen een halfuur voor sluitingstijd door het westelijke hek van de begraafplaats. De man die daar bloemen verkocht, zei dat hij Minty uren geleden had gezien. Ze was komen aanrennen, buiten adem en huiverend, maar ze had meer van hem gekocht dan ooit tevoren, en ze was een vaste klant. Chrysanten had ze gekocht, en herfstasters, roze en purperen asters, en de duurste bloemen die hij had, witte en roze lelies. Hij had nooit gedacht dat ze zich die kon veroorloven...

Ze hadden maar tien minuten nodig om haar te vinden. Toen ze haar vonden, was ze in diepe slaap. Ze lag opgerold als een kind tussen bossen snel verwelkende bloemen, op het graf van iemand die Maisie Julia Chepstow heette en die honderd jaar geleden was gestorven. Niemand wist waarom ze dat graf had uitgekozen. De enige man die het hun had kunnen vertellen, was dood. Zijn as zat in een albasten urn, diep weggestopt achter in een donkere kast.

Ruth Rendell

De man zonder verleden

Gerald Candless, een gerespecteerd schrijver, sterft aan een hartaanval in zijn huis aan zee. Wanneer zijn dochter Sarah onderzoek doet voor de biografie van haar vader, komt ze er tot haar verbijstering achter dat zijn verleden een groot mysterie is. Hij blijkt zelfs een andere naam te hebben aangenomen…

ISBN 90 229 8761 2

Lees ook van A.W. Bruna Uitgevers B.V.

Ruth Rendell

De krokodilvogel

Liza en haar moeder Eve wonen samen in de poortwachterwoning van het majestueuze Shrove House. Hun leven lijkt doodnormaal, maar is in werkelijkheid nogal geïsoleerd. Liza is zeventien jaar, maar heeft in al die jaren nog nooit met leeftijdgenootjes gespeeld. Ook is ze nog nooit met de trein of de bus weg geweest.
Wanneer haar moeder wordt opgepakt door de politie, komt er plotseling een eind aan hun vredige samenzijn. De doodsbange Liza staat er met honderd pond op zak alleen voor. Althans, zo lijkt het. Maar al die jaren heeft Liza haar vriendschap met de jonge tuinman op het kasteel voor haar moeder verborgen gehouden. Avond aan avond vertelt ze hem over haar leven en over haar moeders verraad, haar verlangens en obsessies. En dan blijkt hoezeer Liza op haar moeder lijkt…

ISBN 90 229 8756 6